**10
18**

12, AVENUE D'ITALIE. PARIS XIIIe

Sur l'auteur

La Femme secrète est le premier roman d'Anna Ekberg.

ANNA EKBERG

LA FEMME SECRÈTE

Traduit du danois
par Hélène Guillemard

CHERCHE MIDI

Titre original :
Den Hemmelige Kvinde
Éditeur original : Politikens Forlag

© 2016, Anna Ekberg et Politikens Forlag.
© le cherche midi, 2017, pour la traduction française.
ISBN 978-2-264-07272-6
Dépôt légal : mai 2018

1

Ce doit être un mécanisme de survie. Voilà à quoi pense Helene en fixant le cercle sombre que sa tasse de café a laissé sur le bureau en laminé blanc. Ce doit être un mécanisme de survie de choisir de se concentrer sur une chose aussi minuscule et insignifiante alors que tout son monde est en train de s'écrouler. Elle se force à relever la tête, jette un œil autour d'elle dans le commissariat de police, essaie de se focaliser sur le papier que l'officier vient de lui donner. « Les droits de la personne interpellée », dit le titre. Elle a droit à un avocat, elle a le droit de mentir à la police, elle a le droit de demander à manger et à boire. Ainsi qu'à huit cents couronnes de dédommagement si elle a été retenue de manière injustifiée pendant dix minutes. Depuis combien de temps la retiennent-ils ? Plus de dix minutes, en tout cas.

— Avez-vous terminé de lire ? lui demande le policier assis en face d'elle.

C'est un jeune homme mince, pas encore trente ans, qui a du mal à remplir son uniforme au niveau des épaules. L'autre, assis à côté, plus âgé, costume gris et chemise blanche, n'a rien dit pour le moment.

— Oui.

— Et vous ne voulez toujours pas d'avocat ?

— Non.

Le jeune jette un regard furtif à son collègue. Le plus âgé se racle la gorge.

— Madame Söderberg… Avez-vous compris pourquoi vous êtes ici ?

Avant même qu'Helene ait eu le temps de répondre, un éclair traverse la pièce. Flash de lumière que les policiers ont remarqué eux aussi. Le plus âgé se lève aussitôt et crie, en colère :

— Quelqu'un pourrait virer les journalistes des fenêtres ?

Helene tourne la tête. Un nouveau flash la cueille. Elle lève les mains, les deux mains, rien qu'un instant. Elle se rend. Ils peuvent bien avoir ce pour quoi ils sont venus. La photo de la célèbre Helene Söderberg en état d'arrestation, menottée, humiliée. Finie.

— Faites-les partir ! répète-t-il.

Quelques jeunes policiers se précipitent vers l'entrée ; on baisse les persiennes. Helene s'en fiche. Ils peuvent photographier tout ce qui leur chante.

— Madame Söderberg, reprend le jeune homme avant d'inspirer profondément et de rectifier sa chemise. Nous allons procéder à quelques examens. Effectuer un prélèvement de votre ADN, relever vos empreintes digitales, ce genre de choses. Cela demandera peut-être une heure. Comprenez-vous ce que je vous dis ?

— Je suis prête à collaborer avec vous, répond Helene.

— Ensuite, on vous assignera une cellule jusqu'à ce que vous passiez en audience préliminaire.

Il l'observe. Qu'attend-il ? Est-elle censée dire quelque chose ?

— Mais tout d'abord, mon devoir est de vous lire l'acte d'inculpation.

Cette fois, elle garde le silence. Le plus âgé hésite. Puis il semble se décider, tire ses lunettes de la poche de sa veste. Il a l'air de s'exécuter de mauvaise grâce. Il lit les mots avec lenteur, de manière mécanique, comme s'il s'agissait du mode d'emploi d'un nouveau four.

— Helene Söderberg, en vertu de l'article 237 du Code pénal, vous êtes inculpée d'homicide volontaire sur la personne de Louise Andersen.

Helene lève les yeux, le fixe. C'est tout ? On dirait une bagatelle. Homicide volontaire. Article 237. Louise Andersen. Autour, les autres officiers assis à leur bureau et les deux policières aux cheveux courts debout près de la machine à café font semblant de ne pas les écouter. Le silence est total dans le commissariat. Chacun dresse l'oreille. Quelque part, le téléphone sonne, mais personne ne décroche, personne ne voudrait rater ce moment. C'est ici et maintenant que l'histoire s'écrit. Les gens reparleront de cet événement pendant des années. Ce soir, quand les agents de police regagneront leur foyer, ils s'assiéront à la table du dîner et rapporteront les événements de la journée à leur petite famille. Les enfants écouteront, muets, les yeux écarquillés, l'histoire de la chute de la puissante famille Söderberg. Le meurtre de l'innocente Louise Andersen. Helene regarde le jeune officier droit dans les yeux. Puis l'autre. Autant leur signer des aveux tout de suite. Ils le méritent.

— Je suis coupable, murmure-t-elle.

Soudain, c'est comme si tout oxygène avait été aspiré hors du commissariat. Comme si le temps s'était figé.

— Je l'ai tuée. J'ai tué Louise Andersen.

2

Deux semaines plus tôt

Louise ouvre les yeux. Chaque matin, c'est face à cette vue qu'elle s'éveille. Elle ne s'y est toujours pas habituée, mais il lui semble qu'elle ne pourrait pas vivre sans. La mer. Tellement proche qu'il suffirait presque de tendre le bras pour la toucher. La fenêtre est en forme de hublot, ce qui donne l'impression qu'on se trouve à bord d'un bateau. Habiter sur un bateau, voilà ce qu'elle aimerait par-dessus tout. Joachim la taquine souvent à propos de sa lubie, mais ce n'est pas grave. Elle voit bien le ridicule qu'il y a dans le fait qu'elle, qui a le mal de mer chaque fois qu'elle monte à bord d'une embarcation, ait choisi de vivre entourée d'eau. Son lit est installé de telle manière que la mer est la première chose qu'elle voit quand elle ouvre les yeux. Louise a toujours eu l'impression qu'un jour quelqu'un arriverait par la mer, quelqu'un qui changerait sa vie. C'est sûrement idiot. Et puis, ce n'est qu'un pressentiment. Mais il est là, en elle.

Aujourd'hui la mer est calme, d'un bleu profond qu'elle n'a qu'à cette époque, quand l'été bat son plein. Dans le ciel, pas un nuage ; dehors, un brouhaha de voix. Les touristes sont déjà de sortie. Louise observe une femme avec son landau et un couple de personnes âgées sur leur banc ; elle les a souvent vus, ils s'asseyent toujours ici. Deux des quatre-vingt-onze habitants permanents de ce petit archipel. Joachim et elle s'assiéront-ils ainsi un jour ? Elle caresse quelques secondes cette pensée romantique, mais l'apparition d'un homme vient la gâcher. Un homme grand, d'âge moyen, en costume. Pas l'un des locaux, non, il fait partie des milliers de touristes qui affluent ici chaque été. Il se tient devant la terrasse du café, agité, fébrile, comme s'il cherchait quelque chose. Il y a une note discordante en lui. À moins qu'il ne soit ivre ? Louise referme les yeux un instant. Très vite, un bruit la dérange. Est-ce lui qui l'a tirée du sommeil ? Ce cliquètement qui lui a tant manqué ?

Elle repousse la couette de côté et pose les pieds sur le plancher. Savoure la sensation contre sa peau du bois chauffé par le soleil. Elle se glisse hors de la chambre, passe dans le couloir et s'approche de la porte fermée. Puis elle reste là, immobile, et sent son sourire s'élargir sur son visage, réveillant des muscles dont elle ne s'était pas servie depuis longtemps : il écrit. Joachim écrit pour de bon. Pas de cette manière hachée et frustrée qu'elle lui a si souvent connue ces derniers temps et qui, du couloir, donnait l'impression qu'il était en plein duel avec le clavier. Quand il en avait fini, on l'aurait dit de retour de la guerre, le visage gonflé, cramoisi, couvert de sueur. Cette fois, le son est différent. Un harmonieux tapotement de doigts agiles. Le bruit de la liberté. Celui de la fièvre créatrice.

Louise repense au jour où ils se sont connus. C'est l'un de ses souvenirs préférés. Il date de l'époque où Joachim écrivait beaucoup, où il était le roi du monde, où il a fait irruption dans celui de Louise tel un orage. Il était venu à l'occasion d'une rencontre littéraire et le café était plein à craquer. Elle approchait la fin de la trentaine, il avait dix ans de plus qu'elle – dix centimètres, aussi. Louise se souvient de l'attitude assurée qu'il avait arborée en leur faisant découvrir un extrait de son roman, elle se souvient de ses cheveux gris vigoureux, de la manière dont il regardait le public par-dessus ses lunettes de lecture bon marché. Elle avait été submergée. Il la voulait, cela ne faisait aucun doute. Elle le trouvait « trop tout » – elle le pense encore à l'occasion, même si elle sait bien que c'est une façon de masquer d'autres côtés, sa vulnérabilité, son manque d'assurance.

Elle baisse la poignée de la porte aussi silencieusement que possible, se glisse dans le bureau, reste là, debout. Il ne se retourne pas, il écrit. C'est bien. Il ne faut pas qu'il s'arrête. Jusqu'à aujourd'hui, les choses ont été si difficiles. Il avait commencé un nouveau roman, mais il est tombé en panne. Cela ne lui était jamais arrivé ; auparavant, il avait toujours écrit sans interruption. Mais le manque d'inspiration avait frappé, encore et encore, et Louise avait remarqué son inquiétude grandissante. C'était comme devenir impuissant – non, *pire*. Voilà comment il lui avait décrit la situation. Louise s'était dit qu'il était loin d'être devenu impuissant. Mais à l'époque, elle ignorait qu'il y avait pire.

Pendant que lui se débattait avec la page blanche, Louise rencontrait des problèmes avec le café. Elle avait sous-estimé la quantité de travail qu'exigerait le fait d'en être la patronne. Elle n'était plus une simple employée n'ayant qu'à s'insérer dans un emploi du temps préétabli, il avait fallu qu'elle apprenne tout depuis le début, qu'elle apprenne à diriger – même si elle devait avouer qu'être le chef lui était venu de manière étonnamment naturelle. Heureusement, les choses s'étaient enfin calmées, surtout depuis qu'elle avait Lina. Une aide inestimable. Lina était énergique, ambitieuse et responsable, et c'était grâce à elle que Louise pouvait se permettre de prendre cette journée de repos, se permettre de profiter que Joachim soit de retour.

Il s'arrête, se retourne, la regarde par-dessus ses lunettes, comme il le fait toujours quand on l'interrompt.

— Je te dérange ? demande Louise en souriant. Je ne voulais pas.

Il se lève. En deux pas, il est près d'elle. Il reste là un instant, à la contempler, avant de poser ses mains sur ses hanches d'un geste fluide et léger. Il l'embrasse, remonte l'une de ses mains jusqu'à la nuque de Louise, qu'il enserre légèrement avant d'affermir sa prise. Il la plaque contre le mur, relève sa chemise de nuit. Elle enlève sa culotte, se tortille pour s'en débarrasser complètement. D'une main, il défait les boutons de son pantalon pendant que de l'autre il la tient toujours fermement par la nuque et continue à l'embrasser. Il la pénètre. Tout le corps de Louise ressent intensément cet instant, ressent l'envie de Joachim, son regard posé sur son visage, sa peau accueille tout cela, l'aspire. Ce regard qui la façonne.

L'espace d'un court et tremblant instant, elle n'existe qu'ainsi. En tant que ce qu'il voit. Elle ferme les yeux, l'entend gémir de plus en plus fort, de plus en plus vite, jusqu'à ce qu'il jouisse. Elle lui tient les couilles, elle les sent se contracter puis se relâcher.

Elle entend tout, elle voit tout, elle enregistre tout. Mais depuis un endroit lointain et très profond. Un endroit dont il est difficile de revenir.

Revenir. Il la prend dans ses bras.

— Je vais aux toilettes, murmure-t-elle.

Il rit et lui pose un baiser furtif sur le front. Elle le connaît : à présent, il préférerait continuer à écrire.

De retour dans l'entrée, Louise entend Lina l'appeler depuis la cuisine.

— Est-ce que l'une des extras ne se nommerait pas Helene ?

— Pardon ? demande Louise.

— Bjørk n'est pas venue. Et il y a un homme dehors qui veut voir Helene.

*

Tout en s'habillant, Louise pousse un juron intérieur. Elle va être obligée de renvoyer Bjørk. Non seulement cette fille se fiche de son travail, mais en plus elle lui gâche sa journée de repos. C'est aussi dommage pour Lina, qui s'était sûrement fait une joie à l'idée de descendre à la fumerie de poisson acheter du maquereau et flirter avec les saisonniers du continent, ou juste de regarder Facebook en buvant un café. Tout ce qu'on ne peut pas faire quand la patronne est là. Mais ce n'est pas seulement l'idée d'avoir perdu sa journée de repos qui agace Louise. Elle n'a tout simplement pas le courage de descendre dans le café étouffant dresser les tables, remplacer les bougies dans les chandeliers, accomplir ces innombrables tâches routinières d'avant l'ouverture.

La journée s'annonce déjà chaude. Louise, debout dans la petite cuisine savamment aménagée, pétrit la farce de poisson. À côté, le fenouil frais finement haché est prêt. Il ne lui manque que les herbes aromatiques, qu'elle ira cueillir dans les pots sur la terrasse. Estragon, aneth, cerfeuil et persil. C'est une recette qu'elle a mis du temps à peaufiner et qui est devenue l'une des spécialités du café. D'accord, sa journée de repos est gâchée, mais elle doit avouer qu'elle adore travailler en cuisine. Qu'elle a eu plaisir à passer à la fumerie et à voir les fours avant l'arrivée des touristes. Au-dessus de l'évier de la cuisine, une mouche paresseuse bourdonne devant la fenêtre à petits croisillons. Louise essuie la sueur à son front et ses mains sur un torchon, se penche pour faire sortir la mouche. Rapide regard à son reflet dans la vitre. Ses cheveux blonds sont tirés en arrière ; elle exige des filles qu'elles fassent de même quand elles sont en cuisine. Louise reste un moment face à la brise légère qui entre par la fenêtre et observe la mouche. Celle-ci cesse de bourdonner à peine la fenêtre ouverte et se contente de rester là, posée sur le cadre de bois. Ses ailes s'agitent, mais elle ne vole pas.

Ah, ce temps où elle en était au même point ! Ce temps où tous les possibles étaient encore ouverts ! Quand elle y repense aujourd'hui, elle se dit qu'elle aurait pu faire n'importe quoi, partir à la découverte du monde. Est-ce le hasard ou le destin qui l'a fait atterrir ici ? Elle ne sait qu'en penser mais s'étonne encore de la tournure qu'a prise sa vie. Elle a vu la petite annonce dans le port de Rønne. Elle venait de débarquer à Bornholm et avait juste envie de quelque chose d'entièrement nouveau, de quelque chose qui n'exigerait pas trop d'engagement de sa part. « Cherchons serveur/serveuse en extra pour l'été dans petit café cosy marchant bien à Christiansø. Devra être consciencieux(se), fiable, aimable, avoir le sens du service et ne pas redouter d'habiter sur une toute petite île. » Voilà le texte de l'annonce, Louise s'en souvient encore très précisément, c'est ce qu'elle écrit elle aussi quand elle cherche quelqu'un. Le jour où elle avait postulé, elle n'avait pas trop réfléchi. Elle s'était tout au plus dit que ça pourrait être un petit boulot provisoire sympa en attendant qu'elle ait décidé de ce qu'elle voulait faire. Mais finalement, elle était restée, avait imperceptiblement transformé le provisoire en permanent. « *If it works, why fix it ?* » C'est ce que Tom Jones avait répondu quand, au cours d'une interview, un journaliste lui avait demandé comment il supportait de chanter encore et encore les mêmes chansons. « Si ça fonctionne, pourquoi changer ? »

— J'ai terminé les tables, j'ouvre ? demande Lina.

Louise consulte l'heure. Elles sont en avance.

— Attends encore dix minutes. Profites-en pour préparer la salade.

Elles s'activent en silence. Comme on peut se le permettre quand on travaille bien ensemble. Avec Beate, par exemple, la propriétaire précédente. Louise n'avait aucune expérience du travail dans un café. Au début, elle s'était sentie un peu bête, elle avait dû poser des questions sur tout. Heureusement, Beate était toujours disposée à lui répondre, et très vite Louise s'était vu confier de plus en plus de respon-sabilités. Elle n'avait aucun projet d'être patronne de café, mais Beate avait décelé quelque chose en elle, Louise ne savait pas très bien quoi. L'instinct du management ? Un talent pour les affaires ? Beate habitait une maison un peu à l'écart de Gudhjem, où elle avait passé son enfance. L'appartement au-dessus du café de Christiansø était donc vide. Pendant tout l'été, Louise avait loué une chambre, qu'elle avait payée au prix fort. À la fin de la haute saison, Beate lui avait proposé d'emménager dans l'appartement et de devenir employée permanente. Des quatre personnes qui avaient travaillé là pendant l'été, elle seule resterait à temps plein, y compris en hiver.

L'appartement était petit, mais il avait tout de suite plu à Louise. Et puis, le loyer était modeste.

La première année, il avait fallu qu'elle s'habitue à l'automne et à l'hiver. À l'obscurité, au froid, à la marée… Même la mer avait une odeur différente. Sur Christiansø et sa petite sœur, l'île de Frederiksø, habitaient d'autres personnes que celles qu'elle avait servies pendant l'été. À présent, les clients avaient plus de temps, une autre routine, certains avaient pour habitude de venir s'attabler devant un café et un journal et de rêvasser. Ici, on était pratiquement exonéré d'impôt, chose que Louise avait découverte à la lecture de sa première fiche de paie. Les modestes trente pour cent que prélève d'ordinaire chaque municipalité ne s'appliquent pas ici, les îles n'appartenant à aucune commune. En tant qu'anciennes composantes du système de fortifications du Danemark, elles relèvent directement du ministère de la Défense. Et il faut qu'elles soient peuplées, sans quoi les Russes risquent de les envahir. C'est ce que dit le droit international : pour asseoir ses prétentions sur un territoire, il faut faire l'effort de l'habiter. Conséquence directe, on ne paie pas d'impôts sur les jolies petites îles de Louise. Il faut bien y attirer assez de Danois pour garder les Russes à distance.

— Il frappe à la porte.

La voix de Lina vient interrompre les réflexions de Louise.

— Qui ça ?

— L'homme, là. Celui qui demande à voir Helene. Est-ce que je le laisse entrer ? On est prêtes pour l'ouverture ?

3

Les tables luisent au soleil jusqu'à ce que Louise les couvre d'une nappe. Des couleurs grecques, bleu intense et blanc, elle adore ces tons-là, surtout associés aux nombreuses plantes aromatiques dans de gros pots en terre glaise rouges produits localement et disposés en haie, formant comme une protection contre la rue. En ce moment, l'origan est en fleur, ça sent l'Italie. Elle arrange de petites pousses dans des verres à schnaps sur chaque table. Jamais de fleurs, seulement des plantes aromatiques. En été, la terrasse est la partie du café qui compte le plus. La rue est bondée de touristes à la peau brûlée. Ils sous-estiment toujours la puissance du soleil sur ces petites îles. Il paraît que c'est lié à la mer et à la réflexion des rayons, Louise a renoncé à comprendre. Elle se contente de toujours mettre un peu d'huile solaire, mais d'indice faible, parfois jusqu'en automne. En entendant l'homme qui appelle, elle lève la tête.

— Helene !

Un cri, presque.

Elle lui jette un regard furtif. Prend enfin le temps de l'observer un instant. Un bel homme aux cheveux bruns, vêtu d'un costume coûteux, de couleur claire, qui tombe bien. Puis elle lui tourne le dos et passe à l'intérieur, sourit à Joachim, qui est descendu et prend son petit déjeuner, une montagne de papiers étalés devant lui.

— Écoute ça, dit-il. As-tu le temps, ou es-tu en train d'ouvrir ?

— J'ai cinq minutes.

— Alors. *La Sortie.* Voilà comment s'appellera mon nouveau roman. Je te lis le début…

Joachim fouille dans son tas de papiers, qui semble déjà complètement en désordre, mais c'est bon signe. Quand il écrit, il écrit vite, et beaucoup. Il se racle la gorge, puis dit :

— « Elle se souvient encore du chien. Il était toujours au bout du chemin raide qui menait à l'école. Chaque matin, elle avait peur que ce ne soit elle qu'il attende. Les autres enfants ne le craignaient pas autant ; il faut dire qu'il n'y avait que sur elle qu'il aboyait. Alors, dès l'âge de six ans, elle avait développé sa toute première stratégie de survie, stratégie qui allait lui être utile plus tard dans la vie… »

Joachim regarde Louise par-dessus ses lunettes.

— Oui ? Et après ? Qu'est-ce qu'elle a fait ?

— « Elle s'était penchée, lentement, sans quitter le chien des yeux une seule seconde. Et elle avait saisi une pierre. La plus grosse qu'elle avait pu trouver. Ensuite, elle s'était approchée de la bête. Calmement, elle avait levé la main tenant la pierre au-dessus de sa tête, les yeux toujours rivés à ceux du chien. »

Joachim s'interrompt.

— C'est comme ça que ça commence.

— Et de quoi ça va parler ?

— D'elle. De son amour pour un homme qu'elle ne peut pas avoir.

— Ça se termine bien, au moins ?

— Non, bien sûr que non.

Il sourit, puis :

— Le grand amour, ça ne peut pas se terminer bien.

Accrochant son regard, il se hâte de préciser :

— En littérature.

Il ajoute quelque chose, mais le drôle de type appelle à nouveau en frappant violemment contre la vitre :

— Helene !

Encore et encore. Louise se lève, jette un coup d'œil, curieuse, à travers la pièce. Il est là, à la porte, et il martèle la vitre.

— C'est un Suédois ? demande Joachim.

— À son intonation, je ne dirais pas, répond Louise.

Elle essaie de se faire une idée du personnage. Il ne ressemble pas à ceux qui font parfois du tapage dans la rue : ni ivre, ni mal rasé, ni couvert de saletés. Il cogne de plus en plus fort sur la vitre.

— Je vais aller lui parler, décide Joachim, qui se lève, traverse le café vide et ouvre la porte.

— Helene, dit l'homme en passant devant Joachim.

— Hé !

Joachim tente de lui saisir le bras, mais l'inconnu est trop rapide. Louise réalise qu'il se dirige dans sa direction, qu'il ne la quitte pas du regard. Il la fixe toujours quand il s'écrie :

— Helene ! C'est moi !

Il est grand, large d'épaules, c'est vraiment un très bel homme, constate Louise. Il a d'épais cheveux brillants, coupés de manière que les mèches sur son front tombent en douces boucles sur ses yeux sans pour autant les couvrir. Au contraire, elles les mettent en valeur. Des yeux verts. De clairs yeux verts qui regardent droit dans les siens.

— Helene.

L'homme baisse la voix et, encore tout agité, cherche son souffle, debout devant elle. Joachim les a rejoints.

— Je crois que tu fais erreur, l'ami.

Joachim s'exprime de sa voix habituelle, impérieuse. Pas facile de faire comme s'il n'était pas là. En général, tout le monde l'écoute quand il parle. Mais l'inconnu l'ignore complètement et s'approche encore d'un pas.

— Helene, c'est moi.

Joachim s'étant interposé entre eux, l'homme est obligé de le pousser un peu pour passer devant lui. Ce n'est pas violent, un simple geste du bras, mais assez ferme pour que Joachim soit sur le point de perdre l'équilibre. Une chaise se renverse, une tasse à café tombe à terre, se brise ; Lina vient au secours de Joachim. Louise jette des regards inquiets autour d'elle. Que se passe-t-il ?

— Helene.

Louise recule. Et là, tout s'enchaîne. L'homme tend la main vers elle, lui saisit le poignet gauche.

— Lâchez-moi.

— Tu ne me reconnais pas ? C'est moi, Edmund. Qu'est-ce qui t'arrive ?

— Lâchez-moi !

Louise a haussé la voix.

— Ça suffit, maintenant ! Lâchez-la.

Joachim saisit fermement l'homme qui dit s'appeler Edmund, ce qui a pour seul effet de le faire s'égosiller encore plus. Il y a une note nouvelle dans sa voix, une couleur que Louise n'avait pas remarquée auparavant. Désespoir ? Indignation ?

Il n'a pas l'air enragé ni dangereux le moins du monde, plutôt malheureux. Les larmes aux yeux, il continue à regarder Louise, à ne regarder qu'elle.

— Helene !

Il répète toujours le même mot, encore et encore le même mot.

— Tu es ma femme, Helene. Ma femme.

— Vous vous trompez. Lina, cours à la fumerie chercher de l'aide, lui demande Joachim en poussant vigoureusement l'homme vers la porte.

Il lutte pour le faire sortir.

— C'est moi, ton mari, tu ne me reconnais pas ? Helene…

Ces derniers mots frappent Louise, ont presque un effet physique sur elle, la font reculer d'un pas. Un instant, elle vacille.

4

Jamais Joachim n'a vu Louise aussi secouée. Il essaie de l'aider à se remettre.

— Ça va ?

Il n'arrive pas à établir le contact avec elle. Dans leur dos, l'un des costauds de la fumerie s'écrie :

— On se calme maintenant, m'sieur ! La dame ne vous connaît pas !

Joachim se retourne pour voir la scène, observe le garçon en sueur qui, à son avis, crie beaucoup trop fort. Mais c'est efficace. À Christiansø, il n'y a pas de police, alors, quand il y a de l'orage dans l'air, chacun doit donner un coup de main. L'homme s'immobilise. Ses paupières papillotent, il est nerveux, hésitant. Comme s'il ne réalisait que maintenant le remue-ménage qu'il a engendré, les touristes qui regardent le spectacle, les quatre garçons et les deux propriétaires de la fumerie de poisson qui le tiennent par les bras.

— Ne le lâche pas, dit l'un des plus âgés, qui parle sûrement d'expérience. Une fois qu'on a maîtrisé les poivrots, faut pas les lâcher jusqu'à ce que la police arrive.

Joachim reporte son attention sur Louise. L'espace d'un court instant... C'est difficile à admettre, mais l'espace d'un court instant, quand il a vu l'homme entrer dans le café, il s'est demandé si elle le connaissait.

— Ne t'inquiète pas, la situation est sous contrôle, dit-il en l'entourant de ses bras.

— Mais qu'est-ce qu'il veut ?

— C'est un fou, ça y est, il s'est calmé.

— Je ne veux pas de lui à l'intérieur.

— On va réussir à le faire sortir, il va revenir à la raison et disparaître d'ici.

— Je veux qu'il sorte. Tout de suite.

Louise étonne Joachim. Pourquoi parle-t-elle d'une voix aussi aiguë ? Pourquoi tremble-t-elle ? Il ne l'a jamais vue dans cet état. Louise. Sa jolie compagne. Une partie de lui se demandera toujours pourquoi elle l'a choisi, lui. Il sait bien qu'il fait craquer beaucoup de femmes, mais il ne peut pas les prendre au sérieux puisqu'il ne se prend pas au sérieux lui-même. Franchement, ce préjugé selon lequel il devrait être particulièrement profond et sensible, tout ça parce qu'il écrit... Quelle blague ! Les gens se conduisent avec lui comme s'il était une sorte d'oracle. Louise est différente, elle ne le prend pas trop au sérieux elle non plus. Elle n'a pas peur de lui. En revanche, elle a peur de l'homme que les quatre costauds de la fumerie immobilisent. Ou du moins, elle est inquiète ; ça, elle ne peut le cacher.

Soudain, l'inconnu retrouve des forces. Il ne supporte plus qu'on l'entrave, il se débat pour se libérer. Il s'est remis à hurler. Si au moins ils réussissaient à le faire taire. Il est fort, visiblement sportif. L'un des garçons le tient par le bras et doit peser de tout son poids contre son dos pour qu'il reste tranquille. Puis le garçon ôte prestement sa ceinture et l'attache autour du poignet de l'homme.

— Ça y est, je les ai appelés, annonce Lina.

Elle est debout derrière le bar, prête à se barricader si besoin dans la cuisine, dirait-on.

La police. Joachim soupire. C'est un peu exagéré. D'un autre côté, peut-être sauront-ils à qui s'adresser. Qui serait en mesure de prendre cet homme en charge, de l'aider ? Il est calme à présent, ses yeux ne sont plus farouchement écarquillés. Juste tristes et résignés. Il continue à dévisager Louise et c'est gênant. Y compris pour Joachim.

La police va devoir faire tout le trajet depuis Rønne. Certes, leur bateau est rapide, plus que le ferry, néanmoins cela prendra un moment. En attendant, ils sont bien obligés de garder l'homme ici, d'essayer de le ramener à la raison. Ensuite, il partira. Pas question que Louise en endure plus.

— Lina, tu restes ici jusqu'à ce que la police arrive ? J'emmène Louise dans la cuisine, qu'elle soit un peu au calme.

Celle-ci sursaute, comme si les mots de Joachim l'avaient réveillée.

— Non ! C'est moi la responsable ici. Je n'irai nulle part tant qu'on ne maîtrisera pas la situation.

— Allons, Louise, viens avec moi, répond Joachim, qui essaie de l'entraîner doucement vers la cuisine.

Mais elle résiste.

— C'est mon café, ma responsabilité.

Elle répète calmement ces mots. Joachim la considère. Il voit bien ce qui se passe dans sa tête : elle est en train d'évaluer la situation, d'analyser ce que cela exige d'elle. Elle se libère de l'emprise des bras de Joachim, se redresse, prend une grande inspiration et, d'un coup, la voici redevenue elle-même, tranquille, mais énergique. Elle commence à remettre de l'ordre dans le café.

— Emmenez-le dans la cuisine. Donnez-lui un peu à boire. Avez-vous le temps d'attendre ici avec lui ?

— Bien sûr, répond le plus âgé des employés de la fumerie en bombant le torse.

Il n'a pas échappé à Joachim comme l'homme crâne. Il se sent fort car il a calmé le jeu, sauvé Louise d'une agression par un fou. Visiblement, l'inconnu a abandonné la partie. Son regard émerveillé suit Louise, il n'oppose aucune résistance à l'ordre qu'elle a donné et se laisse entraîner hors de la pièce. Louise ne se soucie aucunement de lui, toute son attention est tournée vers les clients du café, qui ont commencé à arriver – il n'y a nulle part ailleurs où aller sur cette île quand on a faim. Joachim l'admire. Il ne peut s'empêcher de l'aimer encore plus.

— Je suis vraiment désolée pour cet incident, dit-elle aux touristes. Je vous en prie, asseyez-vous, nous allons nettoyer ça tout de suite.

Joachim fait des allers et retours entre la salle et la cuisine sans trouver comment se rendre utile. Enfin, les policiers arrivent. Deux hommes. L'un, jeune, du genre sportif, que d'instinct Joachim n'aime pas. Il a le crâne rasé, des tatouages, un type qui aurait tout aussi bien pu finir de l'autre côté de la loi. Joachim préfère le plus vieux. Ils leur serrent la main, se présentent. Joachim ne saisit pas le nom du plus âgé. Kofoed, quelque chose de ce genre. Ils sont des dizaines à porter ce nom de famille sur l'île.

— C'est par là, indique Joachim en leur faisant un signe de la main.

Les deux hommes considèrent, quelque peu perplexes, les clients du café tranquille. Pas vraiment le genre d'atmosphère qui, a priori, demanderait l'intervention de la police.

— Ça ne correspond pas tout à fait à la description de la situation qu'on a eue au téléphone, remarque le plus jeune.

— Je sais, répond Joachim, ouvrant les bras en geste d'excuse et tournant la tête vers celle qui les a appelés. C'est Lina, elle s'est peut-être un peu affolée.

— Et maintenant ?

— Maintenant, il a retrouvé son calme. Mais il y a quelque chose qui ne tourne pas rond chez lui. Il est possible qu'il soit ivre. Ou malade.

— Qu'est-ce qu'il voulait ? Il n'était pas content de l'addition ? Du service ?

— Non, il venait juste d'entrer dans le café. Visiblement, il prend ma compagne pour quelqu'un d'autre.

Joachim montre aux policiers le chemin de la cuisine, fait un geste en direction de l'homme sur son tabouret, cherche Louise du regard.

— Où est Louise ?

Lina lui indique la porte de l'escalier de service.

— Elle est montée une seconde, je crois qu'elle est allée chercher quelque chose.

Joachim jette un coup d'œil aux policiers.

— Je vais lui dire que vous êtes arrivés.

*

Joachim trouve Louise assise sur le lit. Jambes repliées contre la poitrine, bras autour des mollets, menton sur les genoux, elle regarde à travers son hublot chéri. Elle est encore secouée. Joachim s'assied à côté d'elle, pose un bras sur son épaule. Elle appuie la tête contre sa poitrine, pleure un peu.

— J'ai eu tellement peur.

— Je comprends tout à fait. C'est fini, maintenant.

— Il a dit des choses tellement inattendues.

— Il s'est calmé, les policiers sont là. Ils vont l'emmener et le soigner.

— Il doit être malade dans sa tête.

— C'est peut-être ses médicaments ? On entend parfois des histoires comme ça, quand les gens oublient de les prendre ou se trompent dans la dose… Viens, descendons, les policiers voudraient te parler avant de l'emmener.

Louise hoche la tête, s'essuie les yeux et se lève. À son visage, on devine à peine qu'elle a pleuré. Qu'est-ce qu'elle est belle… Et élégante. Il ne lui arrive pas à la cheville. C'est peut-être à cause d'elle qu'il n'a pas été capable de se prendre vraiment en main. Il a souvent réfléchi au fait qu'un écrivain ne devrait pas aller trop bien. Certes, c'est un cliché, n'empêche, c'est sûrement vrai. Hemingway, Blixen… Tous les grands. Un amour déçu, voilà le seul fioul qui fait avancer les écrivains. À l'époque où Joachim était au plus mal, quand il était incapable d'écrire une seule ligne, il a même envisagé de renoncer à son bonheur avec Louise. Il chasse cette pensée. Sottises. Évidemment qu'on peut écrire même quand on est avec la personne qu'on aime.

Dans la cuisine, tout est calme. L'un des policiers est au téléphone, il tient quelque chose à la main. Une photo ? L'autre parle à voix basse à l'inconnu qui, calmement, posément, répond à ses questions. On n'entend pas ce qu'ils disent, mais ce scénario est bien loin de ce à quoi Joachim s'attendait. Louise s'est figée et les observe, sur ses gardes.

— Qu'est-ce qui se passe ?

— Nous allons devoir vous demander de nous suivre jusqu'au commissariat de Rønne. Il y a quelque chose que nous devons tirer au clair.

— Comment ça, tirer quelque chose au clair ? demande Joachim en faisant un pas en avant.

— Il va falloir récapituler tout cela à tête reposée.

— Récapituler quoi ?

— C'est juste pour que tout soit en ordre. Nous allons tous nous asseoir autour d'une table et démêler cette histoire.

Joachim regarde Louise, qui secoue résolument la tête. Mais un simple coup d'œil aux policiers suffit à voir qu'ils sont très sérieux, il ne servira à rien de protester. Joachim pousse un soupir. Il entraîne Louise à part dans un coin de la cuisine pendant que l'inconnu continue à la manger des yeux. Ce qui agace beaucoup Joachim – peu importe qu'il soit fêlé.

— On va être obligés de les accompagner, murmure-t-il.

— Mais pourquoi ?

— Je n'en sais rien.

Il hausse les épaules.

— Ce n'est sûrement rien du tout. Juste pour écrire leur rapport, j'imagine.

— Mais pourquoi est-ce qu'ils le prennent au sérieux ? Pourquoi est-ce que je devrais gâcher encore de mon temps à cause de ce malade ?

— Allez, viens, Louise. Inutile de les contredire. Ça ne prendra pas longtemps. Après, on rentrera à la maison, Lina et l'autre serveuse s'en sortiront très bien pendant ce temps.

— Maria.

— Pardon ?

— Elle s'appelle Maria. Merde, à la fin, Joachim, tu ne m'écoutes jamais ?

— Excuse-moi. Maria. Bien sûr.

Louise a l'air fatiguée, mais elle acquiesce et va chercher sa veste. C'est là qu'il le sent. Au moment précis où elle fait un pas vers la porte. Quelque chose a changé en elle. Il ignore quoi.

5

Pourquoi a-t-elle eu si peur ? Pendant que les policiers l'aident à descendre du bateau, Louise examine l'inconnu. Elle n'a plus sous les yeux qu'un pauvre bonhomme un peu décontenancé au milieu de touristes ravis de se promener dans le port de Gudhjem. La voiture de Joachim est dans le garage qu'ils louent non loin du port. Les charnières se plaignent lorsque Joachim ouvre la porte. Louise patiente dehors pendant qu'il pénètre à l'intérieur et sort la voiture, une vieille Volvo orange qu'il ne nettoie jamais, pas plus qu'il ne range l'habitacle, d'ailleurs. Louise s'en fiche. Elle se rend rarement sur Bornholm. Elle commande ses courses le soir et elles lui sont livrées le lendemain matin à 11 heures par le bateau. C'est plutôt Joachim qui, de temps en temps, a besoin d'aller sur l'île principale ou sur le continent pour une rencontre littéraire. Dans ces cas-là, il se rend à Rønne, d'où il prend le ferry pour traverser jusqu'à terre, et part ensuite sur les routes du pays. Petites villes, bibliothèques, clubs de lecture, associations. Mais cela fait longtemps qu'il n'est pas allé quelque part.

Joachim ouvre la portière pour Louise. Elle s'installe. Elle doit forcer son corps, elle se sent lourde, le moindre mouvement lui coûte. Dans la lumière du jour, la poussière est bien visible sur le pare-brise. Joachim tente de le nettoyer à l'aide d'un peu de lave-glace, mais au bout de quelques gouttes à peine, la réserve est vide. Maintenant, la poussière est étalée sur tout le pare-brise, on y voit encore moins qu'avant. Louise sent l'irritation monter en elle. Typique de Joachim : aucun sens pratique. Que ce soit le budget, le ménage, la cuisine… ou le lave-glace.

— C'est nécessaire, tout ça ? demande-t-elle, en colère, sans vraiment attendre de réponse.

— Fait chier, répond Joachim.

Puis il marmonne une phrase comme quoi, au fond, il n'est jamais entré dans un commissariat, ça pourrait peut-être lui servir pour son livre.

— Tu ne pourrais pas faire une recherche sur Google, qu'on s'épargne le dérangement ?

— Google, ça ne suffit pas pour écrire des livres, répond Joachim.

Il explique que l'histoire, de même que le diable, est dans les détails. Mais Louise ne l'écoute pas, elle se contente de regarder le paysage. Rien que des couleurs qui se meuvent. Depuis combien de temps au juste n'est-elle pas allée sur l'île principale de l'archipel ? La petite vie paisible de Christiansø lui convient. Cela lui correspond. Un micro-univers qui contient tout. Elle prend une profonde inspiration, essaie de se détendre. De lâcher du lest. Tout son corps est tendu. Il est tendu depuis que cet homme étrange a passé la porte du café. Pourquoi cela lui a-t-il fait une telle impression ?

Ils arrivent au commissariat de police. Joachim se gare devant le banal bâtiment sur deux étages. De l'avis de Louise, c'est l'endroit le plus laid de

Bornholm. Seule la plante grimpante, du lierre ou de la vigne vierge, essaie de cacher la vérité : ici, on ne s'occupe pas de la beauté de l'île mais de son contraire, laideur, violence, alcool, accidents et autres problèmes. La voiture de police est déjà là. Louise et Joachim restent assis un moment dans la leur pendant que les policiers entrent avec l'inconnu. Joachim pose la main sur la cuisse de Louise, la presse légèrement.

— Ça va aller vite.

*

À peine passé la porte, ils butent sur une longue barrière peu accueillante et, derrière elle, un jeune homme presque adolescent encore. Il a trop de gel dans les cheveux. Il les interroge du regard, mais avant même qu'ils aient eu le temps d'ouvrir la bouche deux policiers s'approchent. L'un est le jeune agent tatoué qui est venu chercher l'inconnu du café. Morten Rask. Il se présente à nouveau, comme si Joachim et Louise étaient séniles. L'autre est une petite femme avec une coupe au carré, les cheveux bruns très brillants et un nez de travers qu'il est impossible de ne pas fixer. Elle leur tend la main, serre d'abord celle de Joachim, puis celle de Louise.

— Hansen, dit-elle. Nous aimerions vous parler séparément pour commencer. Si vous voulez bien me suivre ?

Bref échange de regards entre Louise et Joachim.

— Je reste avec elle, répond Joachim d'un ton décidé.

— Mon collègue s'occupera très bien d'elle entretemps.

— Vas-y, dit Louise. Finissons-en, qu'on puisse rentrer à la maison.

La policière attend à l'entrée du couloir ; elle a ouvert la porte d'un bureau et semble s'impatienter. Joachim pousse un soupir, effleure brièvement la joue de Louise, lui sourit. Puis il se détourne et rejoint Hansen. La porte du bureau se referme derrière eux et le couloir apparaît, désert, face à Louise. Six portes, trois de chaque côté, compte-t-elle. Qui sait où elle atterrira, elle ? Morten Rask marche vite, d'un pas énergique, élastique. Il stoppe devant une porte. En grosses lettres blanches : « Salle d'interrogatoire 2 ». Interrogatoire ? Que de grands mots ! C'est sûrement la seule pièce libre. Si ça se trouve, l'inconnu dérangé est dans la salle d'interrogatoire numéro un.

Louise pénètre dans une pièce plus grande qu'elle ne l'aurait imaginé. Percée de deux larges fenêtres au profond rebord. L'endroit est probablement orienté nord car il fait plutôt sombre. Au milieu de la pièce, une table, deux chaises de chaque côté. Rien d'autre. Morten Rask tire une chaise et fait signe à Louise de s'y asseoir. Puis il s'installe de l'autre côté, face à elle.

Il pose une photo devant Louise. Une photo de vacances d'une famille sur une terrasse devant une luxueuse maison blanche. On remarque des drapeaux sur la table, signe que l'on fête un anniversaire. Au centre de la table, une femme âgée, élégante, une fillette blonde sur les genoux. Toutes les deux sourient au photographe. Un garçon aux cheveux bruns, un peu plus grand que la petite fille, est assis à côté, le visage à moitié détourné. Derrière eux arrive une femme portant un plateau. Sur le plateau, une cafetière d'argent, des tasses de porcelaine empilées les unes sur les autres, un pot à lait. La mise au point est faite sur la porcelaine, on distingue jusqu'au moindre détail, y compris la petite cannelure courbée et le délicat motif floral bleu clair. Les mains de la femme se voient bien aussi, elles sont soignées. Le regard de Louise s'arrête sur la grosse bague turquoise et, à côté, l'anneau en or, plus discret. Elle examine la femme des pieds à la tête. Elle a les cheveux relevés et porte une robe d'été couleur ivoire avec des fils d'or incrustés dans le tissu. La robe a de fines bretelles et suit les courbes de son corps sans être moulante pour autant.

— Pouvez-vous me dire qui est sur la photo ? demande Morten Rask.

— Je ne les connais pas.

— Et la femme ? Vous ne la reconnaissez pas ?

L'agent de police a pointé l'index sur la photographie, il montre la femme au plateau. Fluette mais non dénuée de formes. Cheveux blonds, lèvres pleines, les yeux… bleus ? Difficile à dire. Louise a du mal à se concentrer. Elle essaie, mais… Pourquoi lui en coûte-t-il tant de la regarder ?

— Je n'ai jamais vu aucune de ces personnes de ma vie.

— Vous voyez pourtant la ressemblance, non ?

— Peut-être.

— Est-ce que c'est vous ?

— Non. Je vous dis que je n'ai jamais vu aucune de ces personnes de ma vie. Je ne connais pas cet endroit, je n'ai jamais vu cette maison.

— Mais vous vous ressemblez, toutes les deux.

— Ce genre de chose arrive.

— Comment est-ce possible ?

— Ça, je n'en sais rien.

— Avez-vous une sœur jumelle ?

— Je n'ai ni frère ni sœur.

— Une demi-sœur ?

— Ni frère ni sœur, je vous le répète.

— En êtes-vous sûre ?

— Qu'est-ce que vous voulez dire ? Évidemment que j'en suis sûre.

L'officier se cale contre le dossier de sa chaise, croise les mains derrière la tête, dévisage Louise.

Son regard la met mal à l'aise.

— Quel âge avez-vous, madame Andersen ?

— Quarante et un.

— Vous êtes donc née en… ?

— 1974.

Il se redresse, croise les jambes.

— Parlez-moi un peu de votre famille.

— Pourquoi ?

Il montre la femme sur la photo. Cette fois, son doigt atterrit lourdement dessus, il caresse l'image, ce qui incommode beaucoup Louise sans qu'elle comprenne trop elle-même pourquoi.

— Cette femme s'appelle Helene Söderberg. Est-ce vous ?

— Je vous dis que non, enfin.

— Alors racontez-moi qui vous êtes.

— Louise Andersen. Vous le savez déjà. Où voulez-vous en venir ?

— Qui est votre père, madame Andersen ? Comment pouvez-vous être sûre que vous n'avez pas de sœur ? Une demi-sœur dont vous ignorez l'existence ? Comment le sauriez-vous ?

— Quel est le problème, pourquoi m'interrogez-vous comme si j'étais soupçonnée d'un crime ?

— Pourquoi ne voulez-vous pas me parler de votre famille ?

Louise avale sa salive, toute la pièce tourne, elle a la nausée. Encore ce maudit mal de crâne. Quand a-t-il débuté ? Ce matin ? Hier ?

— Bon, madame Andersen, commençons par un autre sujet. Vous êtes arrivée sur Bornholm il y a trois ans. Racontez-moi ce que vous faisiez avant.

— Pas grand-chose. J'ai voyagé, répond Louise.

Oh, sa tête… Elle a une barre au niveau du front. Serait-elle tombée malade ?

— Voyagé ?

— Oui. J'ai voyagé, répond-elle, en colère.

— Qu'est-ce que vous faisiez ?

— Je… Rien de spécial. J'ai enchaîné des petits boulots et voyagé.

Elle ne se souvient plus très bien de ces voyages. Ni de sa maison d'enfance. Quand elle est arrivée sur l'île, elle avait besoin de tout oublier. De vivre au présent. Ce n'est tout de même pas interdit !

— Madame Andersen ?

— Oui ?

— Pourriez-vous me citer un endroit où vous avez été employée ? Pour que je puisse contacter votre patron ?

Le policier fouille dans son tas de papiers, sa voix s'éteint ; Louise ne supporte pas cette voix, ou bien est-ce le bruit sec des feuilles glissant l'une sur l'autre sous la peau rugueuse de son index ? Elle fixe le doigt, hypnotisée, la nausée monte, elle ferme les yeux. Toute la pièce tangue, tangue, c'est le voyage de Christiansø à Gudhjem, elle sent encore le ressac en elle. Le noir. Elle ouvre vivement les yeux. Elle n'a aucune envie de se laisser entraîner dans cette histoire. Morten Rask continue à fourrager dans ses papiers, l'air concentré, fronçant les sourcils.

Que cherche-t-il ? Au moins, pendant ce temps, il ne la fixe pas d'un air accusateur. Louise regarde la femme sur la photo dans sa claire robe d'été, la maison, la femme plus âgée, les enfants. Elle ne reconnaît rien.

6

La policière entre la première dans la pièce.

C'est un local tout en longueur avec un bureau et une chaise au bout. Contre le mur face à la porte, une petite table basse ronde et deux chaises de bois couvertes d'une housse rouge. Il y a également un grand porte-nom sur le bureau. Iben H. Hansen. Joachim s'assied sur la chaise. À quoi pourrait correspondre ce « H » ? Un second « Hansen », se demande-t-il, visualisant le nom dans sa tête. Iben Hansen Hansen ? Et, comme d'habitude, son imagination s'envole, il se figure des parents s'appelant Hansen tous les deux mais incapables de s'entendre pour décider quel « Hansen » Iben porterait comme nom de famille. Quelle histoire ridicule ! Il essaie de se concentrer plutôt sur le moment présent. La chaise sur laquelle il est assis, dure malgré la housse, inconfortable. Iben Hansen Hansen tire la sienne et s'assied. Jambes largement écartées, elle pose les coudes sur ses genoux et se penche vers lui, une expression amicale dans les yeux.

— Nous avons quelques questions à vous poser, sur vous et Mme Andersen, dit-elle.

Joachim acquiesce, dans l'expectative.

— Edmund Söderberg.

— Qui ça ?

— L'homme qui cherchait votre femme s'appelle Edmund Söderberg, il est le P.-D.G. de Söderberg Shipping, la grande société de logistique basée à Silkeborg. Vous avez sûrement entendu parler d'eux ?

— Bien sûr.

Joachim se cale dans sa chaise, peste à nouveau contre la dureté du dossier. Il est surpris, il ne peut le cacher. Les Söderberg ? C'est l'une des familles les plus connues et les plus riches du Danemark.

— Je suis obligée de vous demander comment vous avez connu Mme Andersen.

— Quel est le rapport entre elle et Söderberg Shipping ?

— Nous allons plutôt commencer par mes questions à moi, répond la femme policier d'un ton ferme. Depuis combien de temps connaissez-vous Mme Andersen ?

Joachim prend à nouveau une profonde inspiration ; il voudrait protester mais sent bien que ça ne servirait à rien.

— Deux ans et demi, je dirais. Enfin, plus ou moins, répond-il en écartant les bras d'un geste résigné. Cette affaire est complètement ridicule. C'est un interrogatoire ou quoi ?

— Vous ne vous rappelez pas quand vous l'avez connue ? insiste la policière, qui commence à l'agacer sérieusement.

— Merde, mais bien sûr que si, enfin ! Je me souviens très bien de quand je l'ai rencontrée ; c'est l'époque d'après qui est un peu... Bon, attendez, c'était en mars. En quel mois sommes-nous ? Juillet ? Donc, deux ans et quatre mois !

Iben Hansen Hansen hoche la tête, totalement impassible. Joachim déteste parler avec ce genre de personnes. Celles qui ne dévoilent rien d'elles-mêmes. Il s'installe dans la même position qu'elle, les jambes bien écartées, pose les coudes sur ses genoux, singe son intonation.

— J'ai rencontré Louise au cours d'une lecture dans un café dont elle est à présent propriétaire. J'ai tout de suite vu que c'était une femme exceptionnelle, et, euh… Depuis ce jour-là, nous ne nous sommes quasiment pas quittés. J'ai emménagé avec elle presque aussitôt. C'est bon, c'est fini ?

— Où habitiez-vous, à l'époque ?

— Dans une pension, si vous tenez à le savoir.

— Une pension ?

— Oui. Je venais de divorcer, dit Joachim.

Il dévisage Iben Hansen Hansen, fixe son alliance, trop grosse ; on dirait un écrou. Elle aussi devrait peut-être divorcer – et vite.

— Vous voyez ce que je veux dire ? Ces étapes dans la vie où on a besoin de s'échapper ?

Au moment où il prononce cette phrase, il est parfaitement conscient qu'il se montre un peu puéril. C'est une réaction que la police, et n'importe quelle autre forme d'autorité, d'ailleurs, fait souvent naître en lui. Il devient têtu car il n'aime pas obéir. Il s'entend dire :

— Il fallait que je quitte Copenhague. J'ai donc déménagé le plus à l'est possible.

Pourquoi s'ouvre-t-il autant à Hansen ? Pour l'ins-pirer, se dit-il. L'inciter à aller de l'avant, à quitter ce mari chiant comme la pluie qui l'a boulonnée sur place en lui passant l'écrou au doigt.

— La famille de mon ex-femme vient de l'ouest du pays, alors l'est m'est apparu comme une desti-nation tout indiquée. Je voulais juste partir. Loin. Et puisque je ne m'étais pas encore vraiment installé ailleurs, eh bien, ça m'a semblé naturel d'emménager aussitôt avec elle. C'est comme ça quand on rencontre le grand amour, madame Hansen, dit-il en levant un sourcil, essayant de prendre un air docte.

— Mme Andersen a-t-elle été mariée avant ?

— Non.

— En êtes-vous sûr ?

— Oui. Elle me l'aurait dit, voyons.

— Que vous a-t-elle raconté ? Sur sa famille, par exemple ?

— Elle n'a pas de contact avec eux.

— Où habitent-ils ?

— Je ne sais pas.

— Des frères et sœurs ?

— Non… Je ne crois pas.

— Vous ne *croyez* pas ?

— Non. Sinon, elle en aurait parlé à un moment ou à un autre.

Iben H. Hansen se redresse.

— Que faisait Mme Andersen avant de vous rencontrer ?

— Elle a beaucoup voyagé.

— Où ça, par exemple ?

— Euh, ici et là, en mode routard, sac à dos, tout ça…

Silence. Iben H. Hansen le regarde. Joachim fronce les sourcils. Il se rend bien compte lui-même que tout ça sonne faux. Soudain, c'est lui qui hésite. À quoi ressemblait sa vie d'avant, déjà ? Il habitait dans une pension. Un vrai placard à balais. Il était totalement épuisé par son divorce avec Ellen, une lutte qui avait duré un an. Ça n'aurait pas pu être plus compliqué. Elle avait saboté chacune de ses tentatives de reprendre sa liberté. Joachim repense aux enfants. Aux enfants qu'ils n'ont jamais eus et auxquels Ellen prétendait avoir renoncé pour lui. Elle s'était sacrifiée pour qu'il puisse écrire en paix. Quand elle lui avait dit cela, il était resté stupéfait. Jamais il ne s'était douté qu'elle voulait des enfants. À présent, elle était trop vieille. Elle enrageait, elle l'avait accusé de lui avoir volé ses meilleures années, de l'avoir détruite, d'avoir trop exigé d'elle, de s'être comporté en tyran. Elle avait fait une terrible crise de nerfs à l'idée qu'il pourrait trouver une femme plus jeune avec laquelle il fonderait la famille à laquelle elle avait renoncé.

Quand il l'avait quittée, il avait eu l'impression de quitter une enfant. Pas une femme adulte, mais une gamine de cinq ans. Une petite fille professeur à l'Académie des beaux-arts. Joachim ne s'est tout bonnement pas rendu à leur rendez-vous à l'aéroport. Ils étaient censés partir quelques jours à Saint-Sébastien. Un séjour qu'Ellen avait organisé après une grosse dispute. Elle voyait cette escapade comme un de ces voyages « pour se retrouver » comme ils en avaient déjà fait tant. Sauf que cette fois, il avait pris la poudre d'escampette et l'avait laissée attendre au terminal numéro deux sans rien lui expliquer. C'était cruel, mais il avait été obligé d'agir ainsi. S'il était venu lui dire adieu, elle aurait fait une nouvelle crise de nerfs. Et il n'aurait pas pu mener son projet à bien. Alors, il avait laissé la petite fille se faire abandonner encore une fois.

Il était parti, avait pris tous les moyens de transport, voiture, bateau, pour fuir le plus loin possible à l'intérieur des frontières du royaume. Il avait trouvé refuge sur l'île de Christiansø, et la seule chose qui le faisait tenir, c'était l'écriture. Noyé dans son malheur, il avait éprouvé une liberté nouvelle, irréelle. Il avait écrit comme un possédé. Buvant un peu trop, certes. Il s'était complètement isolé, ne quittait quasiment jamais sa pension et ne pensait à rien d'autre qu'à la prochaine page.

Le soir où il avait rencontré Louise, tout avait changé. Cette femme rayonnait. Il se souvient clairement du moment où, au café, il avait lu au public ce qu'il venait d'écrire ce jour-là. Il avait levé les yeux, vu son visage. Elle se tenait au tout dernier rang, près de la porte menant à la cuisine, totalement captivée par ce qu'il lisait, et, quand il avait rencontré son regard, elle ne l'avait plus lâché. Elle n'avait pas détourné la tête. Tout en elle était tellement ouvert, s'était-il dit. Comme si elle n'avait aucun filtre, comme si elle voyait le monde avec des yeux tout neufs.

— Donc… Vous avez rencontré Mme Andersen il y a deux ans et demi et vous ne savez rien sur ce qu'elle faisait avant, ni sur sa famille ?

La voix de l'agent Hansen Hansen le tire de sa rêverie. Il regarde par-dessus son épaule, fixe les persiennes baissées qui empêchent efficacement le soleil d'entrer dans la pièce.

— Oui, on pourrait résumer les choses ainsi, répond-il. Personnellement, je dirais plutôt que nous sommes deux personnes qui se sont donné une deuxième chance ensemble.

— Et vous ne lui avez posé aucune question ?

La voix d'Iben H. Hansen est toujours neutre, impassible. Ça l'énerve.

— Évidemment que si.

— Et ça ne vous a pas étonné de ne pas obtenir de réponse ?

Est-ce que ça l'avait étonné ? Eh bien, il avait posé des questions, oui, il était curieux, il aurait voulu tout savoir sur la femme qui était maintenant sienne. Ils étaient si nus, si découverts, l'un à côté de l'autre dans son lit. Il s'en souvient très clairement : Louise était éminemment vivante. C'était ça qui l'avait estomaqué. Après Ellen, il avait cru que jamais plus il ne serait proche de quelqu'un. Une relation, pour lui, c'était associé à des devoirs, à un fardeau. C'était justement ce qui était différent avec Louise. Elle ne l'avait pas interrogé sur son passé. Tout ce qu'elle avait cherché, c'était de l'intimité. Être intime avec *lui*.

Non, il n'avait pas posé beaucoup de questions. Joachim ne se le cachait pas : celles qu'il avait posées, il les avait posées parce qu'il avait cru devoir le faire. C'est ce que les gens attendent d'habitude. Mais quand Louise lui avait dit n'avoir aucun contact avec sa famille, il avait été soulagé. Soulagé d'apprendre qu'elle était à ce point libre de liens, qu'elle était le contraire total d'Ellen.

Il regarde l'agent de police, dont le visage, enfin, laisse paraître quelque chose. De la compassion ? Elle se racle la gorge.

— Avez-vous envie d'en apprendre plus sur Mme Andersen ?

Joachim, obéissant, hoche la tête – alors que ses tripes hurlent « non ». Il ne veut aucun détail. Tout ce qu'un homme a besoin de savoir, c'est que sa femme l'aime.

— Louise Andersen a grandi dans un orphelinat aux environs de Randers. Sa mère se droguait, on lui a donc très tôt retiré la garde de sa fille. Elle est morte quand Louise avait à peu près six ans, mais elles ne se voyaient jamais. Sa fille ne l'a probablement pas su. Le père est inconnu. Louise Andersen a habité dans une chambre en colocation à Randers jusqu'à l'âge de dix-neuf ans. À partir de là, nous n'avons plus que de rares traces d'elle dans notre base de données.

— Comme… ?

— Une arrestation, mais elle a été relâchée très vite.

— Pourquoi a-t-elle été arrêtée ?

— Rue Skelbækgade, à Copenhague, répond Iben Hansen sans autres précisions.

Elle n'a pas besoin d'en dire plus. Tous les habitants de Copenhague savent que c'est rue Skelbækgade que l'on trouve les prostituées les plus misérables. Le degré zéro de la hiérarchie de la rue. Les Roumaines, celles qui se piquent.

— Et ces cinq dernières années, elle a complètement disparu.

Joachim regarde ses pieds. Il a l'impression de peser des tonnes. Louise ? Sa Louise à lui ?

— Disparu ? répète-t-il, d'une voix si rauque qu'il la reconnaît à peine.

— Oui. Ensuite, nous ignorons tout de ses activités.

— Mais on ne peut pas disparaître comme ça, si ?

Iben H. Hansen hausse les épaules.

— Elle a pu partir à Hambourg pour gagner plus d'argent. Beaucoup le font. Il y a plus de clients là-bas. Ou bien en Suède. Nous n'en savons rien.

— Mais de nos jours, on laisse toujours des traces derrière soi, n'est-ce pas ? objecte Joachim.

— Vraiment ? demande Iben Hansen, sur un ton tout ce qu'il y a de plus amical à présent. Rien qu'en 2013, sept cent dix personnes ont complètement disparu des radars au Danemark. Parmi elles, il y en a quarante qu'on n'a jamais retrouvées.

Joachim croise son regard mais baisse aussitôt la tête. D'une certaine manière, regarder la policière dans les yeux rend la vérité encore plus difficile à admettre. *Louise.* Combien de choses ignore-t-il sur elle ? Pourquoi ne lui en a-t-elle pas parlé ? Que cache-t-elle ? Stop. Il faut qu'il rassemble ses esprits.

— Écoutez-moi un instant, dit-il. J'ai déjà vu des papiers à elle... Sa carte de sécurité sociale, ce genre de document.

— Oui, mais en avez-vous vu avec une photo ? Sa carte d'identité, peut-être ?

— Bon sang, mais elle a le permis, par exemple ! s'exclame Joachim, en colère. Tout cela est ridicule.

— Nous savons qu'elle a fait refaire son permis de conduire ici, à Rønne...

Iben Hansen fouille dans ses quelques papiers. Elle en fait tout un numéro, se dit Joachim.

— ... sur simple présentation de son acte de naissance. Qui, comme vous le savez, ne comporte pas de photo.

— Et ?

— Il se pourrait qu'elle ait volé l'identité de Louise Andersen. Son portefeuille.

— Je ne comprends pas. Une autre Louise Andersen a-t-elle fait une déclaration de vol ?

Iben H. Hansen, impatiente, change de position sur sa chaise.

— Ce qui rend cette affaire très compliquée, c'est que, selon Edmund Söderberg, elle n'est pas du tout Louise Andersen, mais sa femme, Helene, qui a disparu il y a trois ans.

Joachim dévisage Iben H. Hansen avec ébahissement.

— Je sais, ça fait beaucoup de révélations à digérer d'un coup, dit-elle.

Les tubes de néon du plafonnier bourdonnent. C'est très agaçant. Joachim essaie d'assimiler toutes ces nouvelles informations. Il n'y comprend rien.

— Pour le moment, nous ne savons rien avec certitude, insiste Iben Hansen.

Joachim inspire à fond. Se concentre sur ce qu'on vient de lui annoncer.

— Je vous laisse un instant, je vais voir où ils en sont.

Joachim reste seul avec le vrombissement de l'éclairage.

Il n'a aucune idée du temps qui s'écoule avant que la porte s'ouvre à nouveau. Iben H. Hansen se rassied sur sa chaise.

— Nous aimerions que vous alliez lui parler, dit-elle.

— Oui, où est-elle ? demande Joachim en se levant.

— Avant cela, je voudrais juste m'assurer que vous avez compris ce qui se passe. Nous aurions besoin que vous lui fassiez raconter tout ce qu'elle sait. Êtes-vous d'accord ?

Joachim s'immobilise.

— Que voulez-vous dire ?

— Nous ne sommes pas très sûrs de l'état d'esprit dans lequel elle est.

Joachim regarde l'agent de police, interdit.

— Il se peut qu'elle soit malade, explique Iben Hansen.

— Malade ?

— Nous n'en savons rien, nous avons appelé un médecin de l'hôpital de Rønne, mais nous espérons réussir à clarifier les choses si vous lui parlez. Peut-être voudra-t-elle bien vous dire ce qu'elle sait, à vous.

— Malade ? répète Joachim.

— Schizophrène, par exemple, déclare Iben H. Hansen comme s'il s'agissait de la chose la plus naturelle du monde. Elle est bouleversée en ce moment, mais ça devrait sûrement s'arranger si vous lui parlez. Vous réussirez peut-être à la calmer et à lui en faire dire plus.

Malade. Joachim est obligé de s'appuyer d'une main sur sa chaise. Tout son sang semble vouloir quitter son cerveau, de même que Joachim semble vouloir se quitter lui-même.

— Ça va ?

D'un coup, il se sent extrêmement fatigué. Infiniment las. Hansen dit-elle la vérité ? Il ferme les yeux et, soudain, revoit Ellen dans son pire état, une vraie folle, quand elle s'est élancée en courant vers lui ; elle voulait l'étouffer, elle poussait des hurlements, elle s'est arraché les cheveux et a menacé de se faire des choses épouvantables. Pas Louise. Joachim n'en peut plus. Iben H. Hansen le précède pour passer la porte et remonter le couloir. Salle d'interrogatoire numéro deux. C'est là que Louise l'attend. Mais Joachim ne sait pas du tout ce qui l'attend, lui. Il ne sait plus.

7

Depuis que l'agent de police a quitté la pièce, Louise n'a pas bougé. Enfin, la porte s'ouvre. La policière à laquelle elle a déjà eu affaire entre, suivie de Joachim. Il a une drôle de démarche hésitante. Il s'assied sur la chaise à côté d'elle, lui prend les mains. Louise veut sortir de là, point.

— On pourrait avoir un peu d'intimité ? demande Joachim.

L'agent de police soupèse l'idée quelques secondes, puis hoche la tête.

— Je serai juste à côté dans le couloir. Appelez-moi s'il y a quoi que ce soit.

À peine sont-ils seuls que Louise dit :

— On peut y aller, maintenant ?

Elle voit bien qu'il a des questions dans les yeux.

— Pourquoi me regardes-tu comme ça ? Qu'est-ce qu'ils t'ont fait croire ?

— Louise, ils veulent juste savoir ce qui se passe. Et moi aussi. As-tu des secrets ? Est-ce qu'il y a des choses que tu ne m'as pas dites ?

Louise détourne le regard. Elle est en colère même si, au fond, elle n'en a pas le droit. Il devrait être au courant, c'est vrai. Elle aurait dû le lui dire depuis le début. Mais comment dire qu'il n'y a rien à dire ?

Comment mettre des mots sur un vide si colossal, si retentissant ? Elle est seule au monde. Elle ne manque à personne. Elle s'est évanouie sur le ferry pour Born-holm, puis elle est revenue à elle. Et personne ne l'a cherchée. Comment l'expliquer ?

— J'ai grandi dans un orphelinat, déclare-t-elle à voix basse.

— Pourquoi ne me l'as-tu jamais dit ? demande Joachim, l'air abattu.

— Pourquoi aurais-je dû ? Tu m'aurais considérée comme une pauvre petite malheureuse. Je n'avais pas envie de ça.

— Et ensuite ? l'interroge Joachim d'une voix douce, comme on parle à un enfant.

Cela inquiète Louise.

— Ils disent que tu as disparu. Qu'ils n'ont aucune trace de toi entre tes dix-neuf ans et le moment où tu as refait surface ici, à Bornholm. Où étais-tu ?

Louise hausse les épaules, secoue la tête, serre très fort les dents. Elle sent la tension dans ses mâchoires, jusque dans sa nuque. La raideur se propage dans tout son dos, dans ses bras. Et c'est bien. Elle force son corps à se raidir. Ainsi, elle pourra repousser ses sentiments et ses questions, les amadouer, les apaiser. Elle voit le regard de Joachim glisser, inquisiteur, sur son visage. Comme s'il cherchait un indice. Elle n'aime pas ça. Il n'a pas le droit de la regarder de cette manière, comme si elle était une étrangère.

— C'est moi, dit-elle.

Elle lui prend la main, chuchote à son oreille :

— Partons.

Elle approche son visage du sien et reste là, tout contre lui. Il ferme les yeux, elle sent son souffle sur sa peau. Sent que tous deux s'apaisent. Leurs corps se connaissent si bien. Il en a toujours été ainsi.

Depuis qu'ils se sont rencontrés, il en a toujours été ainsi, et Louise sait qu'il doit en être ainsi. Ils sont destinés à être ensemble.

— C'est moi, tu me connais, répète-t-elle. Je ne t'ai jamais menti, Joachim. Jamais.

Elle l'embrasse. Il se laisse embrasser. L'espace d'un instant, c'est comme s'ils revivaient leur premier baiser, bien que les rôles soient inversés. Ce jour-là, c'est lui qui l'a embrassée et elle qui s'est laissé faire. Puis elle le lâche, recule un peu. Leurs visages sont encore tellement proches qu'ils sentent chacun la chaleur du corps de l'autre. Mais Louise a envie de pouvoir poser les yeux sur lui. Et elle veut que lui aussi la regarde.

— Il faut que tu me croies, Joachim. J'ai besoin que tu me croies. Tu es lié à tout ce qui s'est passé d'important dans ma vie. C'est la seule chose qui compte à mes yeux. Tout ce qui s'est produit avant nage dans le brouillard, dans le noir, et… C'est égal. C'est complètement égal, tu comprends ?

Louise voit que Joachim hésite. Il s'éloigne légèrement d'elle. Elle suit son mouvement, se penche en avant, mais il pose la main sur son épaule. La repousse, doucement mais fermement, en arrière.

— Louise, on ne peut pas décider comme ça que le passé nous est égal, répond-il tristement. Il faut que tu me racontes tout. Il faut que je sache ce qui s'est passé.

— Pourquoi ?

— Pourquoi… Parce qu'un homme a surgi de nulle part et prétend que tu n'es pas celle que tu dis être. Parce que selon la police, tu as disparu presque sans laisser de traces pendant des années entières de ton existence.

Il la dévisage longuement et avec insistance.

— Ça *a* de l'importance. Ça a de l'importance pour moi que ce soit toi qui me racontes ce qui s'est passé pendant tout ce temps. Que tu me racontes la vérité.

— Il faut que tu me croies, répète-t-elle d'un ton suppliant. Toi et moi, c'est tout ce qui compte.

Elle lit le doute dans l'expression de Joachim. Comme une ombre tombant sur ses yeux et se déposant sur chacun de ses traits. Il prend les mains de Louise dans les siennes, la regarde, confondu, comme s'il ne la reconnaissait pas du tout.

— Emmène-moi loin d'ici, dit-elle.

Elle perçoit le désespoir dans sa propre voix. Il faut à tout prix qu'il la croie. Elle se lève. La police n'a aucun droit de la retenir ici. Elle n'a rien fait.

— Allons-nous-en, maintenant !

Louise saisit la poignée, la baisse. La porte est verrouillée de l'extérieur.

— On veut sortir ! s'écrie-t-elle.

Et elle frappe trois coups sur le panneau.

L'agent de police qu'ils ont déjà vue entre, la petite femme au nez de travers. Pourquoi donc ? Parce que Louise a crié ?

— Du calme, dit-elle en s'approchant de Louise, les bras écartés.

Louise l'ignore et essaie de passer devant elle. Mais la policière lui saisit calmement les deux bras,

— Lâchez-moi. Vous n'avez pas le droit de…

La femme l'interrompt :

— Madame Andersen, personne ne vous veut de mal.

Louise lance un regard à Joachim. Murmure son nom en une prière muette et ardente pour qu'il lui vienne en aide. Il ne la croit pas. Elle le voit bien à présent, ce sont *eux* qu'il croit. En prendre conscience lui fait tomber un écran noir devant les yeux. Elle est seule. C'est elle contre eux. Tout s'effondre.

Un deuxième agent de police entre dans la pièce. Louise se rend compte qu'elle s'est remise à crier. Elle ne peut pas s'en empêcher. Quelque chose se débat en elle, veut sortir.

— Joachim !

Soudain, Louise remarque un détail sur le visage du policier, une marque rougeâtre au-dessus de sa bouche. Et elle comprend qu'elle l'a frappé, ou poussé. Le policier lui saisit les bras, l'immobilise.

— On se calme, dit-il.

Louise essaie de s'arracher à son étreinte, mais c'est impossible. Ils n'ont aucun droit de la traiter de la sorte. Alors, elle donne des coups de pied. Elle ne le veut pas, c'est la dernière chose qu'elle aurait envie de faire, n'empêche, elle donne des coups de pied. Elle rue de toutes ses forces, des deux jambes, elle lance des coups en direction de Joachim parce qu'il faut qu'il la regarde et elle lance des coups de pied aux policiers parce qu'ils l'immobilisent.

— Il faut que tu me croies, Joachim ! hurle-t-elle en remarquant un troisième policier qui pénètre dans la pièce.

Il est plus vieux que les autres ; leurs trois voix se confondent. Louise ne saisit qu'un seul mot : « médecin ».

8

Un flux sans fin. L'eau qui court, si claire, les petites pierres, un ruisseau. Elle les voit, bien que tout soit noir autour d'elle : les conifères, la forêt et... un chemin ?

Louise ouvre et ferme les paupières plusieurs fois pendant que le rêve s'efface lentement. Où est-elle ? Il fait jour, le plafond au-dessus d'elle est blanc. Elle tourne la tête de côté et découvre, face à elle, une fenêtre. De fins rideaux blancs à demi tirés ; dehors, le soleil brille. Sur le large rebord de la fenêtre, une fougère aux pointes jaunies dans un pot blanc. Entendant des pas, elle se tourne vers l'endroit d'où ils proviennent. Une femme en blouse vert clair à manches courtes et pantalon blanc pénètre dans son champ de vision.

— Vous êtes réveillée ? demande la femme en souriant.

Elle se poste à côté du lit de Louise, appuie sur quelques boutons, et la partie supérieure du lit commence à se relever. Louise essaie de bouger, mais rien dans son corps n'obéit comme il le devrait. La femme a bien remarqué que Louise luttait.

— C'est le produit anesthésiant. Vous ne l'avez pas encore complètement évacué. Vous n'allez pas tarder à vous sentir mieux, dit-elle en pressant amicalement le bras de Louise.

— Où suis-je ? demande Louise.

C'est à peine si elle parvient à articuler les mots. Elle a la bouche trop sèche.

La femme verse du sirop à l'eau dans un gobelet en carton et le lui tend. Elle la regarde boire. Framboise. Le goût de son enfance.

— Vous êtes à l'hôpital, répond la femme. Dans le département psychiatrique de l'hôpital de Rønne. Je m'appelle Sanne.

Louise la fixe. Sanne. Elle connaît une Sanne, mais ce n'est pas elle. Ou si ? Elle examine la chambre blanche dans laquelle elle se trouve. Elle a l'impression que tout son corps a été secoué. Elle voit ce qui se passe, elle comprend ce qui se passe, et, en même temps, non. Comme si elle était un kaléidoscope que l'on aurait secoué. Toutes les pièces sont en place, mais dans un nouvel agencement.

— Quel jour est-on ? demande-t-elle, circonspecte.

— Toujours mardi. Vous n'avez dormi que quelques heures. Votre mari vient de partir. Il est resté ici pour vous tenir la main, mais le médecin préférait que vous soyez seule quand vous vous réveilleriez.

Louise lève les yeux au plafond et réfléchit. Essaie de rassembler ses esprits. Son mari. Cela gronde sous elle et menace à chaque instant de l'entraîner. Elle place péniblement les mains sous le drap. La couverture blanche est incroyablement raide.

— J'ai très froid, dit-elle.

— C'est juste à cause de l'anesthésie, répond Sanne en remontant la couverture jusque sous le menton de Louise.

Elle la borde.

— Il vous a laissé un mot.

L'infirmière prend le papier posé sur la table à côté du lit médical et le lui tend.

— Laissez-le là. Je le lirai plus tard, répond Louise, épuisée.

Quand elle se réveille à nouveau, une femme brune, grande et imposante se tient dans l'encadrement de la porte. Elle s'approche du lit, tend la main à Louise, mais celle-ci n'a pas la force de la serrer. La femme s'assied tranquillement.

— Je suis le médecin-chef. Je m'appelle Anna Pontoppidan, dit-elle en observant Louise.

Elle attend. Mais quoi ?

— Savez-vous où vous vous trouvez ? demande-t-elle après une longue pause.

— L'infirmière me l'a dit. À l'hôpital de Rønne, répond vivement Louise.

— Pouvez-vous m'indiquer votre nom ?

— Louise Andersen.

— Savez-vous pourquoi vous êtes ici ?

— Non. Enfin, je me souviens qu'on m'a endormie, mais je ne comprends pas pourquoi. Je ne comprends pas ce qui se passe.

— Nous avons consulté le rapport sur votre perte de connaissance il y a trois ans en descendant d'un ferry. Vous aviez reçu un violent coup sur la tête. On vous a gardée en observation quelques jours, mais vous vous êtes vite rétablie. Votre état n'avait rien d'alarmant. Rien qui ait laissé soupçonner de dommages plus graves. Vous étiez un peu confuse et il a fallu vous rappeler qui vous étiez et où vous vous trouviez. Mais comme je vous l'ai dit, selon le rapport, vous vous êtes vite rétablie. Il n'y avait donc aucune raison de vous garder à l'hôpital… cette fois-là.

Le docteur Pontoppidan considère Louise d'un air grave. Comme pour souligner ce que celle-ci a déjà deviné : qu'à présent, tout est différent.

Louise se laisse entraîner dans le souvenir de son premier séjour sur ce lit d'hôpital. Le même établissement, la même parure de lit blanche et raide, le même mal-être dans le corps. Elle se souvient de ce qu'elle a ressenti lorsqu'elle a réalisé qu'elle était totalement seule au monde. Elle se souvient du gouffre, du vide intégral. Elle était capable d'effectuer toutes les tâches de base que maîtrise normalement un être humain. Manger sans se salir, aller aux toilettes, lire le journal et faire comme si les nouvelles y figurant lui importaient. Elle était capable de leur parler de la pluie et du beau temps. Elle était capable de répondre à leurs questions inquiètes. Mais à l'intérieur, elle n'était qu'un vide retentissant, qu'elle palpait sous toutes les coutures sans parvenir à le comprendre. Cette fois-là, ils l'avaient laissée sortir au bout de quelques jours. À présent... L'expression de la médecin-chef suffit à le voir. Louise ne peut plus prétendre que ce vide n'existe pas. Elle ne peut plus se mentir à elle-même. Elle pousse un soupir. Peut-être le docteur Pontoppidan le prend-il comme un signe que Louise est prête à entendre la suite, car il enchaîne :

— Nous sommes en train d'essayer de déterminer si vous souffrez de troubles dissociatifs, qu'on appelle aussi « amnésie traumatique ». C'est une perte de mémoire provoquée par des causes psychiques. Elle peut être occasionnée par des événements traumatisants, des émotions extrêmes. Cela n'entraîne pas forcément de symptômes physiques, ce qui fait que cette affection peut être difficile à détecter. En général, elle est suivie d'une grave dépression.

Mais pas toujours. C'est une perte de mémoire qui s'attaque à la personnalité. On oublie tout ce qui a trait à sa propre personne. Dans la plupart des cas, cela ne dure que quelques heures ou quelques jours, car la personne est entourée de sa famille, qui se rend compte du problème et peut donc alerter les services de santé. Mais cela peut aussi se produire dans un contexte où personne dans l'entourage ne remarque rien. Il y a plusieurs cas de « personnes errantes ». Vous en avez certainement entendu parler dans les médias.

Le médecin-chef interroge Louise du regard, mais celle-ci secoue la tête.

— Je peux vous donner un exemple, poursuit le médecin en se calant dans sa chaise. Un jour, une femme est venue trouver un employé dans le métro de Londres pour lui demander de l'aide. Elle n'avait plus aucune idée de qui elle était ni de l'endroit où elle se rendait. On a essayé de découvrir son identité en diffusant sa photo sur une chaîne de télévision nationale, mais personne ne s'est manifesté. On lui a fait subir des examens approfondis sans découvrir de symptômes physiques particuliers. Le service psychiatrique n'a rien trouvé non plus. On a même essayé de lui poser des questions après lui avoir administré une sorte de produit anesthésiant, ainsi que sous hypnose. C'est une méthode très discutée, mais qui donne de temps en temps des résultats. Quoi qu'il en soit, la femme ne se souvenait toujours de rien. À part ça, elle était autonome, et on a fini par la laisser sortir. Un an plus tard, sa famille, qui habitait aux États-Unis, a envoyé un avis de recherche à la police britannique. Il s'est avéré que, du jour au lendemain, elle avait quitté sa maison et pris un avion pour l'Angleterre. C'était à la suite d'une crise très grave au sein de son couple. Quand sa famille l'a retrouvée et lui a donné tous les détails sur son identité, la mémoire lui est revenue. Du moins, la plus grande partie.

Le docteur Pontoppidan observe Louise. Celle-ci essaie de relier l'incroyable histoire qu'elle vient d'entendre à la sienne.

Puisqu'elle a fui ses problèmes… Louise hésite, tente de trouver les bons mots.

— … serait-il possible qu'elle n'ait pas *voulu* qu'on la retrouve ? Qu'elle ait fait semblant d'avoir perdu la mémoire ?

— Oui, c'est une possibilité. Il existe des exemples de personnes qui feignent de ne se souvenir de rien juste pour échapper à des ennuis, c'est certain. Mais nous disposons de tests à la hauteur de la situation. D'examens sophistiqués. Nous aimerions vous y soumettre.

— Vous voulez encore m'endormir ? s'alarme Louise, dont tout le corps se raidit.

— Non, ne vous inquiétez pas. Comme je vous le disais, il existe en effet une méthode assez controversée, un genre d'hypnose, mais ce n'est pas ce que nous utilisons au Danemark. Le problème, avec l'hypnose, c'est qu'il existe de gros risques que les questions posées créent de nouveaux souvenirs chez le patient et que ce qui en sorte ne soit pas la vérité.

Le docteur Pontoppidan hésite un instant avant de poursuivre :

— Les examens que nous allons vous faire passer n'ont rien de mystérieux. Il s'agit de conversations et de tests qui nous aideront à déterminer quelles sont les parties de votre mémoire qui ont été touchées. Cela comprend, par exemple, des tests moteurs et des scanners. En résumé, nous allons cartographier la manière dont votre cerveau fonctionne, ce qui nous en dira plus sur ce qui vous est arrivé. Et à vous aussi.

Louise ferme les paupières. Sent le vertige noir approcher et rouvre vivement les yeux. L'aider à comprendre ce qui lui est arrivé ? Elle jette un regard à la fenêtre, aux rideaux, à la fougère. Il faudrait l'arroser. Elle referme les yeux, revoit en pensée la photographie. Celle qu'ils lui ont montrée au commissariat de police. La femme en robe claire, aux cheveux si soigneusement relevés. Les bijoux à ses mains. L'imposante bague turquoise et le frêle anneau d'or – une alliance. Tout se met à tourner, elle se sent aspirée, saisit brusquement la couverture, s'y agrippe.

— Y en a-t-il d'autres ? demande Louise, qui n'en peut plus.

— D'autres ?

— D'autres cas ?

Le docteur Pontoppidan hoche pensivement la tête. Réfléchit un moment, puis explique :

— Il peut aussi y avoir des symptômes physiques qui perturbent le diagnostic. Un quinquagénaire a fait une chute liée à des douleurs dans le côté droit. À son réveil, il a constaté une motricité extrêmement réduite dans tout le côté droit, ainsi qu'une perte totale de ses souvenirs. Sa famille, persuadée que le problème était purement physique, s'est longtemps opposée à l'hypothèse qu'il puisse s'agir d'une réaction à un élément psychique. L'homme a réappris à connaître sa femme et ses enfants, mais ses souvenirs personnels ne lui sont pas revenus. Après avoir nié pendant des semaines que son état pouvait être lié à son passé, sa femme a évoqué son enfance particulièrement difficile et de gros problèmes à son travail, survenus juste avant qu'il ne perde la mémoire. Quand on

lui a raconté son histoire, l'homme a retrouvé tous
ses souvenirs.

*

Louise fixe la porte, que le médecin-chef a laissée
ouverte en partant. *Ouverte.* Louise ignorait qu'on
pouvait désirer fermer une porte à ce point. Avoir
un endroit où être tout à fait seul. Elle laisse sa
tête retomber sur l'oreiller. Puis elle se souvient du
message de Joachim. Il lui manque tant… Elle a
besoin de lui plus que jamais. Son corps répondant
un peu mieux, elle tend la main vers la petite table
à côté de son lit. Trouve le papier. Épuisée, elle se
cale de nouveau contre l'oreiller et lit : « Tu es dans
mes pensées jour et nuit, tu es toujours en moi. Tu
n'es pas seule. Je t'aime. » Louise le relit plusieurs
fois, sent la chaleur se diffuser dans son corps. Elle
a tant besoin de ces mots-là. Mais cette écriture…
Ces lettres rondes, ces gros « T » qui se dressent bien
au-dessus des autres lettres… Joachim écrit-il comme
cela ? Elle examine à nouveau la signature. Cette
espèce de fioriture sous les trois lignes. Un mouvement de stylo tellement routinier, tellement ancré dans
le corps du signataire qu'il est totalement illisible. Elle
ne le reconnaît pas. Elle a beau l'examiner, aucune
trace d'un « J » dans cet amas de lettres. Elle pose
alors le papier comme si elle s'y était brûlé les doigts.
Ce n'est pas un « J », mais un « E ». Un grand « E »
tournoyant. *Votre mari*, a dit l'infirmière. *Votre mari
a laissé un mot.*
La respiration de Louise s'accélère. C'est lui qui
a écrit ce message. Cet homme, Edmund. Elle se
souvient très bien de lui. Il n'arrêtait pas de crier :
« Helene, Helene ! » C'est lui qui est venu… Lui qui

est resté à côté d'elle pendant qu'elle était inconsciente. Lui a-t-il tenu la main ? Louise se redresse, ou du moins essaie. Elle a envie de crier, de rugir, de hurler que Joachim doit venir la chercher. De la main gauche, elle froisse le message en une petite boule de papier. Qu'elle jette en direction de la porte.

9

Joachim tourne en rond dans la cuisine. Le trajet de Rønne à Christiansø sans Louise a été affreux. Pendant toute la traversée de l'île, puis sur le bateau, il a eu l'esprit complètement ailleurs, obnubilé par elle. Être témoin de sa crise de nerfs au commissariat de police et ensuite de son hospitalisation a été très difficile pour lui. Il a suivi l'ambulance dans sa Volvo, hébété. Quand on l'a laissé pénétrer dans la petite aile psychiatrique de l'hôpital, Louise n'était pas consciente. C'est le médecin-chef, le docteur Pontoppidan, qui lui a recommandé de rentrer chez lui se reposer quelques heures. Prendre des affaires pour Louise. Des vêtements, par exemple, car ceux qu'elle portait ont été déchirés pendant son altercation avec les policiers.

Joachim s'assied sur la chaise habituelle de Louise, considère les ustensiles de cuisine couleur turquoise, les vieux meubles de bois qu'elle a transformés à son goût avant qu'il emménage. Elle a remis tout l'appartement en état. Repeint les murs en blanc, choisi les rideaux, légers et clairs, les lirettes dans des tons de bleu et de vert doux. Les mêmes couleurs partout. Celles du ciel, de la mer et des algues. Quand Joachim a emménagé, il n'a rien eu envie de changer. Il est arrivé avec son ordinateur et ses livres, c'est tout. Son petit bureau est la seule pièce qui porte sa marque. Un lieu bourré de frustration. Dans cet endroit, il a livré bataille – et perdu. C'est le reste de l'appartement, c'est-à-dire la cuisine, la chambre, le petit salon, qu'il considère comme chez lui. Jamais il ne s'est senti autant chez lui que dans cet appartement. Avec Louise. Tellement heureux.

Helene ?

Joachim se lève. Helene. Sa Louise, Louise la vivante, Louise la lumineuse, est-elle vraiment une autre ? Le médecin ne veut pas se prononcer pour l'instant, mais la police a l'air tout à fait sûre qu'Edmund Söderberg a raison quand il prétend que Louise est en réalité Helene, sa femme disparue. Joachim pénètre dans leur chambre. En sort. Qu'est-il venu faire ici ? Ah oui, des vêtements pour Louise. Ce nom le tourmente. Helene. Hélène, c'est un nom qui appartient à la mythologie grecque, et qui ferait bien d'y rester. Hélène n'a pas intérêt à faire son apparition ici, à Christiansø. La belle Hélène. Zeus, déguisé en cygne, mit Léda enceinte. Sa fille Hélène sortit donc d'un œuf, belle et blanche comme ce volatile. La plus belle de toutes les femmes. Si belle qu'elle rendit les hommes complètement fous. Tous voulaient la posséder, Ulysse, lui, Joachim, et cet Edmund. Non, il mélange tout. Il se rassied. Ébouriffe ses cheveux. En ce moment, il est plus facile de penser à la mythologie grecque qu'à la réalité. Afin que tous les prétendants ne s'entretuent pas jusqu'au dernier, ils conclurent un pacte : il revint au père d'Hélène ou, plus exactement, au mortel qui lui tenait lieu de père censé se charger de son éducation (genre d'occupation dont les dieux ne s'embarrassent pas), de décider qui aurait sa fille. Une fois la décision prise, tous les autres défendraient le droit de l'élu à se marier avec elle. Tous, sauf un : Ulysse. Il avait conclu le pacte mais tenta d'échapper à la parole qu'il avait donnée. Il feignit d'être devenu fou, mais on découvrit son stratagème. Il fut donc obligé d'apporter son soutien à Ménélas, le roi de Sparte, afin que celui-ci puisse épouser la belle Hélène. L'histoire aurait pu en rester là. Ulysse en épousa une autre, Pénélope. Mais les litiges à propos d'Hélène étaient loin d'être terminés. La belle fut cause d'une guerre. Les trois plus jolies déesses, Aphrodite, Héra et Athéna, se disputaient pour savoir laquelle d'entre elles était la plus belle. Elles firent venir le fils d'un roi, Pâris, afin de servir de juge, et lui promirent chacune une récompense pour mettre fin à leur querelle. Héra promit le pouvoir, Athéna la sagesse, et Aphrodite l'amour. Pâris désigna Aphrodite comme la plus belle de toutes et, en récompense, la déesse ravit Hélène pour lui. Ce qui marqua le début d'une guerre entre Sparte et Troie qui allait durer plusieurs années. La fameuse guerre de Troie, celle-là même qui jeta Ulysse sur les mers car il voulait fuir les combats. Ulysse à qui il faudrait dix longues et périlleuses années pour rentrer chez lui.

Joachim pousse un profond soupir. Sa petite incursion dans le monde de la mythologie grecque n'a pas amélioré son humeur. Il jette un regard autour de lui, à l'affût d'un signe. D'une trace. De quelque chose qui pourrait lui expliquer le mystère de la femme qu'il croyait connaître. Est-elle vraiment mariée ? Appartient-elle à un autre homme ? À Edmund Söderberg ? C'est à peine croyable. Pourquoi justement un homme comme lui ? On ne trouverait pas de meilleur équivalent à Ménélas dans tout le Danemark. Riche. Aussi puissant qu'un roi. Dans ce cas, qui est Joachim ? Pâris, qui a ravi Hélène à Ménélas ? Non.

Il se sent plus proche d'Ulysse. Las. Ayant fui un conflit qu'il n'a jamais souhaité. N'ayant pas encore achevé son périple. Un périple long et pénible dont il ne sait pas où il le mènera. Où est son foyer, s'il n'est pas ici ?

Il entre une nouvelle fois dans la chambre. Ça ne peut pas être vrai. Tout ça n'est pas cohérent. Il refait le tour de l'appartement. Inspecte chaque recoin, chaque meuble. Elle a tout choisi ici, c'est elle qui a décidé de la place de chaque chose. Il ne sait presque rien d'elle, c'est vrai. Mais tout est là, sous son nez. Si elle est une autre, il doit y avoir des preuves. Et s'il y a des preuves, elles sont ici.

— Allez, Joachim, murmure-t-il pour s'encourager.

Il commence par la chambre. Ouvre un à un les tiroirs de la commode, les placards, fouille chaque étagère. Vêtements, parfums, maquillage, crèmes. Il connaît tout. Ses vêtements sont simples. Des tissus doux, dans les mêmes tons que la décoration de l'appartement, bleus, verts, et toutes les nuances entre les deux. Ses bijoux, par contre, sont différents. Plutôt gros, et elle en possède plusieurs en or. Des bracelets qui cliquettent, des sautoirs, de somptueuses boucles d'oreilles. Il ferme les yeux, l'imagine devant lui. À des lieues de toutes ces femmes sensées avec des coiffures pratiques, toujours habillées en jean. Louise ne consacre jamais beaucoup d'argent à ses vêtements, il est clair qu'elle n'en a pas les moyens car c'est à peine si le café tourne, même en haute saison. Elle achète presque tout d'occasion, et, pris individuellement, ses vêtements n'ont rien d'exceptionnel. Quand elle les combine, en revanche…

Il ne trouve rien dans la chambre. Rien qu'il ne connaisse déjà. C'est quand même un monde que ç'ait été justement là, au commissariat de police, dans le banal bureau d'Iben Hansen Hansen, qu'il l'ait admis pour la première fois : au fond du fond, il ne sait rien de la femme avec laquelle il habite depuis plus de deux ans. Comment est-il possible qu'il ne s'en soit jamais rendu compte avant ? Il est sidéré. C'est fou qu'il ait été pressé à ce point d'oublier tout son passé… Le divorce d'avec Ellen. Voilà la guerre qu'il a fuie. Ses blessures étaient plus profondes que ce qu'il s'était imaginé. Et Louise. Helene. Qu'a-t-elle fui, elle ? Le médecin a dit à Joachim que le genre d'amnésie dont elle souffre est susceptible de se produire après un événement tellement traumatisant qu'on refuse d'en admettre la réalité. On ne veut pas en avoir connaissance, on ne veut rien en savoir. Qu'a-t-elle vécu ? Qu'est-ce qui se cache dans son passé ?

Joachim poursuit ses recherches. Chaque tiroir, chaque placard de la cuisine, dans le salon aussi. Il passe tout au peigne fin, en vain. Il tourne, fébrile, de pièce en pièce. Reste un long moment les bras ballants, la tête encombrée de pensées impossibles à ordonner. Elle vit pourtant ici. Ils habitent ensemble. Ne l'aurait-il pas remarqué si elle avait caché quelque chose ? Louise ne lui a-t-elle jamais rien montré ayant trait à son passé ? Une photo ? Une lettre ? Un journal intime ? Non… Si ! Il se souvient d'un vieux sac à dos sur lequel il a fait un commentaire un jour. Il s'en est moqué gentiment. C'était le sac qu'elle avait le jour de son arrivée à Bornholm, lui avait-elle expliqué. Pourquoi s'en était-il moqué, au fait ? Ah oui, parce qu'il ne correspondait pas du tout au style de Louise. Passablement usé, en toile, un look vaguement militaire. De quelle couleur, déjà ? Gris ?

Joachim ouvre la trappe qui donne accès au grenier. Il n'y a jamais mis les pieds. L'échelle pliable fonctionne mal et les charnières sont rouillées, mais après plusieurs tentatives, il réussit à monter les quelques barreaux. Là-haut, sous le toit d'ardoise, il fait aussi chaud que dans un sauna. De vieilles chaises des années 1970. Orange et marron. Mais où les gens avaient-ils la tête à l'époque ? Joachim verse le contenu de deux cartons de déménagement par terre. Des vêtements. Appartiennent-ils à Louise ? Il fait les poches. Dans le second carton, il tombe sur le sac à dos, mais il ne contient rien excepté un vieux bout de carton. Un sous-bock.

Joachim redescend. Essaie de rassembler son courage. Il étudie le sac à dos. Le fond est quasiment… comment dire ? Rouillé ? Le tissu, ça ne rouille pas. Pourtant, quand Joachim le frotte, une fine poussière métallique lui reste sur les mains. Ce sac a peut-être fait un séjour dans… une eau où traînait du métal ?

Il examine le sous-bock publicitaire aux couleurs passées. Campari. Le carton est taché d'on ne sait quoi. Peut-être de Campari et de soda. C'était à la mode il y a quelques années, non ? Au revers, un numéro de téléphone : 91880119. Qu'est-ce que ça pourrait être d'autre ? Une date ? Un code ? Non, c'est un numéro de téléphone, écrit à la va-vite au stylo à bille noir, de manière un peu bâclée, mais les chiffres restent bien lisibles.

Joachim sort son téléphone portable et cherche à qui correspond le numéro sur le site des Pages jaunes. Il obtient cette réponse : « Nous sommes désolés, mais votre recherche ne donne aucun résultat. » Puis le site précise : « Cela peut être dû au fait que le numéro correspond à une carte prépayée, qu'il est sur liste rouge, ou qu'il n'est plus attribué. »

— Mon œil ! s'exclame Joachim, qui s'empresse de composer le numéro.

Il attend avec impatience en comptant le nombre de sonneries.

— Peter, dit une voix à l'autre bout du fil.

Une voix jeune, un homme, la vingtaine peut-être. Il y a du bruit derrière, un brouhaha de voix.

— Qui… Où suis-je ? demande Joachim.

— Au sous-sol. À qui vouliez-vous parler ?

Joachim réfléchit. Le sous-sol. Qu'est-ce que ça signifie, nom d'un chien ?

— Louise Andersen, répond-il.

— Louise… Je ne crois pas qu'on ait de Louise ici. Vous êtes de la nouvelle équipe d'audit ?

Joachim ne sait quel parti prendre. Va-t-il jouer le jeu ?

— Écoutez, Peter. Je m'appelle Joachim. J'enquête au sujet d'une femme disparue. Louise Andersen. On a retrouvé votre numéro dans ses affaires.

— Quoi ? Je ne suis au courant de rien, répond Peter – un peu trop rapidement, pense Joachim.

— Je voulais vous donner une chance de nous aider avant de transmettre cette information à la police.

— La police ? Mais de quoi parlez-vous ? Qui êtes-vous ?

— Comme je vous l'ai déjà dit, je m'appelle Joachim. Et on a retrouvé votre numéro parmi ses affaires.

— Je ne la connais pas. Louise comment ? C'est elle qui s'est fait virer de la direction ?

— Peut-être, répond Joachim en se demandant comment tirer le maximum d'informations de Peter. Vous la connaissiez ?

— Non, déclare Peter, hésitant. On a été remerciés tous les deux l'année dernière après l'adoption de la nouvelle loi de finances. Mais bon, comme la moitié du ministère.

Puis il ajoute :

— C'est ridicule.

— Elle travaillait donc au ministère... des Finances ? hasarde Joachim, qui essaie de gagner du temps.

Il cherche la question qui pourrait tout éclairer.

— Le ministère des Finances ? Non. Celui des Affaires sociales et de l'Intérieur. Dites-moi, êtes-vous sûr de parler à la bonne personne ? Je ne sais rien sur cette femme. Ne me rappelez pas, conclut le mystérieux Peter, sans pour autant raccrocher.

— Et Helene Söderberg ? Ce nom vous dit-il quelque chose ? demande Joachim.

Et soudain, le bruit. Le bruit du vide, du rien, de Peter qui a mis fin à la communication. Joachim reste planté là, son mobile dans une main, le sous-bock dans l'autre. Ridicule. Un putain de sous-bock. Avec le numéro d'un certain Peter, du ministère des Affaires sociales et de l'Intérieur. À quoi est-ce que ça rime ? Les enfants maltraités, les numéros d'identification nationaux, voilà de quoi s'occupe le ministère des Affaires sociales et de l'Intérieur. Et puis de statistiques, bien sûr.

Joachim abandonne et passe dans la chambre, s'assied sur le lit, regarde dehors. La mer est calme. Elle bouge à peine. Le ciel d'après-midi est d'un bleu profond, saturé. L'été pèse lourd sur tout. Joachim se languit de vent, d'orages. De tempêtes. De tonnerre. Tout plutôt que ce temps si éloigné de ce qu'il ressent à l'intérieur. Seul, sans Louise. Sans la moindre idée de comment elle va. Ni de ce qui est en train de leur arriver.

10

Louise est assise à côté de Joachim dans l'avion qui les emmène au Rigshospitalet, à Copenhague, en route pour mille et un examens. Edmund aurait aimé l'accompagner, il le lui a dit quand il est revenu la voir à l'hôpital après qu'elle a repris connaissance. Mais Louise l'a envoyé paître.

Sur le siège derrière eux est assis Morten Rask, le policier. Louise est épuisée mais refuse d'abaisser son dossier. Pas question qu'elle se rapproche de l'agent ne serait-ce que d'un centimètre. Elle n'arrête pas de penser à ses mains. Elle revoit la manière dont il tambourinait comme un maniaque sur le dessus de la table pendant l'interrogatoire, la peau rugueuse de ses gros doigts. Il la dégoûte. Quant à lui, il ne cache pas qu'à son avis, elle ment. Une femme a disparu, peut-être deux, cette affaire est donc à présent du ressort de la police. C'est ce qu'ils ont dit à Joachim quand il a protesté à la perspective de ce voyage à Copenhague. Il tient la main à Louise. Celle-ci sent la chaleur de Joachim contre sa propre peau, qui lui semble trop fine. Sensation qu'elle éprouve depuis… depuis l'anesthésie ? Ou est-ce le choc qui lui cause cette sensation permanente de froid ?

Ils atterrissent à l'aéroport de Kastrup. Le policier marche à côté d'eux, les guide jusqu'aux taxis, leur tient la portière arrière. Lui s'installe sur le siège passager à l'avant et informe le chauffeur qu'ils se rendent au Rigshospitalet.

*

La section où l'on effectue les prises de sang se trouve au rez-de-chaussée. Malheureusement, Edmund aussi, constate Louise du premier coup d'œil dans le couloir. Il est en train de parler à un employé de l'hôpital, peut-être un psychiatre. Louise a bien remarqué avec quel respect les gens s'adressent à Edmund. Il a fait le même effet aux policiers de Bornholm. Joachim serre très fort la main de Louise.

— Helene, murmure Edmund en la regardant avec tendresse.

Elle détourne la tête.

— On pourrait peut-être attendre de laisser parler la science, non ? lance Joachim à Edmund.

— Bien sûr, répond calmement celui-ci. Je viens de déposer les prises de sang des enfants.

Les enfants. Louise repense à la photographie. Aux deux enfants sur le cliché. Une fillette dodue et un garçon un peu plus âgé, détournant le visage. Un nerf saute à sa tempe, elle y porte la main et appuie dessus pour essayer d'en stopper le frémissement.

— Ça va ? demande la voix de Joachim.

Louise se rend compte que tous les regards sont braqués sur elle. Elle ferme la bouche, elle ne s'était pas aperçue qu'elle se tenait ainsi, lèvres entrouvertes. Un nouveau médecin est arrivé.

— Les enfants ? balbutie-t-elle.

— Sofie et Christian, insiste Edmund. Tu ne te souviens pas d…

D'un geste amical mais ferme, le médecin saisit Edmund par le bras pour l'empêcher d'en dire plus.

— Excusez-nous, déclare-t-il, je croyais que vous étiez au courant. Il y a en effet deux enfants, nous allons faire des tests ADN avec eux aussi. Pour le moment, rien n'est établi avec certitude.

— Non, rien n'est établi, répète Joachim. Et je trouve qu'il serait adéquat de prendre cela en considération. Cet homme a-t-il vraiment besoin d'être ici ? Ne pourrait-on pas ménager Louise un minimum ? Il me semble que nous avons eu notre dose d'allégations ces derniers jours.

Edmund fait un pas de plus vers eux, tend à nouveau les bras vers Louise. Il a changé de costume. Bleu foncé : la couleur des heures graves. Louise essaie de reprendre le contrôle de sa respiration. Deux enfants. Un mari aux cheveux bruns, et deux enfants.

— Nous allons maintenant procéder aux examens, déclare le médecin d'une voix calme.

Il doit avoir l'habitude. Les histoires de parenté, les enfants illégitimes qui soudain réclament une partie de la fortune de leurs parents décédés, c'est ici que tout se décide, ici que l'on remonte les filiations sanguines jusqu'à déterminer ce qu'il en est, jusqu'à ce qu'on sache avec certitude qui a eu des enfants avec qui.

Le médecin tend le bras d'un geste qui se veut rassurant mais ne peut dissimuler son inquiétude. Il éloigne élégamment Edmund, aidé d'une femme en blouse blanche qui, pendant tout ce temps, est restée les yeux écarquillés, témoin muet de la scène. Louise déteste ce genre de spectateurs anonymes. Pourquoi une inconnue totale devrait-elle la voir dans cet état, tellement vulnérable, vacillant sous le poids du doute ?

*

Louise passe un scanner. C'est là, pendant qu'elle se trouve dans l'étroit tube blanc, enveloppée d'une lumière vive, que les médecins découvrent une lésion, ancienne, due à un coup. Est-ce la même que celle dont lui a parlé le docteur Pontoppidan ? Oui, ça doit être ça, se dit-elle. Naturellement, les médecins sont incapables d'en établir la provenance. Edmund leur a expliqué que, le soir où elle a disparu, Helene était partie à cheval. Et qu'il avait retrouvé le cheval et la bombe d'équitation, mais pas sa femme. Les médecins ne sont pas en mesure de déterminer si le coup qu'elle a reçu à la tête lui a été donné ou non par un sabot de cheval ou autre chose. Seulement que c'était un choc sévère.

— Sévère ? leur demandera Louise par la suite, dans l'attente d'une explication plus précise.

La réponse est implacable :

— Il aurait pu être mortel.

On donne à Louise une chambre individuelle à l'hôpital. Et une pilule ; elle peut se reposer pendant qu'ils analysent tous ses résultats. « Pendant que les juges votent », selon les mots de Joachim. On l'a autorisé à attendre avec elle. Il s'assied sur une chaise à côté du lit. Louise lui demande de tirer les rideaux et d'éteindre la lumière. Avec ou sans pilule, elle se fatigue très vite, elle a l'impression de vivre dans une horloge, ça résonne dans sa tête et elle ne peut pas en sortir. Ne supporte pas les questions, ne supporte pas de répondre. Elle s'endort aussitôt. Quand elle se réveille, la nuit a commencé à tomber. Joachim s'est assoupi sur la chaise. Sa tête s'est affaissée contre sa poitrine, il a la bouche entrouverte.

Elle se tourne sur le côté afin de pouvoir mieux le regarder. Elle reste parfaitement immobile, elle ne veut pas déranger son sommeil. Son visage est ridé, hâlé. Il n'a pas mené une vie facile et cela a laissé des traces. En même temps, ses rides ont un côté désarmant. À quoi ressemblait-il quand il n'était encore qu'un petit garçon ? Soudain, l'aiguillon du souvenir la pique. Les médecins sont en train de déterminer si elle a des enfants ou non. Mais… on ne peut tout bonnement pas *oublier* qu'on a des enfants. Non. Voilà pourquoi il est impossible qu'elle soit cette femme… Cette Helene. On n'oublie pas l'existence de ses enfants.

Lorsqu'on vient enfin les chercher, tout va trop vite. Louise a à la fois envie de savoir et aucune envie de savoir. On les fait entrer dans le cabinet du médecin, assez spacieux pour contenir une table de conférence ovale, un bureau et même quelques fauteuils. Morten Rask s'est installé à un bout de la table. Une pile de papiers est posé dessus. Louise s'assied à l'autre bout, le dos tourné au bureau du médecin, mais avec vue à la fois sur la porte et sur les fenêtres. Joachim s'installe à côté d'elle.

Edmund fait son apparition. Il prend beaucoup de place dans la pièce, il a beaucoup d'autorité. Plus que le médecin. Plus que Joachim ? se demande Louise.

Enfin, le médecin se racle la gorge. Regarde Louise droit dans les yeux.

— Le résultat des examens est parfaitement clair, dit-il à voix basse, comme s'il avait honte du verdict de la science.

Louise le regarde parler. Il leur rend compte des analyses génétiques et mentionne le pourcentage de risques infinitésimal, selon les statistiques, pour qu'ils se trompent. Louise ne l'écoute pas, elle ne se concentre que sur la conclusion : elle *est* Helene Söderberg. La femme qui a disparu il y a trois ans.

Louise. Helene. Elle est là, sur la chaise. Elle sent le contact entre ses pieds et le sol, l'arrière de ses cuisses et l'assise du siège, son dos et le dossier du fauteuil, sa main et celle de Joachim. Elle s'envole. Se dissout. Helene. Louise. Ce qu'ils sont en train de lui annoncer ne signifie qu'une chose : elle ne sait rien. Elle ne bouge pas. Ne dit pas un mot. Sa main ne lâche pas celle de Joachim, mais elle a beau être physiquement présente, elle disparaît. Elle cesse d'exister. Louise. Helene. Joachim. Edmund. Joachim et Louise. Helene et Edmund. Sofie et Christian. Les enfants. Ses enfants. Elle n'est pas seule au monde. Rien n'est comme elle le croyait. Elle n'est pas sans racines. Elle n'est pas orpheline. Elle a manqué à quelqu'un. Très fort. Elle les a juste oubliés. Oubliés. Mais eux ne l'ont pas oubliée.

11

C'est Joachim qui a choisi l'endroit, mais à présent il regrette. Il observe Louise. Enfin, Helene. Assise devant lui, livide, lasse. Le restaurant s'appelle The Real Chinese, et lui et elle détonnent complètement dans le décor, silencieux comme ils le sont parmi tous ces carriéristes de la capitale danoise tirés à quatre épingles. Les yeux de Joachim parcourent le menu et s'arrêtent sur le mot *real*. Le « Vrai Chinois ». Le *vrai* nom de Louise est Helene. Ces derniers jours, tout a tourné autour de ce thème. La vérité. La thérapie de Louise – non, il s'est encore trompé de nom, la thérapie d'Helene –, chez les psychiatres les plus compétents du pays, qui ont péniblement tenté d'extraire des fragments de souvenirs du magma noir dans lequel elle vit. En vain. Mais les photos d'elle (et les vidéos, car il en existe) ont achevé de la convaincre. Et de convaincre Joachim. Ils sont allés procéder à des examens dans le département du Rigshospitalet spécialisé dans les troubles de la mémoire, un bâtiment gris juste à côté de l'Institut Niels-Bohr. L'une des seules sections agréables de cet hôpital aux innombrables branches. Joachim aurait presque préféré qu'Helene soit victime de n'importe quelle affection susceptible de toucher un être humain plutôt que de cette amnésie « rétrograde » ou « psychogène » – au diable ces adjectifs barbares.

Il ne subsiste plus aucun doute. Même si le médecin du Rigshospitalet leur a annoncé la vérité il y a plusieurs jours déjà, celle-ci a été difficile à accepter. Surtout pour Helene. Elle a voulu fuir, elle a imploré Joachim de l'emmener loin. Mais il s'est opposé à cette idée, il est resté du côté de la raison. Il le lui a répété encore et encore : ils doivent se montrer rationnels.

C'est elle qui a proposé qu'ils sortent tous les deux ce soir. Pour discuter tranquillement. Pourtant, elle reste muette et évite son regard. Joachim tripote nerveusement ses baguettes, guette avec impatience un serveur. Aucun d'entre eux n'arrive à entamer la conversation qui, ils le savent, devra suivre. Que fait-on maintenant ? Il y a des enfants dans le tableau. Cela change tout. Joachim est incapable de s'imaginer ce que ce doit être pour elle. *Helene.* Voudra-t-elle se faire appeler par ce nom à partir de maintenant ? Il pourrait s'habituer à l'appeler Helene, il en est persuadé. Il pourrait aussi s'habituer à l'idée des enfants. Ces réflexions n'ont pas quitté Joachim pendant qu'Helene subissait des examens et que médecins et psychiatres tentaient de lui venir en aide.

Il s'était imaginé la chose complètement différemment. Il avait espéré que cette soirée constituerait une échappée loin du cauchemar dans lequel elle avait été plongée. Dans lequel *ils* avaient été plongés. Une soirée qu'ils auraient pu arracher au cours normal du temps. Presque comme s'ils étaient partis en voyage tous les deux. Cela allait les aider. Pendant quelques secondes, il les imagine elle et lui vus de l'extérieur, se figure l'image qu'ils doivent donner aux autres clients. Pâles, abattus, muets. Il faut qu'il dise quelque chose. Ils ne peuvent pas rester comme ça sans échanger un mot. Merde, à la fin ! Il va bien réussir à adresser la parole à la femme qu'il aime tant. Il devrait lui poser une question. Une simple question, ce n'est tout de même pas si compliqué ? Peut-être à propos de l'autre femme… Celle que la police recherche. La véritable Louise Andersen.

— J'ai trouvé un sous-bock dans ton vieux sac à dos, dit Joachim.

— Un sous-bock ?

— Il y avait un numéro de téléphone dessus.

Et il lui parle de Peter, du ministère des Affaires sociales et de l'Intérieur. Raconte leur conversation. Il la dévisage tout en lui énumérant les tâches dont s'occupent les fonctionnaires de ce ministère, aider les personnes vulnérables, établir des statistiques sur à peu près tout et n'importe quoi, mais rien de ce qu'il dit n'éveille de réaction en elle. Aucun souvenir n'émerge. D'ailleurs, il a déjà parlé à la police de ce Peter du ministère, et apparemment eux non plus n'ont trouvé aucun lien entre Helene, Louise et le sous-bock.

— As-tu encore subi des interrogatoires aujourd'hui ? reprend-il d'une voix qu'il reconnaît à peine.

Il pose ses doigts sur les siens, mais elle les retire brusquement. Se place hors de sa portée, les deux mains sur les genoux. Joachim comprend. C'est déplacé. Rien ne va plus.

— Qu'est-ce qu'ils t'ont demandé ? insiste-t-il, puisqu'elle ne dit toujours rien.

— Ils n'ont pas arrêté de me poser des questions sur Louise, soupire-t-elle. Ils ont l'air persuadés que je me souviens quand même de certaines choses. Selon les médecins, la mémoire peut me revenir. Plus on me donnera de détails, plus j'ai de chances de réactiver mes souvenirs. Mais les policiers continuent à m'interroger comme s'ils croyaient que je leur mens.

— Et eux, ont-ils trouvé quelque chose sur elle ?

— Non, après son départ de la colocation de Randers, on n'a plus aucune trace. Mis à part une arrestation sans suite, il n'y a rien avant le jour où je suis descendue du ferry à Rønne avec son sac à dos.

— Son sac à dos rouillé.

— Pardon ?

— Rien, répond Joachim en haussant les épaules. Le tissu était maculé de particules de rouille au fond.

Louise sourit, secoue la tête.

— Toi et les petits détails.

— L'histoire se cache toujours dans les détails.

— Comme le diable, réplique-t-elle.

L'espace d'un instant, c'est comme s'ils étaient redevenus Louise et Joachim. Avant que tout cela n'arrive. L'a-t-elle remarqué, elle aussi ? Est-ce pour cela qu'elle recule légèrement ?

— Le jour où tu as été hospitalisée, à Rønne…

— Oui.

— T'en souviens-tu ?

— Je me souviens du moment où je me suis réveillée. Je me souviens des douleurs. J'avais mal à la tête.

— À cause du choc, dit Joachim, qui tente de se remémorer tout ce que la police lui a expliqué.

Helene est descendue du ferry à Rønne et on l'a trouvée sans connaissance sur le quai. On l'a amenée en ambulance à l'hôpital. C'est là qu'elle est revenue à elle. Elle avait le sac à dos de Louise Andersen. Les médecins l'appellent donc « Louise ». Et elle réagit comme si c'était normal.

— Êtes-vous prêts à passer commande ?

Le serveur les regarde. Joachim énumère machinalement ce qu'il veut. C'est beaucoup trop. Il sait déjà que, l'un comme l'autre, ils ne feront qu'effleurer la nourriture du bout des baguettes sans le moindre appétit. Au moment où le serveur s'éloigne, Louise est déjà complètement perdue dans ses pensées. Joachim est sur le point de prononcer son nom afin d'attirer son attention, mais il tergiverse : quel prénom utiliser ? Il faudrait qu'il lui pose la question. Il déteste ça. Il déteste tout dans cette situation.

— Louise ? demande-t-il, hésitant.

Elle réagit. Bien sûr qu'elle réagit. Néanmoins, elle a une drôle d'expression.

— Est-ce que tu veux que j'arrête de t'appeler Louise ?

— C'est tellement bizarre, je… je ne sais pas.

Elle porte les mains à son visage, reste un moment ainsi avant de laisser retomber ses bras.

— J'ai passé ma journée à répondre à des questions à propos d'une femme de ce nom.

— Tu préférerais commencer à utiliser Helene ? Tu veux que je t'appelle comme ça ?

Joachim remarque que sa voix n'est plus la même.

— Joachim, il faut que je te dise quelque chose.

Elle se penche et tend la main vers lui ; à présent, c'est lui qui hésite. Elle baisse la tête, ses cheveux retombent et empêchent Joachim de la voir. Ça ne va pas du tout. Le lien qui les a toujours attachés l'un à l'autre s'est rompu.

— Joachim… Je ne peux pas continuer à vivre avec toi. Il y a toute une vie qui m'attend à Silkeborg. Un mari, deux enfants. Je ne peux pas.

— Bien sûr qu'on ne peut pas continuer comme si de rien n'était, répond Joachim, plein d'ardeur. Bien sûr que ça change tout, mais nous allons trouver une solution. On peut déménager, on peut habiter à côté de chez eux. Les enfants feront partie de notre vie, cela va de soi, je…

Elle lâche sa main. Il s'interrompt.

— Non, dit-elle. Non, tu ne comprends pas. Je ne peux pas continuer. J'ai une autre vie. Une vie à part entière. Un travail. J'ai énormément d'employés, une grosse entreprise. Edmund est mon mari. Toi et moi… Nous allons arrêter de nous voir.

— Je te comprends tout à fait, assure Joachim.

Mais c'est faux. Cette manière de parler qu'elle a, complètement morte… Il est clair qu'elle est sous le choc.

— Louise – excuse-moi, je veux dire Helene.

Joachim lui prend à nouveau la main. Elle a peur. Il est normal qu'elle ait peur, mais ils n'ont pas besoin de se précipiter. Les décisions peuvent attendre.

— Helene, personne ne prétend que tu devrais savoir ce que tu veux dès maintenant. Tu es sous le choc, tout est allé si vite. Viens, on s'en va, c'était une grosse erreur de vouloir sortir. Rentrons à l'hôtel.

Elle secoue la tête. Joachim se rend compte qu'il a très chaud, il est en sueur, il a mal au cœur.

— C'est pour l'argent ? C'est parce qu'il est riche ?

— Comment peux-tu dire une chose pareille ? répond-elle, sincèrement choquée.

Il est évident qu'elle n'a pas pris cet élément en considération. Joachim se déteste d'avoir posé cette question.

— Excuse-moi. Je ne voulais vraiment pas dire ça.

Il peut s'excuser, cela n'effacera pas ce qu'il vient de dire. Elle reste un long moment silencieuse face à lui. Quand elle reprend la parole, c'est d'une voix différente. Cette fois, elle s'exprime de manière à ce qu'il comprenne qu'elle a bien réfléchi et qu'elle est très sérieuse :

— Si je ne vais pas au bout de cette histoire, si je reprends ma vie exactement comme avant, jamais je ne me le pardonnerai. Je me sens déjà très mal rien qu'à l'idée de tout ce que j'ai raté. Je me déteste d'avoir trahi mes propres enfants. Quand je pense à ces années qui se sont envolées pour toujours, trois ans de leur vie, je ne sais pas si tu comprends… Ils me croyaient morte.

Elle se penche, enfouit son visage dans ses mains, pleure. Joachim se lève ; son corps est étrangement assoupi, il perçoit tout cela de haut, comme si cette histoire ne le concernait pas. Il se voit s'agenouiller à côté d'elle, la prendre dans ses bras. Puis il se lève, l'entraîne avec lui, continue à la soutenir pendant qu'ils quittent le restaurant, tous les regards braqués sur eux.

Dans la rue, il la prend à nouveau dans ses bras. Il sent qu'elle cède, qu'elle se blottit contre lui. Ils restent long-temps ainsi, jusqu'à ce qu'aucun d'entre eux n'ait plus la force de pleurer. Il inspire son parfum doux et léger. Il la comprend. C'est ça qui lui fait le plus mal. Il comprend qu'elle n'a pas le choix.

— Faut-il vraiment que ça aille si vite, faut-il que ce soit si définitif ? demande-t-il tout de même.

— C'est la seule solution.

Il acquiesce. C'est insupportable. Il ne veut pas la lâcher.

— Je vais y aller maintenant, chuchote-t-elle en se libérant délicatement de son étreinte.

Elle dit quelque chose à propos de nouveaux examens à passer demain ; Joachim n'écoute pas, ça fait trop mal. Elle replace une mèche de cheveux derrière son oreille, il aspire cette scène. Ne la verrat-il plus jamais faire ce geste ? Vraiment ? Ne se réveillera-t-il plus chaque matin en la voyant profondément endormie, confiante, à ses côtés ?

— Ils m'attendent... La voiture attend...

Elle regarde ses pieds, embarrassée. Il sait qu'elle veut parler d'Edmund. Elle s'était donc mise d'accord avec lui au préalable. Edmund. L'homme qui, pendant trois ans, a cherché son Helene disparue. Et qui a suivi une indication reçue de la part d'un de ses clients, une vague connaissance qui lui a écrit, un lundi matin, qu'il avait vu une femme ressemblant peut-être à son épouse disparue. Edmund avait réagi aussitôt. Le soir même, il avait décollé dans son jet privé. Et passé la nuit sur un banc, devant le café, dans son costume sur mesure à plusieurs milliers de couronnes. S'était levé aux premières lueurs du jour pour épier à l'intérieur, avait demandé à voir son Helene, l'avait appelée. Jusqu'à ce qu'il la trouve.

Joachim secoue la tête.

— Mais tu ne vas pas oublier ce que nous avons vécu ensemble, n'est-ce pas ? murmure-t-il.

— Non. Je ne pourrai jamais t'oublier, bien sûr que non, répond-elle tendrement.

Ses yeux débordent d'amour, et Joachim doit vraiment faire un effort sur lui-même pour ne pas l'attirer à nouveau contre lui. Il fourre les mains dans ses poches. Se tient au-dessus d'elle, épaules rentrées, et lui dit d'une voix assombrie par la tristesse :

— Je comprends que tu sois obligée de faire ce que tu fais, je le comprends tout à fait, mais... je donnerais n'importe quoi pour qu'il en soit autrement. Je penserai toujours à la manière dont nos vies auraient pu se modeler. Sache-le. Chaque matin, quand tu ouvriras les yeux, je serai là, assis quelque part, en train de me dire que ça y est, tu es réveillée. Tu vas me manquer.

Il marque une brève pause.

— Je ne resterai pas à Christiansø.

Les mots qui viennent de sortir de sa bouche le surprennent lui-même. C'est une résolution qu'il a prise tout en parlant, à l'instant. Il le faut. Il en est tout à fait certain.

— Je vais déménager à Copenhague, je ne peux pas continuer à habiter là-bas, pas sans toi. Mais tu pourras toujours me retrouver. Si jamais tu…

Il n'achève pas sa phrase. Elle ne répond rien, commence à trépigner, anxieuse. Ce sont des adieux. Ils vont se dire adieu. Il voudrait la prendre à nouveau dans ses bras mais elle le devance, fait un pas en arrière. Esquisse un sourire. Piètre tentative qui s'achève plutôt en grimace.

— Tu vas peut-être enfin pouvoir écrire…, dit-elle, essayant de paraître encourageante.

Joachim la dévisage. D'un coup, il comprend qu'elle a déjà réfléchi à la question pendant qu'il était enfermé dans son bureau, frustré, enragé. Elle aussi s'est demandé si c'était sa faute à elle.

— Je m'en fous d'écrire ou non. Tout ce que je veux, c'est toi, souffle-t-il.

Sa voix n'a pas la force de porter tous ses mots et se brise à mi-chemin. Louise recule encore d'un pas.

— Louise…

Elle secoue la tête. Cela ne sert à rien. Elle fait volte-face. Joachim reste planté là, lui aussi devrait se détourner au lieu de la suivre du regard, de s'imprégner de toute la scène de façon presque masochiste, de la regarder descendre la rue sans se retourner. S'installer dans une voiture imposante. Elle le savait depuis le début. Dans le restaurant aussi, elle savait qu'elle allait partir. La voiture l'attendait. Voiture qui fait demi-tour, passe devant Joachim, Louise est assise à l'arrière ; à l'avant, un homme que Joachim n'a jamais vu. Le feu vire au vert. Enfin, Joachim réussit à bouger, il suit la voiture pendant quelques mètres en direction de la place de l'Hôtel-de-Ville, les yeux fixés sur les feux arrière. Peut-être existe-t-il des mots qui pourraient la faire revenir ? Peut-être qu'il ne les a juste pas encore trouvés ?

Il s'immobilise. Les phares rouges ont disparu au milieu de la multitude de voitures. Louise est partie.

12

Temps ensoleillé et ciel sans nuages. C'est par une belle journée qu'elle rentre chez elle. Assise dans la voiture, Helene n'arrive pas à décider par quelle vitre regarder. Elle ignore où se trouve sa maison. Elle a beau à peine savoir à quoi elle ressemble, une pensée l'obsède : et si elle la reconnaissait ? Et si, à son arrivée, elle ne découvrait pas cet endroit pour la première fois, mais avait le sentiment de le retrouver enfin ? Comme ce qu'il est en réalité, à savoir son lieu de naissance ? Silkeborg et sa région. Helene murmure le nom de la ville. Le chauffeur lui jette un rapide coup d'œil dans le rétroviseur. Avec son costume, Helene trouve qu'il ressemble plus à un banquier. Mais non, c'est le chauffeur personnel d'Edmund, Edmund qui l'a devancée afin de préparer les enfants à son retour. Ces derniers jours ont été les plus éprouvants pour Helene. Privée de Joachim. Ignorant à quoi ressemblerait son futur. Et à devoir supporter l'acharnement des psychiatres qui tentaient de raviver sa mémoire.

Les médecins espèrent que ses retrouvailles avec ses enfants aideront Helene à recouvrer ses souvenirs. On en a déjà vu des exemples, selon ce que lui a expliqué Hans Peter Rosenberg, le spécialiste danois incontesté en la matière qu'Edmund a engagé. Rosenberg a participé à des conférences à l'étranger sur toutes les formes d'amnésie : liées au stress, liées à des traumatismes, tant physiques que psychiques. Dans le cas d'Helene, il est persuadé que c'est le coup qu'elle a reçu sur la tête qui a provoqué sa perte de mémoire. Peut-être même un double coup. Ce qui signifierait un double traumatisme. Il est très probable que, le jour où elle a disparu, elle soit tombée de cheval. Edmund a trouvé la bombe d'équitation. C'était le premier coup. Peut-être a-t-elle reçu un second coup sur le ferry pour Bornholm ?

Elle secoue la tête. Elle n'a pas la force d'y réfléchir davantage, de réfléchir à tout ce qu'elle ignore, cela la fatigue tant. Elle a envisagé de prendre contact avec quelqu'un ayant vécu la même expérience qu'elle. Qui se serait perdu lui-même, aurait oublié qui il est. Elle a l'impression d'être la personne la plus bizarre de la Terre. Elle craint qu'abandonner Joachim ait été une énorme erreur. Mais tout est erreur. Elle ne peut choisir qu'entre des erreurs. Non, il faut qu'elle pense aux enfants et à rien d'autre.

C'est elle qui a décidé d'arriver à Silkeborg de bon matin. Cela lui a semblé le plus approprié, plutôt que de faire son apparition devant les enfants au beau milieu de l'après-midi ou bien le soir. Elle voulait revenir en même temps que les premières lueurs du jour. Pour prendre un nouveau départ. En conséquence, elle a dû partir de Copenhague en pleine nuit. C'est sans importance car de toute manière elle était incapable de fermer l'œil. Attentive, elle ne quitte pas des yeux le paysage qui défile par la fenêtre. Éveille-t-il des sentiments en elle ? Reconnaît-elle un endroit en particulier ?

Ils tournent, s'engagent dans une longue allée. Une grande clôture entoure la maison. Le soleil matinal se reflète sur les larges baies vitrées de l'énorme pavillon. Ou vaudrait-il mieux parler de villa ? Elle ne saurait dire où se situe la limite entre les deux. La seule chose qu'elle sache avec certitude, c'est qu'elle ne reconnaît pas les lieux. Déception. Ses mains se crispent sur la poignée de son sac. Sa respiration s'accélère et, haletante, elle examine les murs peints de blanc, les trois étages, les deux balcons aux balustrades noires en fer forgé finement ouvragé, le large escalier de pierre menant à l'entrée, une haute porte à deux battants. Devant la maison, un jardin soigneusement entretenu, une allée et une petite fontaine au centre. Pendant que la voiture parcourt les derniers mètres, Helene fixe intensément les poissons et les dauphins de marbre délicatement sculptés d'où sortent de petits jets d'eau frappés par le soleil du matin. Cette fontaine lui est-elle familière ? Éveille-t-elle des souvenirs en elle ? Est-ce elle qui l'a choisie ? Cela ne ressemble pas à ce que Louise aimait, ce n'est pas du tout son goût. Joachim détesterait. Non, ne pas penser à ça maintenant. Surtout pas.

Elle n'a pas le temps d'ouvrir la portière elle-même, Edmund est déjà là. Elle ne l'a pas vu sortir de la maison.

— Bienvenue chez toi, dit-il, un sourire plein d'espoir aux lèvres.

Il lui tend une main qu'elle prend, hésitante. C'est la première fois qu'ils se touchent. Plus exactement, c'est la première fois qu'elle le touche de son plein gré. Au café, Edmund lui a attrapé le poignet. Café qui est fermé à présent, mais Lina a reçu trois mois de salaire et le bail n'a pas été rompu, juste repris par

Söderberg Shipping. C'est Edmund qui s'est occupé de tout.

— Le voyage a été éprouvant ? demande-t-il.

Elle hausse les épaules. Oui, c'était éprouvant. Chaque kilomètre qui l'éloignait de Joachim aggravait sa douleur. Mais cette douleur n'est sûrement pas comparable à celle que Sofie et Christian ont dû ressentir quand elle a disparu, elle. C'est ce qu'elle ne cesse de se répéter en suivant Edmund dans l'escalier. À mi-chemin, il s'arrête.

— Les enfants dorment encore… Veux-tu d'abord voir le reste de la propriété, ou préfères-tu jeter un œil à l'intérieur de la maison ? lui demande-t-il d'une voix calme et amicale.

— Je veux bien voir tout, je ne suis pas fatiguée, répond-elle, légèrement déçue de ne pas rencontrer les enfants tout de suite.

Edmund l'entraîne derrière la maison. Helene contemple, impressionnée, le lac qui s'étale dans le prolongement de la pelouse fraîchement tondue. Elle sait bien qu'il y a des gens aisés qui habitent dans ce genre de demeure. Mais de là à se dire qu'elle, Helene, se tient dans son propre jardin, qui se termine par un lac… Cela semble totalement irréel. Accolée à la maison, une terrasse bordée de jolies pierres naturelles. Helene sursaute. Elle reconnaît la terrasse ; elle reconnaît la double porte vitrée qui mène à l'intérieur de la maison. Alors, la photographie qu'on lui a montrée au commissariat de police lui revient en mémoire, cette photo d'anniversaire sur laquelle on la voit en train d'apporter le gâteau. Soudain, elle réalise qu'elle ne sait toujours pas de qui ils fêtaient l'anniversaire ce jour-là. L'un des enfants ? Christian et Sofie. Elle répète leurs prénoms. Elle a tellement peur de les oublier à nouveau. C'est absurde puisqu'elle les a choisis elle-même, en accord avec Edmund.

— À quelle heure se réveillent-ils d'habitude ? demande-t-elle.

— Ça dépend. Comme ils ont eu du mal à s'endormir hier, je trouve qu'on devrait les laisser dormir. Mais il est très possible qu'ils se réveillent tôt. Ils avaient hâte.

On dirait presque qu'il s'excuse que sa réponse ne soit pas plus précise.

Ils se dirigent vers le lac, déambulent l'un à côté de l'autre, et Helene continue à s'étonner qu'au fond tout lui semble si naturel, bien que la situation soit très embarrassante.

— Reconnais-tu quelque chose ? demande-t-il.

Elle se retourne vers la maison, le toit de tuiles vernissées, les murs blancs. La reconnaît-elle ? Helene devine qu'Edmund attend une réponse.

— L'extérieur, peut-être, dit-elle prudemment bien que ce ne soit pas vrai.

Elle aimerait tant lui offrir quelque chose qui le comble.

— La vue ?

— Oui. Le lac. C'est peut-être pour ça que j'ai aussi choisi une vue sur l'eau à Christiansø.

Ils poursuivent leur chemin côte à côte en direction du plan d'eau. De l'autre côté de celui-ci, au sommet d'une colline, on voit paître du bétail. Vif coup d'œil à Edmund. Elle ne sait rien de lui. Elle devrait lui poser des questions. Lesquelles ? Par où commencer ? Ils ont le temps. Pour le moment, elle a assez à faire avec le tour de la maison et des environs. Il y a un quai, mais pas de bateaux. La surface du lac est couverte de rides qui, en permanence, naissent, croissent, puis meurent.

Ensuite, Edmund fait faire à Helene le tour de la maison. Enfilade de pièces hautes de plafond, meubles imposants tapissés de velours, lustres, vases de porcelaine. Helene est tout bonnement incapable d'établir un lien entre elle et ce style. Cette maison a un caractère impersonnel, on ne dirait pas un endroit où des gens habitent, plutôt un musée… Non. Pas un musée, mais un lieu dont la fonction première serait d'être vu. Montré. À Christiansø, c'était complètement différent. Là-bas, ils n'ont jamais exhibé leur appartement, c'était simplement un endroit que Joachim et elle habitaient. Si le logement au-dessus du café était leur antre, comment qualifier cette maison ? Helene en arrive à penser aux tombes des rois égyptiens. À tout ce qu'ils emportaient avec eux dans la mort. Des richesses inconcevables. Cette maison est-elle une chambre mortuaire ? Bon. Ce n'est pas le genre de réflexions dans lesquelles elle peut s'égarer en ce moment. Il ne faut pas qu'elle pense à Joachim. Ni au fait qu'elle est l'unique héritière de tout cela, ce qui représente une somme incalculable. Mieux vaut déguster la réalité à petites bouchées. À présent, seuls comptent les enfants. À quelle heure se réveilleront-ils ? Quand pourra-t-elle les voir ? En entendant des pas dans l'escalier, Helene sursaute. Edmund pose une main sur son épaule, et elle doit faire un effort sur elle-même pour ne pas l'envoyer balader.

— C'est juste Caroline, la dame qui s'occupe des enfants, la rassure-t-il.

Une femme entre dans le salon. Helene estime qu'elle doit avoir dans les soixante-dix ans. Elle porte un ensemble rouge clair, une jupe qui descend sous les genoux. Elle a de longs cheveux qu'elle n'a pas attachés, ce qui est exceptionnel pour une femme de son âge. Cela lui va bien. Elle serre la main à Helene et se présente.

— Caroline.

— Nous sommes-nous déjà rencontrées ? demande Helene, franchement dans le doute.

— Non, j'ai été engagée après votre disparition, répond Caroline, d'un ton poli mais affectueux.

Helene se tourne vers Edmund. Il semblerait qu'il ait choisi une bonne remplaçante en son absence. Pas une nouvelle maman, néanmoins, une femme débordant d'amour.

— Les enfants sont réveillés, ils sont prêts. Si le moment vous convient, bien sûr, dit Caroline.

Helene a l'impression qu'elle vient de recevoir une décharge électrique.

Alors, c'est maintenant. Enfin. Pour de bon. Edmund pose une main rassurante sur son épaule, et cette fois elle lui en est reconnaissante.

— Descendez donc avec eux, Caroline, dit Edmund.

Puis, à voix basse à l'oreille d'Helene, quand la vieille dame est partie :

— Hier, elle m'a demandé si je voulais qu'elle s'en aille.

— Mais pourquoi ?

Edmund hausse les épaules.

— Elle ne voulait probablement pas gêner tes retrouvailles avec les enfants. Je préférerais qu'elle reste encore un peu, dit-il en souriant timidement.

Helene baisse les yeux. Oui, cette dame doit rester encore un peu, naturellement. Au cas où Helene se perdrait à nouveau et disparaîtrait… Elle les entend descendre l'escalier. Les pas doux et patients de Caroline, puis ceux des enfants, l'un traînant, l'autre trottinant. Les voilà qui paraissent dans l'encadrement de la porte, en pyjama, encore tout ensommeillés.

Helene retient sa respiration. Elle redoute la manière dont ils vont réagir en la voyant. En elle, les sentiments se battent, contradictoires. Joie et déception. Elle ne reconnaît pas ces enfants. Elle ne les a jamais vus avant. Et pourtant... La petite fille lui ressemble, cela ne fait aucun doute. Le garçon, Christian, est grand. Très grand pour ses huit ans, et déjà bien bâti. C'est clairement le fils de son père. Les mêmes cheveux sombres, le même nez un peu gros, les mêmes sourcils bien dessinés. Un charmant garçon. Il deviendra un bel homme, c'est évident. Mais la fillette ! Helene la fixe, ébahie, aspire le moindre détail de sa physionomie. Ses cheveux blonds encore ébouriffés. Ses yeux – de la même couleur gris-vert indéfinissable qu'Helene. Elle a rentré les épaules dans le cou jusqu'aux oreilles, tient Caroline par la main et regarde Helene par en dessous, l'air gêné. Christian est resté sur le seuil, renfrogné, indécis. Visiblement, il préférerait remonter dans sa chambre. Il faut qu'Helene réagisse, qu'elle leur parle. Elle est leur mère. Leur mère... Un vertige la saisit. Ce n'est qu'en cet instant qu'elle prend sérieusement toute la mesure du mot : elle est *mère* de deux personnes à part entière, deux êtres vivants et pensants. Et elle n'a pas été là pour eux. Elle s'avance prudemment, s'agenouille devant Sofie.

— Bonjour, Sofie. Tu ne te souviens probablement pas de moi, tu étais petite quand j'ai...

Elle hésite. Quels mots employer ? Elle jette un coup d'œil en direction d'Edmund, mais ce n'est pas l'expression de son visage qui va l'aider.

— Je me suis cogné la tête, on te l'a peut-être raconté ? J'ai tout oublié. Et j'ai disparu. Heureusement, votre papa m'a retrouvée. Maintenant, me voilà de retour à la maison, et nous aurons plein de temps pour réapprendre à nous connaître. Plein, plein de temps.

Helene presse légèrement le bras de la petite fille, puis se relève et se tourne vers Christian, qui l'a écoutée avec attention.

— Te souviens-tu de moi ? lui demande-t-elle tendrement.

Il garde le silence un moment, et c'est sans la regarder qu'il marmonne enfin :

— Je croyais que tu étais morte.

Ces mots graves ne vont pas du tout avec sa voix fluette de petit garçon. Cela fait mal au cœur à Helene. Vraiment mal, physiquement. Il n'est encore qu'un gosse. Son apparence est trompeuse ; elle ne doit pas oublier qu'il n'a que huit ans. C'est un petit garçon qui a perdu sa maman.

— Vous voulez bien me montrer vos chambres ? propose-t-elle.

Aucun d'eux ne répond. Helene ne sait pas quoi faire.

— Venez, on va montrer vos chambres à maman, dit alors Edmund d'une voix décidée.

Helene se sent soulagée qu'il les entraîne hors du salon. Tous lui emboîtent le pas. Helene ferme la marche dans l'escalier. Elle regarde le trio devant elle. Sa famille. C'est sa famille.

*

Helene passe deux heures avec Sofie. Après une courte visite de sa chambre, soigneusement rangée et organisée, Christian a déclaré qu'il allait faire ses devoirs. Edmund a protesté, mais Helene s'est empressée de répondre que Christian avait le droit d'avoir la paix, bien sûr. Elle ne veut pas s'imposer à eux. C'est le plus âgé, il avait cinq ans à l'époque, il a dû vivre sa disparition d'une tout autre manière que Sofie. Il lui faudra du temps pour comprendre qu'elle est véritablement de retour. Heureusement, quand Helene a proposé à Sofie d'aller jouer un peu avec ses poupées et que celle-ci a accepté, Edmund, compréhensif, s'est retiré. Sofie a une chambre somptueuse. Une vraie chambre de princesse, comme en rêvent toutes les petites filles. Helene se demande si elle a participé à sa décoration ou si tout date d'après sa disparition. De temps en temps, pendant qu'elles habillent et déshabillent les poupées et décident qui est amie avec qui, Sofie lui lance un regard vif.

— Tu veux voir Lucky ? demande-t-elle soudain.

— Lucky ?

— Mon poney. Il est tout blanc.

La petite fille rayonne en prononçant cette phrase. Elle n'éprouve plus de gêne. En descendant l'escalier, elle prend la main d'Helene.

*

Elles pénètrent dans l'écurie, une longue allée éclairée par de grands vasistas au plafond. De chaque côté se trouvent de vastes boxes. Comme elles s'avancent, quelques chevaux sortent la tête. Petites oreilles triangulaires qui se dressent vers elles, curieuses, yeux intelligents, gros naseaux, museaux finement formés. Des chevaux arabes. Autant qu'elle peut en juger, tous les chevaux de l'écurie sont de cette race.

Soudain, Helene est frappée par une sensation inhabituelle. Pour la première fois depuis son arrivée, l'endroit lui semble avoir quelque chose de familier. Odeurs, paille, foin, chevaux, elle s'imprègne avidement de tout, essaie de recueillir le maximum d'impressions. À l'autre bout, une jeune fille est en train de balayer l'allée. Elle a les cheveux bruns, elle est belle, dans les vingt ans, visiblement en bonne condition physique, mais avec des hanches rondes et des seins que sa tenue d'équitation fait ressortir.

Elle adresse un bonjour amical à Sofie mais salue Helene avec réserve et froideur d'un signe du menton. Helene est contente que ce ne soit pas elle qu'Edmund ait choisie pour s'occuper des enfants en son absence. Elle lui tend néanmoins la main et se présente. La fille la lui serre à contrecœur, mollement, puis la relâche aussitôt.

— Je m'appelle Katinka, madame, dit-elle.

« Madame ». Helene ne s'y attendait pas, elle va lui faire changer d'habitude. Elle ne veut pas qu'on lui donne du « madame », c'est parfaitement ridicule, trouve-t-elle. Mais Sofie l'entraîne plus loin. Un poney à la robe blanche attend, plein d'espoir, la tête dépassant déjà du box. Sofie ouvre la porte et se glisse à l'intérieur, visiblement à l'aise.

— Maman ? Voilà Lucky.

Helene sourit. Sent les larmes lui monter aux yeux, mais les retient. *Maman.*

*

Après le déjeuner, Caroline emmène les enfants dans leurs chambres et Edmund annonce qu'il va être obligé d'aller travailler.

— Juste une heure, précise-t-il en s'excusant.

Helene se retrouve seule. Entièrement seule, pour la première fois depuis plusieurs jours. Elle entre dans la chambre. S'approche de la grande porte vitrée, constate qu'elle donne sur l'un des jolis balcons. La vue est saisissante : la pelouse, les nombreux parterres de fleurs, le lac et ses petits bateaux blancs qui se balancent, la forêt alentour, les magnifiques bâtiments des écuries. Difficile de croire que tout cela lui appartienne.

Elle se retourne, regarde le lit. Un lit double. Elle déglutit. Puis elle s'approche, passe la main sur le couvre-lit à grosses mailles. S'allonge sur le dos pour tester le matelas, lève les yeux au plafond. Se relève, se plante à la fenêtre, appuie le front contre la vitre fraîche. À présent, elle transpire ; Dieu sait quand sa température corporelle reviendra à la normale. Elle voit Edmund traverser la pelouse en direction du quai, il parle, son téléphone portable dans une main, faisant des gestes calmes de l'autre. Son mari. Dans leurs chambres, leurs enfants se reposent. Et elle aussi, dans la sienne. C'est chez elle.

13

Finalement, au moment du dîner, Christian s'anime.
Le garçon maussade et réservé a disparu. Il raconte
une blague qu'il a entendue à l'école, une histoire
interminable à propos d'un canard qui entre chez le
boucher pour acheter du maïs. La manière qu'il a de
la raconter est plus drôle que la blague en elle-même
et Sofie éclate de rire, ce qui est peut-être le plus
drôle de tout.

Ensuite, Caroline vient chercher les enfants pour les
emmener à l'étage. Ils vont prendre leur bain puis se
coucher. Helene trouve étrange de rester assise dans
la salle à manger, mais elle voit bien que les enfants
sont épuisés. Il vaut sûrement mieux les laisser suivre
tranquillement leur routine. Après tout, ce n'est que
son premier soir à la maison. Les enfants s'approchent
tous les deux d'Edmund pour lui souhaiter bonne
nuit. Sofie grimpe sur ses genoux, lui fait un câlin ;
Christian se contente d'une phrase. Après une courte
hésitation, Sofie se dirige vers Helene. Celle-ci ouvre
grands les bras. Alors, Sofie se hâte de monter sur
ses genoux à elle aussi et l'enlace. Elle serre très fort
sa mère. Helene ferme les yeux et savoure l'odeur de
ce petit corps chaud. Quand elle rouvre les yeux, elle
constate que Christian se tient face à elle. Hésitant,

indécis, mais tout près. Elle passe un bras autour de sa taille et l'attire à elle. Il se penche alors en avant et ses graves yeux bleus plongent dans les siens. C'est la première fois qu'ils échangent un véritable regard. Son fils.

— Bonne nuit, maman, dit-il.

— Bonne nuit, mon chéri, répond-elle, d'une voix tremblante d'émotion.

Helene le serre longuement et très fort contre elle. *Maman.* Cela l'aide d'entendre ce mot. De s'entendre appeler ainsi. Elle n'est rien en elle-même, elle est la personne la plus affreusement dénuée d'identité au monde, mais au moins elle peut incarner quelque chose pour ceux qui l'appellent « maman ». Ceux pour qui elle est une mère, une femme, une héritière – il lui faudra encore plus de temps pour s'habituer à ce dernier qualificatif qu'aux deux autres. À chaque fois qu'Edmund a essayé de lui parler de l'entreprise, elle s'est sentie obligée de l'arrêter. C'est trop. Une chose après l'autre. En commençant par la plus importante.

Ensuite, Edmund et Helene restent assis un moment en silence. Edmund tripote sa serviette.

— Qu'as-tu pensé du repas ?

Helene baisse les yeux sur son assiette. Elle n'y a quasiment pas touché. N'a pris qu'une seule bouchée des trois tranches de filet mignon de porc. Crème d'asperges blanches, pommes de terre.

— C'est un de tes plats préférés, dit-il.

— Vraiment ?

Helene contemple la nourriture, étonnée, les larmes aux yeux. Elle ignore d'où viennent ces larmes. En fait, si, elle sait : du fait qu'elle a des plats préférés qu'elle n'aime pas. À Christiansø, jamais elle n'aurait cuisiné un repas aussi lourd.

— Veux-tu regarder des photos ? propose Edmund en se levant.

Il n'a pas remarqué ses larmes et ce n'est d'ailleurs pas plus mal. Helene acquiesce et le suit dans le salon qui donne sur la terrasse. Les grandes portes vitrées sont ouvertes, le soleil du soir éclaire la pièce. Dehors, au bout du jardin, l'eau attend. On dirait plus une mer qu'un lac, trouve Helene. Au milieu du salon, deux grands canapés tendus de velours kaki, une table basse entre les deux. Le long des murs, d'étroites tablettes blanches supportant des fleurs fraîches dans des vases anciens et, au-dessus, des tableaux. Le même genre de paysages simples dans des tons sombres que ceux qui sont accrochés dans la chambre à coucher. Helene se demande si c'est elle qui a choisi le peintre.

— Après ta disparition, nous avons constitué de vrais albums, dit Edmund.

Helene tourne la tête vers lui. Puis vers les albums reliés posés sur la table basse.

— Pour pouvoir plus facilement les regarder le soir.

Pause. Il ajoute :

— Ensemble, les enfants et moi.

Helene baisse les yeux. L'image se grave en elle. Soir après soir, Edmund et les enfants ont regardé de vieilles photographies de leur mère disparue. Pendant ce temps, elle servait des bières Sol à Gudhjem ou faisait l'amour avec Joachim. Quel genre de personne est-elle ? Il aurait presque mieux valu qu'elle soit morte.

Elle s'assied sur le canapé. Il ouvre le premier album, se décale pour s'installer plus près d'elle, lui pose l'album sur les genoux. Puis il montre du doigt la première photo, qui la représente montée sur un pur-sang arabe à la robe brune. Pantalon d'équitation de velours bleu, large sourire.

— Es-tu remontée à cheval depuis ton... ton accident ?

Helene fait signe que non.

— Repense à tout à l'heure, dans l'écurie, avec Sofie. Elle n'a pas eu peur des chevaux, d'accord, mais elle n'a pas éprouvé l'envie de les approcher non plus.

— Avant, tu montais tous les jours. Ces chevaux sont les tiens, poursuit Edmund.

— Est-ce que ce sont des bêtes d'élevage ? demande-t-elle avec curiosité.

— Un peu, oui, mais surtout des chevaux de course, d'endurance... C'est pour le plaisir.

Edmund hausse les épaules. Ce n'est probablement pas de ça qu'il a envie de parler. Il lui montre une photo d'elle debout à côté d'un cheval au pelage sombre.

— C'est ton préféré. Samir. C'est celui-là que tu montais le jour où c'est arrivé.

L'accident. Le coup sur la tête. Voilà ce qu'il veut lui raconter. Helene contemple la photo. Elle comme le cheval ont l'air parfaitement détendus et paisibles.

— Tu t'entraînais pour une grande course d'endurance équestre. Ce n'était pas inhabituel que tu partes monter un bon moment, y compris de nuit. Mais Samir est revenu de la forêt sans toi, au petit trot. Le personnel de l'écurie est venu me prévenir et nous nous sommes lancés à ta recherche à cheval. J'ai parcouru chaque chemin que tu avais l'habitude de prendre. J'ai passé toute la nuit à t'appeler.

La voix d'Edmund est calme, mais ses mains, qui tiennent l'album photo, tremblent légèrement. Helene essaie de se l'imaginer en train de chevaucher. De parcourir la forêt, d'éclairer les fourrés avec une lampe de poche, de chercher, d'appeler. Craignant de la trouver blessée, peut-être morte.

— Ta bombe était dans les herbes hautes.

Il n'en dit pas plus. Le silence se fait dans le salon. Le soleil est sur le point de se coucher, sa lumière prend une couleur orangée et une petite brise pénètre dans la pièce, apportant une odeur ténue avec elle. D'où vient-elle donc ? Du lac, bien sûr. C'est l'odeur de l'eau douce, si différente de celle de l'eau de mer à laquelle elle s'est habituée. Celle-ci évoquerait plutôt... quoi donc ? Du terreau pour les plantes ?

Edmund se lève et ferme la véranda. Helene tourne la page. La suivante aussi est couverte de photos d'elle en compagnie de différents chevaux. Celle d'après également. Tout l'album. Le cheval à la robe sombre revient très souvent. Samir. Edmund allume le lustre au plafond, tourne l'interrupteur jusqu'à être satisfait de l'intensité de la lumière, puis revient s'asseoir à côté d'elle sur le canapé. À une distance un peu plus grande, cette fois.

— La police a passé l'endroit au peigne fin sans trouver aucun indice. Nous avons fouillé les alentours pendant des jours avec des chiens et des hélicoptères. On a même sondé le lac, la police a parlé de suicide, mais...

Edmund soupire.

— Ensuite, on a diffusé un avis de recherche, y compris à l'étranger. Mais cela n'a rien donné, il n'y avait aucune piste à suivre. Tu avais disparu. Corps et biens.

Helene l'écoute. Ce qu'il raconte là, c'est son histoire à elle. Ce qui lui est arrivé. Soudain, elle se sent impatiente de tout savoir.

— Qu'est-ce que je faisais à part ça ? Si les chevaux n'étaient qu'un hobby, quelle était ma profession ? demande-t-elle.

— Tu faisais partie des dirigeants de l'entreprise. Elle appartenait à ton père. C'est lui qui a fondé Söderberg Shipping, qui a posé toutes les bases. On ne fait que poursuivre son œuvre.

— Mon père.

Helene répète ces deux mots. Ils lui provoquent comme un chaud frisson. Cela continue de la surprendre. Elle n'est pas orpheline, elle n'est pas sans famille, elle a une histoire.

— Parle-moi de ma famille. Comment étaient mes parents ?

— Tu viens d'une famille célèbre. Ton arrière-arrière-grand-père était parmi les initiateurs des rencontres du Himmelbjerget.

Helene sait bien qu'à chaque nouvel élément qu'il mentionne Edmund guette. Il attend de voir briller un éclat de souvenir dans ses yeux. Chaque fois, il est un peu déçu. Il poursuit :

— Les rencontres du Himmelbjerget étaient des fêtes populaires. Des réunions politiques qui ont contribué à faire naître la démocratie au Danemark.

Helene hoche la tête. Elle le sait déjà en partie. Les faits historiques, ce qui relève de la culture générale. Elle sait aussi que Montevideo se trouve en Uruguay, que le Danemark est devenu une démocratie en 1849, que le riz thaï colle plus que les autres types de riz mais qu'il est idéal si l'on mange avec des baguettes. Elle sait des millions de choses, elle pourrait parler pendant des jours et des jours, des années, même, de tout ce qu'elle sait. Il n'y a que les détails sur elle-même, ce qui la concerne personnellement, qui s'est effacé.

— Et mon père ? Il y a participé aussi ?

Edmund sourit.

— Non. Seulement ton arrière-arrière-grand-père. C'était dans les années 1840. Ton père s'appelait Aksel. À sa mort, Aksel Söderberg était l'un des hommes d'affaires les plus influents du Danemark.

Edmund récite comme s'il lisait un livre, de manière très polie, dénuée de tout sentiment. Il parle de l'entreprise, du père d'Helene, qui faisait opérer des bateaux sur les lacs entourant Silkeborg, principalement pour le transport de bois de construction et de passagers. Il s'était vite rendu compte que l'avenir n'était pas dans les lacs, mais dans les mers. Il avait donc élargi ses activités, commencé à faire bâtir ses propres bateaux à Frederikshavn. Tout en conservant son siège à Silkeborg, où ils étaient toujours restés, même s'ils avaient été nombreux au sein de l'entreprise à tenter, année après année, de le convaincre de déménager les bureaux à Copenhague, à Aarhus – ou même aux Philippines.

— Y a-t-il des photos de lui ? Et de ma mère ? Est-ce que j'ai des frères et sœurs ?

Edmund se penche vers un album plus usé que les autres, le feuillette puis le tend à Helene, ouvert à une page où s'alignent de vieux clichés en noir et blanc.

— Voilà tes parents. Tu es fille unique, explique-t-il d'un ton un peu formel, impersonnel.

Helene contemple les photos. Il y en a une du mariage de ses parents. Une très jeune femme assise sur une chaise, habillée d'une robe blanche simple, un voile qui lui tombe sur les épaules. Une expression timide, presque apeurée, sur le visage. Edmund se déplace prudemment un peu plus près d'Helene, pose une main sur son bras avant de la retirer aussitôt. Helene se concentre à nouveau.

Sur la photo de mariage, son père se tient bien droit, autoritaire. Il était largement plus âgé que sa fiancée. La cinquantaine passée, dirait-elle. Elle reconnaît son menton et ses yeux, ses sourcils bien dessinés. Elle a les mêmes. Elle examine chaque photographie l'une après l'autre, passe tout l'album en revue, voit la vie de ses parents défiler sous ses yeux. Au début, sa mère, toute jeune. Elle prend un air plus sérieux au fil des ans. Ensuite, Helene naît, ses parents prennent des rondeurs. Les couleurs changent sur les photos, les styles vestimentaires aussi, leurs visages se rident. Helene tourne les pages, et ce sont ses doigts qui le remarquent avant ses yeux : dans la jointure centrale de l'album, une irrégularité.

— Il manque une page, dit-elle.

— C'est vrai ?

Edmund passe le doigt sur la reliure.

— En effet. C'est un vieil album, constate-t-il.

Il tourne la page pour elle. À la suivante, Helene découvre des photos d'elle nouveau-née, sa mère qui la tient dans ses bras avec une expression si tendre, si chaleureuse. Elle se voit grandir, apprendre à marcher, puis découvre un poney. Sûrement ses débuts en équitation. Elle aspire littéralement chaque photo. Edmund lui en laisse le temps, il reste assis en silence à côté d'elle. Elle sent continuellement la chaleur de sa cuisse, l'entend continuellement respirer. Elle arrive enfin à la dernière page de l'album, le referme, considère la pile posée sur la table face à eux. Tant d'albums, tant de photographies, tant d'années. L'étendue de ce qu'elle a oublié commence à lui apparaître.

— Mes parents sont-ils morts ?

Elle pose la question bien qu'elle connaisse la réponse. S'ils étaient en vie, ils seraient présents en ce moment. À eux aussi, elle leur aurait manqué.

— Oui. Ils sont morts tous les deux. Veux-tu voir des photos des enfants quand ils étaient petits ?

— Et... J'ai des cousins, des cousines ? Edmund hésite.

— Oui. Bien sûr. Mais...

— Mais ?

— Tu sais comment ça se passe quand il y a de l'argent en jeu.

— Non.

— Eh bien... Vu la fortune que ton père a gagnée, je crois que ta famille attendait de sa part plus que ce qu'il était prêt à leur donner.

Helene hoche la tête, muette ; elle se sent gorgée d'émotion. Elle ouvre un nouvel album.

— Christian ? souffle-t-elle.

Edmund acquiesce. Ils ont tous les deux les larmes aux yeux.

Helene feuillette l'album sans se presser. Elle tourne lentement les pages d'années entières de sa propre vie, années qui n'auraient pas dû pouvoir disparaître ainsi. Elle essaie encore et encore de commander à son cerveau de se souvenir. Elle le veut. Elle n'a pas envie de regarder passivement sa vie documentée sur le papier, elle veut savoir ce qu'elle a *ressenti* quand les photos ont été prises.

— Te souviens-tu de quelque chose ? demande Edmund, qui pense visiblement comme elle.

Helene secoue tristement la tête.

— Ça me reviendra peut-être quand je reprendrai la thérapie, dit-elle.

Cette seule pensée la fatigue. Edmund a engagé les meilleurs psychiatres, les meilleurs thérapeutes du pays afin de l'aider à retrouver la mémoire. Mais les médecins du Rigshospitalet se sont déjà attelés à la tâche. En vain. Chaque fois, cela l'a épuisée. Leurs tentatives n'ont pas été loin de lui coûter la vie.

Soudain, Edmund lui prend la main et la porte à son visage. Helene, affolée, tente de la ramener à elle, mais il la retient.

— Helene, tu m'as manqué, déclare-t-il en se penchant vers elle.

Elle sent sa bouche contre la sienne, lèvres humides, joues rasées de près. Son époux. Un bel homme. Elle pose doucement la main contre sa poitrine, a juste le temps de sentir ses muscles fermes avant de l'arrêter.

— C'est trop tôt, je ne peux pas…

Il la lâche, se lève.

— Excuse-moi.

— Ne t'excuse pas, c'est moi. Je suis tellement fatiguée.

Helene se lève à son tour, reste debout, embarrassée, devant lui.

*

Ils se préparent en silence pour la nuit, s'allongent l'un à côté de l'autre. Il y a une place immense entre eux dans ce grand lit double, et Helene est reconnaissante à la tradition danoise d'avoir chacun sa couette.

— Bonne nuit, dit Edmund en se tournant sur le côté, dos à elle.

Sa respiration s'alourdit, mais Helene a un doute. Dort-il, ou fait-il semblant ? Quant à elle, elle reste longtemps éveillée. Écoute les bruits nouveaux qui affluent à son oreille. Ce son un peu creux doit venir du conduit de la cheminée ouverte dans la chambre. Dehors, les arbres bruissent. Mais c'est

Edmund, surtout Edmund, qu'elle entend. Dorénavant, elle l'entendra dormir chaque nuit. Chaque nuit. Puisqu'il est son époux. Au bout d'un moment, elle sera prête, elle le sait. C'est une certitude. En attendant, Joachim lui manque terriblement. Joachim… Peut-être a-t-il recommencé à écrire ?

14

Joachim s'éveille avec un violent mal de tête et un goût de maquereau dans la bouche.

Du maquereau ? Il reste un long moment allongé sur le matelas, les yeux fermés. Il n'a pas la force de regarder ce qui l'entoure. Le misérable trou où il a échoué, dans le quartier animé et populaire de Nørrebro, un studio aux murs écaillés et avec du linoléum au sol. Tout sent un peu le moisi et, dans les coins, des relents âcres laissent à penser que l'ancien occupant avait un chat. À la fenêtre pend un écriteau « À vendre » qui oscille doucement dans la brise du matin.

— Putain, grommelle-t-il.

Il devrait pourtant être reconnaissant. C'est Gudrun, de la maison d'édition où il publie, qui l'a aidé ; elle lui a dit qu'il pouvait dormir dans cet appartement en attendant qu'il soit vendu. Elle l'avait acheté pour son fils, mais il s'apprête à poursuivre ses études à New York. Qu'est-ce que c'est loin de ma vie à moi, se dit-il. Être parent d'un grand enfant qui étudie aux États-Unis… Gudrun a un vrai travail, elle. De vraies relations sociales, professionnelles, familiales.

Joachim se tourne sur le côté, ouvre tout de même un œil, considère les piles de cartons de déménagement entassés le long des murs. La seule chose qu'il se soit donné la peine de faire, c'est de s'arranger un lit, un simple matelas posé directement au sol, et d'installer son ordinateur sur la table basse rouge que le fils de Gudrun a laissée sur place. À côté de l'ordinateur, deux bouteilles de vin vides et un verre encore à moitié plein. Voilà comment s'est soldée sa tentative d'écrire de la veille.

Il se met debout, tout chancelant. Pénètre dans la minuscule salle de bains. C'est limite s'il ne faut pas y entrer à reculons. Incroyable qu'ils aient réussi à y caser une douche. Il évite de se regarder dans le miroir car il sait d'avance de quoi il a l'air après le genre de soirée qu'il vient de vivre. Le visage bouffi et rougeaud, paraissant plus vieux que ses cinquante-deux ans. Il passe plusieurs minutes à chercher un comprimé contre la migraine. Peine perdue. Ce n'est pas lui qui a emballé ses affaires ; il en a chargé Lina, car il était au-dessus de ses forces de rentrer à Christiansø sans Helene. Sa vieille Volvo est restée à Bornholm. Les déménageurs sont arrivés le lendemain avec ses cartons. De vieux vêtements et des manuscrits encore plus vieux que ses fringues.

Que faire ? Que va-t-il se passer maintenant ? Va-t-il rester seul dans cet appartement, à Copenhague, et se réveiller jour après jour dans cet état ? À attendre, à espérer qu'elle change d'avis et lui revienne ? Elle a une famille à présent. On vient, à l'improviste, de lui faire une offre que lui n'est sûrement pas en mesure d'égaler : un mari, des enfants, une maison. Qu'a-t-il à proposer de comparable ?

Il faut qu'il essaie d'écrire. Il est suffisamment malheureux pour ça, il n'a plus qu'à s'y mettre. Au fond, ces bouleversements sont peut-être une bénédiction. Joachim s'installe devant son ordinateur allumé, mais il bloque. Il se lève, fait un tour dans l'appartement, regarde par chaque fenêtre. Louise lui manque. Helene. C'est bel et bien un manque physique qu'il ressent, comme si une partie de lui s'en était allée. Ça fait tellement mal. Il voudrait l'appeler. Il peut bien l'appeler, non ? Juste pour lui dire qu'elle lui manque, savoir comment elle va. Il repense à la tête qu'elle faisait sur le trottoir, devant le restaurant. Elle pleurait en lui demandant de la laisser tranquille.

Il revient vers l'ordinateur. Contrairement à hier, « Free-wifi-fuck » n'apparaît plus dans la liste des réseaux disponibles. En revanche, Joachim constate qu'il capte bien celui de la voisine du dessous, « Toile d'araignée de Rebekka ». Joachim n'hésite qu'une seconde avant de passer une chemise, d'enfiler ses chaussures élimées et de descendre les neuf marches de l'escalier. Il frappe chez Rebekka. Une petite minute s'écoule, puis elle ouvre. Vingt ans et quelques, étudiante, jolie – et alors ? Elle n'est pas aussi belle qu'Helene.

— Oui ?

— Bonjour, Rebekka, dit Joachim, rougissant un peu, ce qui le surprend.

Peut-être le reconnaît-elle ?

— Je viens d'emménager. Je voulais juste me présenter.

— Euh, oui. Bonjour.

Elle sourit. Jolies dents, une fille à papa, du vernis à ongles rouge clair écaillé, encore son mascara de la veille… Tous ces maudits détails. À quoi lui servent-ils ?

— Dites… Je pourrais utiliser votre connexion Internet ? Ils n'ouvriront pas ma ligne avant la semaine prochaine.

*

De retour dans l'appartement, il se connecte au réseau de Rebekka et reste un moment à fixer le logo de Google.

— Allez, murmure-t-il.

Il va écrire. Sur son infortune. Non, il ne va pas chercher de renseignements sur elle, il ne va pas lui consacrer plus de temps, se dit-il en tapant « Helene Söderberg » dans la barre de recherche. Il obtient des dizaines de résultats à propos de son entreprise et de son arrière-arrière-grand-père, celui qui figurait parmi les organisateurs des rencontres d'éveil national au Himmelbjerget, l'un de ceux qui se sont battus pour offrir la démocratie au Danemark. Cette lecture ne lui fait aucun bien ; d'un coup, il se sent tout petit et se dit que ce deux-pièces microscopique lui convient parfaitement. Difficile de qualifier sa famille à lui de « lignée ». Elle n'arrive pas à la cheville des Söderberg.

Joachim poursuit sa lecture. S'étonne du peu d'informations disponibles sur Helene. Peut-être, du temps où elle dirigeait l'entreprise, a-t-elle pris soin de préserver sa vie privée. Joachim trouve néanmoins une interview dans un magazine féminin datant d'il y a cinq ans. Y figure une photo d'elle. Ses cheveux sont différents, tout à fait lisses, plus clairs et de couleur unie. Le coiffeur doit y être pour quelque chose. C'est joli, il l'admet, mais ça fait très dame. Son style vestimentaire aussi est différent : une jupe plus formelle que d'habitude, bleu foncé, une chaîne toute simple et fine autour du cou. On voit aussi des photos de sa maison, tant l'intérieur que l'extérieur. Tout est luxueux. Pompeux. À des lieues de la vie qu'il menait avec elle. Il lit le texte, dans lequel Helene décrit au journaliste son attachement profond, romantique et viscéral à la ville de Silkeborg…

Comme si le Danemark était né sur cette putain de « montagne » du Himmelbjerget avec ses cent quarante-sept mètres de haut. Joachim continue à se torturer en lisant la suite. Helene mentionne Edmund à plusieurs reprises. *Mon mari.* Elle le présente comme le parfait exemple de l'homme qui comprend l'importance de participer aux tâches domestiques, un homme moderne qui ne se contente pas de dire qu'il est pour l'égalité entre hommes et femmes, mais qui applique ce principe.

On sonne à la porte. Joachim sursaute. Est-ce elle ? Déjà ? Sur le palier, un homme en costume avec un attaché-case à la main.

— Bonjour, mon nom est Schmidt, je suis l'avocat de la famille Söderberg, puis-je entrer ? Je n'en ai que pour un instant.

Joachim, étonné, serre la main de l'homme et le laisse passer. L'avocat examine la pièce, le matelas par terre, les bouteilles de vin encore sur la table, les cartons dont le contenu déborde à moitié après les recherches frénétiques de paracétamol. Joachim a honte, il se hâte d'emporter les bouteilles dans la cuisine et abaisse le capot de l'ordinateur.

— Excusez-moi, je viens d'emménager, c'est un peu…

Il s'interrompt.

L'avocat désigne la chaise d'un doigt interrogateur ; Joachim acquiesce et l'avocat s'assied, pose son attaché-case sur la table, l'ouvre.

— C'est à quel sujet ?

— Je dois vous parler d'une certaine affaire. Voir si nous pouvons trouver un arrangement qui satisfasse les deux parties. Vous devriez peut-être vous asseoir, j'ai quelques papiers à vous faire lire.

Joachim sent la gueule de bois refaire surface. Si ça se trouve, il a encore de l'alcool dans le sang. L'avocat de la famille ? Il secoue la tête, approche un carton de déménagement de la table, s'assied dessus. Trop bas. Il ajoute un second carton. Il est présent trop haut par rapport à la table, mais il préfère encore ça. L'avocat de la famille. Naturellement, les Söderberg ont ce genre de personnes à leur service.

— Un arrangement, dites-vous ? Je ne comprends pas.

L'avocat se racle la gorge, tapote la pile de papiers qu'il tient à la main.

— Vous connaissez la famille Söderberg. La situation est... épineuse. C'est une chose qu'Helene ait disparu, qu'elle ait perdu la mémoire, tout cela est terrible, mais...

L'avocat pousse les papiers sur la table. Joachim pose les yeux sur la première page. En haut, en lettres majuscules : « ACCORD DE CONFIDENTIALITÉ ». Joachim lit la suite. Il commence à comprendre le but de la visite de l'avocat. « Le contrat engage les deux parties... », puis viennent son nom et celui d'Edmund Söderberg.

— Ce serait très embarrassant pour la famille si trop de détails remontaient à la surface. Le fait qu'elle ait habité avec un autre homme pendant cette période... Nous devons aussi penser à elle. Il faut la ménager.

L'avocat observe Joachim, dans l'expectative, pendant que celui-ci parcourt le document. Il souscrit au fait qu'il ne s'exprimera pas à ce sujet, que ce soit devant la presse ou qui que ce soit d'autre, famille, amis. De plus, il ne devra rien écrire sur Helene. Tout est précisé, et la liste est longue. Ni sous forme de livre, d'essai, d'article de presse, d'éditorial, etc. C'est un contrat méticuleux. Joachim regarde le montant précisé à la dernière page et reste sous le choc : cinq cent mille couronnes. Un demi-million.

— Étant conscients que cela est très désagréable pour vous aussi, nous aimerions vous offrir une compensation.

Une compensation ? Joachim s'interroge sur ce qu'ils souhaitent réellement acheter avec cet argent. Son silence ? S'agit-il d'éviter des histoires pénibles autour de la disparition d'Helene ou de s'assurer qu'il la laisse s'en aller ? Le paient-ils pour tout oublier d'elle ?

— Si Helene décide de quitter Edmund, je serai là pour elle.

Joachim repose l'accord de confidentialité sur la table. Sa main tremble légèrement. L'avocat, déconcerté, fronce les sourcils.

— Ce contrat est un renoncement au droit de vous exprimer sur ce qui s'est passé ces trois dernières années. Vous vous engagez simplement à ne pas parler d'Helene…

— Je voudrais juste être sûr que ça ne signifie pas que je renonce à elle. Je l'aime, et je sais qu'elle m'aime. Je comprends bien qu'elle soit obligée de faire ce qu'elle fait en ce moment, mais elle peut toujours changer d'avis.

— Je ne vois pas très bien de quoi vous parlez. Helene Söderberg a retrouvé sa famille, et à présent cette famille souhaite avoir l'assurance qu'elle aura la paix, que des histoires déplaisantes ne circuleront pas à son sujet.

Des « histoires déplaisantes ». Joachim reçoit ces mots comme un coup de poing dans l'estomac. Il est réduit à ce statut d'« histoire déplaisante ». Quelqu'un dont la famille Söderberg a peur. Une plaie susceptible de déranger leur vie parfaite. Helene va-t-elle recommencer à accorder des entretiens à des magazines féminins ? Raconter combien elle était malheureuse jusqu'à ce que, par bonheur, son *homme moderne* la retrouve *enfin* ? Est-ce là l'histoire qui sera racontée ? Joachim sent son ventre se retourner. Le goût de maquereau réapparaît dans sa bouche. Au fait… Du maquereau ? Il n'en achète pourtant jamais. En a-t-il mangé cette nuit ?

— Je ne peux pas signer ça, dit-il en repoussant résolument les papiers.

— Mais…

L'avocat n'en revient pas.

Joachim se lève.

— Je suis désolé. Désolé si ça ne sied pas à la famille, mais je ne peux pas.

Après une hésitation, il poursuit à voix basse :

— Je ne cherche pas à créer de problèmes à Helene, je ne dirai rien qui puisse la mettre dans l'embarras. Mais je ne peux tout de même pas vendre ce que j'ai vécu avec elle. Dorénavant, le temps que nous avons passé ensemble fait aussi partie de son histoire à elle. Ce n'est pas quelque chose que j'ai envie d'oublier. Un écrivain ne peut pas vendre son vécu, c'est tout ce qu'il possède, explique Joachim, qui sent qu'il agit de la seule manière qui soit juste.

Ses souvenirs du temps qu'il a passé avec Helene *sont* tout ce qu'il possède.

L'avocat se lève, reste un moment debout face à lui, indécis. Joachim lui tend les papiers mais l'homme les refuse d'un geste de la main.

— Gardez cela. Réfléchissez-y. Peut-être allez-vous changer d'avis. Il y a aussi cette affaire à propos de Mme Andersen, dit l'avocat en lui adressant un regard insistant.

— Quelle affaire ?

— Théoriquement, Mme Söderberg est soupçonnée dans l'affaire de la disparition de Louise Andersen. En conséquence, il vaudrait mieux pour elle qu'il n'y ait pas trop de rumeurs qui se répandent sur son compte.

Joachim fixe l'avocat. Essaie de comprendre ce que cette vermine insinue. Qu'il y a moins de risques qu'Helene atterrisse en prison s'il signe ?

— Je ne changerai pas d'avis, finit-il par répondre.

Il tente de rendre les papiers à l'avocat, mais celui-ci ferme son attaché-case, passe rapidement devant lui pour se diriger vers la porte et répète :

— Réfléchissez-y. Mon numéro de téléphone et mon adresse figurent dans le contrat, appelez-moi quand vous aurez revu votre position. Une heure après avoir signé, vous aurez l'argent sur votre compte.

Joachim attrape résolument le paquet de feuilles par le milieu. Au bruit du papier qui se déchire, l'avocat se retourne. Regarde, stupéfait, les feuilles A4 coupées en deux tomber au sol. Il secoue la tête. Puis il passe la porte et la claque derrière lui.

Joachim reste seul. Seul. Voilà la réalité. Helene ne l'a pas choisi. Lui, en revanche, a choisi de l'attendre. Quitte à attendre jusqu'à sa mort. De plus, il est sûr que quelque chose cloche dans cette affaire. Pourquoi Helene est-elle réapparue à Bornholm sous l'identité de Louise Andersen ? Qu'est devenue la véritable Louise ? Qu'est-ce que ces deux femmes, une orpheline dont la mère se droguait d'un côté, une fille de riche homme d'affaires de l'autre, avaient à voir ensemble ? Il faut à tout prix que Joachim le découvre. Qu'il découvre la vérité.

Il fouille dans sa sacoche d'ordinateur et trouve ce qu'il cherchait tout au fond, parmi quelques vieux bonbons à la réglisse GaJol. Le sous-bock. C'est le seul indice dont il dispose. La première phrase de l'histoire de Louise Andersen. Un bout de carton sale qui, un jour, s'est trouvé sous un cocktail. Avec le numéro de téléphone de ce Peter, du ministère des Affaires sociales et de l'Intérieur. 91880119. Joachim a transmis cette information à la police depuis longtemps, mais elle ne les a menés nulle part. Un numéro de téléphone griffonné sur un sous-bock, ce n'est a priori pas la découverte du siècle, ont-ils dit. Et Joachim leur donne raison. Ça ne vaut rien. Il jette le sous-bock sur la table.

— Et merde, marmonne-t-il en versant de l'eau chaude du robinet sur son café en poudre.

Le revoilà vite dans le salon – il n'y a que deux pas à faire. Il fixe le sous-bock.

— Non…, reprend-il en secouant la tête.

Cela pourrait-il être aussi simple ? Le sous-bock est tombé à l'envers sur la table. Dans ce sens-là, on lit : 61108816. L'écriture semble encore plus naturelle de ce point de vue, même si ça reste difficile à juger, négligée comme elle est. Les « 1 » sont de simples bâtons. Joachim saisit son téléphone. Il faut qu'il essaie.

— Algade Foto, Gorm à l'appareil, annonce une voix masculine blasée.

— Louise Andersen, répond Joachim.

C'est tout. Il compte : trois secondes de silence.

— Qui êtes-vous ? demande-t-on brusquement à l'autre bout de la ligne.

— Où est-elle ?

— Je n'ai aucune idée de quoi vous parlez. Qu'est-ce que vous vous imaginez, putain ? Appeler ici !

— Elle a disparu. J'essaie juste de la retrouver. Votre numéro de téléphone était dans ses affaires.

— Jamais entendu parler d'elle, répond l'homme.

Et il coupe. Joachim sait qu'il ment. Gorm. D'Algade Foto. Les trois secondes de silence l'ont trahi.

15

Helene se retourne dans le lit. Regarde Edmund. Il dort encore. Elle se lève en essayant de faire le moins de bruit possible. À côté du lit, une bergère, sur laquelle est posée une robe de chambre. Elle l'enfile, passe dans la salle de bains attenante à la chambre à coucher. Ou « leurs appartements », devrait-elle plutôt dire, car le dressing est déjà une pièce en soi.

Joachim lui manque. Tout son corps le réclame. Ses bras qui l'enlacent, sa bouche, ses yeux. Elle ouvre le robinet. Prend une douche à la hâte, fébrile, se savonne, se lave les cheveux. Pendant tout ce temps, elle espère qu'Edmund ne va pas se réveiller et pénétrer dans la salle de bains. Une fois enveloppée dans la robe de chambre, elle se sent soulagée. Il dort toujours.

Helene entre dans le dressing, contemple les longues rangées de jupes et de costumes pendus à des cintres. Elle passe les tenues en revue, indécise, cherchant un vêtement qu'elle aurait envie de mettre. Essaie une jupe de soie bleue et la veste assortie. Se regarde dans le miroir. Elle est encore jambes nues, n'a que la jupe et la veste sur le dos. Ce n'est peut-être pas si mal ? Elle glisse les mains dans les poches de la veste pour voir. Cet ensemble fait très femme d'affaires, et... il y a quelque chose dans la poche. Elle en tire un petit morceau de papier. Un ticket de parcmètre.

— Qu'est-ce que c'est ?

Elle lève les yeux. Edmund, dans l'embrasure de la porte, l'examine.

— Je n'en sais rien. Un ticket. De parking. Cinq couronnes.

— Tu mettais tous tes tickets de côté, dit-il en pénétrant dans la salle de bains.

— Pourquoi ?

— Pourquoi ? répète-t-il, surpris, passant la tête par la porte. Tu t'occupais de la comptabilité. Tu es très économe.

— Ah bon ?

— Extrêmement. Or, tous les frais sont déductibles. Un justificatif comptable de cinq couronnes représente une couronne vingt-cinq de taxes en moins. De quand date-t-il ? Il peut sûrement encore servir. Je veux dire, puisqu'on a le droit d'inclure dans les comptes les dépenses des cinq dernières années, lui crie-t-il depuis la salle de bains.

Helene consulte le ticket. Le premier petit signe de son ancien moi. Une avare. Formidable. Quant à la date... Le 23 mars. À l'usine à papier. Le 23 mars... D'après ce qu'on lui a expliqué, elle a disparu le 26, soit trois jours plus tard. Elle jette le ticket de parking dans le tiroir de la table de nuit. Qui sait si elle ne retrouvera pas rapidement son ancienne personnalité ? Elle pourrait bien enrager alors d'avoir gâché une économie d'une couronne vingt-cinq øre sur les impôts dont doit s'acquitter sa société. Elle retourne à sa petite boutique de mode privée. Avise des vêtements d'équitation. Sort un pantalon, le déplie. Si ça se trouve, elle sait encore monter à cheval.

— Je ne crois pas que tu en auras l'utilité pour le moment, dit Edmund derrière elle.

— Je regarde, c'est tout.

Helene se rend compte que c'est le genre de phrase qu'on prononce quand une vendeuse un peu trop pressante vous accueille. Elle remet le pantalon sur son cintre.

— Je trouve qu'on devrait faire quelque chose avec les enfants aujourd'hui, dit Helene.

— Caroline les a déjà emmenés à l'école. Nous étions tous les deux d'accord, il vaut mieux pour eux suivre leurs habitudes autant que possible.

Edmund lui parle posément, comme s'il était tout naturel qu'il ait décidé de ce genre de chose avec la bonne d'enfants plutôt qu'avec elle. Helene est déçue, elle s'était fait une joie de passer du temps avec eux.

— J'avais pensé que nous pourrions passer la journée ensemble rien que toi et moi, pour rattraper...

Edmund s'interrompt timidement.

Bien qu'il n'ait pas été explicite, Helene a compris : le sexe. Voilà où il veut en venir. Cette pensée la met mal à l'aise. Et en colère. Compte-t-il vraiment là-dessus ? Qu'attend-il d'elle, exactement ? Puis elle se calme. Elle lui a manqué. C'est compréhensible. Lui n'a rien oublié, elle lui a manqué pendant tout le temps où elle a été partie. Trois ans.

— Tout compte fait, je crois que j'aimerais quand même aller faire une promenade à cheval, dit-elle d'un air d'excuse. Il faut que je reprenne quelques-unes de mes occupations d'avant. Avant l'accident. Cela pourra peut-être raviver ma mémoire.

Edmund est déçu, elle le voit bien, mais il ne proteste pas.

— Je vais demander à la fille d'écurie de préparer Samir.

Sur l'esplanade devant l'écurie, Katinka attend avec le cheval sellé. Aussi renfrognée que la veille. Helene s'approche de la tête de Samir. Le cheval hennit doucement. Il la reconnaît, c'est certain. Elle pose prudemment la main sur son encolure et sent la chaleur irradier de son pelage d'été, court et doux comme de la soie. Elle n'a pas peur de lui. Mais sait-elle encore monter ? Peut-être est-ce comme le vélo, une aptitude que le corps n'oublie pas une fois apprise.

Helene pose les deux mains sur le haut de la selle, caresse de la paume le cuir lisse et bien huilé, se colle prudemment contre le cheval, ferme les yeux. Qu'est-elle censée faire ? S'en souvient-elle ? Elle rouvre les yeux. C'est logique, enfin, il faut mettre un pied dans l'étrier puis prendre assez d'élan sur son pied d'appel pour réussir à atterrir sur le dos du cheval. Edmund arrive, nonchalant, en tenue d'équitation lui aussi.

— Veux-tu que je t'aide à monter ?

Il prend la bride des mains de Katinka.

Helene a le temps de remarquer la manière dont la jeune fille pose les yeux sur lui. Rien à voir avec son attitude envers elle. Fascinée, sous le charme. Naturellement. Cette fille d'écurie est à l'âge où ce genre d'homme est le fantasme total, voilà pourquoi elle se montre tellement méfiante à l'égard d'Helene. Edmund tend les bras pour soulever sa femme. Mais avant même d'avoir eu le temps de se rendre compte de ce qu'elle faisait, celle-ci a mis le pied à l'étrier et s'est hissée toute seule en selle. Et, d'un coup, elle en a la certitude. Elle sait comment s'y prendre.

S'il y a une chose dont elle est capable, c'est de monter à cheval.

— J'apprécierais beaucoup de faire cette première sortie en solo, lui dit-elle en se penchant pour saisir les rênes.

Edmund les lâche.

— Je comprends.

Helene presse légèrement les éperons. Elle est bien assise sur la selle, qu'elle devine faite sur mesure pour elle. Elle jette un dernier regard à Katinka et à Edmund, debout côte à côte. Ont-ils déjà fait l'amour ? Qui sait. Edmund est dans la fleur de l'âge, et la fille d'écurie est clairement jalouse d'Helene. Samir quitte l'enclos et met le cap sur la forêt.

Hêtres, bruyère et conifères abritent un réseau abondamment ramifié de larges chemins équestres. Helene laisse le lac sur sa gauche. La grande étendue bleue est toujours avec elle et sa surface, un rappel constant de ce qu'elle ne peut traverser. Ce qu'elle ne peut pas voir. Ce qui est tapi en dessous.

Helene est surprise de voir à quel point elle est à l'aise. Elle comprend d'instinct que les signaux qu'elle envoie au cheval doivent être légers et subtils. Il s'agit de savoir où faire porter son poids, de se décaler d'un côté ou de l'autre. C'est comme si elle et la monture avaient un langage commun que le corps d'Helene connaissait par cœur. Elle se détend. Elle peut enfin respirer à fond, par le ventre, et relâcher les tensions qui l'habitent depuis plusieurs jours.

Petit à petit, Helene comprend que Samir essaie toujours de pousser dans la même direction. Vers l'est, loin du lac. Il déborde d'ardeur, augmente le tempo, passe du trot au galop. Helene, bien qu'avec un peu de réticence, accompagne ses mouvements. Elle se dresse légèrement sur les étriers, serre les genoux, se penche en avant. Le cheval accélère ; elle se penche encore, serre toujours plus les genoux. Une sensation se diffuse en elle : *la liberté*. Elle n'a pas peur, pas même dans les tournants où, à cause de la vitesse du cheval, ils penchent un peu à droite ou à gauche. Ils prennent encore un virage, encore un autre puis, soudain, le cheval s'arrête net. Une fraction de seconde, Helene décolle de la selle, mais elle retrouve vite son équilibre. L'animal ne bouge pas d'un pouce, la respiration palpitante ; elle aussi est essoufflée.

Ils se trouvent dans une clairière. Devant eux murmure un ruisseau. Helene descend de cheval, lâche les rênes ; Samir se met à mâchonner l'herbe. Helene s'agenouille au bord du ruisseau, forme une coupe avec ses mains, recueille de l'eau dans ses paumes, boit. Elle savoure la sensation de l'eau glacée qui coule dans sa gorge. Et, soudain, elle éprouve un sentiment de… familiarité. Aucun doute, elle est déjà venue ici. Elle en a rêvé. Du ruisseau. De la forêt. Seule, comme à présent. Dans son rêve, c'était la nuit. Peut-être n'était-ce pas un rêve, mais un souvenir ? Son regard fouille, par-delà le courant, la forêt touffue.

— Un chemin, murmure-t-elle.

Elle se souvient d'un chemin, un chemin qui traversait la forêt. Helene avance doucement d'un pas dans le ruisseau. Samir la fixe avec anxiété.

— Là, là, dit-elle.

Quelques pas de plus, et la voilà de l'autre côté du ruisseau. Elle entend les hennissements inquiets de Samir. Il est mal à l'aise, il l'appelle. Peut-être est-ce de cette manière que cela s'est produit ? Peut-être est-ce de cette manière qu'elle a disparu, et l'animal s'en souvient-il ?

Les conifères sont proches les uns des autres, à tel point que nombre d'entre eux sont morts ; leurs branches, aussi sèches que des ailes de papillon, craquent dès qu'on les effleure. Helene se fraie un passage entre les arbres, laisse une poussière de sapin flotter en l'air derrière elle. Soudain, l'y voici. Devant la route. Un camion passe en trombe, le conducteur klaxonne pour qu'elle s'éloigne du bord. Ici... C'est ici qu'elle se trouvait quand elle a disparu. Ou bien quand elle s'est... enfuie ?

Elle a envie d'aller chercher Edmund et de lui raconter qu'elle se souvient. Du ruisseau, de la forêt, de la route. Le problème, c'est qu'elle vient de se remémorer un élément difficile à partager avec lui : l'étrange sentiment qu'elle a bel et bien fui. Helene traverse la forêt en sens inverse, puis le ruisseau, mille questions à ses trousses. Pourquoi a-t-elle abandonné le cheval ? Ce qu'ils prétendent est-il vrai ? Est-elle vraiment tombée ? Elle s'est cogné la tête. Quelle raison aurait-elle eu de se diriger vers la route, pour ensuite... quoi donc ? Quelqu'un l'a-t-il prise en stop ? Direction Copenhague ? Rien de tout cela n'a de sens. En tout cas, elle doute de cette histoire selon laquelle elle se serait cogné la tête.

Soudain, Samir lève le museau et guette en direction du sentier. Helene entend des pas, des bruits de sabots. Edmund fait son apparition dans la clairière. Il descend de son cheval brun clair sans en lâcher les rênes puis il tire le cheval à sa suite vers Helene, foulant le tapis forestier craquant.

— Je m'inquiétais pour toi. Je trouvais que ça faisait déjà longtemps que tu étais partie.

Il y a quelque chose de sombre et de fermé dans son visage qu'elle ne lui a jamais vu avant. Il n'est pas tranquille ici.

— D'accord, d'accord… De toute façon, je ne suis pas sûre que j'aurais su retrouver le chemin, ment-elle.

Elle essaie d'avoir l'air normale, de ne pas être affectée par sa découverte. Edmund est presque arrivé à côté d'elle mais elle passe vivement devant lui pour rejoindre Samir et monte en selle.

— On rentre ? dit-elle en éperonnant son cheval.

16

Il faut vraiment être désespéré pour reprendre contact avec son ancien cercle de fréquentations rien que pour se sentir aimé. Joachim monte les marches du grand bâtiment qu'occupe la maison d'édition, passe devant des correctrices affairées et de jeunes assistants sous-payés qui étudient encore et feraient – ou diraient – n'importe quoi pour s'assurer un futur poste dans l'édition. Tout ce qu'il a fui. Le monde d'Ellen. Un monde possédant son propre langage, ses propres règles, un univers où tout ce qui compte, c'est qui a une place au chaud et qui est déjà largué. Joachim sourit à l'une des correctrices les plus âgées. Elle ne lui rend pas son sourire, hoche simplement la tête d'un air cérémonieux. Sûrement encore une de leurs règles tacites. Joachim n'est pas assez raffiné, il n'a jamais eu l'impression d'appartenir à… Peu importe.

Ellen était bien meilleure à ce jeu. Une experte, même. Elle maîtrisait le système. Pendant que Joachim traverse les couloirs de la maison d'édition, ses souvenirs remontent. Il repense à la technique qu'il avait développée face aux ruses de celle qui est aujourd'hui son ex-femme. Il était impossible de démêler les moments où elle mentait de ceux où elle disait la vérité tant son verbe était convaincant, mais au bout de quelques années en couple avec elle il avait découvert un petit détail : quand elle mentait, elle articulait plus lentement. En temps normal, elle parlait vite, avec une aisance féroce, et répondait par phrases courtes, souvent de manière agressive. Il n'y avait que quand elle s'apprêtait à lui dire un mensonge qu'elle ralentissait le rythme – oh, pas beaucoup, c'était à peine perceptible, mais cela suffisait pour que Joachim parvienne, au bout du compte, à débusquer la vérité.

Quelques visages connus se lèvent à son passage, mais personne ne le salue. Il le sent déjà se former au creux de son ventre. Le nœud. Joachim ne comprend pas leurs usages. La question n'est pas de savoir combien on fait de ventes, c'est plutôt le contraire. Les livres qui se vendent à plus de quelques centaines d'exemplaires, deux ou trois mille au maximum, mettons, ont par définition un problème. Ça, Joachim l'a compris. Cela tient à une équation mathématique assez simple : si vous vous considérez comme l'une des rares personnes intelligentes du pays, détentrice du seul et unique goût valable en matière de littérature, vous ne pouvez pas aimer ce que beaucoup de gens aiment. Cela signifierait que vous partagez les goûts de la majorité, et par conséquent que vous n'appartenez plus à la poignée d'élus. Plutôt simple au fond, mais sacrément compliqué, car cela a des implications multiples. Qui dit bonjour à qui, qui n'est même pas digne qu'on lui adresse un regard, qui il faut critiquer, quels voisins on peut tolérer (ou rechercher) pendant une réception, la destination de ses vacances – en un mot, c'est capital.

Il entre dans le bureau. Gudrun se tient au beau milieu de la pièce, une liasse de papiers dans une main. C'est le texte de Joachim. Elle n'a pas changé. Large de hanches, sûre d'elle, les cheveux noirs.

— Mon écrivain préféré ! s'exclame-t-elle en souriant.

Ils s'étreignent chaleureusement. Ils se connaissent depuis toujours. Elle lui pose des questions sur l'appartement, lui demande s'il s'en accommode ou non. Elle l'a accompagné depuis ses débuts. Depuis l'époque où il était jeune et prometteur, l'époque où il était « au top ». Et aujourd'hui ? En quels termes parle-t-on de lui, aujourd'hui ? Gudrun croit toujours en Joachim mais, franchement, que lui a-t-il pris de lui écrire ce mail ? « J'ai enfin entamé quelque chose ! » Pendant qu'il est là, à la tenir dans ses bras, il sent la honte l'envahir. Il n'est qu'un pauvre minable, un type abandonné par sa moitié qui n'a pas écrit un seul mot valable depuis des jours. La seule chose qu'il ait faite sur son ordinateur, c'est de rechercher des photos d'Helene Söderberg et de trouver l'adresse associée au numéro de téléphone écrit sur le sous-bock. Une boutique de photographe rue Algade. Il l'a dit à la police. À Iben Hansen Hansen. Il lui a expliqué que, finalement, il ne s'agit pas du tout de Peter du ministère des Affaires sociales et de l'Intérieur, mais de Gorm d'Algade Foto. Joachim a cherché le numéro sur Google, trouvé une page Internet assez primitive proposant à la vente du matériel d'occasion datant du millénaire précédent. Iben a répondu qu'elle transmettrait l'information, mais à sa voix il a deviné qu'elle mentait. Ça ne l'intéresse pas. La police le prend pour un fou. Et puis, on a retrouvé la belle Helene Söderberg. Louise Andersen ne manque à personne, elle. Personne à part Joachim, qui est le seul à l'avoir perdue.

Gudrun relâche son étreinte.

— Alors, parle-moi de ton livre. J'ai tellement hâte.

Gudrun s'installe confortablement dans l'un des deux fauteuils bordeaux disposés dans un coin près de la fenêtre. Joachim s'assied face à elle, pose ses mains sur ses cuisses, sent le désespoir le gagner. Ça n'aide pas de regarder les étagères sur lesquelles s'alignent tous les livres que Gudrun a édités au fil des ans. Pendant qu'elle leur sert un café, les yeux de Joachim s'attardent un peu trop sur l'une des dernières parutions : *Le Système*. Un best-seller mondial de cinq cents pages venu de Suède, à propos du grand botaniste Carl von Linné. Joachim retourne le livre, lit qu'en 1735 Linné est parti à Harlem, aux Pays-Bas, où il a écrit *Systema Naturæ*, treize pages qui ont changé la conception que l'homme se faisait du monde. Le roman est un tour de force mêlant science et fiction ; il s'ouvre en 1666 à Stavanger, en Norvège, où l'arrière-arrière-grand-mère de Linné fut brûlée vive pour sorcellerie, et se déploie jusqu'aux cercles les plus fermés de l'Europe des Lumières, où l'on tenait la religion pour révolue et où naquit une ère nouvelle. Joachim se demande si toutes ces étoiles qui parent la couverture sont méritées, si on peut vraiment obtenir d'aussi bonnes critiques.

Il lève les yeux sur Gudrun. Elle sourit. Il n'a rien. Rien à raconter, ni treize pages, ni cinq cents, ni rien entre les deux. Si, il peut raconter qu'il est seul et sur la paille, c'est tout. Et le voilà obligé de s'avouer qu'une petite partie de lui espérait qu'il aurait encore une ouverture avec Gudrun. Car il y a eu une époque où elle était intéressée par lui. Au cours d'une soirée à la maison d'édition, il y a un paquet d'années de ça, il a refusé ses avances, avec douceur et ménagement, après quoi ils ont fait comme si de rien n'était.

À l'époque, elle était mariée et heureuse et, pour ce qu'il en sait, elle est toujours avec le même homme. Mais ce soir-là, elle avait envisagé de tout envoyer paître pour lui. Il essaie de se juger de l'extérieur. Du matin au soir, en permanence, il se sent péniblement conscient de sa propre existence. Joachim sans Helene. Il n'est rien. Le regard de Gudrun commence à papillonner en direction des piles qui s'entassent sur son bureau. Il faut qu'il lui livre quelque chose en pâture. Il ne peut occuper cette place dans le monde que s'il lui apporte un texte.

— C'est incroyablement romantique, c'est une histoire de grand amour déçu. J'ai ravalé ma honte, je te jure, j'ai tout bu jusqu'à la dernière goutte, dit-il, ce qui fait sourire Gudrun. C'est à la fois une histoire de disparition et une énigme. Une femme, Louise Andersen, qui disparaît puis réapparaît, mais qui s'avère être une autre…

Joachim bloque, ce qu'il raconte est complètement absurde. Pourtant, Gudrun a l'air sincèrement intéressée.

— Raconte-m'en plus ! Le texte que tu m'as envoyé était vraiment bon, moi aussi je vois bien que tu tiens quelque chose.

— Oui…

Joachim essaie de se rappeler ce que contiennent ces pages. Il lui a envoyé celles qu'il avait réussi à écrire le matin où Edmund a fait son apparition au café. Enfin, celles qu'il n'a pas effacées. Il ne sait plus combien il y en a. La seule chose à laquelle il soit capable de penser en cet instant, c'est au visage d'Helene quand elle lui a dit adieu devant le restaurant. Gudrun feuillette ses papiers et enchaîne, enthousiaste :

— Ça pourrait devenir un livre de l'été. On le sort en juin ? Si tout le monde y met du sien, on peut y arriver.

Elle lui fait un clin d'œil complice. Ces deux vieux de la vieille connaissent leur métier. Un livre de l'été, c'est un livre facile à lire, qu'on a le courage d'emporter à la plage, dont on peut sauter quelques pages sans rien perdre.

— Oui, mais je ne suis pas sûr que ça puisse être fini aussi vite. J'aimerais vraiment que ce soit bon, dit-il d'une petite voix.

— Joachim, tout ce que tu touches est bon. Tu n'as qu'à écrire. Écris, écris, écris ! C'est plutôt ça le problème, si tu veux mon avis. Tu réfléchis trop et tu n'écris pas assez.

*

Joachim est dans la rue. Ce rendez-vous était une perte de temps pour les deux parties. Avant qu'Helene ne disparaisse de sa vie, il n'avait pas idée qu'il était aussi seul. Pas de famille, pas d'amis. Enfin, il a bien un grand-oncle et une vieille tante qu'il pourrait ressortir du placard, et puis quelques proches du bon vieux temps. De vieux copains à moitié bedonnants et à moitié chauves, mais totalement désillusionnés. Ils pourraient aller se saouler ensemble et se lamenter que rien dans la vie ne s'est passé comme ils l'avaient imaginé. Que leurs femmes sont folles à lier, qu'ils en ont par-dessus la tête de leur travail. Joachim n'a pas la force d'écouter ça. Tout ce qu'il veut, c'est parler à Helene. Il essaie de se dire qu'il va écrire sur elle. Sur le manque qu'il ressent. Mais ce qu'il préférerait par-dessus tout, ce serait qu'elle lui revienne.

Il commence à remonter la rue dans un grand état d'agitation. Il sait parfaitement dans quelle direction il se dirige. Vers la boutique du photographe. Ce qu'il ne sait pas trop en revanche, c'est ce qu'il va lui dire. Et s'il se faisait passer pour un policier ? Il sait qu'il ne peut pas renoncer à Helene aussi facilement. Or, Helene est liée à Louise Andersen, qui a disparu. Il est incapable de s'ôter cette pensée de la tête : le seul moyen de récupérer Helene est de retrouver Louise Andersen, de découvrir pourquoi Helene a réapparu sous son identité. Le numéro de téléphone sur le sous-bock est le seul indice dont il dispose. Joachim accélère, il a envie de se mettre à courir, de sentir battre son pouls, d'être essoufflé, de transpirer. Mais de quoi aurait-il l'air, en plein Copenhague, sur un trottoir bondé de passants en vêtements d'été ? Chacun se presse vers les parcs avec son panier à pique-nique. Toute cette vie qui l'entoure et dont il ne fait pas partie !

Algade Foto. Joachim s'arrête. Il n'aurait jamais cru que ce genre de magasin existait encore. Une vitrine entière de matériel pour films de moins de trente-cinq millimètres. Un projecteur de Super 8, de petites bobines grises, des objectifs interchangeables… Des objets datant de l'époque où le monde avait encore de la saveur, se dit Joachim, qui reste un moment planté là, indécis. Il essaie de rassembler son courage pour entrer mais s'avoue qu'il préférerait continuer à penser un peu au monde tel qu'il était avant. Méditer sur le fait que, quand il était jeune, la vie était encore intelligible. S'il se trouvait transporté mille ans en arrière, ou même deux mille, et qu'il lui fallait expliquer à Jules César en quoi consistait l'avenir, ç'aurait encore été possible en 1985 : le moteur à explosion qui fait se mouvoir une voiture, la caméra qui capture la lumière sur une bobine, la locomotive... Mais aujourd'hui ? Aujourd'hui, rien n'est explicable. Ni Facebook, ni Twitter, ni les femmes qui se révèlent être une autre au bout de deux ans et demi. Non. Jules César n'avalerait jamais un truc pareil.

Marmonnant dans sa barbe, il entre dans la boutique. Un homme plus tout jeune est penché sur une caméra démontée sur le comptoir. Il lève la tête.

— Qu'est-ce que je peux faire pour vous ?

Joachim lui brandit son téléphone sous le nez pour lui montrer une photo d'Helene. Il veut voir s'il obtient une réaction. Pendant que l'homme étudie la photo, Joachim repense au jour où il l'a prise. Près des récifs, au nord de leur île. Ils venaient de se baigner.

— Je ne pourrai pas l'imprimer en qualité formidable, prévient le photographe.

Au ton neutre de sa voix, on dirait qu'il ne l'a jamais vue.

— La connaissez-vous ?

L'homme secoue la tête.

— Ah, c'est vous qui avez appelé ? Vous pouvez débarrasser le plancher tout de suite.

— Helene Söderberg, est-ce que ce nom vous dit quelque chose ?

L'homme plisse les yeux d'un air soupçonneux.

— Vous voulez que je vous aide, peut-être ?

Joachim sent le rouge lui colorer les joues comme à un petit garçon pris en faute.

— J'enquête au sujet d'une disparition. Cette femme, je l'aime, déclare Joachim – délicieuse sensation que de prononcer ces mots.

Et de dire enfin la vérité. Toute la journée, il a eu l'impression de tourner autour du pot, y compris à la maison d'édition quand il a vu Gudrun. Car il n'a pas osé dire de quoi il s'agissait réellement. C'est simple : il s'agit d'amour.

Joachim croise le regard du vieux. Va-t-il y lire plus de sympathie à présent ?

— Deux femmes sont concernées, explique-t-il. Helene Söderberg, sur la photo, et une autre, Louise Andersen. Les connaissez-vous ? Ou au moins une des deux ?

— Je vous ai déjà dit que non.

Et il reporte toute son attention sur sa caméra. Joachim se tait. Que faire ?

— Avez-vous repris la boutique récemment ? Est-il possible que ce soient les propriétaires d'avant qui aient été en lien avec elle ? demande-t-il.

— Non, ça fait trente ans que je tiens ce magasin, et j'ai bien l'intention d'y rester trente autres.

L'homme lui a répondu sans lever les yeux de son comptoir. Joachim se dirige vers une étagère pleine de sacoches et de trépieds, s'avance jusqu'à des vitrines chargées d'appareils photo flambant neufs. Puis il se retourne et se retrouve face à face avec un jeune homme dégingandé qui le fixe depuis l'arrière-boutique. Joachim fait un pas vers lui, ce qui a pour seul effet que l'autre écarquille des yeux apeurés et secoue vivement la tête. Joachim hésite. Au comptoir, le vieux semble complètement absorbé par son travail. Le jeune homme continue à fixer Joachim de manière si intense que celui-ci en mettrait sa main à couper : l'assistant sait quelque chose. Il voudrait lui parler mais ne peut pas tant que le vieux écoute. Joachim se dirige donc vers la porte.

— Bon, eh bien, excusez pour le dérangement, dit-il.

— Ouais, ouais. J'espère que vous trouverez ce que vous cherchez, répond l'homme, qui relève la tête une seconde, découvrant son visage.

Joachim a l'impression d'y détecter un éclair d'agressivité. Il en frissonne.

*

Joachim patiente au café. Il s'est assis à une table près de la fenêtre afin de pouvoir garder un œil sur la porte de la boutique. Ces deux ou trois dernières heures, pas grand monde n'y est entré. Le vieux et le jeune sortent en même temps. Le jeune descend la rue sans attendre pendant que le vieux met le verrou. Joachim regarde une grille s'abattre devant la porte avec une lenteur exaspérante. Il suit le jeune des yeux le plus longtemps possible. Enfin, le vieux a terminé et, par bonheur, disparaît dans la direction opposée à celle qu'a prise son assistant. Joachim remonte le trottoir au pas de course. Cent mètres plus loin, il aperçoit le jeune homme au bout d'une petite rue transversale. Il le rattrape, pose une main sur son épaule.

— Vous savez quelque chose ? demande-t-il, essoufflé.

— En fait, non, répond le jeune homme, hésitant.

Le lacet de sa tennis gauche s'est défait, il est sale et détrempé à force d'avoir traîné dans les flaques d'eau et les saletés de la ville.

— J'ai bien vu que vous vouliez me dire quelque chose. Qu'est-ce que c'est ?

— C'est juste… Cette Louise que vous cherchez…

— Oui ?

— Parfois, il y a des femmes qui appellent à la boutique, dit le jeune homme en baissant les yeux.

— Elles appellent ? Et… ?

— J'en sais rien. Elles veulent parler à Gorm.

— Qu'est-ce qu'elles racontent ?

Joachim est surexcité, il a envie de secouer le jeune homme, de lui extirper ses réponses comme on presse le jus d'un agrume, à fond, jusqu'à la dernière goutte.

L'assistant hausse les épaules.

— Il ferme toujours la porte. Il y a souvent une certaine Miss Daisy qui appelle.

Joachim le dévisage, interloqué.

— Qui est-ce ?

— Juste une fille qui appelle de temps en temps. Ils discutent un peu, elle et Gorm.

Et il hausse de nouveau les épaules.

— Racontez-moi tout ce que vous savez, dit Joachim d'un ton encourageant. Personne n'apprendra que vous m'avez parlé, je vous le promets.

Cette fois, le jeune homme hausse les épaules quasiment jusqu'aux oreilles.

— Je ne sais rien d'autre. Mais elles sont peut-être liées, celle que vous cherchez et Miss Daisy.

Joachim pousse un soupir. Il n'obtiendra rien de plus de lui, c'est clair. Il a quand même appris un nom. Il peut se lancer à sa recherche. Miss Daisy est-elle vraiment une femme, d'ailleurs ? En outre, il sait à présent que le vieux photographe a menti. Il doit donc y avoir des choses à creuser. Oui. Joachim a un nouvel indice, une piste à suivre. Il sent une paix inhabituelle l'envahir. Il a encore une chance. S'il trouve Louise. S'il découvre pourquoi Helene s'est fait passer pour elle. Il *doit* y avoir une explication. Un espoir.

17

Le psychiatre s'appelle Hans Peter Rosenberg.

Les termes de leur accord stipulent qu'ils se verront une fois par semaine. Une fois par semaine, Edmund le fera venir en avion, et ce aussi longtemps que ce sera nécessaire. Helene est assise en face de lui dans le salon qui donne sur le lac. Elle préférerait être avec les enfants, elle est loin d'être persuadée que les questions du médecin l'aident.

— Rien ? répète Rosenberg en changeant de position, l'air mal à l'aise.

Helene hésite, essaie d'avaler une gorgée de thé.

— Vous garderez ça pour vous ?

— Bien sûr, répond-il, visiblement indigné.

— Y compris vis-à-vis de mon mari ?

Rosenberg semble sur le point de dire quelque chose mais se ravise. Helene le dévisage. Il sourit.

— Avez-vous déjà entendu parler du serment d'Hippocrate ?

— Non...

Helene ne peut s'empêcher de se laisser contaminer par son sourire.

— C'est le serment que chaque médecin doit prêter avant de commencer à exercer. Pour garantir aux patients que nous respectons le secret médical. Nous le faisons tous depuis le troisième siècle avant notre ère. Et ce n'est pas moi qui vais le briser. D'accord ?

Helene hoche la tête. Réfléchit.

— Il m'est venu un...

Elle cherche les bons mots.

— ... une bribe de souvenir.

— Qui consistait en... ?

Helene lui raconte le ruisseau, la forêt. Qu'elle *savait* qu'il y avait un chemin de l'autre côté. Elle explique que cela lui a fait à la fois du bien d'avoir une preuve qu'elle était vraiment Helene, qu'elle est bien la femme qui habitait ici autrefois et qui a disparu. Mais que de l'autre, cela l'inquiète.

— Qu'est-ce que cela veut dire ? demande-t-elle à Rosenberg.

— Cela veut dire que tout est là, quelque part en vous, répond-il.

Il sourit.

— Je ne me souviens de rien d'autre. Juste ça, je cours à travers la forêt, dit Helene, découragée. J'ai eu une drôle d'impression, là, au bord de la route. Comme si... Comme si j'étais en train de fuir.

— Fuir ?

Helene acquiesce. Elle fuyait. C'est le bon mot.

— Comment vont les choses entre vous et votre mari ? enchaîne Rosenberg.

— Bien. C'est tout nouveau.

— Naturellement. Lui avez-vous posé la question ?

— Quelle question ?

— Si vous étiez heureux ? Il y avait peut-être au sein de votre couple un problème qui a déclenché votre amnésie, dit Rosenberg.

Il ajoute :

— Il faut une bonne raison pour s'enfuir de chez soi.

— Selon mon mari, nous étions heureux.

Rosenberg la considère un instant.

— Madame Söderberg... Peut-être devriez-vous vous concentrer sur ce qui s'est passé quand vous avez disparu.

Réfléchissez à cette période précise. Oubliez les grands événements pour le moment. Comprenez-vous ce que je veux dire ?

— Peut-être.

— J'ai l'impression que votre mémoire consent à vous laisser l'approcher. Mais seulement par une certaine porte d'accès.

Il change légèrement de position dans son fauteuil, croise les doigts, baisse la voix.

— Cela ne sert à rien de vous obstiner à regarder de vieilles photos de vous et de vos enfants. Ce n'est pas comme ça que vous forcerez votre mémoire à revenir. Accrochez-vous à la bribe de souvenir qui vous est apparue. Quand vous couriez dans la forêt. Continuez à partir de là. À partir de ce qui s'est passé juste avant que vous ne vous mettiez à courir. Ou bien juste après.

*

C'est Edmund qui raccompagne Rosenberg à la porte. Cela agace Helene, qui se sent infantilisée, un peu comme si maintenant c'était au tour des adultes de discuter. Il y a quelque chose là-dedans, se dit-elle, quelque chose à quoi elle est incapable de s'habituer. En rapport avec la répartition des rôles selon les sexes. Le fait qu'Edmund s'entoure d'employés de maison du sexe féminin. Une vieille dame comme gouvernante pour les enfants, une jeune fille pour les chevaux... Helene ne supportera pas longtemps de jouer les épouses souriantes et aimables pendant que lui parle de choses importantes avec les gens importants. Il y a trop de Louise en elle, trop d'une femme qui a fait tourner un café, qui s'est levée chaque matin pour aller chercher le poisson à la fumerie, a fait son propre pain au levain avec du babeurre de la laiterie Sankt Clemens de Bornholm et du miel du jardin. Elle a négocié avec Carlsberg pour obtenir des stores gratuits en échange d'un engagement à servir uniquement la bière spéciale de leur brasserie. Elle a vidé des anguilles de leurs intestins, de leur sang et de leur vessie natatoire avant de les mettre en salaison pendant des mois afin qu'elles soient prêtes pour son menu d'automne ; c'est à tomber par terre, servi avec des betteraves marinées et de la compote d'ail des ours – une recette de l'île quasiment centenaire et qu'il ne faut pas s'aviser de modifier d'un cheveu sous peine de risquer une émeute locale. Elle a tenu la comptabilité et astiqué les congélateurs-coffres au désinfectant pour faire disparaître l'odeur d'animaux morts et de sorbet au citron. À un moment donné, il faudra qu'elle explique cela à Edmund. Qui sait s'il a déjà désinfecté lui-même quoi que ce soit ?

*

Dehors, elle retrouve les enfants sur la pelouse. Elle s'efforce de vivre le moment présent. C'est difficile. Le souvenir continue à la ronger : le ruisseau, l'eau froide, la forêt. Pour la première fois depuis trois ans, sa mémoire a pointé le bout de son nez – tout cela pour lui faire entrevoir un passé qu'elle ne peut partager avec personne d'autre que Rosenberg. Rosenberg qui pense que la source de sa mémoire se trouve dans cet instant précis. Pourquoi courait-elle ? Avait-elle rencontré un autre homme avec lequel elle voulait s'enfuir ? Elle a du mal à se l'imaginer. Où serait-il aujourd'hui, dans ce cas ? Elle n'a croisé la route de Joachim que longtemps après. Avait-elle découvert qu'Edmund la trompait ? Non. Ce genre de chose arrive tous les jours... À chaque seconde, partout dans le monde. Pas de quoi devenir amnésique. Ni perdre la tête. Alors, que s'est-il passé ?

Elle essaie de se focaliser sur le moment présent. Maintenant qu'elle a enfin retrouvé ses enfants, elle ne veut pas en perdre une miette. Sofie ne lâche pas sa main une seconde. Christian la fait rire et elle voit sur son visage que lui aussi apprécie ces instants partagés. Ils ont le même humour, tous les deux ; c'est bien. Il acceptera sûrement mieux le contact physique une fois qu'il se sentira en terrain plus familier. Dès que sa mère s'assied, Sofie s'empresse de grimper sur ses genoux. Helene aime éprouver le poids de son enfant. Chaque fois, elle se dit que Christian devait faire à peu près cette taille quand elle a disparu.

Après avoir dîné et couché les enfants, elle retrouve Edmund dans son bureau.

— Ça y est, ils dorment ? demande-t-il en levant les yeux de ses papiers.

— Oui, oui.

Helene détaille la pièce. La bibliothèque, devrait-elle dire. Aménagée de manière tout ce qu'il y a de plus classique, avec de solides étagères du sol au plafond. Chaque lampe est munie d'un abat-jour en verre de couleur verte. Au milieu, un canapé et des fauteuils de cuir d'un beau rouge bordeaux.

— Ton bureau à toi est ici, dit Edmund en désignant une table identique à la sienne, juste un peu plus petite.

Curieuse, Helene s'en approche. Le meuble est installé sous une fenêtre donnant sur le lac et le jardin. La voilà, sa vue sur l'eau.

— C'est ici que nous avons l'habitude de travailler le soir. Mais tu as aussi un vrai bureau à toi.

Edmund s'est levé pour la rejoindre. Il la regarde avec des yeux brillants de désir et ne s'en cache pas. Elle s'approche du canapé, remarque que sa jupe couleur crème est un peu trop moulante à son goût. Elle a l'impression qu'il peut tout voir. Ses courbes, ses seins, ses hanches. Elle s'assied sur le canapé ; il l'imite, pose une main sur sa cuisse.

— Helene…, souffle-t-il d'une voix rauque.

Elle l'interrompt :

— Dis-moi sincèrement, comment allait notre mariage ?

Il se tait un instant, puis répond :

— Bien.

Sa main est toujours posée sur sa cuisse mais elle ne bouge plus. Il attend un signal de sa part. Il a la peau bronzée, dorée, des yeux expressifs. Objectivement, c'est un bel homme. Un bon père. Pourquoi s'est-elle enfuie ? Pourquoi est-elle partie il y a trois ans ?

— Parle-moi de nous. Étions-nous heureux ? Faisait-on souvent l'amour ?

Helene a besoin de lui poser la question, même si elle est à peu près sûre qu'il n'a pas envie d'en parler. Il a un tel contrôle sur lui-même. Il y a une longue pause. Puis il passe un bras autour d'elle, l'attire à lui, la serre contre sa poitrine.

— Tous les mariages connaissent des difficultés, insiste-t-elle. Qu'est-ce qui était difficile pour nous ?

— De trouver du temps à passer ensemble, répond précipitamment Edmund. La fusion nous a tellement accaparés ces…

Helene le coupe :

— La fusion ?

Edmund hésite.

— Je ne voulais pas te presser avec cette histoire.

— Pardon ?

— Ça fait quelques années qu'on travaille à reprendre une boîte de logistique hollandaise. Avec ce rachat, nous deviendrons l'une des plus grosses entreprises au niveau mondial. C'était ton projet, Helene, ton rêve, dit-il sans la quitter des yeux. Tu faisais beaucoup de déplacements pour cela.

Il hausse les épaules.

— Mais… étions-nous heureux ?

— Très, très heureux, Helene. Nous étions chacun le meilleur ami de l'autre, nous partagions tout, nous travaillions ensemble, nous partions en vacances ensemble, nous nous occupions des enfants. Et puis on dormait ensemble…

Il baisse les yeux, l'air embarrassé.

— On faisait souvent l'amour. Souvent.

Il se penche vers elle en un mouvement naturel, inévitable. Ils s'embrassent. Leurs lèvres se touchent et ils échangent un baiser ouvert, profond. Le cœur d'Helene se met à battre la chamade. Ce n'est pas la peine d'espérer ressentir quoi que ce soit si elle passe son temps à observer minutieusement ses propres réactions. Il faut qu'elle lâche prise. Apparemment, comme le prouve sa respiration, Edmund n'a pas ce problème. Il l'embrasse à nouveau, prend son visage entre ses mains ; il n'y a rien à redire à ce baiser. Il n'est ni trop baveux ni trop sec, sa bouche n'est ni trop ouverte ni trop fermée, il passe la langue sur le contour de ses lèvres à elle, c'est chaud, c'est agréable. Et pourtant… Helene se débat avec elle-même. Elle veut, et elle ne veut pas.

Soudain, il la lâche, se lève. Helene, ne sachant que penser, l'observe. Il lui tend la main, elle la prend, et il l'emmène. L'entraîne à travers le long couloir qui traverse toute la maison, puis dans l'escalier, jusque dans leur chambre, jusqu'au lit. Il est clair qu'Edmund n'est pas du genre à se jeter sur sa femme dans la bibliothèque. Est-elle déçue ? Ce n'est déjà pas facile, mais avec cette interruption ça l'est encore moins. Il se déshabille, lentement, précautionneusement. Pose ses vêtements sur une chaise. Pendant ce temps, elle reste immobile, le regarde se dénuder. Des poils bruns lui couvrent la poitrine et le ventre. Ses muscles sont apparents, bien dessinés. Ils ne se parlent pas, il ne la regarde pas. Quand il a terminé, il s'approche d'elle. Sans la moindre hésitation, il la déshabille, avec la même détermination, la même concentration dont il a fait preuve quand il s'est déshabillé lui. Elle le laisse faire, tend les bras pour qu'il puisse lui ôter sa robe. Puis lève les pieds, l'un après l'autre, pour que la culotte tombe. Les voilà nus. Deux corps. Un homme et une femme. Il lui prend la main, l'emmène jusqu'au lit.

— Tu es tellement belle. Tu as toujours été belle, dit-il d'une voix rauque.

Il s'allonge sur elle et elle se retrouve pressée contre lui, tout son corps collé au sien. Il prend appui des coudes sur le matelas, pose de nouveau les mains autour du visage d'Helene et l'embrasse. Encore ces baisers parfaits, bien étudiés. Helene lui répond, elle n'a pas le choix. Elle le caresse prudemment, fait glisser ses mains le long de son torse. Elle sent son pénis, dur contre sa cuisse. Il se déplace légèrement sur le côté, approche son sexe plus près du sien.

— Non, murmure-t-elle.

— Quoi ? demande Edmund, qui roule sur le côté.

Allongés l'un à côté de l'autre, ils reprennent leur souffle. Elle entend le vent dans les arbres et, loin, très loin sur le lac, une corne de brume.

— Désolée, chuchote Helene.

— Ce n'est pas grave, répond-il en posant la main sur son bras. Nous avons le temps, tout le temps qu'il te faudra.

Il est interrompu par la sonnerie de son téléphone.

— Ça peut attendre, affirme-t-il.

— Non, vas-y, réponds, proteste Helene, un peu trop vivement.

— C'est certainement pour le travail. Je reviens tout de suite.

Il se lève, enfile tous ses vêtements avec autant de soin qu'il en a mis à les enlever, jette un coup d'œil à son téléphone avant de descendre.

Helene reste allongée seule sur le lit. La première fois est la pire, pense-t-elle. Elle ouvre le tiroir de la table de nuit. Elle l'a déjà fait, elle sait parfaitement ce qu'il y a à l'intérieur : quelques aspirines dans un verre, des mouchoirs, et une très vieille Bible. Elle peine à lire l'inscription sur la première page mais finit par la déchiffrer. C'est une dédicace. De la part de Blicher, le prêtre et écrivain qui dirigeait les réunions du Himmelbjerget, à l'intention de l'arrière-arrière-grand-mère d'Helene. Elle examine à nouveau le ticket de parking. La date. Le 23 mars, sans précision d'année. Helene sait qu'elle a disparu le 26. Trois jours avant que l'ancienne Helene ne se volatilise, elle a… quoi donc ? Elle avait apparemment rendez-vous quelque part. À l'usine à papier ? Elle ne voit pas ce qu'elle y aurait fait. Cela a-t-il une importance ? Le psychiatre a dit qu'elle devait se concentrer sur les jours qui ont précédé sa disparition. Que faisait-elle à l'usine à papier le 23 mars ?

Elle entend les pas d'Edmund dans l'escalier ; il arrive. D'un geste vif, elle remet le ticket de parking dans le tiroir. S'allonge sur le côté, le dos tourné vers sa place à lui. Elle pense au *Marchand de bas*, la seule nouvelle de Blicher qu'elle ait lue, elle ne se rappelle pas quand, sa mémoire est son ennemie. Elle la hait. Elle est capable de se souvenir de sa langue maternelle, du goût de l'*øllebrød*, ce porridge à la bière, elle se souvient de *Casablanca* et du *Marchand de bas* en version cinématographique. « Le plus grand chagrin sur cette terre, c'est de perdre celui ou celle qui nous est cher. » Joachim. Elle l'a perdu. Elle ferme les yeux et fait semblant de dormir. Elle imagine Joachim. Assis devant son ordinateur. Peut-être est-il heureux, à présent qu'il peut de nouveau écrire.

18

Joachim se réveille tôt. C'est la pensée d'Helene qui le tire du sommeil. Le fait qu'elle soit heureuse à présent. Elle doit être allongée à côté de son mari, Edmund, et avoir tout oublié de lui. Voilà sa vision de la situation. Il se sent infiniment abandonné.

Il s'assied dans son lit, appuie le dos contre le mur froid, le papier peint en pulpe de bois jaunâtre. Quelque chose n'est pas clair dans toute cette histoire. Il se remémore ce que lui a dit le jeune homme qui travaille chez le photographe : que le vieux savait peut-être quelque chose, que de temps à autre il discutait au téléphone avec différentes femmes, notamment une certaine Miss Daisy.

Miss Daisy.

Joachim se lève, allume l'ordinateur et retrouve la page de la boutique de Gorm. Son nom complet étant indiqué sur la page Internet, son adresse personnelle est facile à trouver. Il habite dans un quartier résidentiel. Joachim consulte le site des transports en commun. Un bus part de la Nørrebrogade, tout près de là ; ensuite, il n'aura qu'à changer pour le métro puis marcher un quart d'heure. Il étudie la carte, mémorise le nom des rues pour s'orienter pendant la dernière partie du chemin. Autant se mettre en route tout de suite.

*

Il trouve la maison mais hésite. Est-ce vraiment ici ? Le propriétaire d'une petite boutique d'appareils photo peut-il posséder une grande villa blanche ? Peut-être est-ce sa femme qui gagne bien sa vie ? À moins qu'il ait hérité… La villa se trouve un peu en retrait par rapport à la route, au bout d'un chemin pavé flanqué de roses trémières d'un mètre de haut. Joachim sonne. Une seconde plus tard, une adolescente aux longues jambes et portant un appareil dentaire lui ouvre.

— Bonjour. Ton père est là ? demande Joachim en se disant que le photographe n'est pas en avance dans la vie, vu l'âge de sa fille.

Ou Gorm aurait-il eu un enfant avec sa seconde épouse, une femme plus jeune que lui ?

— Deux secondes, répond la fille avant de disparaître dans l'entrée.

Soudain, Gorm surgit dans l'encadrement de la porte. Il s'avance vivement, sort et referme derrière lui.

— Où vous vous croyez pour débarquer ici comme ça ? s'écrie-t-il.

— Vous me cachez quelque chose. Vous allez me raconter tout ce que vous savez sur Louise Andersen.

Joachim se force à ne pas bouger. Il essaie de rassembler son courage.

— Je ne sais rien du tout et vous allez foutre le camp immédiatement, siffle le photographe d'un ton agressif.

— Je sais qu'il existe un lien entre vous et Louise Andersen, alors autant que vous me le disiez tout de suite. Vous avez parlé d'elle avec Miss Daisy.

En entendant Joachim prononcer ce nom, Gorm sursaute. Il jette un regard nerveux vers la maison, fait un pas en direction de Joachim.

— On pourrait aller discuter ailleurs ? propose-t-il à voix basse.

Joachim acquiesce. Il bout intérieurement. Il tient une vraie piste ! Il va enfin apprendre quelque chose.

— Retrouvons-nous un peu plus loin. Descendez la petite rue transversale à gauche, j'arrive avec la voiture et je vous prends au passage, d'accord ?

Gorm jette un coup d'œil à sa montre.

— Continuez toujours tout droit, la rue est longue, je serai là dans un quart d'heure, vingt minutes au maximum.

Joachim réfléchit à toute vitesse. Est-ce une ruse pour se débarrasser de lui ?

— Si vous ne me rejoignez pas, je reviens sonner.

Gorm hoche la tête, l'air buté, et disparaît à l'intérieur. Joachim se met en route, tourne dans la transversale indiquée. C'est une petite rue qui s'élargit au bout d'un moment, bordée de blocs d'immeubles des deux côtés. Alors qu'il marche depuis ce qui lui semble être un quart d'heure, une Passat rouge freine à côté de lui. Joachim ouvre la porte et s'installe sur le siège passager à côté de Gorm, qui ne lui accorde pas un seul regard et accélère aussitôt.

— Où va-t-on ?

— Tu voulais rencontrer Miss Daisy, non ?

— Je veux rencontrer Louise.

— Elle, je la connais pas. Mais peut-être que Daisy sait quelque chose, répond Gorm, toujours sans regarder Joachim.

Ils sont arrivés à la sortie de la ville. Les bâtiments résidentiels deviennent d'abord de plus en plus hauts et de plus en plus nombreux puis, progressivement, ils s'espacent et commencent à rapetisser. Les deux hommes traversent une zone industrielle à la périphérie de Bagsværd. Au bout d'un moment, Gorm quitte la route principale.

— Où habite Miss Daisy ? demande Joachim. Pas de réponse.

— Hé !

Gorm a pilé. Le conducteur derrière eux klaxonne, les dépasse. Échange de doigts d'honneur.

— Tu veux la rencontrer, oui ou non ?

Joachim le dévisage. Il y a de la haine dans les yeux du vieil homme. Ils reprennent leur route, muets l'un comme l'autre. Joachim regarde par la fenêtre. Ils ne vont pas tarder à s'engager dans une forêt. C'est sûrement la Hareskoven. Il s'est mis à lire tous les panneaux de signalisation qu'ils rencontrent. À faire attention à la route que prend la voiture. Il a peur et regrette de ne rien avoir emporté avec lui, n'importe quoi qui aurait pu faire office d'arme. Gorm s'engage dans une étroite route forestière, gare enfin la voiture. Il se tourne vers Joachim.

— Tu vas arrêter de me contacter maintenant, compris ? dit-il. Compris ?

— Où habite-t-elle ? Qu'est-ce qui se passe, là… ?

Joachim ne peut achever sa phrase ; c'est à peine s'il a le temps de s'apercevoir que Gorm tire un objet oblong et gris sombre de sa poche intérieure. Dans un grand geste circulaire du bras, il lui en assène un coup sur la tête. Il a touché Joachim à la tempe.

— Qu'est-ce que vous faites ? s'écrie Joachim.

Gorm le frappe de nouveau, résolument, comme s'il n'avait rien à perdre. Joachim tente de sortir de la voiture. Il n'aurait pas dû, car cette fois Gorm l'atteint à la nuque. Un voile noir tombe devant les yeux de Joachim. Sa main est prise d'un spasme. Si seulement il parvenait à sortir ! Il bouge au ralenti, comme dans un cauchemar, quand on se débat mais qu'on n'arrive jamais nulle part. Gorm est descendu de son siège, il extirpe Joachim du véhicule, le laisse tomber au sol.

— J'ai… J'ai parlé de vous à quelqu'un, marmonne Joachim.

Gorm lève le bras au-dessus de la tête. A-t-il l'intention de le tuer ?

— J'ai parlé de vous à mon frère. Vous ne vous en sortirez pas comme ça.

— Ne remets jamais les pieds chez moi. Ne va pas voir la police. Je ne suis pas seul, tu piges ?

Le photographe a saisi Joachim par le col et le secoue. Il veut une réponse.

— Moi non plus je ne suis pas seul, réplique Joachim.

Mais il entend bien lui-même que cela sonne faux. Gorm sourit et hoche la tête.

— La prochaine fois, ça finira mal pour toi, prévient-il.

Et il frappe.

*

Joachim se réveille, pantois, perdu. Il porte une main à sa tempe, où une grosse bosse douloureuse a poussé. Il reste un long moment assis par terre avant de se remémorer la scène de Gorm en train de l'assommer. Avec quoi ? Une pierre à aiguiser ? Le genre de pierre dont on se sert pour affûter ses couteaux de cuisine ? Oui, il en est quasiment sûr.

Il cherche son téléphone dans sa poche. L'a-t-il encore ? Il ressent une vague de soulagement au moment où ses doigts rencontrent la surface de plastique lisse. Il commence par appeler le 112, il ne sait pas ce qu'il pourrait faire d'autre. Mais il s'avère incapable de répondre à leurs questions. Où êtes-vous ? Que s'est-il passé ? Les secouristes veulent des réponses. Pour finir, Joachim raccroche. Il hésite à appeler Iben Hansen Hansen. Et lui dire quoi ? Rien. Il est seul. De plus, Helene est soupçonnée dans l'affaire de la disparition de Louise Andersen. Fait-il vraiment bien d'enquêter lui aussi ? Il n'est pas dit que cela serve Helene.

Il se met debout avec peine. Commence à marcher en direction de la route asphaltée. Il a l'impression que sa vue déraille ; son champ de vision est éclaté comme à travers un kaléidoscope. Il titube, il doit sembler ivre. Il poursuit sa route jusqu'à trouver une maison dont le numéro et la rue soient indiqués. Au moment où il cherche sur son téléphone le numéro d'une compagnie de taxis, une goutte de sang tombe sur l'écran. Ballerup. Ça doit être un quartier des environs. Enfin ! Trouvé. Il appelle. Annonce où il se trouve et où il veut se rendre : aux urgences les plus proches.

*

Il est tombé de vélo, explique-t-il à la réceptionniste. Il lui parle de la douleur qu'il ressent dans le crâne et de ses troubles de la vision. On lui dit de s'asseoir et de patienter. Il sent monter en lui une haine farouche envers le photographe. Haine qui, l'instant d'après, se trouve remplacée par autre chose. Un sentiment de gratitude. Car il en a à présent la certitude, il est sur la bonne voie. Pourquoi Gorm aurait-il réagi avec autant de violence, sinon ? Joachim sort son téléphone, fait une recherche Google en tapant

« Miss Daisy ». Il obtient toutes sortes de résultats, surtout à propos du film : « Comédie américaine de 1989 récompensée par plusieurs Oscars, avec Morgan Freeman et Jessica Tandy dans les rôles principaux. Réalisateur : Bruce Beresford. Basée sur la pièce de théâtre d'Alfred Uhry. » Il trouve aussi une entreprise qui s'est lancée dans un service de taxis, exactement comme dans le film ; non pas pour qu'un chauffeur transporte les clients d'un point A à un point B, mais pour qu'un véritable ami les emmène. Joachim sourit mais, sentant une douleur lui transpercer le front, il ravale son sourire. Et continue à lire. Une auto-école n'employant que des monitrices, un restaurant en Floride, encore un restaurant…

Une femme médecin l'examine, palpe son crâne de ses mains expertes et agiles. Quand elle parvient à l'endroit de la bosse, Joachim pousse un gémissement. Elle lui éclaire la pupille à l'aide d'une petite lampe, teste ses réflexes, lui pose mille questions. Puis elle lui donne quelques comprimés et lui recommande de se reposer le reste de la journée. Il ne faut pas qu'il dorme pendant les six heures qui vont suivre. Elle lui explique qu'il a un traumatisme crânien léger, rien de grave. S'il vomit ou se sent mal, il doit les appeler.

— Il vaudrait mieux que vous ayez de la compagnie cette nuit, conclut-elle. Avez-vous quelqu'un à la maison ?

— Oui, répond Joachim, au bord des larmes.

Alors qu'il s'apprête à partir, ses yeux tombent sur les journaux étalés sur la table basse de la salle d'attente. Un magazine coquin s'est égaré parmi eux. Soudain, il réalise que le regard que Gorm a jeté par-dessus son épaule tout à l'heure visait à s'assurer que sa femme et sa fille n'entendaient pas. C'était un regard honteux. Pourquoi honteux ? Miss Daisy serait-elle une prostituée ? Les femmes qui appellent, l'affolement de Gorm… Il avait peur d'être découvert !

Joachim saisit le journal, s'assied sur une chaise et feuillette les dernières pages, celles avec les petites annonces publicitaires. Il passe en revue les nombreux noms pleins de fantaisie et les codes qui ont visiblement du sens pour certains lecteurs. « Traitement intégral », « lieu exclusif », « spécialisée dans les jeux de rôle ». Que dire de : « Petite nouvelle des beaux quartiers vous propose luxe à la française et massage de la prostate » ? Le monde a bien évolué pendant que Joachim vieillissait. Il tourne les pages.

Et là, il tombe dessus. Pas d'erreur, c'est bien son nom. Miss Daisy. « Je t'attends. Chez moi, c'est toujours ouvert… » Joachim sort fébrilement son téléphone de sa poche, lance un regard à la ronde. Il sait bien de quoi il doit avoir l'air. D'un type qui voudrait le numéro de téléphone d'une pute, mais qui est trop radin pour acheter un pauvre magazine. La misère totale. Il enregistre le contact de Miss Daisy, repose le journal et se dépêche de sortir. Il ignore dans quelle mesure son vertige est dû au coup qu'il a reçu sur le crâne ou s'il faut plutôt l'imputer à l'excitation d'avoir enfin trouvé un véritable indice à suivre. Une histoire. Joachim sait qu'il y a une histoire derrière tout cela. Et il va la découvrir.

19

La première fois qu'elle a conduit sa voiture personnelle, c'était en compagnie d'Edmund.

Il était assis à côté d'elle sur le siège passager, et il était très nerveux. Elle a essayé de le rassurer. Lui a expliqué qu'elle conduisait tout le temps. À Bornholm. Elle a failli mentionner la vieille Volvo de Joachim mais s'est abstenue. C'est tellement étrange... Les souvenirs qu'elle a, il ne faut pas qu'elle en parle. Quant à ceux qu'elle n'a pas, ils en parlent à longueur de temps. L'enfance de Christian et de Sofie, où et comment elle et Edmund se sont rencontrés... C'était au cours d'une conférence d'entreprise à Singapour. Sans arrêt, ces souvenirs fantômes reviennent sur le tapis.

Edmund a été clair : pendant les six mois à venir, il préfère qu'elle s'abstienne de conduire seule. Elle ne l'a pas trop pris au sérieux, elle refuse de se laisser traiter comme une poupée de porcelaine pendant tout ce temps. Mais il n'a pas voulu en démordre. Heureusement, il fallait qu'il se rende au travail. Elle l'a embrassé, a regardé sa voiture quitter l'allée. Les clés de la petite Mercedes, elle les a trouvées dans la commode de l'entrée.

Enfin, la voilà seule dans la voiture. Elle est comme neuve, nettoyée de fond en comble, impersonnelle. Tout le contraire de celle de Joachim. Sa vieille Volvo était presque un prolongement de lui-même, d'elle aussi. Ils y avaient entassé tous les objets possibles, les livres de Joachim, des tasses, de petites cruches en terre cuite pour le café qu'ils n'avaient finalement jamais sorties du coffre.

Helene conduit lentement dans Silkeborg. La ville est paisible. Elle essaie de tout enregistrer. Le centre-ville ; le *Pluvier doré*, plus vieux bateau à aubes du monde encore en activité, amarré côte à côte avec d'autres bateaux à touristes ; les vieilles maisons ; les quais. L'histoire. Le parking de l'usine à papier se trouve devant un grand centre de fitness. Cela doit faire des années qu'on ne produit plus de papier ici, se dit Helene. Aujourd'hui, ce sont des muscles qu'on fabrique à la chaîne, constate-t-elle en voyant deux grands types sortir du bâtiment. Elle introduit cinq couronnes dans le parcmètre. Appuie sur « oui » quand la machine lui demande si elle désire une facture. Celle qu'elle obtient est parfaitement identique à celle qu'elle a trouvée dans sa poche de veste. Seule la date diffère. Helene est donc venue ici trois jours avant sa disparition. Trois jours avant ce moment où elle a enfourché Samir, chevauché dans la forêt, fait halte à côté du ruisseau, traversé en courant l'épaisse forêt de résineux, écartant sur son passage des milliers de petites branches desséchées par le vent. Et où elle est ressortie de l'autre côté. Une autre femme. Transformée. Le disque dur effacé. Et pourtant... Selon Rosenberg, sa mémoire lui a montré une porte qu'elle est prête à lui laisser franchir. La porte des souvenirs en lien avec sa disparition. Helene a décidé de la pousser.

Elle inspecte les alentours. Un peu plus loin, un restaurant-grill avec un chapeau de cow-boy dans la vitrine et une offre de buffet à volonté pour cent trente-neuf couronnes. Est-ce là qu'elle a voulu se rendre ? Pour manger ? Non, ce n'est sûrement pas son genre. Ni celui de l'Helene ancienne version, ni celui de la nouvelle. Et puis, elle n'avait mis que cinq couronnes dans le parcmètre, ce qui donne droit à quinze minutes de stationnement ; pas assez ni pour faire de la gym, ni pour manger une bavette ou boire un *latte* au petit café. Quoi, alors ? Elle a pu donner rendez-vous à quelqu'un sur le parking. Non. Dans ce cas, elle n'aurait pas dépensé d'argent pour avoir le droit de se garer. Si Helene est ou était vraiment aussi pingre que ce que lui a décrit Edmund, elle se serait bornée à s'assurer qu'aucun contractuel ne s'approchait de son véhicule le temps de son rendez-vous.

Elle se met à marcher au hasard. Heureusement qu'Edmund n'est pas là pour la voir, il serait malheureux. Angoissé, peut-être. Et elle, se sent-elle angoissée ? Susceptible de tout oublier et de disparaître à nouveau ? Elle n'en a aucune idée, elle n'a aucune idée de qui elle est. Elle observe les gens autour d'elle, voit deux femmes de son âge pénétrer dans le centre de fitness. Elles savent qui elles sont, elles. Tous ceux qui l'entourent, le chauffeur de taxi, le jardinier qui ramasse les détritus ici et là, le contractuel qui rédige des amendes, tous savent qui ils sont. Tous, sauf elle. Voilà pourquoi elle est venue jusqu'ici, pourquoi elle s'est glissée en catimini hors de chez elle.

Elle ne peut partir que dans une seule direction, en remontant le courant du Gudenåen. L'autre ne mène qu'à une route très fréquentée. Elle entre dans le café. Derrière le comptoir, une femme d'âge moyen trace des cœurs dans la mousse de lait de deux cafés *latte*. Helene attend que les deux clients soient sortis avec leur boisson à emporter.

— Qu'est-ce que ce sera ? demande la serveuse sans lever les yeux.

— J'ai une question un peu étrange à vous poser, mais… M'avez-vous déjà vue avant aujourd'hui ?

La femme, surprise, se redresse. Sourit.

— Seulement dans le journal, répond-elle.

— C'est vous qui êtes propriétaire ?

— Oui.

— Depuis longtemps ?

— Où voulez-vous en venir ?

— Je… C'est difficile à expliquer, dit Helene, qui la remercie et sort.

Elle ne peut pas s'y prendre de cette manière. C'est sûrement ainsi que travaille la police. Ils font du porte-à-porte. Mais ils sont nombreux alors qu'Helene est seule. Elle est en train de regagner sa voiture quand elle remarque deux employées de SAS en uniforme qui la dépassent. Il n'y a que deux places de parking devant l'hôtel, toutes deux occupées par les minivans couleur bleu roi qui servent de navettes. Helene réfléchit une minute, hoche la tête. Oui, ce serait logique : elle avait quelque chose à faire à l'hôtel mais n'a pas pu se garer juste devant. Voilà pourquoi elle s'est arrêtée un peu plus loin et a prévu quinze minutes de stationnement afin de pouvoir rencontrer la personne avec laquelle elle avait rendez-vous. Les portes de verre coulissent et Helene pénètre dans le hall.

— Madame Söderberg ?

Helene se retourne. Un homme en costume vient à sa rencontre. Il hésite, la regarde avec insistance. Il a un certain âge, est un peu efféminé peut-être, très soigné, avec des cheveux gris coupés très court.

— Vous n'imaginez pas à quel point nous sommes ravis de vous voir… aujourd'hui, se hâte-t-il d'achever.

Helene a bien compris qu'il voulait dire « en vie ».

— C'est très aimable de votre part, répond-elle.

— Et que… que puis-je faire pour vous ? demande le directeur de l'hôtel, qui chasse de la main un employé qui l'attendait avec une liasse de papiers.

— Je suis venue car… Euh… Peut-être avez-vous entendu parler de… de mon état ?

Le visage du directeur de l'hôtel reste impassible : accueillant, ouvert, attentif.

Helene chuchote :

— Mon amnésie.

Elle ne comprend pas pourquoi il lui est si pénible de prononcer ce mot.

Le directeur tourne la tête pour jeter un coup d'œil par-dessus son épaule. À quelques pas de là, un groupe d'hommes d'affaires, leurs bagages sur un chariot. Il était sûrement en train de s'occuper d'eux. Il invite néanmoins Helene à passer dans son bureau et s'installe en face d'elle. Grave, serviable.

Helene décide de ne pas y aller par quatre chemins.

— Je voulais juste vous demander si j'étais déjà venue ici avant, interroge-t-elle.

Elle brûle d'entendre la réponse.

— Oui, bien sûr, nous avons accueilli sous notre toit nombre de conférences de votre entreprise. Vous êtes une invitée qui nous est particulièrement chère, dit-il.

Il hoche la tête. Se racle la gorge.

— Mais… suis-je par hasard venue ici… seule ? Juste avant de disparaître ? Le 23 mars, il y a trois ans. Étiez-vous employé ici à l'époque ?

— J'étais directeur adjoint. J'ignore si je travaillais ce jour-là. Cela fait tout de même plus de trois ans.

— Avez-vous des caméras de surveillance ?

— Oui.

Le directeur la dévisage avec inquiétude.

— Conservez-vous les bandes ?

— Il n'y a pas de bandes, seulement des fichiers vidéo. Et oui. Nous les conservons. Mais vous n'avez pas l'intention...

Il s'interrompt.

Elle toussote, se lève.

— J'aimerais les voir, déclare-t-elle.

Puis elle ajoute, tout en posant le ticket de parking froissé sur le bureau :

— Cela ne devrait pas être trop long. Je n'ai besoin que d'un quart d'heure de ce jour-là.

*

Les enregistrements sont en noir et blanc, l'image un peu floue. Surtout quand le technicien avance dans la vidéo pour faire défiler la matinée du 23 mars 2012. À cette vitesse, on a l'impression que les gens entrent et sortent du hall comme des hystériques.

— 15 h 43, indique Helene au technicien.

L'heure s'affiche en bas de l'écran. L'homme s'arrête à 15 h 41. Repasse à la lecture en vitesse normale. Derrière Helene, le directeur regarde aussi. Ils voient un couple de personnes âgées entrer, recevoir la carte magnétique de leur chambre. S'avancer vers l'ascenseur. Il est à présent 15 h 43. Une femme de chambre traîne hors de l'hôtel un chariot chargé de draps. 15 h 44. Helene pousse un soupir. Le directeur se racle la gorge. C'est tout. 15 h 47, toujours rien. Il ne faut pas tant de temps que ça pour arriver à l'hôtel depuis le parking. A priori, moins d'une minute.

— Je suis désolé, dit le directeur au moment où le chronomètre s'approche de 15 h 50.

— Merci de m'avoir consacré un peu de temps, répond Helene.

Elle se lève.

— Laissez-moi vous raccompagner.

Helene a déjà emboîté le pas au directeur et s'apprête à sortir de la pièce quand le technicien s'exclame :

— Attendez !

Helene tourne la tête. Et se découvre à l'écran, en train de pénétrer dans le hall. Elle revient près du moniteur. Se rassied. Elle se voit, sur la vidéo, se diriger droit vers la réception, l'air résolu. Elle porte le fameux blazer bleu, celui dans la poche duquel elle a trouvé le ticket de parking. Un pantalon assorti, des chaussures vernies de couleur foncée. Elle a du mal à se reconnaître elle-même, il y a quelque chose de dur et d'impitoyable dans son visage. Et puis, sa manière de marcher… Elle tire un papier de son sac à main, le tend au réceptionniste. Une photo ? Une carte ? Impossible de le voir. Le réceptionniste fait « non » de la tête ; on ne voit pas son visage car la caméra est placée dans son dos. Helene insiste, rapproche le papier de lui, mais il hausse les épaules et écarte les bras en un geste d'impuissance. Helene reste un instant sans bouger, puis elle range le papier dans son sac et sort. C'est tout ce que révèle l'enregistrement.

— Je peux le revoir ? demande Helene.

Le technicien repart en arrière. Elle regarde la brève séquence trois fois de suite. Mais cela ne l'avance guère. Il est clair que l'Helene que l'on voit sur l'enregistrement est venue pour poser une question précise.

— Pourrais-je parler au réceptionniste ? reprend-elle quand elle en a assez d'observer son double.

— Allons à la réception examiner le planning du 23 mars 2012, propose le directeur.

Ils retournent dans le hall. Le directeur consulte l'ordinateur à la recherche de la bonne date.

— Ici, il est noté que c'était Martin à l'accueil. C'est à lui que vous avez parlé ce jour-là.

Le directeur se tourne vers la fille assise à la réception.

— Où en est-on avec Martin ?

— Il n'est plus parmi nous, répond la jeune réceptionniste.

Le directeur lance à Helene un regard contrit.

— Est-il… mort ? demande Helene.

— Non, j'espère bien que non, dit le directeur en riant.

La réceptionniste intervient :

— Il travaille à temps plein aux Petits Poissons, dit-elle joyeusement dans un dialecte à couper au couteau.

— Aux Petits Poissons ? répète Helene.

La réceptionniste ne peut cacher son étonnement.

— Eh bien, le domaine près d'un des lacs, explique-t-elle.

Elle sort une carte touristique qu'elle étale devant Helene. Trace une croix dessus. Helene déteste les cartes, elle ne sait pas s'orienter, c'était toujours Joachim qui les guidait. Merde ! Pourquoi n'est-il pas là alors qu'elle a besoin de lui ? Il écrit, il est à nouveau heureux, sûrement en compagnie d'une de ses anciennes amoureuses.

— Aux Petits Poissons, c'est là, dit la réception-niste. Et ça, c'est l'école de plongée. Vous avez de grandes chances de le trouver dans les alentours. Il est moniteur de plongée.

Moniteur de plongée. Helene se demande si Martin le moniteur de plongée se souviendra de la question qu'elle lui a posée il y a trois ans.

20

Dans la rame de métro, un vieil homme vêtu d'un beau pardessus beige fixe Joachim d'un regard ostensiblement désapprobateur. Joachim sait bien qu'il a une tête à faire peur, avec ses contusions et sa blessure à la lèvre. Il s'enfonce encore plus dans son siège et appuie le front contre la vitre. Elle est froide. Il faut qu'il aille chercher sa voiture, qu'il a laissée à Bornholm pour mille raisons, aussi bien pratiques que sentimentales. Tout s'est passé si vite, Helene et lui ont pris l'avion pour Copenhague à la demande de la police, qui ne voulait pas perdre de temps. Mais Joachim ne peut pas se mentir : s'il a abandonné sa voiture, il y a un motif supplémentaire. Quand on laisse des choses derrière soi, c'est dans l'espoir de revenir. Plus ce qu'on laisse est important, plus l'espoir est grand. N'est-ce pas ?

Fanny ne lui a pas menti quand ils se sont parlé au téléphone, le bordel est très facile à trouver. Il descend les trois marches qui mènent à la porte de la cave. « Ouvert », indique un panneau fait maison, de grosses lettres rondes tracées d'une main féminine. Les rideaux sont soigneusement fermés, une guirlande lumineuse de cœurs rouges clignote à la fenêtre. On ne peut pas se tromper. Il pénètre dans une pièce bien éclairée. Une jeune femme maigre est assise derrière une sorte de comptoir, une vitre graisseuse et maculée de cire de bougie.

— Bienvenue.

Joachim reconnaît cette voix rauque. C'est Fanny, la femme qu'il a eue au téléphone. Il examine la pièce. Murs blancs, spots petits mais puissants au plafond, quatre fauteuils en osier le long du mur. Assis dans l'un d'eux, un homme aux cheveux en brosse lit un magazine automobile. Le videur. Vu son marcel, qui met bien en évidence ses tatouages et ses muscles, pas de doute sur son rôle.

— Comment... Comment ça marche, ici ? demande Joachim.

— T'es nouveau ? interroge Fanny en souriant.

Rien dans son regard ne montre qu'elle a prêté attention à son visage meurtri. Ici, on est habitué à rester discret. Personne n'a envie d'être reconnu, personne n'a envie qu'on lui pose de questions superflues ou qu'on lui fasse des remarques importunes.

Et, bizarrement, la méthode fonctionne, Joachim se sent entre de bonnes mains et se détend un peu malgré son embarras.

— J'ai une très belle fille pour toi. Elle est ronde, elle a des formes, et un sourire irrésistible. Si tu préfères une rouquine sauvage, c'est aussi possible. Qu'est-ce que tu en dis ? Sinon, on a aussi une blonde qui n'a pas froid aux yeux.

Fanny lui fait un clin d'œil grivois, et Joachim ne peut pas s'empêcher de rire.

— La blonde. Sans hésitation.

— D'accord. Nous allons donc essayer de mettre la main sur Mindy.

Puis elle se penche vers Joachim et souffle :

— As-tu des... désirs particuliers ?

— Euh…

Joachim rougit. Il n'a aucune idée de ce qu'il devrait répondre.

— Ce sera la classique alors, j'imagine, dit Fanny.

Joachim acquiesce.

— Bon, tu règles en liquide ? Sinon, on prend aussi la carte bleue ou, si tu l'utilises, l'appli MobilePay. Il apparaîtra juste « Bien-être » sur le relevé, c'est très discret.

Joachim marmonne quelque chose à propos d'une carte Visa, Fanny sourit, lui désigne un fauteuil à côté du videur. Joachim tente de rassembler ses esprits. Il se répète dans sa tête la raison de sa venue : retrouver Louise Andersen.

Enfin, Fanny est de retour.

— Mindy est prête à te recevoir. Entre, tu trouveras la porte ouverte.

Joachim remonte le couloir – toujours des murs blancs, une vague odeur d'ammoniaque. Il entre dans la pièce dont la porte a été laissée ouverte et se retrouve dans une chambre meublée d'un lit en métal noir aux boutons en laiton et d'une table de chevet assortie avec un seul tiroir. Rien d'autre. Il entend des pas derrière lui, se retourne brusquement et se retrouve nez à nez avec Mindy. Ses cheveux sont si blonds qu'ils ne sont pas loin d'être blancs ; elle a les yeux légèrement en amande et très écartés, maquillés de manière à faire ressortir leur caractère félin. Sa peau est poudrée d'un fard clair, seules ses pommettes hautes portent une ombre vermeille. Ses lèvres, en revanche, sont d'un rouge éclatant. Mindy ferme la porte derrière lui sans le quitter du regard, se glisse tout près, lui passe une main sur la hanche puis s'éloigne. Il se retourne, la fixe. Elle s'est arrêtée au pied du lit et lui lance un regard intense. Elle porte une guêpière noire, un soutien-gorge, un string. Des talons aiguilles très hauts à semelles compensées. Ses seins sont parfaitement ronds. Il ouvre la bouche pour parler, l'interroger, mais la voilà tout contre lui qui pose un index sur ses lèvres ; l'autre main se glisse sous son pantalon, froide contre sa peau, qui lui semble en surchauffe tout à coup.

Joachim n'est jamais allé voir une prostituée. Il n'a jamais envisagé la chose. Quand il était jeune, il était trop peu sûr de lui. Ensuite, il a rencontré Ellen et il est devenu écrivain. À cette époque, on lui a fait des avances dont il n'aurait jamais osé rêver. Des beautés lui écrivaient des lettres, l'appelaient au téléphone, cherchaient à lui parler après les lectures en librairie. Et les occasions ne se sont pas raréfiées une fois que ses ventes ont commencé à baisser. Ensuite, il est devenu le mystérieux romancier installé sur l'île de Christiansø qui ne donnait pas beaucoup de signes de vie. Mais il a décliné la plupart des offres : le temps passé avec Ellen l'avait vacciné. Les nombreuses aventures qu'il avait eues pendant son mariage n'étaient plus nécessaires. Avec Louise – Helene –, il pouvait respirer. Chose impossible avec son ex-femme. Est-il enfin devenu intransigeant ? Ce qu'Ellen l'accusait de ne pas être, à la différence des artistes qu'elle admirait tant ? Turner par exemple, le peintre anglais, qui avait demandé aux marins de l'attacher au mât d'un bateau… Après quoi il était resté pieds et poings liés pendant quatre heures afin de vivre l'expérience visuelle totale de la tempête. Et Joachim ? Est-il intransigeant aujourd'hui, attaché à un mât portant le nom d'Helene ? Que dirait Ellen si elle le voyait en ce moment ? Le considérerait-elle enfin comme l'artiste qu'elle aurait souhaité qu'il devienne ?

Pour l'instant, il n'est pas debout attaché à un mât mais allongé sur un lit, et il sent les mains expertes de Mindy qui le cajolent de manière efficace et ciblée. Aucune chaleur chez elle, ni dans le regard, ni dans les caresses. Est-ce pour cette raison qu'il la laisse faire ? Parce qu'il a moins l'impression d'être infidèle à Helene ainsi ? D'ailleurs, peut-on vraiment parler d'infidélité puisque, de fait, elle l'a abandonné ? Joachim n'en sait rien. Il constate simplement qu'il ôte irrépressiblement sa chemise, déboutonne sa braguette, baisse son pantalon, enlève son caleçon. Son érection ne ment pas. Elle dit la vérité sur son corps et ses instincts. Au dernier moment, il fait un effort pour reprendre ses esprits et se met à parler à Mindy. Avec la drôle d'impression que c'est là sa dernière chance.

— Je cherche une femme qui travaillait ici il y a trois ans. Louise. Vous la connaissez ?

Mindy soupire, l'enjambe élégamment pour descendre du lit. Après quoi elle s'assied sur le matelas en lui tournant le dos. Elle s'étire, on dirait que ses muscles sont endoloris. Joachim s'assied, essaie de se rhabiller prestement. Résultat, il enfile son caleçon à l'envers, et son pénis en érection tend le tissu de son pantalon.

— Je savais bien que t'étais pas là pour la baise, dit-elle sèchement.

Joachim sort son téléphone de sa poche, trouve une photo d'Helene. Il fait le tour du lit, se plante devant Mindy et lui montre l'image.

— Connais-tu cette femme ?

Moment de confusion. Sourcils qui se lèvent. Ça n'a duré qu'un centième de seconde, très vite, Mindy reprend un visage impassible.

— Je ne l'ai jamais vue, OK ?

Joachim est sûr de lui. Il a clairement vu le trouble de Mindy. Peut-être n'avait-elle pas fait le lien entre le visage d'Helene et le nom de Louise ? Ou alors, elle associe le nom de Louise à un autre visage… Un visage qu'elle connaît. Si seulement il avait aussi une photo de la vraie Louise ! Il faut qu'il réussisse à faire parler Mindy.

— Tu connaissais Louise ? Sais-tu où elle est actuellement ?

Mindy se lève sans hâte.

— Stella, tu veux dire ? Elle a arrêté, je crois.

Joachim répète le nom, l'apprivoise. *Stella.* Évidemment. Aucune prostituée ne se fait appeler par son vrai nom. Ce ne sont que des Vanessa, Mindy et autres Pamela.

— Puisque tu veux pas baiser, tu peux aussi bien rentrer chez toi tout de suite, conclut Mindy.

— Stella. Donc, Louise Andersen se faisait appeler Stella ? Je dois la retrouver. C'est important.

Il pose la main sur le bras de Mindy. Elle fixe la main comme si Joachim était en train de commettre une offense gravissime, mais Joachim poursuit avec enthousiasme :

— Tu peux m'aider, il faut à tout prix que je découvre ce qui est arrivé à Louise – enfin, Stella –, c'est en rapport avec la femme sur la photo. Elle pensait être Louise. Pendant trois ans, elle a vécu sous son identité, et aujourd'hui je cherche la vérité. Tu peux m'aider. Dis-moi ce que tu sais, même si ça semble insignifiant. Ça me fera peut-être progresser dans mon enquête.

Mindy ferme les yeux, on dirait qu'elle réfléchit.

— Je te donnerai de l'argent si tu veux bien me parler d'elle.

Lentement, Mindy ramène son bras à elle, s'éloigne de Joachim à reculons.

— Attends un instant, dit-elle.

Puis elle disparaît.

Peut-être veut-elle bien lui parler. Non, elle est plus probablement partie chercher le videur pour qu'il le flanque à la porte. Mais elle sait quelque chose. Joachim en est certain. C'est frustrant d'être aussi près d'obtenir une réponse et de repartir bredouille.

Il détaille la pièce. Il faut agir vite. La table de nuit ! En un éclair, il s'en approche, ouvre l'unique tiroir. Le sac à main de Mindy est rangé à l'intérieur. Un sac cher, en cuir. Joachim le saisit et commence à fouiller dedans tout en guettant des bruits de pas. Au moment où sa main rencontre un sous-bock, il sait qu'il a découvert un indice important. Il le tire du sac. C'est le même que celui qui est en sa possession. Celui-ci n'est pas aussi abîmé que l'autre, mais c'est bien la même publicité pour Campari. Au lieu d'un numéro de téléphone, il y a une date et une heure écrites au dos au stylo à bille. C'est aujourd'hui. Ce soir. Mais où ? Entendant des pas dans le couloir, il remet le sac dans le tiroir, qu'il referme avant de s'éloigner de trois pas de la table de chevet. La porte s'ouvre au moment où il glisse le sous-bock dans sa poche. L'homme qui était assis dans le fauteuil en osier entre le premier, l'air menaçant, suivi de Mindy.

— À quoi tu joues, petit con ? lui crie le videur.

Mais il n'attend pas vraiment de réponse.

Joachim a à peine le temps de ramasser chemise et chaussures avant que le videur ne le saisisse fermement par l'épaule droite pour le pousser en arrière. C'est tout juste si Joachim ne tombe pas à la renverse. Il repense au conseil de l'infirmière : « Ménagez-vous aujourd'hui. » Il lève les mains devant lui pour se protéger.

— Désolé, désolé, je m'en vais, dit-il.

— Je te jure qu'en effet tu vas dégager !

— J'ai subi un traumatisme crânien, explique Joachim pour s'excuser, je n'ai pas envie de me battre encore une fois.

Le videur ne bouge pas, reste la tête à deux doigts de celle de Joachim. Celui-ci sent son cœur s'emballer. Enfin, l'homme s'efface, laissant à Joachim l'opportunité de prendre la porte. Mindy est debout, bras croisés, le visage toujours aussi impassible. D'une beauté tellement irréelle, a-t-il temps de penser au milieu de sa confusion. Le videur le suit de près sur toute la longueur du couloir, puis à travers le vestibule. En montant les trois marches, Joachim reçoit une dernière bourrade pas très tendre dans le dos, ce qui le fait trébucher et lâcher chemise et chaussures. Le voilà sur le trottoir qui s'affaire avec ses lacets et ses boutons, péniblement conscient de l'indignité de la situation. De quoi doit-il avoir l'air ? Et si Helene le voyait ? Que n'irait-elle pas s'imaginer ? Joachim essaie de rester indifférent à cette supposition. Aucun risque qu'Helene le voie. Elle ne le verra plus jamais, d'ailleurs. Elle s'est glissée dans son autre vie, sa nouvelle vie, sans douleur. Sinon, elle l'aurait déjà contacté.

21

Helene prend aussitôt la direction de l'école de plongée. Il n'y a aucune raison de différer sa visite. Elle va aller trouver ce Martin et lui demander quel est le papier qu'elle lui a montré ce jour-là à la réception de l'hôtel. Elle roule lentement. S'arrête à plusieurs reprises pour consulter la carte. La voiture est équipée d'un GPS, mais elle n'arrive pas à le faire fonctionner. Il est flambant neuf, voilà tout ce qu'elle sait. Edmund lui a raconté qu'à l'époque où on la recherchait la police a saisi le GPS de sa voiture : ils espéraient la retrouver grâce aux adresses qu'elle avait mémorisées parmi ses favoris. Si seulement elle avait cet appareil en sa possession aujourd'hui ! Elle pourrait aller visiter chaque lieu enregistré, voir si cela donne des résultats. Helene repense à la femme filmée par les caméras de surveillance de l'hôtel. C'est la même que celle qui se trouve au volant en cet instant. Elle est très différente toutefois. Celle de l'enregistrement semblait tellement forte, tellement pugnace, une femme à qui on ne peut pas dire non. Rien que sa démarche, la manière dont elle a pénétré dans le hall... Comme si les lieux lui appartenaient. Une reine.

Helene contrôle le rétroviseur. Un break vert foncé… Il était déjà derrière elle la dernière fois qu'elle a regardé. Elle met son clignotant, tourne à droite. L'autre voiture continue tout droit. Elle est vraiment en train de devenir paranoïaque. Elle consulte de nouveau la carte. Elle aurait dû tourner depuis longtemps ; la route sur laquelle elle s'est engagée mène au Himmelbjerget et elle est trop étroite pour qu'Helene puisse faire demi-tour, bordée comme elle l'est de raides fossés de chaque côté. Helene continue donc tout droit. Croise encore plusieurs panneaux de signalisation indiquant le Himmelbjerget, la plus grosse attraction touristique de la région. En arrivant à une fourche, Helene freine. Peut-être peut-elle faire demi-tour ici ? Elle se retourne. Le break vert a réapparu. Elle ne sait plus quoi penser. Quelqu'un l'espionne-t-il donc vraiment ? Est-ce Edmund qui s'inquiète pour elle ? Ou bien de ce qu'elle est sur le point de découvrir ? Elle tourne à gauche, accélère. Mille pensées la traversent, aussi rapidement que les hêtres défilent de l'autre côté de la vitre. Elle ajuste ses lunettes de soleil, manque de sortir dc la route, réussit finalement à redresser la voiture. Qui la suit ?

*

Elle laisse sa Mercedes sur le grand parking asphalté du Himmelbjerget. Le meilleur moyen d'échapper à son poursuivant est de se fondre dans la foule, s'imagine-t-elle. Stands de nourriture, de souvenirs, des dizaines de personnes autour d'elle, familles en excursion, sorties scolaires, cars de retraités avec leur guide. Une fois de plus, Helene remarque une grande raideur dans son corps. Elle n'a pas appelé Joachim depuis cette soirée au restaurant. Le devrait-elle ?

Non, c'est inutile. Elle sait déjà par quoi cela se solderait. Une conversation qui ne lui apporterait pas ce qui lui manque. Un vide qui ne ferait que croître. Au même moment, son téléphone sonne.

— Helene, où es-tu ?

Edmund semble hystérique.

— Désolée de ne pas avoir appelé, répond Helene. Une vieille copine m'a reconnue. C'est tellement agréable de rencontrer quelqu'un de ma vie d'avant… Je me suis laissé complètement absorber, j'ai oublié l'heure.

Ce mensonge lui vient si facilement qu'elle s'en étonne elle-même. Il est sorti tout seul de sa bouche. Vite, elle jette un coup d'œil par-dessus son épaule. La voiture vert foncé s'est garée non loin de la sienne.

— Il ne faut pas que tu sortes. En aucun cas.

— Edmund, c'est impossible. Je ne peux pas rester enfermée.

— Tu n'es pas enfermée ! s'exclame-t-il, indigné. Nous sommes simplement… inquiets pour toi.

Helene prend une profonde inspiration. Il semble sincère. Cela dit… il faut qu'elle sache.

— Avec qui es-tu ? demande Edmund pour essayer de calmer le jeu.

— Vibeke, répond vivement Helene. Je ne crois pas que tu la connaisses, elle dit qu'elle n'était pas invitée à notre mariage. On était à l'école ensemble.

— Tu rentres bientôt ? Les enfants t'attendent.

— Je me dépêche.

Un long silence s'ensuit. Assez long pour qu'Helene ait le temps de se dire : il sait que je mens. Il sait où je suis, c'est peut-être l'homme au break vert qui lui a tout rapporté. Logique, il a peur que je disparaisse… Ou bien a-t-il peur de ce que je pourrais découvrir ?

— Mais…, tente de protester Edmund.

Il respire bruyamment. Derrière, Helene devine aussi les enfants qui jouent. Elle devrait rentrer. Non. Il faut qu'elle en apprenne plus.

— Je suis désolée, c'est la seule occasion que j'aie de discuter un peu avec elle, dit Helene.

Mensonge ignoble, elle n'a pas le choix.

— Entendu, dit Edmund. Fais attention à toi. Je m'inquiète un peu de savoir que tu conduis toute seule. Tu es sûre que tu maîtrises la situation ?

— Tout va bien. Et je ne prendrai qu'un seul verre, bien entendu.

— Tu as une réunion avec le conseil d'administration demain, tu t'en souviens, n'est-ce pas ?

Le conseil d'administration. Helene avait complètement oublié cette histoire. Un conseil composé uniquement d'hommes qui la connaissent tous alors qu'elle ne les connaît plus. Elle a demandé à Edmund si cette réunion était vraiment nécessaire. Mais Helene est l'unique héritière de Söderberg Shipping et certains contrats exigent sa signature, il y a des décisions à prendre qui ont déjà été repoussées durant trois ans. Son absence leur a coûté cher au niveau de la concurrence, lui a dit et répété Edmund.

Après avoir raccroché, Helene observe les alentours. Impossible de localiser l'homme qui la suit. Elle se mêle à un groupe de retraités descendus d'un bus. Ils quittent le parking et se dirigent vers le sommet. La pente est raide et régulière. Petit à petit, Helene s'enfonce au milieu du groupe. Se retourne.

— En réalité, le Himmelbjerget n'est que le septième point le plus haut du Danemark, explique la guide, qui n'est plus qu'à quelques pas devant Helene. Pourtant, il est considéré comme le plus beau sommet. Vous avez sûrement entendu dire que le Himmelbjerget, la « montagne des cieux », n'est pas du tout une montagne, mais une simple colline. Mais saviez-vous que par-dessus le marché c'est une « fausse » colline ?

La guide, pleine d'enthousiasme, se retourne. Ses yeux glissent sur Helene, elle lui adresse un regard surpris, mais ne pose aucune question et poursuit :

— Elle est dite « fausse » car ses bords se sont formés par érosion, à la suite de la fonte d'un glacier dont l'eau s'est engouffrée dans le paysage. Le lac de Julsø, que vous pourrez voir une fois au sommet, s'est formé au niveau de l'affaissement de la vallée, à l'endroit où l'eau avait érodé la terre.

Helene dresse l'oreille. Le lac de Julsø, c'est celui qui se trouve au bout de leur jardin. Peut-être pourra-t-elle voir la maison depuis le sommet ? Pendant qu'ils grimpent la colline, Helene tente de déterminer dans quelle direction elle habite. Ils ont le soleil le soir sur la terrasse. Doit-elle donc se tourner vers l'est ?

Les retraités progressent lentement mais sûrement. Helene est impressionnée par leur endurance. Certains d'entre eux sont clairement en meilleure forme physique qu'elle, qui se sent de plus en plus essoufflée. Quand ils atteignent enfin le haut de la « fausse » colline, elle est en nage, hors d'haleine. Elle observe les alentours, passe en revue chaque personne présente au sommet. Retraités, familles, enfants, aucun d'entre eux ne la suit, c'est certain. Elle respire un peu plus librement. La vue est saisissante. La pente qui descend vers le lac se divise entre forêt et bruyère. Le Slangestien, le « sentier aux serpents », serpente, justement, à travers la bruyère en direction de l'eau.

Ce que raconte la guide sur l'histoire des lieux touche Helene. Peut-être parce que cela la concerne elle aussi : sa famille, l'arrière-grand-père de son père, qui a organisé ces réunions populaires rassemblant des milliers de participants, une grande fête de la démocratie ancrée dans la nature et dans le respect des droits de l'homme… Avec Steen Steensen Blicher, qui s'est battu pour la rédaction d'une constitution et a utilisé la montagne comme cadre symbolique. Des alignements de pierres commémoratives sont dispersés ici et là en l'honneur du prêtre-poète. L'instauration du droit de vote pour les femmes, en 1915, a elle aussi reçu sa pierre commémorative. Un chêne planté la même année s'y dresse à présent solidement. Ses racines largement ramifiées s'enfoncent profondément dans le sol et un toit vert et touffu s'étale au-dessus d'Helene.

Celle-ci renverse la tête en arrière et voit de fines et brillantes bandes de ciel se découper au travers. Elle ferme les yeux un instant. Il faut qu'elle en ait la certitude. Est-elle suivie, oui ou non ? Et si oui, par qui ? Elle s'approche d'une grosse longue-vue noire fixée au sol. Elle cherche une pièce de monnaie dans son sac. La longue-vue est restée dirigée vers les lacs et les forêts qui les entourent. Helene la fait pivoter en direction du parking. Elle ne voit pas les voitures mais peut apercevoir une bonne partie du sentier qui tournicote. Et là, non loin du stand de souvenirs exposant des cannes du Himmelbjerget et autres bibelots, elle le repère. Des jumelles lui cachent les yeux. Et elles sont dirigées vers elle. À la seconde où elle pose les yeux sur lui, il se détourne. *Découverte !* Helene, le cœur battant, recule de deux pas.

Ce n'était donc pas qu'une impression. Quelqu'un la suit. Pourquoi ? Elle essaie de réfléchir de manière rationnelle. À quoi ressemble-t-il ? Tu dois être capable de le reconnaître, Helene, se dit-elle. Trop tard. Quand elle regarde à nouveau à travers la longue-vue, il a à moitié disparu sous les grosses lunettes de soleil et la casquette qu'il vient d'enfiler, le genre de tenue que les célébrités adoptent quand elles veulent avoir la paix. Ah si, voilà tout de même un signe particulier : il porte des bottes de style militaire. Noires et rigides. Peu de gens mettent ce genre de chaussures en plein été.

Il faut qu'elle parte. Mais comment s'en aller sans qu'il la repère, sans qu'il la suive ? Elle se dépêche de rejoindre le groupe de retraités auquel elle s'était mêlée, emboîte le pas à la guide et essaie de se fondre dans la masse. Le groupe descend à présent le Slangestien, qui plonge vers le lac. Helene jette un rapide coup d'œil par-dessus son épaule. L'homme est arrivé au sommet, il regarde dans leur direction.

— Hé ! s'exclame la guide.

Car Helene s'est mise à courir et l'a bousculée. Elle ne pense qu'à fuir. Elle saisit au passage une phrase à propos de serpents, ce sont deux personnes âgées qui discutent des vipères vivant dans la bruyère. Est-ce pour cette raison que le chemin s'appelle le « sentier aux serpents » ? Helene se retourne ; elle ne voit plus l'homme. Parmi les retraités, certains sont clairement fatigués et ont du mal à descendre. Helene sourit à un couple d'anciens et offre son bras au plus âgé des deux. Elle ne cesse pour autant de guetter son poursuivant, surtout à l'approche des débarcadères devant l'hôtel Julsø. Trois bateaux anciens sont à quai. Sur l'un – le fameux bateau à aubes –, une femme détache les amarres. Helene se retourne ; l'homme descend, il est en train de doubler les retraités. Elle se précipite, et en dix pas la voilà parvenue au point de mouillage au moment précis où le bateau quitte le quai. C'est comme si l'employée sur le bateau avait lu dans ses pensées car elle lui crie :

— Je suis désolée, mais vous allez devoir attendre le prochain !

Helene prend son élan, ce n'est qu'un petit saut, le bateau à aubes a à peine commencé à se mouvoir.

Elle se fait copieusement sermonner.

— Désolée. Je ne vous avais pas entendue, s'excuse-t-elle auprès de la femme en s'éloignant et en pénétrant à l'intérieur du bateau, dont les beaux sièges d'acajou laqués brillent au soleil.

Sur la passerelle devant le vieil hôtel, l'homme qui la suivait la fixe pendant que le bateau à aubes s'engage sur le lac. Habillé de manière neutre, pantalon d'été léger et fine chemise, dissimulé par ses lunettes et sa casquette. Helene se cale dans son fauteuil, épuisée, soulagée. Soucieuse. Qui est-ce ? Pourquoi la poursuit-il ? Edmund a-t-il quelque chose à voir là-dedans ?

22

À 23 heures ce soir. C'est l'heure inscrite sur le sous-bock que Joachim a dans la poche, le sous-bock Campari aux couleurs blanche, rouge et bleue qui lui évoquent la côte amalfitaine, Sophia Loren, les Ferrari et les brises tièdes de la Méditerranée. Assis à l'entrée d'un immeuble face au bordel, Joachim attend plusieurs heures. Que va faire Mindy à 23 heures ce soir ? Avec qui a-t-elle rendez-vous ? Que va-t-il se passer ? Et où ?

Joachim examine de nouveau le sous-bock, le même en tout point que celui qu'il a trouvé dans les affaires d'Helene à l'époque où elle s'appelait encore Louise. Cela fait longtemps qu'il a envie d'aller aux toilettes, mais il n'a pas osé abandonner son poste de guet. Si jamais Mindy quitte la maison close à son insu, il perd sa seule piste. Mis à part un maigre indice : le nom de « Stella ». Pour finir, il n'y tient plus. Il s'éloigne de l'entrée de l'immeuble, commence à remonter la rue, pousse les uns après les autres les portails susceptibles de donner sur une cour intérieure, mais ils sont tous fermés à clé. Il se retourne à chaque instant afin de voir si ça bouge devant la porte de la cave, mais non, rien à signaler. Il abandonne l'idée de trouver une cour intérieure et enjambe une palissade ridiculement basse installée pour marquer la frontière entre le trottoir et les dépendances d'un immeuble. Debout sur l'étroite bande de pelouse, il pisse contre le mur. Il se retourne sans cesse vers la porte de la cave. La lumière orangée du soleil du soir trace une large raie au-dessus des toits des maisons. Plus haut, le ciel est bleu sombre. Dans une heure, Mindy est censée se trouver dans un endroit précis, et il va se passer quelque chose de précis. Joachim se sent fatigué ; en revanche, il n'a plus mal à la tête, et les taches noires qui scintillaient devant ses yeux ont disparu. Ça doit être bon signe.

Enfin, la porte s'ouvre. C'est elle. C'est maintenant que ça se passe. Elle descend la rue, la même que celle par laquelle lui est venu, en direction de la station de métro. Il la suit à bonne distance. Arrivée près de la bouche de métro, elle se poste au bord du trottoir et hèle un taxi. Au moment où elle s'assied à l'intérieur, Joachim est encore loin. Il pique un sprint et parvient au niveau de la chaussée à l'instant précis où le chauffeur de Mindy démarre. Il lance un regard désespéré au flot du trafic. Un autre taxi s'approche, lumière verte : il est libre, Joachim lui fait un grand signe du bras et, par bonheur, l'autre s'arrête.

— Je sais que ça va vous sembler ridicule, mais… vous voudriez bien suivre ce taxi ? demande Joachim en montrant du doigt la voiture qui a embarqué Mindy.

À son grand étonnement, le chauffeur ne pose aucune question. Il se contente de mettre son clignotant, se réinsère dans la circulation et vient se ranger dans le sillage de son collègue comme s'il avait fait ça toute sa vie. Joachim se penche en avant, surveille nerveusement la course. Il a l'impression d'être dans un film. *Follow that car !* Ils parviennent à Kongens Nytorv et le taxi qu'ils suivent se gare devant l'une des nombreuses petites rues bondées de cafés, de restaurants et de discothèques. Des groupes de jeunes gens habillés pour faire la fête passent, garçons d'un côté, filles de l'autre, quelques couples ; divers établissements déversent de la musique qui vient se mêler aux conversations et aux rires. Cela donne l'impression de pénétrer dans un autre pays, quelque part dans le sud de l'Europe, dans un pays exotique.

Pendant que Joachim règle la course, il voit Mindy descendre de la voiture et gravir les marches d'un club. Le Roxy. Façade d'un noir brillant, enseigne en lettres clinquantes. Joachim monte les marches de l'entrée d'un pas peu assuré. Il sait parfaitement qu'il ne peut pas entrer, mais il faut qu'il tente sa chance. Le videur, large d'épaules et coiffé en brosse, est taillé sur le même modèle que celui du bordel, à part que celui-ci est vêtu de noir. Il ne jette même pas un regard à Joachim, ne décoche pas un mot, se contente de faire « non » de la tête. Joachim continue à avancer mais n'a pas le temps d'arriver jusqu'au seuil.

— T'es bouché ou quoi ? lui dit le videur.

— Hein ?

— Sape-toi et viens avec une fille, sinon, oublie.

Joachim baisse les yeux. Baskets, jean et chemise, passablement froissée à l'heure qu'il est. Sans parler de sa bosse et de son œil au beurre noir. Il se sent con. Et désespéré. Mindy est à l'intérieur, et dans cinquante-cinq minutes il sera 23 heures. Il ne sait toujours pas ce qu'elle a l'intention de faire ni avec qui elle a rendez-vous, il n'a aucune idée de ses plans, toujours est-il qu'il a le pressentiment qu'il est sur le point de laisser filer une piste décisive. Il refuse que les choses se passent comme ça. Cette phrase résonne en écho dans sa tête pendant qu'il se rue au bas des marches. Son taxi est toujours là. Il ouvre la portière à la volée.

23

Ce n'est qu'au crépuscule qu'Helene ose revenir. En taxi. Le parking du Himmelbjerget est vide, il ne reste plus que sa voiture à elle, abandonnée au beau milieu du terrain. Elle règle le taxi, qui s'éloigne rapidement. Que fera-t-elle si l'homme est toujours là, quelque part, et la guette ? La suit-il encore ? Elle scrute un moment les arbres, que le vent malmène. Puis elle se hâte de rejoindre sa voiture.

La paranoïa s'est installée en elle. Elle s'en rend bien compte en prenant la route de l'école de plongée : elle surveille sans cesse le rétroviseur, mais tout va bien, il n'y a personne. Elle se gare sous les arbres, reste assise encore un moment derrière le volant avant de se décider à sortir. Elle constate que l'école a fermé pour aujourd'hui. Que faire maintenant ? Va-t-elle laisser tomber et rentrer chez elle ?

— Helene Söderberg ?

À quelques pas d'elle, Helene remarque une petite lampe de poche qui s'agite. Elle s'en approche. Assise sur un banc, une jeune femme manipule du matériel de plongée. Elle sourit à Helene.

— Il me semblait bien avoir lu que vous étiez de retour, dit la jeune femme.

Helene la dévisage. Elle ne s'attendait pas à cela.

— Je suis désolée mais je ne me souviens pas de vous. On se connaît ?

La femme pose son matériel de plongée, se lève, s'approche. D'instinct, Helene recule de deux pas, ce qui déconcerte son interlocutrice.

— C'est donc vrai, ce qu'ils ont écrit. Sur votre amnésie, dit-elle.

Elle fixe attentivement Helene.

— Ça va ?

— Oui, je… Je cherche Martin. De l'école de plongée.

La femme fronce les sourcils.

— Je sais bien qui est Martin. Vous êtes sûre que ça va ? Avez-vous besoin d'aide ?

— Je veux juste parler à Martin, répond Helene, qui essaie d'avoir l'air détendue.

— Il ne va pas tarder à arriver. Il a emmené un groupe en sortie nocturne, l'informe la femme en tendant le doigt en direction du ponton.

— Merci.

Helene fait demi-tour. Elle s'engage sur le ponton. Au bout d'un moment, elle repère une lueur sous l'eau, qui bouge, se rapproche, suivie d'une longue file d'autres petites lueurs qui serpente jusqu'à elle tel un monstre marin phosphorescent. Le premier plongeur atteint l'échelle, grimpe, apparaît dans sa tenue noire et moulante. Le deuxième ne tarde pas à suivre, puis un autre, et un quatrième. Tous identiques, lourdauds une fois sur terre à cause de tout leur équipement. Le dernier de la file sort à son tour, repousse son masque de plongée sur son front. Taches de rousseur, barbe rousse, yeux aimables.

— Madame Söderberg, dit-il.

— C'est vous, Martin ? Auriez-vous deux minutes ?

— Martin, tu viens nous ouvrir ? appelle l'un des plongeurs depuis la remise à matériel.

— Je voulais juste vous poser une question, ça ne prendra qu'une seconde, explique vivement Helene. Vous savez que j'ai disparu pendant trois ans, je pense ?

Martin acquiesce.

— Je ne connais que ce que j'ai pu lire dans les journaux.

— Peu de temps avant de disparaître, je suis passée à l'hôtel où vous travailliez avant. Je vous ai montré quelque chose, je vous ai posé une question. Qu'est-ce que c'était ?

Martin réfléchit.

— Je ne me souviens pas très bien… Vous m'avez sûrement parlé de quelqu'un. Qui était descendu à l'hôtel.

— Qui ça ?

— Je ne m'en souviens pas, répond-il en haussant les épaules.

— Un homme ou une femme ? Dites-moi au moins ça. C'est très important pour moi.

— Tu viens, Martin ? On se les pèle, ici ! s'écrie un deuxième plongeur.

— Une seconde ! lui répond Martin, agacé.

Puis il reporte son attention sur Helene, qui attend avec impatience. Soudain, Martin dirige son regard sur un point derrière elle.

— Helene ! appelle une voix masculine.

Elle sent une main sur son épaule, se retourne. Edmund. Il a les yeux fous, des plaques rouges dans le cou, la voix bouleversée. Elle ne l'avait même pas reconnu.

— Qu'est-ce que tu fais ici ? demande Helene, surprise.

190

— Comment ça, qu'est-ce que je fais ici ? Qu'est-ce que *tu* fais ici !

Il hurle presque, elle ne l'a jamais vu dans cet état. Elle n'a aucune idée de ce qu'elle pourrait répondre.

— Comment as-tu su que j'étais là ?

— Ann Louise m'a appelé, dit Edmund en faisant un geste dans son dos.

Regardant dans la direction qu'il lui indique, Helene découvre la jeune femme qui l'a reconnue à son arrivée. Les bras croisés sur la poitrine, elle les observe avec curiosité.

— Elle t'a appelé ? répète Helene, ébahie.

Le visage d'Edmund est crispé sous l'effet de la colère.

— Qu'est-ce qui se passe, Helene ? As-tu la moindre idée de ce que tu es en train de faire ? Tu ne peux pas t'amuser à disparaître comme ça. Pas une deuxième fois.

Helene reçoit ses paroles comme un coup de poing.

— Mais je t'ai prévenu que je rentrerais tard à la maison, objecte-t-elle vaguement.

— Tu as dit que tu étais avec une amie, mais ça fait déjà plusieurs heures. D'ailleurs, tu n'es pas avec une amie. Tu me mens. Qu'est-ce que tu fabriques ? Ann Louise m'a appelé pour m'informer que tu errais près du lac et que tu avais l'air perdue et désorientée. Je m'inquiète pour toi. Et les enfants, ils sont complètement sur les nerfs, t'en rends-tu compte ?

Helene acquiesce. C'est vrai. C'est vrai, ce qu'il dit. Décontenancée, elle se tourne vers Martin, qui la regarde à son tour, l'air embarrassé.

— Désolée, lâche-t-elle, s'adressant tout autant à Martin qu'à Edmund. Désolée. Je n'ai pas réfléchi.

Edmund la prend dans ses bras, la presse brièvement contre lui et reprend d'une voix un peu plus calme :

— Je sais bien que ce n'était pas ton intention. Je sais bien que tout est un peu déroutant pour toi en ce moment.

Puis il lui chuchote à l'oreille :

— Ça va s'arranger. Les médecins s'occupent de toi.

Il fait demi-tour, entraînant Helene dans le mouvement. Sa grosse voiture est prête, juste de l'autre côté de la remise à matériel. Le chauffeur met le moteur en marche dès qu'il voit Edmund et Helene s'approcher. Il descend du véhicule, leur ouvre les portières. Ils passent devant la jeune femme, Ann Louise. Qui sourit à Edmund.

— Merci beaucoup d'avoir appelé, ça a été d'une grande aide, dit Edmund.

Il relâche son étreinte sur Helene et serre la main à Ann Louise en l'entourant des deux siennes. Elle rougit, on dirait qu'elle vient de rencontrer son chanteur préféré ou le roi en personne. Qu'y a-t-il entre Edmund et cette femme ? Elles le regardent toutes de cette manière. Toutes, sauf Helene. Puis Edmund pose de nouveau le bras sur l'épaule d'Helene. Celle-ci a juste le temps de voir un éclair de jalousie dans les yeux d'Ann Louise avant qu'ils ne lui tournent le dos et qu'Edmund ne la conduise à l'intérieur de la voiture. Assise sur la banquette arrière, elle constate que la bande de plongeurs encore en tenue observe la scène avec intérêt. Martin s'est approché tout près de la voiture, du côté d'Helene. Il a les yeux baissés sur son masque de plongée. Soudain, il le porte à son visage, souffle dessus, le retourne entre ses mains. Au départ, Helene croit qu'il le nettoie, mais d'un coup il relève la tête, plante ses yeux dans les siens et brandit son masque dans la lumière. Sur la buée qui couvre le plastique... un message. Un seul mot : *Kirsch*. Helene baisse les paupières, les rouvre. Ce n'est ni une hallucination ni un gribouillage sans importance, ce sont vraiment des lettres. Un mot. *Kirsch*. Qu'est-ce que cela signifie ? La voiture se met en marche, Edmund ôte son bras de l'épaule d'Helene et reste ainsi, renfrogné, silencieux.

— Comment connaît-on Ann Louise ? demande-t-elle timidement.

— Elle a travaillé à l'écurie pendant une période. Ça fait longtemps, c'était quand elle allait encore au lycée.

Edmund pousse un soupir, passe une main dans ses cheveux. Regarde Helene comme si elle lui était étrangère.

— Et elle a ton numéro de téléphone ?

— N'y pense plus, répond-il d'une voix fatiguée. C'est ça être un personnage public. Ça a des bons et des mauvais côtés. Cette fois, c'était un bon côté. J'étais vraiment inquiet.

Il lui prend la main, la tient fermement. Helene remarque qu'il tremble.

— D'accord, dit-elle.

Elle n'en demande pas davantage. S'enfonce dans son siège. Elle aurait vraiment envie d'en rester là, mais ses pensées ont leur volonté propre, elles tourbillonnent, virevoltent sous son crâne. Refusent de retomber. L'homme qui l'a suivie. Le message de Martin. *Kirsch*.

24

Rebekka, la voisine du dessous, ouvre la porte
et accueille Joachim par un sourire. Il est essoufflé,
le taxi attend en bas et le compteur tourne. Il s'est
changé, a passé un costume bleu de l'époque où les
fines rayures sont brièvement revenues à la mode. La
dernière fois qu'il l'a mis, c'était le soir de sa lecture
publique au café de Louise.

— Oui ?

La voix de Rebekka ramène Joachim dans le
présent.

— Bonsoir, Rebekka. Tu es occupée, là ?

— Comment ça ?

— Qu'est-ce que tu dirais de sauter dans ta plus
belle robe ? Je t'expliquerai le reste dans le taxi.

*

Le chauffeur conduit vite, motivé par l'insistance
de Joachim. Rebekka regarde fixement par la vitre.
Elle porte une robe provocante qui n'a pas dû lui
coûter très cher.

Il a fallu que Joachim fournisse pas mal d'explica-
tions pour la convaincre de prendre part à son plan.
Cinq bonnes minutes pendant lesquelles il l'a assu-

rée de l'honnêteté de ses intentions et lui a parlé de Louise Andersen, la femme disparue. Rebekka l'a interrompu pour lui demander s'il s'agissait d'un genre de recherches, s'il se renseignait pour écrire un nouveau livre. Joachim l'a dévisagée, interloqué. La jeune femme l'avait-elle écouté ou pas du tout ? Puis il a compris : accompagner un célèbre écrivain dans ses explorations, ça, ça lui parlait. Tout le reste, un amour perdu, une orpheline disparue, le milieu de la prostitution... c'était trop éloigné de son existence à elle. Alors, finalement, il a répondu que oui. Oui, merde, c'était pour des recherches. La vie brûlée par les deux bouts, les clubs, la Copenhague nocturne et décadente. Là, Rebekka a dit oui.

Joachim règle le montant exorbitant réclamé au vestiaire du Roxy – visiblement, les patrons ont choisi l'argent comme critère de sélection de leur clientèle. Il se regarde dans le grand miroir qui couvre la majeure partie du mur du fond. Il faut avouer que sa gueule cassée convient bien à l'endroit, maintenant qu'il est habillé de manière adéquate et qu'il a une dame à son bras. L'homme de main du boss de la mafia, voilà à qui il s'identifie en pénétrant dans la salle principale de la boîte de nuit. Il se redresse. Inspecte avidement les lieux, consulte de nouveau sa montre. 23 h 10. Mindy n'est pas là.

— Merde.

— Qu'est-ce qui se passe ?

— On est arrivés trop tard... Je ne la vois pas.

— Alors tu veux partir ? Tu ne peux pas interviewer quelqu'un d'autre ? demande Rebekka en posant la main sur l'avant-bras de Joachim, la tête penchée de côté, une inquiétude sincère dans les yeux.

— Non, maintenant qu'on est là, tu vas quand même avoir ton cocktail.

Ils trouvent une place au bar. Lampes tamisées. Tout est dans les tons noirs, blancs et rouille. Les tapis sombres disposés au sol sont épais et moelleux ; du plafond pendent des lampes métalliques rondes qui diffusent une douce lumière dorée. Disséminées aux murs, des peaux de zèbre, de chèvre, d'animaux noir et blanc. De petits groupes de fauteuils et de canapés sont installés dans les coins en plus de meubles dépareillés en tout genre allant de chaises longues à des fauteuils poires. De jolies femmes à l'allure soignée et parées de vêtements de luxe se jettent avec délices dans les fauteuils rembourrés. La plupart des hommes sont d'âge mûr. Les seuls hommes jeunes de la pièce sont le barman et le DJ ; de vrais dieux grecs. La musique est totalement étrangère à Joachim. Rebekka, en revanche, balance son corps en rythme, parfaitement à l'aise. Elle ferme un instant les yeux, s'abandonne. C'est une boîte de nuit pour ceux qui ne comptent pas leur argent. Rebekka n'est sûrement pas habituée à venir dans ce genre d'endroit. À dire vrai, théoriquement, Joachim non plus n'a pas les moyens d'être ici. Cette journée a été absurde de bout en bout : les trajets en taxi, l'agression, son expulsion du bordel... Il plonge les yeux dans le regard taquin de Rebekka. Et demande, ouvrant les bras :

— Qu'est-ce que tu bois ?

— Un daïquiri fraise.

Joachim passe commande au barman, un jeune homme aux bras fins et longs, aux cheveux roux et à la peau d'albâtre. Rebekka le détaille sans complexe des pieds à la tête puis se tourne vers Joachim, les yeux brillants.

— J'ai hâte de raconter à mes copines que je suis venue ici ! s'exclame-t-elle.

— Qu'est-ce qu'il a de spécial, cet endroit ?

— Comment ça ? Tu n'as pas vu qui est là ?

Joachim détaille la clientèle. Mis à part la tenue correcte exigée et le tarif, le troisième critère d'entrée est sûrement une différence d'âge de vingt-cinq ans entre l'homme et sa cavalière. De ce point de vue, lui et Rebekka se fondent parfaitement dans le décor – si l'on excepte le fait que Joachim est largement moins entreprenant que les autres. Il est clair que, pour le reste de la gent masculine, cette étape n'est qu'un début. Certaines femmes laissent les hommes les toucher sans broncher. Franchement, c'est un bien triste spectacle. Rebekka voit les choses de manière très différente. Elle se met à lui montrer avec enthousiasme qui est célèbre, et pour avoir fait quoi. Joachim ne reconnaît ni les noms ni les visages. Comprend que la plupart de ces gens sont surtout connus pour être connus. Il tourne le dos à la piste de danse, se concentre sur son whisky. La déception l'accable de nouveau. Il a échoué. Tout ce qui lui reste, ce sont deux sous-bocks Campari, l'un avec un numéro de téléphone qui ne le mènera pas plus loin, l'autre avec une heure de rendez-vous dépassée.

Il vide son verre d'un trait. Fait signe au barman. Autant continuer. S'abrutir d'alcool. Et puis il peut toujours s'acheter le droit de tripoter un peu Rebekka. Le barman lui adresse un signe de tête pour lui indiquer qu'il l'a vu, car il est occupé au téléphone ; il prend un stylo, note quelque chose après avoir posé le combiné. Joachim s'impatiente. Il examine la carte des boissons. Son prochain verre devra être plus grand, durer longtemps, être aussi inépuisable que la corne à boire qu'a reçue Thor chez Útgarða-Loki, celle qui était reliée à toutes les mers

du monde. Une éternité dans l'alcool. Eh, mais…
Joachim lève les yeux de la carte. Que vient-il de se
passer exactement ? Le barman a noté un message
sur un sous-bock Campari identique à celui que lui
a dans la poche. Il ne le quitte plus des yeux. Le
regarde préparer un cocktail puis s'approcher d'une
femme seule, assise à seulement trois tabourets de
lui. Le barman pose le cocktail sur le sous-bock.
La femme boit une petite gorgée du verre, prélève
le sous-bock, y jette un rapide coup d'œil avant
de le glisser dans son sac à main. Joachim ne les
quitte pas des yeux. Le barman, qui s'approche à
présent de lui, et la femme trois tabourets plus loin.
Ça y est, elle est partie. En abandonnant son verre
quasiment plein.

— Qu'est-ce que vous dites ?

Joachim dévisage le barman qui attend, immobile
en face de lui. Ce serait donc ça, le système ? Le
Roxy tient des filles à disposition, et c'est le barman
qui se charge de fixer les rendez-vous entre clients
et poules de luxe ? Les clients appellent et passent
commande, les filles sont prêtes, il sait lesquelles
sont libres. Il écrit sur le sous-bock le numéro de
téléphone, éventuellement l'heure et le lieu de rendez-
vous. Impossible de prouver qu'il y a proxénétisme :
aucun papier, aucun SMS, aucun e-mail. Et le barman
et le club peuvent prendre leur commission pour avoir
joué les intermédiaires.

— Vous vouliez quelque chose ?

Joachim détaille le bar. Le barman renonce,
s'éloigne. Deux femmes sont assises, seules, sans rien
à boire. Elles attendent, c'est clair. Quoi donc ? Que
les clients appellent ? Joachim, décidé à tout tenter,
tire son téléphone de sa poche et cherche le numéro
de la boîte de nuit au dos de la carte des boissons.

— On reprend un verre ? demande Rebekka.

— Où sont les toilettes ?

Rebekka les lui indique avant de reporter son attention sur le barman, qu'elle dévore des yeux. Joachim se rend d'un pas vif aux toilettes des hommes. Carrelage noir, armatures de fer, cuvettes en acier, portes de même. Il vérifie qu'il est seul, puis appelle. Le barman répond aussitôt. Joachim prend une grande inspiration et se lance, pose la question qui lui a déjà valu pas mal de coups :

— Louise est là ?

— Louise ? Ça ne serait pas Louis, plutôt ?

Le barman semble perplexe mais, au moins, pas agressif.

— Non…

Joachim hésite. Repense à la réaction de Mindy quand il a prononcé le nom de Louise la première fois. « Stella, tu veux dire. »

— Allô ? dit le barman.

— Stella, en fait, lâche Joachim.

Silence à l'autre bout du fil. Merde. C'est sa dernière chance. Il faut qu'il joue bien s'il veut que son plan réussisse.

— Stella ne travaille pas ce soir, répond le barman.

Sûrement un mensonge. Mais un mensonge qui doit plaire aux clients. Ils n'apprécient probablement pas de s'entendre dire qu'elle est occupée, qu'elle se fait sauter par un autre – éventuellement plusieurs autres, qui sait – ce soir-là.

— Demain, ça irait ?

— D'accord, répond Joachim en essayant de prendre un ton aussi dégagé et indifférent que possible.

Il ne faut pas qu'il ait l'air désespéré, il ne faut pas qu'il attire l'attention.

— Où doit-on l'envoyer ?

— Hôtel d'Angleterre. 14 heures. Mais c'est Stella que je veux. Pas une autre.

— Et qui devra-t-elle demander ?

— Joachim. Qu'elle demande Joachim.

25

Ce n'est qu'au matin qu'Helene réalise la portée de ce qu'elle a fait. À quel point sa disparition a affecté les enfants. Sofie a presque le nez dans son bol et les yeux vitreux ; elle n'a clairement pas assez dormi, voire pas dormi du tout. Helene passe un long moment avec eux, leur explique qu'elle était juste sortie, que jamais plus elle ne disparaîtra.

Après leur départ pour l'école avec Caroline, Helene se sent étrangement fébrile. Les souvenirs du Himmelbjerget ne la lâchent pas. Cet homme qui la suivait. À moins que tout cela ne soit que le résultat de sa paranoïa ? Peut-elle avoir confiance en son cerveau amnésique ? Elle fait un tour dans la chambre, essaie de repousser à l'arrière-plan les événements de la veille. Il faut qu'elle soit présente. Y compris pour sa famille.

Elle examine les vêtements qu'Edmund a choisis pour elle ; c'est elle qui lui a demandé de le faire car elle n'a pas la moindre idée de la manière dont elle est censée s'habiller pour se rendre au conseil d'administration. Il a sélectionné un ensemble bleu foncé d'allure un peu masculine. Elle caresse l'étoffe, une maille serrée, pesante, avant de passer dans la salle de bains, où elle se coiffe puis s'attache les cheveux.

Maquillage simple et discret, pas trop appuyé mais néanmoins visible. Elle s'inspecte dans le miroir. Se sent passablement satisfaite. Et là, elle revoit le regard d'Edmund. Celui qu'il lui a envoyé pendant le petit déjeuner.

Débordant à la fois de déception et de désir. De *désir*. Il faut qu'elle prenne les choses en main afin que sa famille puisse fonctionner normalement. Son couple aussi. Elle ôte sa robe de chambre, puis la remet après avoir enlevé en vitesse ses sous-vêtements blancs.

*

Elle ouvre la porte du bureau d'Edmund sans frapper. Il lève la tête un court instant seulement avant de se replonger dans ses papiers. Helene serre un peu plus sa robe de chambre, ferme la porte, se dirige vers son bureau à elle. Edmund est toujours assis, penché sur sa tâche, concentré. Quelque part, elle se serait attendue à ce qu'il se lève, vienne à elle. Elle se serait attendue à ce que ça soit très simple. Elle s'approche de lui, se poste dans son dos. Il rabat calmement son ordinateur portable mais ne se retourne pas. Ses cheveux frisent un peu à la base de la nuque. Elle avance la main, caresse les cheveux doux, laisse son doigt glisser le long de la peau découverte jusqu'au col de sa chemise. Images des cheveux de Joachim, emmêlés, ébouriffés, leurs nombreuses nuances de gris… Non. Il ne faut pas y penser maintenant.

— Edmund ? murmure Helene.

Lentement, il fait pivoter son fauteuil ; il la fixe, dans l'expectative. Helene fléchit les genoux de manière à pouvoir le regarder droit dans les yeux, pose les deux mains sur sa poitrine, se penche en avant, l'embrasse. Il répond à son baiser sans grand enthousiasme. Elle glisse les deux mains sous sa chemise, défait les deux boutons du haut. Il ne proteste pas, elle en ôte deux autres. Son baiser se fait plus profond, plus doux. Il pose une main sur la taille d'Helene, l'autre sous la robe de chambre pour lui envelopper le sein droit, caresser le téton. Helene pousse un soupir en sentant la sensation se propager depuis sa poitrine jusqu'entre ses cuisses. C'est tellement simple. Un contact sur la peau, et tout le corps suit. La respiration d'Edmund s'accélère, il lâche Helene, voudrait se lever. Helene le retient : elle n'ose pas risquer d'interruption, traverser toute la maison, monter l'escalier. Vite, elle défait son pantalon. Edmund se renverse en arrière sur son fauteuil. Helene regarde un instant son pénis. Elle le prend dans sa main, dégage le prépuce et se met à le caresser de haut en bas, régulièrement, tranquillement, tout en écoutant ses gémissements d'impatience. Elle observe les veines qui courent en un réseau bleuté sous la peau douce et fine. Et, dessous, sa volonté. Elle se dit qu'elle tient sa volonté entre ses mains. Elle se penche un peu plus, fait courir le bout de sa langue tout du long, de la base jusqu'à la pointe, puis autour du gland, voit nettement une goutte de liquide transparent surgir du méat. Elle sent une flambée de désir presque douloureuse en elle. Elle a envie de ressentir tout, intégralement. Se lève. Il s'imagine toujours qu'ils vont monter à l'étage, et encore une fois elle le repousse, doucement mais fermement, sur son fauteuil. Elle descend son pantalon jusqu'à ses chevilles puis noue ses bras autour de son cou et s'installe sur ses genoux. S'enfonce lentement sur lui. Elle sent tout, elle gémit, se penche en avant, l'embrasse les yeux fermés, descend encore, descend.

Les mains d'Edmund glissent sur ses hanches. Il respire fortement à ses oreilles, elle sent ses doigts qui s'enfoncent dans ses fesses, sent qu'il prend le relais. Sa respiration, synchronisée avec la sienne, devient plus rauque, plus aiguë, et elle ouvre les yeux, le regarde, regarde ses paupières closes ; il est parti très loin dans sa propre ivresse. Puis elle les sent, la secousse, les spasmes, elle sent comment tout en lui se contracte puis se détend, et il se produit la même chose en elle, simultanément. Interloquée, elle regarde l'homme qui est si loin et pourtant juste là, sous elle, en elle. Son époux.

Ensuite, ils restent assis, silencieux. Elle est penchée vers lui, la joue contre la sienne. Aucun d'eux ne parle. C'est Edmund qui bouge en premier, agite les pieds, essaie d'étirer une jambe. Helene se redresse. A-t-elle mauvaise conscience ? À cause de Joachim ?

— J'ai des fourmis dans la jambe, dit-il, un peu embarrassé, comme pour s'excuser.

Ils montent à l'étage, ne disent toujours rien, se contentent de se lancer des regards gênés. Edmund passe directement dans la salle de bains, s'installe dans la baignoire. Helene s'assied sur le lit, à côté des vêtements qu'elle portera pour le conseil d'administration. Tout va bien. Elle va rester ici, à Silkeborg, elle doit bien cela aux enfants après ce qu'ils ont vécu. À Edmund aussi. N'empêche, elle se sent terriblement coupable.

Elle se lève. Descend à pas rapides jusqu'à son bureau. Allume l'ordinateur, tape son mot de passe, ouvre une fenêtre Internet et cherche sur Google : « Kirsch ». Tombe sur des rideaux et de la liqueur de cerise de la Forêt-Noire. Elle parcourt les nombreux résultats, abandonne. Remonte au premier étage.

Edmund est sorti du bain, il est déjà presque habillé. Son costume est assorti au sien – la même couleur sombre, le même tissu.

— Seras-tu bientôt prête ? La voiture nous emmène dans une heure, dit Edmund. Je passe juste un rapide coup de fil.

Il se glisse devant Helene. S'arrête brusquement, fait demi-tour, revient vers elle, l'embrasse. Elle ne s'y attendait pas et leur baiser est gauche, maladroit. Elle aurait envie de l'embrasser de nouveau proprement, mais le voilà déjà parti. Elle enfile ses vêtements. Ils tombent à peu près bien. Elle se regarde dans le miroir, se remémore comme elle aimait se voir dans les yeux de Joachim, comme elle a commencé à exister à travers ce regard. Elle n'existait que quand il posait les yeux sur elle. Non, ce n'est plus possible. Et elle a parfaitement le droit de faire ce qu'elle vient de faire. Certes. Mais c'était tellement bizarre. À la fois approprié… et fautif.

— Et merde.

Elle consulte l'heure, se regarde une dernière fois dans la glace avant de descendre l'escalier. À mi-chemin, elle croise Caroline.

— Les enfants sont bien arrivés à l'école, lui dit la vieille dame.

Elle a l'air fatiguée. Edmund a mentionné qu'elle aimerait prendre sa retraite bientôt, mais elle restera encore un peu s'ils ont besoin d'elle.

— Merci, Caroline.

— Je crois que je vais faire une petite sieste avant leur retour.

— Bonne idée. Vous devez à tout prix nous prévenir, si c'est trop.

— Non, non.

Caroline sourit, presse doucement la main d'Helene.

Celle-ci se fige soudain, prise d'une impulsion.

— Au fait… Je me demandais si le nom de… Kirsch vous disait quelque chose, demande-t-elle d'un air faussement détaché.

La vieille dame réfléchit un moment.

— Personnellement, je ne bois jamais d'alcool fort. Mais je comptais passer dans le centre-ville cet après-midi. Je peux regarder si je vous en trouve.

Helene secoue la tête.

— Non, c'est idiot, je croyais juste que… Au fait, ne pourrait-on pas se tutoyer ?

Caroline accepte timidement. Et Helene songe qu'il faut qu'elle cesse ses recherches ridicules, qu'elle mette un terme à ses tentatives de jouer au détective. Elle devrait plutôt commencer à s'intéresser aux autres. À ceux qu'elle a blessés, trahis, ceux qui travaillent pour elle, la pauvre vieille dame qui voudrait juste prendre sa retraite, les enfants. S'intéresser à eux tous. Pas à elle.

26

Louise Andersen. Aujourd'hui, Joachim va enfin la rencontrer. Aujourd'hui, cette quête va prendre fin, se dit-il, en chemin pour l'hôtel d'Angleterre. *Louise Andersen.* D'ailleurs… Qu'imagine-t-il qu'il se passera avec la véritable Louise ? Qu'elle prendra la place d'Helene ? Qu'elle déménagera avec lui à Christiansø? Qu'il se posera enfin pour écrire cette histoire, racontera tout ce qu'il a perdu, ses malheurs ? Non… En vérité, il n'en sait rien. Il sait juste qu'il faut mettre un point final à tout cela. Il est écrivain, et les histoires, il les mène jusqu'au dénouement. Il veut mettre un terme à sa douleur.

Il monte l'escalier du métro d'un pas décidé, débouche sur Kongens Nytorv, savoure la sensation du vent sur son visage. Il ne serait pas impossible qu'il tombe sur Ellen, elle déjeune presque toujours dehors, et l'Académie des beaux-arts est juste de l'autre côté de la place. Quoique, elle n'y travaille peut-être plus. Avant d'entrer dans l'hôtel, il repense à une aventure qu'Ellen a eue avec un professeur invité à Copenhague – était-ce un Canadien, un Français ? En tout cas, il parlait français. Un type agaçant. Joachim avait interrogé Ellen. Avait-elle couché avec lui ? Ellen l'avait fixé, longtemps, avait souri, secoué la tête et sorti son « non » le plus lent. Alors, il avait su. Quand Ellen mentait, elle parlait lentement. La vérité, elle s'en fichait, elle pouvait l'assener à toute vitesse. Les mensonges, en revanche... elle les couvait. Elle leur consacrait du temps.

Joachim y est presque. Pourquoi a-t-il choisi l'hôtel d'Angleterre pour donner rendez-vous à Stella ? C'est totalement au-dessus de ses moyens. Il le regrette, mais l'explication est toute simple : c'est le seul nom d'hôtel qui lui soit venu à l'esprit, et il fallait faire vite.

Quand il pénètre dans le hall, le luxe ambiant lui saute au visage. L'espace d'un instant, il se sent tout petit. Comme un homme qui aurait fait son entrée dans le mauvais monde. C'est avec ce sentiment désagréable qu'il se dirige vers la réception, donne son nom, reçoit la carte magnétique de sa chambre et paie une nuit dont il n'aura, en réalité, pas l'usage. Mais bon. Ce n'est pas exactement l'endroit où l'on peut louer une chambre à l'heure. La somme indiquée sur la facture est tellement astronomique qu'elle lui échappe complètement.

— Une femme va venir me voir, dit-il en rougissant. Elle demandera Joachim. Vous pouvez la faire monter directement.

L'impassible réceptionniste ne laisse rien paraître, hoche la tête de manière à peine perceptible. Joachim peut y aller. La nervosité le ronge. Il va bientôt se trouver face à face avec la femme qui se fait appeler Stella. Est-elle vraiment Louise Andersen ?

*

— Joachim ?

Il se retourne. Face à lui, dans le hall de l'hôtel, Charlotte Lund, l'une des éditrices importantes de sa maison d'édition. Une femme maigre, d'allure soignée, qui lui serre mollement la main.

— C'est fou de te croiser ici ! Je ne m'y serais jamais attendue, dit-elle en haussant les sourcils.

Et voilà. Encore du langage codé. Des sous-entendus. Tout ce qu'il déteste. Qu'insinue-t-elle en réalité ? Qu'il détonne complètement dans le décor de l'hôtel d'Angleterre ?

— Gudrun m'avait bien dit que tu étais revenu à Copenhague, mais pas que tu logeais *ici* !

Elle ouvre les bras pour souligner son étonnement, lui sourit. Elle a maigri, n'a presque plus que la peau sur les os. Des bribes de conversation au cours d'un dîner il y a plusieurs années de cela reviennent en mémoire à Joachim. Charlotte venait de rentrer d'Asie... Du Vietnam, peut-être. Ce qu'elle avait admiré le plus là-bas, c'était que personne n'était gros.

— Au fait, je suis avec Jörn Schneider, on est en train de déjeuner, aurais-tu envie de venir lui dire bonjour ? J'imagine qu'il trouverait ça rigolo de rencontrer un écrivain danois.

« Rigolo » ? Et voilà. Encore des sous-entendus. « Rigolo » ? Ce sont les clowns qui sont rigolos. A-t-elle l'intention de faire de Joachim son petit clown danois ?

— Malheureusement, je n'ai pas le temps. J'ai rendez-vous dans un instant.

Charlotte Lund le dévisage, ébahie. Remarque la carte électronique qu'il tient à la main.

— Tu es descendu ici ?

— Non. Enfin si, juste pour une nuit. Il y a eu un dégât des eaux chez moi, une fuite chez le voisin du dessus... C'est l'assurance qui paie, alors autant en profiter, répond Joachim en tentant un petit ricanement.

— Ah oui ? Il faudra que tu me donnes le nom de ton assureur, rétorque-t-elle en ricanant à son tour.

Elle ne le croit pas une seconde. Joachim imagine parfaitement ce qu'elle est en train de se dire : qu'il est un écrivain à moitié bedonnant, à moitié vieux et à moitié raté qui a rendez-vous avec une prostituée. C'est d'ailleurs la vérité. La dernière chose qui lui revient en tête à propos de Charlotte Lund avant qu'il pénètre dans l'ascenseur, c'est encore une scène au cours de ce dîner. Sa manière de tordre la langue, écœurée, faisant semblant de vomir pour illustrer son dégoût pour les goinfres. Elle, elle ne mangeait qu'un jour sur deux. Grand maximum. En revanche, elle allait à la gym tous les jours.

Une fois dans la chambre d'hôtel, Joachim s'assied sur le fauteuil. Il transpire. Stella – la véritable Louise – sera bientôt là, et il apprendra s'il peut tirer quelque chose d'elle ou non. Il se relève, fait les cent pas dans la pièce, meublée avec goût. Son téléphone portable sonne. Il se dépêche de répondre. Ça doit être elle, perdue à la réception. Il pensait qu'elle monterait directement.

— Bonjour, je parle bien à Joachim ?

— Oui, qui est-ce ?

Il ne reconnaît pas cette voix, ce ton formel.

— Edmund. Edmund Söderberg.

Joachim se fige, serre les dents ; sa main se crispe sur le téléphone, qu'il aurait d'ailleurs plutôt envie de jeter par terre.

— Qu'est-ce que vous voulez ? réussit-il à articuler.

— Vous avez refusé de signer le contrat.

— Oui.

Il avait complètement oublié la visite de l'avocat. Il a l'impression qu'il s'est écoulé une éternité depuis ce moment où, debout au milieu de ses cartons de déménagement, il a déchiré la liasse de papiers. Un demi-million de couronnes.

— Pourquoi ?

Edmund parle d'une voix neutre. Impossible de deviner ses intentions.

— Je n'ai pas prévu d'écrire de roman sur Helene, mais les conditions spécifiées dans le contrat ne me plaisaient pas.

— Lesquelles ? demande Edmund, dont la question semble sincère.

Joachim hésite.

— Ce que j'ai vécu avec Helene était authentique. Je ne veux pas signer de contrat qui ait pour but d'effacer cela, de prétendre que ces deux ans et demi n'ont jamais existé.

C'est au tour d'Edmund d'hésiter. Joachim patiente.

— Si vous n'avez pas prévu d'en faire un livre, vous pouvez parfaitement signer.

— Je ne signerai pas ce contrat, réplique Joachim, résolu. Cette histoire n'appartient qu'à moi et à Helene, et je ne la vendrai pas.

— Je suis prêt à doubler la somme, annonce Edmund.

— Pardon ?

En Joachim, l'étonnement laisse place à la colère.

Vous ne comprenez donc pas ce que je viens de vous dire ? Ce n'est pas une question d'argent. Il s'agit de mon histoire avec Helene, de *notre* histoire. Vous ne pourrez pas la réduire à néant grâce à votre fortune.

— Écoutez-moi bien. En ce qui me concerne, vous pouvez bien vous accrocher à vos idées romantiques, mais Helene a de grandes responsabilités. Il ne s'agit pas que de nous. Söderberg Shipping a des employés partout dans le monde. Cela représente des milliers de gens qui ont besoin que l'entreprise marche pour conserver leur emploi, payer leurs échéances de crédit et nourrir leur famille. Or, une entreprise ne peut pas marcher si commencent à se répandre des rumeurs selon lesquelles sa principale gérante a perdu la raison et s'est réfugiée sur une île en compagnie d'un écrivain décati. Comprenez-vous la gravité de la situation ?

Joachim est paralysé, à la fois par le ton plutôt agressif qu'Edmund a adopté d'un coup, et par ses mots. Il y a indubitablement du vrai dans ce qu'il dit.

— La presse a commencé à s'intéresser à cette histoire ; nous allons être obligés d'agir pour canaliser les journalistes. C'est très simple. Signez le contrat, vous recevrez un million, et je ne vous dérangerai plus jamais.

Edmund a retrouvé son ton neutre et calme.

— Je ne signerai pas, répond faiblement Joachim.

Et il s'enfonce dans son fauteuil.

Profond soupir à l'autre bout du fil. Puis Edmund assène tranquillement :

— Avez-vous vraiment les moyens de refuser, Joachim ? Quand vous descendez à l'hôtel d'Angleterre ? Et puis j'imagine qu'avec l'âge, vos goûts ne sont pas devenus plus modestes en matière de boisson. Les ventes en chute libre de vos livres suffisent-elles vraiment à couvrir votre train de vie ? Le bon vin, le whisky coûteux, les putes… Espérons qu'Helene ne l'apprendra pas.

Joachim sursaute dans son fauteuil.

— Vous me faites suivre ou quoi ? Qu'est-ce que vous manigancez ?

Pas de réponse. Edmund a coupé la communication. Joachim a le cœur battant, il transpire, inspecte le moindre recoin de la pièce à la recherche d'une caméra de surveillance. Naturellement, il ne découvre rien. Pourtant, Edmund sait où il se trouve. Le fait-il vraiment suivre ? Joachim s'approche de la fenêtre, lève le rideau, regarde dans la cour. Rien. On frappe à la porte. Il tourne vivement les talons. Après un moment d'égarement, il se souvient. Se rappelle pourquoi il est là.

— C'est Stella, dit une voix de femme dans le couloir.

27

Helene gare sa Mercedes devant le siège principal de Söderberg Shipping. Elle n'a pas eu envie de s'y faire conduire, bien qu'Edmund ait fortement insisté. Si elle veut se retrouver, elle ne peut pas se laisser traiter comme une enfant. *Se retrouver.* Helene se répète les mots. La même expression qu'emploient les gens quand ils ont été un peu trop stressés pendant un temps. Lina lui avait dit cela un jour, au café : qu'elle avait besoin de vacances pour « se retrouver ». Aux yeux de Lina ou de n'importe qui d'autre qu'Helene, se retrouver, cela signifie se la couler douce quelques jours sur une plage ou en cure thermale. En ce qui concerne Helene, en revanche, il s'agit d'une quête sans espoir. La Nasa a plus de chances de découvrir de la vie quelque part dans l'univers qu'elle n'en a, elle, de se retrouver. Peut-être n'a-t-elle d'ailleurs aucun « moi » à chercher en elle… Peut-être son moi se confond-il avec son entreprise ?

Elle observe le bâtiment. Un escalier de pierre mène à la porte d'entrée. Il s'agit d'une construction pleine de dorures qui respire l'âge et l'opulence. C'est dans le Jutland qu'on produit la richesse, et à Copenhague qu'on la dépense… Voilà du moins ce que préten-dait un gros titre qu'elle a vu dans le journal hier.

Un dossier sur les vieilles fortunes du Jutland, les traditions séculaires de la région et la solidarité familiale. On y mentionnait les Söderberg, mais elle n'a pas lu l'article jusqu'au bout. Elle n'en avait pas le courage. En ce moment, les mots la fatiguent plus que tout. Y compris les mots de Joachim. Tous ceux qu'il n'a pas pu écrire parce qu'il habitait avec elle. À présent, il peut de nouveau se consacrer à l'écriture. Helene sait bien que c'est injuste, que cela ne correspond pas du tout à la réalité, mais elle se sent abandonnée.

Son téléphone portable sonne. Elle sursaute car elle ne s'est pas encore habituée à sa nouvelle sonnerie, à laquelle elle trouve un côté inquiétant. C'est Edmund, qui veut savoir où elle est passée. Elle lui répond par un message : « Je suis arrivée, à tout de suite. » Elle reste assise une seconde. Une fois de plus, ses pensées se perdent dans le souvenir de sa journée au Himmelbjerget. L'homme qui la suivait... Non, l'homme qui la suivait *peut-être*... Peut-elle avoir confiance en Edmund ? Son téléphone n'a presque plus de batterie. Elle branche le chargeur dans l'allume-cigare et le laisse dans la voiture.

*

— Bonjour, madame Söderberg, je m'appelle Karen, lui dit, tout en rectifiant sa jupe bleu ciel, la femme qui vient l'accueillir.

Elle lui tend vivement la main, mais à peine l'a-t-elle effleurée qu'Helene croise les bras comme si elle avait froid.

— C'est donc vous qui êtes chargée de me faire visiter le siège ? demande Helene en cherchant à accrocher le regard de la femme – sans succès.

— Je… Je suis votre secrétaire, répond nerveusement la femme.

Karen a l'air d'attendre quelque chose, mais quoi ?
Un signe de reconnaissance ?

— Étiez-vous aussi ma secrétaire… avant ?

— Cela fera bientôt dix-sept ans, précise la secrétaire, visiblement blessée.

Puis elle ajoute :

— Vingt, si on compte… si on compte les trois
dernières années.

Helene l'examine. Des yeux gentils et attentifs
derrière ses petites lunettes. Un visage rond. Soudain,
Helene réalise ce que Karen vient de lui dire : qu'elle
se trouve en ce moment devant la personne – encore
vivante – qui la connaît depuis le plus longtemps. Mis
à part les cousins, cousines, oncles et tantes que son
père a réussi à définitivement éloigner par son avarice.
Soudain, Helene ressent un pincement au cœur. Si
ça se trouve, son père a eu la bonne réaction. Si ça
se trouve, les membres de sa famille ne méritaient
pas la moindre couronne. Il ne faut jamais réclamer
d'argent aux autres. C'est en tout cas son avis. Est-ce
l'avis de l'Helene d'autrefois ?

— Il faut que vous me pardonniez, Karen.

— Ne vous excusez pas. Laissez-moi vous montrer
votre bureau, répond Karen en se mettant en marche.

Leurs talons claquent contre le sol de marbre luisant
du vestibule. Helene penche la tête en arrière et
regarde la douce lumière qui tombe des lustres pesants
accrochés au plafond blanc et voûté. En passant
devant la réception, elle adresse un signe de tête au
personnel en uniforme aligné derrière un long comptoir d'acajou qui suit l'arrondi du mur. De chaque côté
de la réception, une volée de marches. Le bâtiment
a été construit au début des années 1950. Edmund

lui a expliqué que c'est ici que l'on fait éclore les talents que l'on envoie par la suite diriger les filiales de Söderberg un peu partout dans le monde.

— Prenons les escaliers, propose Helene, peut-être parce qu'elle souhaite en voir le plus possible.

Au moment où elles commencent à grimper les marches, elle sent la nervosité poindre au creux de son ventre. C'est à cause de cette réunion avec le conseil d'administration. Elle s'est préparée du mieux qu'elle a pu, a lu tous les documents qu'elle était capable d'ingurgiter. Mais elle ne s'attendait pas à cela. *Le bruissement des ailes de l'histoire.* Qui est aussi son histoire à elle. C'est son héritage, sa responsabilité.

La direction se trouve au dernier étage. Helene jette un coup d'œil par les portes ouvertes à chaque palier qu'elles franchissent. *Open spaces*, meubles de prix, une discrète référence maritime dans nombre de détails, les rampes des escaliers par exemple, qui sont faites de belles cordes solides et sombres entremêlées. En entendant les pas de Karen et d'Helene, la plupart des employés lèvent les yeux avant de baisser aussitôt la tête. Ils fixent obstinément leurs papiers ou l'écran de leur ordinateur. Cela a quelque chose d'étrange. Comme un sursaut, une convulsion. À croire que sa vue leur est désagréable. Helene tente de se débarrasser de cette impression. Elle est sûrement paranoïaque, c'est tout. Elles atteignent finalement l'étage réservé à la direction et Karen reste sur le seuil, hésitante.

— Votre bureau, dit-elle.

— Nous vouvoyions-nous… à l'époque ?

— Depuis toujours, répond vivement Karen.

Helene l'aurait-elle offensée ? Son nouveau moi ne se reconnaît pas du tout dans ces formes d'adresse strictes. Vous, vous, vous… Elle entre à pas lents dans son bureau. Une grande table de palissandre domine la pièce. Elle s'assied dans le gros fauteuil de cuir ancien et élégant, se laisse aller en arrière. Depuis ce cinquième étage, le ciel s'étend à perte de vue.

— Puis-je aller vous chercher quelque chose, madame Söderberg ?

— Qu'avais-je l'habitude de boire ?

— Du café jusqu'à 9 heures. Ensuite, seulement de l'eau.

— Jusqu'à 9 heures ? Mais à quelle heure arrivais-je ?

— 7 h 30. La première de tous les employés. Comme votre père.

Helene secoue la tête, incrédule. 7 h 30 ? Chaque matin ? Pire qu'au café de Christiansø…

— J'ai une question. Cela vous semblera peut-être un peu bizarre, mais…

Helene rougit.

— Vous pouvez me demander tout ce que vous voulez, cela ne sortira pas d'ici, la rassure Karen.

— Quel poste est-ce que j'occupe, exactement ?

— Vous êtes économiste en chef.

« Économiste en chef. » Helene savoure le mot. Helene Söderberg, économiste en chef de Söderberg Shipping, mastodonte de l'économie danoise – scandinave, même. Fort bien. Ce n'est pas si étrange que cela, finalement. C'est justement le domaine de compétence qu'elle avait investi au café. Quand Helene a commencé à faire du ménage dans la comptabilité, Beate a constaté qu'elle avait un don pour cela. Et quand Helene a repris le café, elle a introduit de nombreux changements qui visaient à rendre l'entreprise plus efficace. Il le fallait. Elle n'a pas payé le bail aussitôt et convenu que Beate recevrait un versement étalé sur cinq ans. Les finances étaient donc serrées, certes, mais sous contrôle. Helene sait à présent d'où lui venaient ses talents de gestionnaire.

Karen se tient toujours devant elle. Aimable, accueillante. Helene hésite un instant, mais il faut qu'elle pose la question. Il faut qu'elle sache si elle est paranoïaque ou s'il y a vraiment un problème quelque part.

— Comment étaient mes rapports avec... les autres ?

— Il y a une excellente ambiance au sein du conseil d'administration, répond Karen, enjouée.

— Non, je veux dire avec les employés ?

Karen bat des paupières puis regarde ses pieds. C'est son tour d'hésiter.

— Vous aviez de grandes responsabilités. Peu de gens en étaient conscients.

— Quel est le dernier dossier sur lequel j'aie travaillé ? Juste avant de...

Karen se racle la gorge, se dépêche de répondre pour épargner à Helene la peine de terminer sa phrase, qu'elle ne soit pas obligée de prononcer le mot terrible : « disparaître ».

— C'était... Voyons voir, dit Karen, qui réfléchit. Notre dernier souci, c'était... de retrouver un contrat. Nous recevions chaque année une facture venant de l'auberge Julsø Kro. C'était votre père qui avait mis cela en place, et nous n'arrivions pas à trouver pourquoi.

— Ah bon ?

Helene hausse les épaules, sourit, car elle n'a aucune idée de ce qu'elle devrait répondre.

— S'agissait-il de beaucoup d'argent ? demande-t-elle, histoire de ne pas avoir l'air complètement perdue.

— Pour vous, il n'y a aucune différence entre cinq couronnes et cinq millions.

Karen sourit. Helene la dévisage attentivement. Elle ne reconnaît ni sa secrétaire ni la description que celle-ci lui fait de sa propre personnalité.

*

Seule. Helene balaie les lieux du regard. Elle est une économiste en chef que les employés n'aiment pas. Peu importe. Elle prend une goutte de café, une bouchée d'un petit gâteau, regarde à nouveau le ciel ; les nuages se sont faits plus minces, sont sur le point de s'estomper.

Elle pense à Joachim. Pour la première fois depuis longtemps, elle s'y autorise. Qui sait ce qu'il est en train de faire en ce moment ? Elle revoit son dos droit sérieux quand il écrivait. Ses cheveux qui partaient dans tous les sens, ses gesticulations des bras, ses yeux débordants d'enthousiasme. Elle pousse un soupir. Et lui, pense-t-il à elle ? Il vaudrait mieux qu'elle l'oublie. Il a constitué une exception dans sa vie, une parenthèse. Elle n'était pas censée être avec lui. Sa vraie vie, c'est celle qu'elle mène aujourd'hui. Avec le temps, Edmund, les enfants et l'entreprise prendront plus de place, et les années qu'elle a passées avec Joachim, moins. Il ne peut pas en être autrement. Helene tente de chasser ces pensées, boit une autre gorgée de café.

Aux murs sont accrochées des photographies dans de jolis cadres de bois très simples. Elle se lève pour les examiner de plus près. Sur l'une d'elles, la fontaine devant la maison est en cours de construction. À en juger d'après les vêtements des gens présents, le cliché doit dater des années 1960. Elle est heureuse que ce ne soit pas elle qui ait choisi cette fontaine de mauvais goût, ses poissons et ses dauphins. Elle imagine que l'entreprise devait avoir lancé ses activités dans le monde entier et que son père souhaitait marquer l'événement par un symbole visuel.

Helene passe aux autres photographies. Des bateaux amarrés à quai. Est-ce à Frederikshavn ? N'est-ce pas dans cette ville que son père a ouvert son premier chantier naval ? Des bateaux baptisés avec la rituelle bouteille de champagne. L'ouverture du premier bureau à Singapour, Helene enfant, sur les épaules de son père, quelque part en Orient. Elle s'assied lourdement dans son fauteuil. Une si longue histoire, c'est impressionnant. Mais... Elle se relève. Elle vient de voir quelque chose. Quelque chose d'écrit. Elle étudie de nouveau les photographies, elle est certaine d'avoir laissé passer un détail, un détail qui l'a interpellée. Parmi les plus vieilles photographies, celles qui remontent à l'avant-guerre, sur lesquelles tous les figurants ont l'air très sérieux, dans des vêtements usés mais soignés. Voilà. Ici. Son père qui pose sur le quai de Silkeborg. Encore assez jeune. Derrière lui, un bateau. Mais ce n'est pas ça l'important : non, c'est là, tout à gauche, où cinq ou six gamins sont occupés à décharger du bois de charpente entassé sur une péniche... Le nom de cette péniche. Inscrit sur le côté du bateau, la dernière lettre touchant la surface de l'eau sombre, s'y reflétant : ... *irsch*. À l'école de plongée, Martin a écrit « Kirsch » sur son masque. Helene décroche la photographie, essaie de regarder sous le cadre. La lettre est coupée, mais pas entièrement. Ce n'est pas un « K » mais un « H ». Il est écrit « Hirsch ». Helene revoit dans sa tête le mot tracé dans la buée du masque de plongée. Martin a écrit à la hâte, tout s'est déroulé très vite. A-t-elle mal lu ? On peut facilement confondre un « H » avec un « K ». A-t-il écrit « Hirsch », en fait ?

— Helene ?

La voix lui cause un choc. Elle pivote, découvre Edmund qui la fixe. Puis qui regarde ensuite la photographie. Elle se dépêche de la raccrocher au mur.

— Tout va bien ? J'ai essayé de t'appeler.

— Tout va bien, répond-elle avant de s'excuser et d'expliquer qu'elle a laissé son téléphone dans la voiture.

Edmund l'interrompt :

— Tu es prête ? Le conseil t'attend.

28

Joachim hésite un instant avant d'ouvrir la porte. Il est possible que les choses s'arrêtent là. Si c'est bien Louise Andersen qui, dans une seconde, pénètre dans sa chambre d'hôtel, elle sera en mesure de tout lui expliquer. Comment elle a rencontré Helene. D'où les deux femmes se connaissent – si tant est qu'elles se connaissent. Joachim n'a pas le temps d'aller au bout de son idée que sa main a déjà ouvert la porte d'un geste vif et résolu. Elle est un peu plus jeune que ce à quoi il s'attendait, et il ne décèle aucune réaction dans ses yeux marron au moment où elle entre dans la pièce. À regarder la manière dont elle bouge, on comprend qu'elle le considère comme un client de plus. Une passe vite fait, et au suivant. Elle porte une perruque noire aux cheveux lisses, une veste claire cintrée, bien ajustée sur son corps fluet. À ses pieds, des bottes couleur caramel à talons hauts. L'extrémité d'une pompe de cycliste dépasse de son sac. Typique du Danemark, se dit Joachim : même les prostituées se rendent au boulot à vélo. Son maquillage est discret, elle a une belle peau lisse. Est-ce à cela que ressemble Louise Andersen ?

— Ça ne vous dérange pas de me régler tout de suite ? demande-t-elle, l'air passablement innocent.

— Non, bien sûr, répond Joachim.

Il sort son portefeuille, l'ouvre, rougit un peu, compte les quelques billets qui lui restent. Pourquoi n'a-t-il pas pensé à prendre du liquide ?

— Euh, c'est combien ?

— Huit mille.

Les bras lui en tombent. Jamais de la vie il n'aurait imaginé que cela puisse coûter aussi cher. C'est dingue. Le montant n'était pas si élevé hier. Voyant qu'il ne sort pas l'argent immédiatement, elle se dirige vers la porte.

— Je vais passer au distributeur. Pour l'instant, on peut juste parler.

— Oubliez.

— C'est vous, Louise ?

Elle est déjà sur le seuil. Joachim ne réfléchit pas. Sans crier gare, il la saisit par le bras, referme la porte. Il a passé un bras autour de son corps pour l'immobiliser ; sa main se colle fermement à sa bouche afin d'étouffer ses cris. Elle se débat sauvagement, essaie de lui donner des coups de ses talons pointus. Il les évite, tient bon, la maîtrise de toutes ses forces. Se voit de l'extérieur pendant toute la scène. Ce n'est pas du tout lui, il n'est pas comme ça. Il serre les dents : il n'a pas le choix.

— Louise… Je suis vraiment navré, reprend-il d'une voix profonde et rauque qu'il reconnaît à peine. Je ne vous veux aucun mal, c'est juste pour que vous m'écoutiez. Pour que vous compreniez à quel point c'est important pour moi que vous me disiez tout ce que vous savez. D'accord, Louise ? Je ne vous veux aucun mal. Je vous lâche, maintenant.

Le corps de la femme se détend. Elle ne bouge plus. Il sent son cœur battre la chamade contre le sien. Il ôte la main qu'il tenait plaquée sur sa bouche. Enfin, elle parle. D'une voix sans force.

— Louise ? Pourquoi vous m'appelez comme ça ?

Joachim ne répond rien. Il n'arrive pas à savoir s'il est déçu ou non.

— Vous me confondez avec quelqu'un d'autre. Laissez-moi partir, merde.

— Prouvez-le.

Ce ne sont pas des mots réfléchis, il vient seulement d'y penser. Pourquoi dirait-elle la vérité ? Une femme qui s'est cachée pendant des années... Pourquoi révélerait-elle sa véritable identité au premier client venu ? Violent, qui plus est ?

D'un geste lent et nerveux, elle glisse la main dans sa poche intérieure. Son portefeuille est en cuir couleur caramel, assorti à ses bottes.

— Regardez vous-même ! lance-t-elle.

Joachim trouve une carte d'assurance maladie pliée en quatre. Rikke Sommer. Née en 1985. C'est à ce moment que la déception le gagne. Le sentiment d'avoir été si près du but, et de se retrouver à la case départ. Il s'est trompé. Il n'a pas avancé d'un pouce.

— Il y a trois ans, une femme est arrivée à Bornholm en possession des papiers d'identité de Louise Andersen.

Joachim s'est mis à parler, mais ne se laisse pas emporter par son récit et surveille attentivement la fille. Il raconte comme il le peut. Avec émotion. Il dit tout : Helene, Louise Andersen disparue.

— J'ai trouvé ce sous-bock avec un numéro de téléphone qui s'est avéré être celui de la boutique d'un photographe, conclut-il. Et maintenant, j'essaie de donner un sens à tout cela.

Rikke, alias Stella, se redresse. S'éloigne d'un pas, sans pour autant faire mine de vouloir se ruer dehors.

— Excusez-moi d'insister, mais…

Elle hoche la tête, l'air pensif.

Joachim poursuit :

— Je suis allé voir Miss Daisy, enfin, la maison close. J'ai rencontré une fille qui s'appelait… Mindy ? Oui, c'est ça, Mindy. Quand je lui ai parlé de Louise, elle m'a donné votre nom. Stella. Ensuite, je l'ai suivie ; c'est comme ça que j'ai trouvé cette boîte de nuit. Où j'ai demandé à vous voir.

— Parce que vous croyiez que j'étais Louise Andersen.

Ce n'est pas une question, mais une simple constatation. Elle fait un vague geste de la tête. Elle semble toujours sur ses gardes.

— Savez-vous quelque chose ? demande Joachim, plein d'espoir.

— Je n'ai jamais entendu parler de cette… Louise, répond-elle.

Joachim sent que ce n'est pas tout. Il attend. Enfin, elle poursuit, à voix basse, comme si elle avait peur que quelqu'un les entende, bien qu'ils soient seuls dans une chambre dont la porte est fermée à clé :

— Mais si vous avez trouvé un sous-bock avec un numéro de téléphone, ça veut dire qu'elle en était.

— Comment ça ?

— Qu'elle était traitée de la même manière que nous.

— On vous force ?

Stella hausse les épaules.

— Nous sommes pas mal à avoir des dettes énormes. Vous voyez ce que je veux dire…

Elle lance un regard honteux à Joachim.

— Beaucoup des filles du Roxy…, commence-t-elle à expliquer avant de s'interrompre. Vous connaissez le *deep Web* ?

Joachim fait signe que non. Ça ne lui dit rien.

— L'Internet secret. Sous la surface. Avec tout ce qu'on ne trouve pas sur l'Internet ordinaire. Ce qui n'est pas traçable. Il faut savoir ce qu'on cherche. *Eux*, ils l'utilisent, c'est complètement barré, je ne suis pas du tout dans ce genre de trucs.

La voix de Stella s'est durcie. Elle le regarde intensément. Apparemment, c'est important pour elle qu'il la croie.

— « Barré » ? Qu'est-ce que vous voulez dire exactement ? demande Joachim.

— Toutes sortes de saletés, pas juste du SM mais des pratiques vraiment spéciales. Le genre de choses limite, par exemple un sac en plastique sur la tête, se faire quasiment étouffer. Se faire battre comme un chien. Certains clients sont tellement violents qu'il y a des filles qui passent à deux doigts de la mort. Il y a des hommes dont c'est le fantasme absolu d'étrangler une fille en même temps qu'ils jouissent en elle. Ça fait partie du truc, que ce soit en permanence sur le point de déraper. Il y en a qui veulent juste frapper. Frapper, frapper. C'est de la pure torture.

Elle lève les yeux sur Joachim.

— Mais évidemment, ça brasse beaucoup d'argent. Au Roxy, certaines filles y participent. Ou, en tout cas, y participaient. C'est ultra-dangereux. Moi, je ne m'approche pas de ces gens-là.

Elle pousse un soupir rageur.

— Voilà pourquoi ça doit rester secret, conclut Joachim. Les numéros de téléphone sur les sous-bocks…

Stella enchaîne :

— Oui, pas de SMS, pas d'e-mails, rien qui pourrait laisser de traces. Il y a des hommes politiques impliqués, de riches hommes d'affaires. Ils ne peuvent pas se permettre qu'il y ait la moindre preuve.

Joachim savait pertinemment que ce genre de choses existait. Tout de même, de là à payer pour ça… Louise Andersen fait-elle partie de ce système ?

— Comment entre-t-on en contact avec eux ?

— Vous ne pouvez pas, réplique vivement Stella.

— Il faut que j'en sache plus, répond Joachim d'un air suppliant.

— Je vous assure que vous n'avez pas intérêt à vous approcher de ce genre de cercle. Pour rien au monde.

— Il le faut… Il faut que je découvre comment Helene a fini avec les papiers de Louise. Quelque chose cloche dans cette histoire, je ne suis pas tranquille…

Joachim s'interrompt. Prend une grande inspiration.

— Il y a forcément quelqu'un dans ce milieu qui en sait plus. Qui pourra m'expliquer ce qui s'est passé.

Stella hésite.

— Ça fonctionne sur invitation, finit-elle par lâcher.

— C'est-à-dire ? demande Joachim, pendu à ses lèvres.

Le regard de Stella a changé du tout au tout. Il n'a plus rien à voir avec les yeux écarquillés de terreur qu'elle avait quand il l'a immobilisée : les rapports de force se sont inversés. À présent, c'est elle qui le regarde comme un pauvre gars. Elle qui éprouve de la compassion pour lui.

— Je peux peut-être vous trouver un numéro de téléphone, dit-elle doucement.

29

C'est un soulagement de pénétrer dans le silence
des toilettes. Fermer la porte, s'asseoir, être totalement seule. Elle va rencontrer le conseil d'administration, rien que des hommes qui lui sont inconnus.
Edmund est déjà dans la salle, Helene a prétendu
qu'elle allait simplement rectifier sa toilette. Elle a la
nausée et sent une étrange forme de dégoût l'envahir
tout entière. Elle n'a aucune envie d'être ici. Elle a
l'impression qu'elle n'a rien à faire là. Mais elle se
lève, car il n'y a plus moyen de revenir en arrière.
Elle saisit la poignée. Au même moment, elle entend
deux femmes en grande conversation arriver. Helene,
intimidée, suspend son geste.

— Toi aussi, ça te fait ça ? demande la première
en poussant un soupir de lassitude.

Helene se rassied sans un bruit.

— Quelle question ! Ça m'a fait un putain de nœud
à l'estomac ! Je m'étais bien habituée à vivre sans
elle, répond la seconde.

C'est une voix plus grave. Peut-être cette femme
est-elle originaire de Copenhague, se dit Helene, car
son dialecte est différent.

— J'espérais qu'elle n'irait pas assez bien pour
revenir travailler.

— Si vite, en plus ! renchérit l'autre, qui poursuit plus bas, sur le ton de la confidence : Il paraît qu'elle a reçu un coup sur la tête.

— On aurait pu espérer que ça lui remette les idées en place, conclut la Copenhagoise.

— Tu parles, elle est fidèle à elle-même, conclut en soupirant la fille du Jutland. C'est reparti pour un tour en enfer !

*

En enfer. En pénétrant dans la salle de réunion, Helene essaie de chasser ces mots de son esprit. Ses employés la détestent. Elle a été une garce avec eux. Elle a du mal à reconnaître son caractère dans la manière dont les deux femmes l'ont décrite. Elle considère la tablée sans fin qui l'attend, écoute le chœur de raclements que font les pieds de chaise contre le parquet quand tous, simultanément, repoussent leur siège et se lèvent en son honneur. Un nombre incalculable de visages attentifs braqués vers elle. Uniquement des hommes, de tous les physiques possibles et imaginables. Hésitante, Helene se tourne vers Edmund, qui lui approche une chaise. Elle s'assied. Tous font de même. Edmund pose une main rassurante sur son bras.

— J'aimerais souhaiter un bon retour parmi nous à Helene, dit-il. Comme vous le savez, tout cela a été très… éprouvant pour nous tous, et il faudra naturellement un peu de temps avant que chacun retrouve ses marques. Au début, Helene sera plutôt parmi nous en tant qu'auditrice. Mais elle recouvrera vite ses diverses responsabilités au fur et à mesure.

*

Après la réunion, Edmund a organisé ce qu'il appelle une « réception informelle de bienvenue ». Helene a la tête lourde : les discussions ont duré des heures, et la quasi-totalité de ce qui s'est dit lui a échappé. Elle n'a reconnu personne et a passé le plus clair de son temps les yeux obstinément fixés sur les papiers devant elle, faisant semblant d'écouter pendant qu'Edmund et les autres analysaient le rachat de l'entreprise de logistique hollandaise – les plans qu'il a fallu mettre en stand-by à sa disparition. Elle a beau avoir eu du mal à suivre les détails, elle ne s'y est pas trompée en reconnaissant cette sensation qui naissait en elle. La même qu'à Christiansø quand elle avait voulu devenir propriétaire du café : l'envie de posséder. L'envie de plus. Cela l'habite. Cela signifie-t-il qu'elle s'est retrouvée ? Helene Söderberg est une femme cupide et crainte par son entourage, une avare qui veut s'emparer de tout. La voilà, un verre de vin blanc à la main, en train de sourire à un homme qui la salue.

— C'est formidable que vous soyez de retour saine et sauve. Nous étions très inquiets pour vous.

Le sourire qu'arbore Helene lui tend la peau du visage comme un masque qui ne serait pas à sa taille. C'est le douzième type venu lui dire plus ou moins les mêmes mots. Les membres du conseil d'administration sont également dirigeants ou propriétaires d'autres grandes firmes ayant toutes leur siège dans l'ouest du Danemark, loin de la capitale. Helene leur trouve des points communs. Ils sont plus sûrs d'eux que les habitants de l'île de Bornholm, paraissent inébranlables dans leur vision du monde. Ça ne l'étonne pas qu'au Danemark ce soit dans cette région précise qu'est née la démocratie : ces hommes-là, personne ne peut décider à leur place – surtout celui qui lui tient présentement la main et la presse chaleureusement, mais un peu trop fort. Il lui raconte le dernier dîner auquel elle et Edmund ont participé chez sa femme et lui, dans leur ranch. Il sourit, lui adresse un clin d'œil puis chuchote :

— Je le mentionne seulement au cas où vous l'auriez oublié.

Helene est acculée dans un coin de la grande terrasse ouverte sur le toit. Elle ne sait même pas comment elle a atterri là. Larges planches de bois, patinées par le vent et le soleil comme le pont d'un bateau. Les invités affluent. Au milieu de la foule, Edmund est engagé dans une conversation exagérément amicale avec un vieillard et sa… Sa quoi ? Son aide de vie, son infirmière ? Peut-être sa fille. Qui qu'elle soit, la femme ne lâche pas le bras du vieil homme aux cheveux blancs. Edmund croche l'autre. Ensemble, ils l'aident à… Oh non ! Elle n'a pas le courage d'affronter ça. Encore des inconnus. Des gens qu'elle n'a jamais vus auparavant et qui, eux, savent tout d'elle.

— Helene ? Voici Karl Gudmundson. Il a accompagné ton père depuis le tout début. Depuis l'aube des temps ! conclut Edmund d'une voix forte, un sourire quelque peu artificiel aux lèvres.

— Mon père entend encore parfaitement bien. C'est plutôt sa mémoire qui flanche, réplique sa fille en riant et en tendant la main à Helene.

Les lèvres du vieil homme tremblent en permanence sans jamais s'ouvrir ; il rumine comme s'il avait dans la bouche quelque chose qu'il n'arrivait pas à avaler. Suivent quelques phrases de politesse. Il est question du fait que Gudmundson est membre honoraire d'on ne sait quelle compagnie. Le vieux a l'air tout aussi perdu qu'Helene. On la traite d'ailleurs d'une façon plus ou moins similaire. Comme une handicapée, une retardée mentale qui se trouverait par hasard être pleine aux as. Sans cela, ils ne lui accorderaient pas un regard, c'est clair. Helene s'excuse. Il faut qu'elle quitte cet endroit. Pendant qu'elle se faufile parmi les invités, en chemin vers l'escalier, elle laisse tomber son sac à main. Se penche pour le ramasser. Et là, non loin d'elle, parmi tous ces souliers vernis et ces chaussures à talons, elle repère les rangers. Pesants, noirs, adaptés à la marche, à la guerre. Est-ce l'homme qui l'a suivie au Himmelbjerget ? Qui d'autre, sinon ? Helene saisit son sac. Se redresse. Scrute la foule en direction des rangers. Il y a trop de monde, et, bien sûr, personne qui porte une casquette et des lunettes de soleil, rien que des hommes aux coiffures à peu près identiques, même teinte, même style. Le sang cogne à ses tempes, comme si deux pics tapaient de l'intérieur pour faire éclater son crâne. Elle descend l'escalier à toutes jambes afin de se réfugier dans son bureau. Il lui faut la paix. Il faut qu'elle réfléchisse. Est-elle vraiment suivie, ou folle ? Elle passe en trombe dans le couloir. Deux jeunes femmes la regardent avec effroi.

— Excusez-moi, mon bureau ?

— Tout droit, puis à gauche, indique la plus jeune.

— Merci beaucoup.

Helene trouve son bureau, referme la porte dans son dos. Elle veut rentrer chez elle. Elle sait qu'elle devrait retourner sur la terrasse. Regarder les employés dans les yeux, leur montrer qui elle est, être fidèle à elle-même. Mais elle en est incapable. Pas après le dialogue qu'elle a surpris aux toilettes. Helene Söderberg était une vieille harpie. Helene Söderberg *est* une vieille harpie. Pensée qui en fait naître une autre : tout cela tourne-t-il vraiment autour de sa personnalité ? Et si elle était plutôt partie parce qu'elle avait eu une liaison ? Qui sait ? Est-elle une vieille teigne répugnante et infidèle ayant mis en scène sa propre disparition ? Edmund l'a peut-être fait suivre, par l'homme aux rangers par exemple, parce qu'elle le trompait à l'époque ?

Helene s'assied sur le fauteuil, s'enfonce dans son cuir doux, a l'impression que tout ce qui constitue son être se dissout. Elle glisse, s'estompe, devient de moins en moins nette dès qu'elle essaie de se raccrocher à quelque chose. De tout ce qu'elle croyait savoir sur elle-même, rien n'est vrai. Était-elle une bonne mère, au moins ? Ses oreilles sifflent. Elle flotte au-dessus d'un abîme ; sous elle, l'obscurité, un trou, un froid glaçant, le néant. Quelle quantité de choses elle ignore sur elle-même ! C'est cela qui a créé l'abîme.

— Qu'est-ce qui se passe, ici ? demande Edmund dans l'entrebâillement de la porte.

Helene est incapable de lui répondre, c'est à peine si elle peut se concentrer sur lui. Elle ouvre et ferme la bouche mais pas un son n'en sort. Il se hâte de venir à elle, s'accroupit devant son fauteuil, pose une main inquiète sur son front.

— Mais tu es brûlante.

À son contact, le froid disparaît. La peau d'Edmund contre la sienne. La voilà de retour, assise dans le fauteuil. Elle regarde Edmund, qui la dévisage avec inquiétude.

— Suis-je une femme horrible ? souffle-t-elle.

— Mais non enfin, pourquoi penses-tu cela ?

— Ils me haïssent, dit-elle faiblement.

— Qui donc ?

— Eux tous ! lâche-t-elle en tendant le bras.

— Ils ne te haïssent pas. Tu as disparu pendant trois ans et te voilà de retour, il faut juste qu'ils s'habituent à l'idée, mais personne ne te hait, voyons. Tu n'as pas tant d'importance que cela à leurs yeux, tu n'es que leur employeur, rien d'autre, répond calmement Edmund.

— Dans ce cas, pourquoi si peu de gens ont appelé quand je suis revenue ? Personne n'aime Helene, conclut-elle. J'avais plus d'amis à Christiansø.

Ces derniers mots ont blessé Edmund. Ce n'était pas l'intention d'Helene. Edmund prend une grande inspiration.

— Tu étais…

Il se corrige :

— Tu es quelqu'un pour qui la famille compte beaucoup. Tu étais très occupée par ton travail et par nous. Ça ne veut pas dire que les gens te détestent. Et puis, nous fréquentions du monde. Ulrik et sa femme Majbritt, par exemple.

Helene ne se souvient d'aucun Ulrik ni d'aucune Majbritt.

— Je croyais juste qu'il valait mieux attendre un peu avant d'inviter des amis. Non ?

Les mots d'Edmund font impression en elle et chassent un peu de ses idées noires. Elle respire un peu plus calmement.

— Ça va mieux ? murmure Edmund.

— Oui, répond-elle.

— Tu crois que tu tiendras jusqu'à la fin ? Il vaudrait mieux ne pas faire d'esclandre. Moins il y aura de ragots, mieux ça vaudra. Nous voulons te remettre sur les rails le plus vite possible, n'est-ce pas ?

Il a l'air tellement optimiste ! Il croit en elle. Helene n'a pas le cœur à le décevoir. Elle se lève. Un dernier tour sur la terrasse. Tenir le coup. S'accrocher.

— Tu voudrais bien rester à côté de moi ? demande-t-elle.

— Bien sûr. Je resterai avec toi. Tout le temps, lui assure-t-il.

Ils se dirigent vers la porte. Avec Edmund à ses côtés, Helene se sent plus forte, plus confiante. Elle va y arriver. Il faut juste qu'elle sourie, qu'elle serre des mains, qu'elle remercie. Ensuite, ils retourneront à la maison. Tout va bien se passer, tout va rentrer dans l'ordre. Il est normal qu'elle se sente secouée, que tout cela la perturbe. Les choses vont s'arranger, se dit-elle en marchant derrière Edmund. Sans qu'elle en soit consciente, ses yeux cherchent la photographie au mur, celle avec la vieille péniche baptisée *Hirsch*. C'est tout de même très étrange. Quelle coïncidence ! Enfin… Il ne faut plus y penser. Soudain, elle s'arrête net : la photographie n'est plus là.

— Où est la péniche ? s'exclame-t-elle.

— Quelle péniche ? l'interroge Edmund sans comprendre.

Helene lâche son bras et s'avance jusqu'au cadre. Il est toujours là, mais la photographie qu'il abritait a changé : c'est à présent une vieille photo de la façade du siège de l'entreprise, en noir et blanc elle aussi. Elle n'y était pas avant. Helene passe rapidement en revue la rangée d'images. Sa mémoire lui joue-t-elle des tours ? La péniche était-elle accrochée ailleurs ? Non…

— Avant le conseil d'administration, j'ai remarqué la photo d'un bateau. Enfin, d'une péniche. Elle n'est plus ici.

Edmund regarde les photos, hausse les épaules.

— Je ne sais pas de quel bateau tu me parles, Helene. Ces photos sont là depuis toujours. C'est ton père qui les a accrochées.

Helene détaille encore une fois le mur. Le bateau y était. *Hirsch*. Elle en est sûre et certaine. Elle ouvre la bouche pour en faire part à Edmund. S'assurer qu'il a compris ce qu'elle veut dire. Certains détails la rongent. Le Himmelbjerget... L'homme qui la suivait... Ou alors... Soudain, quelque chose dérape en elle, se décale, elle a du mal à se concentrer, ne voit plus que des ombres noires et inquiétantes s'approcher de plus en plus près, l'encercler. Edmund la prend dans ses bras, lui murmure quelques mots à l'oreille. Elle voudrait parler, essaie d'articuler. Un avertissement à propos des rangers. Elle est suivie, il y a un problème.

— Helene ? Personne ne te suit. Je t'aime.

Et encore :

— Je t'aime, Helene.

Elle acquiesce, muette, pendant que les larmes roulent sur ses joues. Elle a peur. Que lui arrive-t-il ?

— Tu ne te sens pas bien. Excuse-moi de ne pas m'en être rendu compte plus tôt, dit Edmund, l'air malheureux.

Karen, appuyée à l'encadrement de la porte, a l'air inquiète elle aussi.

— Est-ce que je peux faire quelque chose ? demande-t-elle.

— Appelez le médecin, voulez-vous ? Le nôtre, répond Edmund. Et voyez si vous arrivez à joindre Rosenberg.

*

Le médecin lui administre une piqûre calmante ; Helene ne proteste pas, au contraire, c'est elle qui le lui a réclamé, elle lui fait confiance. Elle est soulagée de pouvoir échapper à ce qu'elle ressent. Au fait que Joachim lui manque, qu'elle ne sache pas qui elle est. Ni qui elle aime. Elle veut juste s'accorder une pause, respirer un peu. Le médecin l'examine sous toutes les coutures, lui pose quelques questions prudentes, pas beaucoup, des questions faciles. Puis il se tourne vers Edmund.

— Elle a besoin de repos, dit-il.

Il insiste sur le fait que tout va trop vite. Edmund s'excuse – auprès du médecin ou auprès d'elle ?

— Il faut qu'elle reste quelques jours en observation, ajoute le docteur.

Il semble en colère. En colère contre Edmund. Helene s'en rend compte mais les mots ne lui font rien, elle flotte dans un doux bercement, elle entend, elle comprend, mais elle se fiche de tout. Qu'ils fassent d'elle ce qu'ils veulent, elle est heureuse d'échapper à la réalité. Karen revient, annonce que Rosenberg est parti à une conférence aux États-Unis.

— Juste une petite pause, chuchote Helene.

Edmund la prend par la main, lui caresse la joue comme à une enfant.

— Juste une petite pause, répète-t-il en écho.

30

20 heures ce soir. C'est dans si longtemps. Joachim descend la Bredgade, essaie de réaliser dans quoi il s'est engagé. A-t-il commis une monumentale erreur en concluant ce rendez-vous ?

Quand elle a composé le numéro depuis son téléphone, Stella avait l'air épouvantée. Elle avait eu le contact via une amie ou une collègue et l'avait noté avec du rouge à lèvres noir sur le papier à lettres de l'hôtel d'Angleterre. Elle avait pris soin de mettre son téléphone en mode caché, de manière que l'interlocuteur ignore d'où venait l'appel. Et quand elle avait tendu le portable à Joachim et chuchoté qu'il devait donner le mot de passe « *no limits* », sa voix tremblait. Mais ils avaient réussi. Ils avaient rendez-vous. Ce soir, à 20 heures, Joachim était censé se rendre à la piscine de Frederiksberg, où il recevrait de plus amples instructions. Il n'en savait pas plus. Sa seule certitude, c'était que Stella était tétanisée de peur. Elle avait même brûlé le papier à lettres sur lequel elle avait inscrit le numéro de téléphone avant de déclarer qu'elle ne voulait plus être mêlée à cette histoire. Joachim s'était excusé, avait retiré deux mille couronnes pour elle dans la Bredgade et l'avait suivie des yeux jusqu'au moment où elle avait disparu dans la foule.

*

Piscine de Frederiksberg. Ce cube de brique rouge lui semble bien massif. Il est 19 h 45. Joachim pénètre à l'intérieur, s'installe au pied de la première colonne ronde du hall, dans lequel le moindre bruit résonne. Il a vue sur l'entrée ainsi que sur les deux escaliers qui mènent aux vestiaires femmes d'un côté, aux vestiaires hommes de l'autre. Derrière lui, une cage de verre étriquée où l'on vend les billets. Il observe tous ceux qui passent la porte. Il y a surtout des femmes en petits groupes réduits. On dirait que la natation est une activité très populaire entre filles. Viennent aussi pas mal d'hommes âgés seuls.

— Au sauna, chuchote un homme dans son dos.

Surpris, Joachim se retourne, juste à temps pour voir quelqu'un sortir de la piscine. Il hésite un moment à lui courir après, mais abandonne l'idée. Trop dangereux. Il faut qu'il fasse ce qu'on lui dit, qu'il joue selon les règles qu'on lui indique. *Le sauna.* Donc, un deuxième homme l'attendra là, à l'intérieur ? Joachim s'approche de l'accueil et achète un billet.

— Vous êtes à l'aise avec la nudité ? veut savoir la dame du guichet, qui lui explique que les maillots sont interdits à l'intérieur du sauna, mais qu'il peut acheter un pagne s'il le souhaite.

Il entre dans les vestiaires, se déshabille dans l'une des petites cabines qui ferment à clé, laisse toutes ses affaires près de sa serviette dans son casier. Il passe sous la douche, se savonne en quelques gestes vifs et impatients, puis pousse la porte du sauna. Carrelage blanc au sol et aux murs, bancs de marbre étagés sur trois niveaux, c'est tout ce qu'il distingue à travers les épais nuages de vapeur. Il plisse les yeux pour essayer de se faire une idée des lieux. Combien de personnes se trouvent-elles ici ? Il ne peut pas voir leurs visages, ne devine que des silhouettes floues, n'entend que des bribes de conversation en danois et en arabe. Et réalise alors que le sauna est un lieu de rendez-vous idéal : impossible de savoir qui parle avec qui.

Joachim reste debout, indécis. Parmi les hommes qui gardent le silence, l'un d'entre eux l'attend.

Lequel ? Joachim choisit une place libre, plutôt éloignée des autres. Il patiente. Peu de temps après, une silhouette se glisse derrière lui, se penche un peu en avant, approche la tête de la sienne.

— Qu'est-ce que vous cherchez ? chuchote l'homme.

Cette voix… Joachim se glace. Il a envie de se retourner, mais de toute manière il ne verrait rien dans toute cette vapeur. Il ne peut pas lui poser de but en blanc des questions sur Louise. Il le sait. Il faut qu'il avance prudemment, qu'il se fasse d'abord accepter dans le milieu. Qu'il sonde le terrain jusqu'à trouver un élément un peu plus solide à partir duquel il pourra progresser.

— Je voudrais une femme. Aucune limite.

Joachim répète la phrase qui, apparemment, a fonctionné lors de son premier contact par téléphone.

Il y a une longue pause.

— Pourquoi ? demande l'homme.

Autour d'eux, la conversation est animée. Tant qu'ils parlent à voix basse, personne n'entendra un seul mot de la leur. Joachim doit dire quelque chose qui achèvera de convaincre son interlocuteur.

— Je voudrais passer une nuit avec une fille où les seules limites seront mes envies.

— Qui vous a donné le numéro de téléphone ?

— Une pute, répond Joachim.

Il regrette aussitôt d'avoir employé ce mot.

— Elle ne voulait pas aller plus loin, alors elle m'a filé ce numéro. Elle m'a dit que vous pourriez me proposer les prestations que je veux. C'est vrai ? souffle Joachim, qui tremble intérieurement mais essaie de conserver une apparence de dureté.

— Comment elle s'appelait ?

Joachim réfléchit ; il se doute bien que ce ne serait pas l'idéal pour Stella s'il révélait sa source.

— J'en sais rien… J'arrive jamais à les distinguer les unes des autres.

— C'est cher, mais ça, vous le savez déjà, j'imagine ? murmure l'homme.

— Oui, j'avais deviné. Mais si ça vaut le coup, ça me pose pas de problème.

— On prend les risques à votre place, c'est ça que vous payez. Après, ce que vous en tirez ou pas, ça dépend que de vous. Tout le monde est loin d'être à la hauteur. Ils s'imaginent tous être des durs, ils se la racontent comme vous maintenant mais, une fois qu'on y est, on voit bien que ce sont tous des femmelettes. Tu me suis ? Tu vois ce que je veux dire ? Parce que j'ai pas envie de me taper des jérémiades après coup. Si t'arrives pas à bander le jour du rancard, tant pis, tu récupères pas ton argent, pas moyen !

— Vous me promettez qu'il n'y a pas de limites ? poursuit Joachim sur son ton bourru, bien que les paroles de l'homme lui donnent l'impression qu'il a été percé à jour.

— Du moment que tu paies, elle est à toi. T'as l'argent ?

— Combien ?

— Deux cent cinquante mille. En cash. Et à l'avance.

Joachim ravale ses protestations. Un quart de million ? Ils sont complètement fous ! Néanmoins, il acquiesce.

— J'ai l'argent, je suis prêt. Quand est-ce qu'on peut faire ça ?

— Sur le parking sous Israels Plads. À 21 heures demain. Mais avec tout le fric. Compris ?

Joachim acquiesce de nouveau. L'homme se penche en avant, pose la main sur son épaule. À ce contact, Joachim sent tout son être se glacer.

— Tu vas vivre la meilleure expérience de ta vie, souffle l'homme. Tu vas voir, elle sera cent pour cent à toi, tu peux même la buter si c'est ça que tu veux. Reste ici encore cinq minutes. Si tu sors avant, tout est annulé.

Sur ce, il se lève et se glisse sans bruit hors du sauna. De taille moyenne, de constitution moyenne. Un dos comme des milliers d'autres. Joachim pourrait le suivre, essayer de voir sa tête. Mais non. Ils sont peut-être plusieurs, les nervis qui font semblant d'aimer nager. Qui le surveillent. Ils sont prudents, évidemment, puisqu'ils jouent avec des vies. Des vies de femmes. Mais c'est la voie que Joachim a choisie. Il devra suivre leurs règles du jeu à eux jusqu'au bout avant de pouvoir poser des questions.

Quoique… Il est encore temps d'annuler. Où va-t-il trouver deux cent cinquante mille couronnes, putain ? En espèces, en plus ! Qui en serait capable ? se demande-t-il. Il connaît déjà la réponse : les hommes vraiment désespérés. Comme lui.

31

Le soleil est bas, boule luisante juste au-dessus d'elle. Helene lève les yeux, se laisse éblouir, savoure la chaleur qui traverse la peau de son visage. Elle reconnaît les sensations typiques que l'on éprouve à bord d'un bateau, le léger tangage, la voile qui claque, les cordes qui cognent en rythme sur le mât. Des voix. Celles de ses parents ? Elle rêve. Ne veut pas émerger. Ne veut pas, mais ses paupières ont leur propre volonté, elles clignent, s'ouvrent.

— Tu es réveillée ?

Telle une ombre menaçante, Edmund se penche au-dessus de son lit.

Helene se redresse d'un coup et Edmund recule, effrayé.

— Où suis-je ? demande Helene en regardant avec étonnement autour d'elle.

— À la clinique, répond Edmund.

Comme si elle comprenait ce que cela voulait dire.

La pièce est agréable. Elle lui rappelle son appartement de Christiansø. La fenêtre à petits croisillons possède un large rebord et des rideaux ajourés, aériens. Dehors, le vert domine grâce aux branchages largement étalés de hauts arbres. La lumière du soleil se fraie un passage à travers leurs couronnes, emportant des ombres avec elle. Ombres qui se meuvent sur le papier peint à fleurs. Helene se souvient. Le médecin, la piqûre. Elle se souvient de la chaleur, elle a eu l'impression que sa tête se mettait à bouillir, qu'elle allait faire une crise de nerfs. C'est peut-être justement ça qui s'est passé le jour où elle a disparu ? Son cerveau a peut-être eu un court-circuit ?

— Karen m'a donné ton sac, dit Edmund en déplaçant avec précaution le sac à main d'Helene sur le rebord du lit.

— J'ai été hospitalisée ? demande Helene, déconcertée.

— Oui…

Edmund hésite.

Helene baisse la tête ; elle porte un jogging de velours doux, couleur vieux rose.

N'avait-elle pas d'autres vêtements sur elle avant ?

— J'aimerais rentrer à la maison, je me sens beaucoup mieux, dit-elle doucement.

— Tu vas bientôt parler aux médecins et nous verrons, répond Edmund.

— Comment ça, « nous verrons » ? réplique-t-elle, en se rendant compte que son irritation transparaît dans sa voix.

— Helene, arrête. Tu n'es pas toi-même. Tu prétends qu'on te suit, tu m'as parlé d'une histoire de rangers… Helene. Tu as fait un malaise. Tu vas subir des examens. Il est possible que cela prenne un moment.

Mais que raconte-t-il ? Helene a de nouveau l'impression que tout tangue au-dessous d'elle.

— J'ai juste envie de rentrer à la maison, murmure-t-elle. J'irai sûrement mieux si je peux être avec les enfants, dans un environnement qui m'est familier.

Edmund ne dit rien. Pendant quelques secondes règne un grand silence. Refuse-t-il sérieusement qu'elle rentre à la maison ?

— Edmund, écoute-moi. Je ne peux pas rester là.

— Je suis désolé, Helene. Je ne voudrais pas que tu me comprennes mal, mais ce n'est pas toi qui décides.

Il frotte nerveusement ses mains sur son pantalon.

— Si je veux rentrer, tu ne peux pas m'obliger à rester ici.

— Tu es un danger pour toi-même. Ce n'est pas bon pour les enfants non plus que tu sois dans cet état-là. N'est-ce pas ? Tout ce que je dis, c'est : commençons par écouter ce qu'en pensent les médecins.

Il se lève, s'approche de la fenêtre, se poste dos à elle. Helene se laisse retomber sur son oreiller. Que se passe-t-il ? Qu'arrive-t-il à Edmund ? Que lui arrive-t-il à elle ? Pourquoi a-t-elle du mal à le croire quand il prétend qu'il vaut mieux pour les enfants qu'elle reste ici le temps de se remettre sur pied ? Quel genre de mère est-elle ? Serait-elle malade au point qu'il soit préférable qu'on l'isole ? Qu'on la sépare de ses propres enfants ? Ou bien… est-ce un piège ?

Même si tout en elle essaie de la refouler, cette dernière supposition s'instille en elle, lentement mais sûrement. Edmund a-t-il tout mis en scène ? L'a-t-il menée de plus en plus loin, patiemment, jusqu'à la pousser à bout ? Jusqu'à ce qu'elle fasse une crise de nerfs et qu'il puisse la faire hospitaliser ? Est-ce à cause de lui qu'elle a l'impression d'être folle ? Est-ce pour cela qu'elle s'est enfuie ? Elle n'a qu'une envie : crier. Elle sent que c'est la seule chose à faire. Crier sa frustration, son angoisse, son doute. Pourtant elle reste allongée, parfaitement calme. Toutes ses forces l'abandonnent. Car elle n'arrive plus à repousser la première supposition. Elle est devenue folle. Edmund a adopté la seule attitude censée.

Il se rassied. Tire quelques papiers de son attaché-case.

— Qu'est-ce que c'est ? finit par demander Helene, incapable de supporter plus longtemps le silence.

— J'ai longuement hésité à te le montrer, répond-il.

— Qu'est-ce que c'est ? répète Helene.

Elle tend la main vers les papiers mais Edmund les maintient hors de sa portée. Vu sa mine résolue, ça doit être important.

— Sache une chose, Helene. Tu peux me faire confiance. Tout ce que je fais, c'est pour ton bonheur.

Enfin, il lui tend les documents.

Elle les parcourt. Et là, soudain, son nom. Joachim. Le cœur d'Helene se met à battre plus vite. Elle plisse les yeux, essaie de se concentrer. Les lettres refusent de s'assembler, de créer du sens.

— Il nous harcèle depuis que tu es rentrée à la maison. Il veut de l'argent pour ne pas livrer l'histoire à la presse. Je suis vraiment navré de devoir t'en parler.

Les mots d'Edmund lui semblent venir de très loin. Toute l'attention d'Helene est tendue vers les lignes imprimées sur le papier. Le contrat. Joachim a signé un contrat. Jusqu'ici, c'est tout ce qu'elle a réussi à comprendre. Il a apposé sa signature sous une masse de phrases qui, en fin de compte, signifient que tout ce qui s'est passé entre eux est oubliable. Elle regarde la somme. Colossale. Un million de couronnes. Il a accepté de l'argent venant de son entreprise *à elle* afin d'effacer son souvenir ! Elle sent la main d'Edmund lui caresser le bras. Comment a-t-il pu ? Le Joachim qu'elle connaît n'aurait jamais vendu leur histoire, n'aurait jamais extorqué de l'argent.

— Je suis vraiment désolé, Helene, mais il faut que tu admettes que je suis le seul sur qui tu puisses compter à présent.

Le seul sur qui elle puisse compter. Helene se tourne lentement vers lui. Son mari. Elle aimerait tant lui donner raison. Néanmoins, elle n'y parvient pas. Pourquoi ? Pourquoi n'arrive-t-elle pas à lui faire confiance ? Elle sent les larmes, froides, rouler sur ses joues. Sent la main d'Edmund les sécher. Elle le laisse faire, reste parfaitement immobile, inspire. Doucement, sa respiration s'apaise, doucement disparaît le sentiment que le monde qui l'entoure est flou. La réalité revient. Elle est assise dans un lit. Un lit d'hôpital. Elle a été hospitalisée. Joachim l'a trahie, a trahi leur amour. Voilà, de son point de vue à elle, quelle est la réalité. Mais… la photographie dans son bureau ? Ce n'est pas le produit de son imagination. Elle sait parfaitement ce qu'elle a vu.

— Et la photo…, dit-elle, hésitante.

— Quelle photo ? demande Edmund, agacé.

— Dans mon bureau. Quelqu'un a changé une des photos pendant la réception quand j'étais sur la terrasse avec les invités, répond Helene d'une voix basse mais catégorique.

— Helene, écoute-moi, maintenant, rétorque Edmund en prenant une de ses mains dans les siennes et en la regardant avec insistance. Cette photo n'existe pas. Il n'y a jamais eu de bateau qui s'appelle *Hirsch*. C'est une histoire qui n'existe que dans ta tête. Ce n'est pas ta faute, c'est tout à fait compréhensible que tu t'imagines des choses après tout ce qui s'est passé. C'est justement pour cette raison que tu es hospitalisée. Nous avons appelé Rosenberg. Il viendra te voir demain. Il était aux États-Unis, il arrive, Helene. Pour t'aider. Nous sommes dans un hôpital privé, les dirigeants de Söderberg Shipping sont toujours venus ici. Je fais partie du conseil d'administration et il me semble même que nous possédons la majorité des actions.

Il affiche un sourire rassurant.

— Ils feront donc tout pour que tu sois bien ici. Aucun journaliste ne viendra t'ennuyer, personne ne te cassera les pieds. D'accord ? Tout va s'arranger, Helene, tu vas redevenir toi-même, n'est-ce pas ? Et puis les enfants viendront te rendre visite.

Il lui tapote la main.

Hirsch.

Il a dit « *Hirsch* ». Or, jamais elle ne lui a précisé le nom de la péniche. Ni aujourd'hui, ni dans le bureau. Elle en est sûre et certaine. Ce sentiment qu'elle a depuis le début que quelque chose cloche… Elle sait à présent qu'il est justifié.

32

Joachim attend dans le parking souterrain comme convenu. Il serre très fort le sac qu'il tient à la main. Un discret sac de sport noir que lui a donné l'avocat de Söderberg Shipping il y a quelques heures à peine. Ils n'ont pas eu besoin de discuter longtemps, Joachim a signé le contrat et pris l'argent. Il n'arrive pas à admettre l'idée qu'il a signé mais essaie de se dire qu'il n'avait pas le choix. Il ne peut pas écrire cette histoire s'il ne la connaît pas. D'un autre côté, il vient précisément de s'engager à ne jamais l'écrire. Dilemme insoluble.

Il fait quelques pas impatients sur le béton. Leur écho résonne dans le parking désert. Il dresse l'oreille. Est-ce une voiture qui approche ? Non. Tout ce qu'il entend c'est, en souvenir, le ton condescendant d'Edmund quand il l'a appelé pour lui annoncer qu'il acceptait son offre – à la condition expresse qu'on lui remette deux cent cinquante mille couronnes sur-le-champ. Et que le reste soit viré sur son compte.

Un claquement de portière. Sont-ils là ? Une voiture rouge tout à fait ordinaire passe devant lui au ralenti ; c'est une femme qui conduit, et elle ne le remarque pas. Il n'attend que depuis dix minutes mais il a l'impression que ça fait une éternité. Il a la gorge sèche et des auréoles de sueur sous les aisselles malgré l'air froid et piquant du souterrain, à des lieues de la douceur estivale qui règne dehors. La seconde voiture qui attire son attention est plus grosse. Elle tourne le coin. Une camionnette blanche aux vitres teintées qui s'arrête un peu plus loin, met les pleins phares. Joachim est aveuglé.

C'est à peine s'il distingue deux hommes à l'avant. Une vitre s'ouvre.

— Tourne-toi ! Éteins ton téléphone, mets-toi face au mur et ne bouge pas ! lui crie un homme avec l'accent de Copenhague.

Joachim réalise qu'ils ont pensé à tout : à aucun moment il ne faut qu'il puisse les voir. La plaque d'immatriculation non plus, il ne peut pas la lire.

Il obéit. Se tourne face au mur, serre son sac encore plus fort. Une portière s'ouvre, des pas dans son dos. L'autre portière s'ouvre à son tour, deuxième série de pas à distance, le moteur de la voiture tourne toujours, Joachim entend le bruit d'une portière qui coulisse, puis deux personnes qui s'approchent vivement. Il bouge très légèrement la tête pour essayer de comprendre ce qui se passe.

— Reste tranquille ! aboie l'un des hommes tout près de lui. T'as éteint ton téléphone ?

— Oui.

L'homme trouve le téléphone en question dans la poche de Joachim. Vérifie.

Soudain, un capuchon s'abat sur sa tête, fait d'un tissu grossier qui lui gratte le front et le nez, et tout devient noir. D'instinct, il lève les mains pour l'enlever, mais il reçoit un coup brutal sur l'avant-bras droit, celui qui tient le sac de sport. Il lâche son butin en poussant un cri de douleur.

— T'as pas envie de savoir qui on est, je crois ! s'exclame l'homme sur un ton rude.

Joachim sent qu'on lui tord les deux bras dans le dos pour les presser l'un contre l'autre. Il devine une arête métallique froide et raide se refermant sur ses deux poignets. Des menottes. Ils lui ont passé des menottes !

— Allez, dit l'homme en lui donnant une bourrade dans le dos.

Joachim avance maladroitement sur quelques mètres puis, soudain, bascule en avant. Ses tibias ont cogné contre le rebord de la camionnette, on le pousse à nouveau dans le dos, il perd l'équilibre et s'étale à l'intérieur du véhicule. On lui soulève les jambes sans ménagement avant de refermer la portière. Peu après, le véhicule démarre et sort du parking souterrain.

Au début, et pendant un bon moment, Joachim ne bronche pas. C'est lui qui s'est fourré tout seul dans cette histoire. Il a même payé pour cela. Il se tortille jusqu'à réussir à s'allonger plus ou moins confortablement sur le côté, la tête posée sur un objet non identifiable. Tordus en arrière, ses bras lui font un mal de chien ; il doit bouger de temps à autre pour que le sang y circule. Il reste aux aguets. Essaie de déduire un maximum d'indices d'après ce qu'il entend. Pendant longtemps, le seul bruit perceptible est celui du moteur. Ils filent tout droit, à vive allure, dépassent d'autres voitures. Une autoroute ? Les deux hommes ne discutent même pas. Ou alors, la vitre d'isolation avec les sièges avant est très efficace.

— Hé, combien de temps on va rouler comme ça ? crie Joachim pour voir.

Pas de réponse. Les soubresauts de la voiture se propagent dans tout son dos, qui commence à s'endolorir. La camionnette ralentit. Sont-ils en train de tourner ? Joachim a l'impression qu'ils prennent un rond-point. Puis ils repartent tout droit, encore plus vite. À nouveau une grande route. Ils ralentissent, deuxième rond-point. Au troisième, Joachim se demande s'ils ne sont pas en train de faire des allers-retours sur la même portion de quatre-voies. Essaient-ils de lui faire croire qu'ils sont partis plus loin qu'ils ne le sont en réalité ?

— Hé, ho, vous êtes là ? Ça va durer encore longtemps ? reprend Joachim.

Toujours pas de réponse. Il ouvre et ferme les yeux mais, dans l'obscurité humide du capuchon, cela ne fait aucune différence. Que lui a-t-il pris ? Pourquoi s'est-il lancé là-dedans ? Il se répond à lui-même : parce que c'est ta seule chance. S'il n'en passe pas par là, jamais il ne découvrira la vérité à propos de Louise Andersen. La vérité à propos d'Helene, la femme qu'il a perdue, la femme dont le visage plane toujours devant lui en imagination. La peau fine de ses paupières fermées, le réseau de ses veines, les mouvements spasmodiques de ses yeux sous la peau, lui adressant comme des messages en morse. Il découvrira ce qui est arrivé à Louise. Il ne s'arrêtera qu'une fois qu'il le saura. Il se le promet.

*

S'est-il endormi ? La porte s'ouvre, des mains l'agrippent sans ménagement et l'éjectent quasiment de la camionnette. Il a les jambes tremblantes après ce long trajet. On l'entraîne, il trébuche, le sol est mou et accidenté sous ses pieds et les chauffeurs sont obligés de le soutenir sous chaque bras afin de le maintenir debout. Joachim renifle. Un courant d'air froid traverse le tissu du capuchon, tout moite sous l'effet de sa propre respiration. Il détecte une note fraîche, épicée. Des aiguilles de pin ? Et puis du sel ? Sont-ils au bord de la mer ou dans une forêt ? Dans une forêt au bord de la mer ? Ses chaussures butent contre un objet dur.

— Lève les pieds, ordonne l'un des hommes.

— On arrive à un escalier, ça va descendre, ajoute l'autre.

Joachim lève haut le pied, rencontre une surface dure, avance prudemment le second, trouve la marche un degré plus bas. Puis le sol. Du béton gorgé d'humidité. Une cave. À l'odeur, on ne peut pas s'y tromper. On lui ôte les menottes, puis le capuchon. Il entend la porte se refermer dans son dos, on fait jouer le verrou. Il se retourne tout de même. Ils sont sortis, il est seul.

Murs, sol et plafond, tout est en ciment brut et respire l'humidité ct le froid. Le long des murs, de grands chandeliers de fer plantés de bougies vacillantes. Il y a des crochets au plafond, de solides crochets, du genre de ceux qu'on utilisait avant dans les abattoirs, s'imagine-t-il. À sa droite, une table en acier, comme si une opération se préparait, ainsi qu'une longue rangée d'instruments, tous différents. Il détourne vivement les yeux. Trop tard, il a vu le sang séché. Éclaboussures sur la table, par terre. Incrusté depuis longtemps. Des quantités. Est-ce exprès qu'ils ne l'ont pas nettoyé ? Est-ce ça que veulent les clients ?

Le mur du fond est lisse, il a un style vaguement gothique. Les crochets semblent anciens – rien de moderne, on dirait plutôt du fer né à l'aube des temps, le jour où Dieu a façonné la misogynie dans la forge de la Création. Il l'a faite si forte, si solide, que jamais elle ne périra, jamais elle ne s'éteindra. Joachim l'a remarquée chez beaucoup d'hommes ces derniers temps, chez Gorm, chez les clients de la boîte de nuit, une haine profonde, intrinsèque, irrationnelle envers les femmes. Il pense à Ellen. Et à cette éditrice rachitique, comment s'appelle-t-elle déjà ? Charlotte Lund. Pourquoi lui reviennent-elles en mémoire maintenant ? Au fond, il le sait. C'est parce qu'elles éveillent quelque chose en lui. Un sentiment qu'il n'aime guère. Et dont il n'a pas envie d'admettre l'existence.

Contre le mur du fond, une table étroite couverte d'une nappe bordeaux tombant jusqu'au sol. Au-dessus, un grand miroir très large, convexe, comme un œil. Joachim a déjà vu cette sorte d'accessoire. C'est vénitien. En revanche, il n'en a jamais vu de cette taille. Un œil géant. Il s'approche, évite son propre reflet. Son attention a été attirée par des boîtes métalliques alignées sur la table. Elles sont ornementées d'un étrange motif sur le dessus. Il en ouvre une. Des tenailles. Dans l'autre, des aiguilles de différentes tailles. À côté de la table, dans un coin, un paravent à hauteur d'homme. Il est de fer noir, la même matière que les chandeliers, un réseau de fils très finement entrelacés. Il jette un regard derrière. Découvre un portant chargé de costumes. Des capes, des masques ne couvrant que le haut du visage. Tous de couleur sombre, en tissu épais et brillant. Joachim effleure un costume noir et moulant, un costume pour femme, autant qu'il puisse en juger.

Il entend la porte s'ouvrir, se retourne. Elle est si jeune. Si jeune, si mince. Maquillée de la même manière qu'à la maison close. Comme Mindy, poudrée de blanc, les yeux lourdement soulignés de noir, la bouche rouge. Mais ici, rien ne transparaît de sa beauté. La fille porte un soutien-gorge minuscule ; quant à sa culotte, ce ne sont que des fils qui courent sur ses hanches bien dessinées. Ses bas résille sont maintenus en place par un porte-jarretelles légèrement trop grand. Peut-être n'en existe-t-il pas à la taille d'un corps si menu. Le regard de Joachim est captivé par son nombril bombé.

Elle s'approche, chancelle sur ses talons trop hauts. Elle bouge drôlement, comme si elle n'était pas en rythme avec elle-même. Joachim serre les dents, se redresse. C'est maintenant qu'il faut agir. S'il veut apprendre quelque chose, il faut qu'il s'active. Il s'approche d'elle ; la fille s'immobilise, elle a les pupilles dilatées. À quoi s'attendait-il ? À ce qu'apparaisse devant lui une femme capable de lui raconter tout ce qu'il avait besoin de savoir ? Il fixe la fille droguée debout devant lui, la prend dans ses bras. L'étreint. L'embrasse sur le front. Bras ballants, elle le laisse faire.

Alors, il remarque une sensation singulière monter en lui : un sentiment nouveau, étranger. Une certitude qui le douche, le fait reculer d'un pas de sorte que la fille, surprise, tourne la tête, suit son mouvement avec un temps de retard. Joachim ressent de la colère, de l'amertume, de l'impuissance. Cette fille peut être sienne s'il le veut. Elle fera tout ce qu'il lui dira. Elle le fera. Joachim se détourne, déconcerté. Sa respiration s'accélère. Il ne se comprend plus. Il s'approche du coin où se trouve le portant, où est suspendu le costume noir. Il ferme les yeux. Il ne peut se débarrasser de l'image. Un corps de femme, attaché, cloué au mur jambes écartées, le visage hagard, la bouche béante, poussant des cris de douleur… Et lui. Où est-il dans cette scène ? Dans ce fantasme ? Que fait-il ?

Il ouvre les yeux, se force à regarder son reflet dans le miroir sur le grand œil convexe. Les rides, la barbe, la peau encore bronzée car c'est l'été. Des cernes sous les yeux. Les cheveux en bataille. Et les yeux. Ces yeux.

33

Helene attend que la nuit soit tombée pour mettre son plan à exécution. Son plan... Peut-être est-ce un grand mot. C'est du moins une idée : sortir d'ici, découvrir la vérité. Dans son sac, elle a la clé de la voiture, qui est restée garée devant le siège de l'entreprise. Pour le moment, elle va juste... Non, pas encore, pas avant qu'elle ait collecté les informations dont elle a besoin. Edmund l'a fait hospitaliser, l'a enfermée, a raconté aux médecins qu'elle constitue un danger pour elle-même, qu'elle invente des histoires, des noms. *Hirsch*. Mais il a aussi dit que les employés de Söderberg fréquentaient cet hôpital depuis toujours. Voilà ce qui a fait germer l'idée en elle. Le plan.

Elle a été entourée de médecins du matin au soir. Infirmières, visages aimables, questions inquiètes. Trop, presque ? Ils gardent un œil sur moi, se dit-elle. Voilà pourquoi ils sont constamment dans sa chambre. Pour s'assurer qu'elle ne disparaisse pas. Elle confond la plupart des têtes, mais il y en a une dont elle se souvient. Celle de Johan Iversen, un jeune médecin au visage allongé et aux tempes hautes. Il l'a interrogée mille fois sur les symptômes physiques qui ont précédé sa crise de nerfs. Il voulait qu'elle lui décrive ses sensations le plus précisément possible. Ce qui a donné lieu à quelques conversations interminables et embarrassantes, à la fois parce que Helene avait du mal à se concentrer, et parce que le médecin avait des problèmes avec l'ordinateur sur lequel il tapait les réponses de sa patiente. La session ouverte se bloquait sans arrêt.

— Je suis navré. Je suis vraiment navré, avait-il dit en rougissant la quatrième fois que cela s'était produit.

Il avait appelé une infirmière à l'aide pour changer les paramètres et éviter que la session ne se ferme automatiquement aussi vite.

L'infirmière avait souri à Helene – regard complice : « Ah, les hommes et la technique ! » Helene lui avait rendu son sourire, l'air un peu absent. Et c'est là que son plan s'était formé. Cela faisait des décennies que la famille Söderberg fréquentait cet hôpital privé, incontestablement le plus prestigieux du pays, ce qui ne l'étonnait d'ailleurs pas : elle avait bien remarqué qu'ici, dans l'Ouest, on n'accordait qu'une confiance très modérée aux opinions du Danemark de l'Est ou de la capitale. Cela valait aussi pour la considération dont jouissaient les hôpitaux publics. Pendant longtemps, cette clinique avait été un sanatorium où l'on venait soigner ses nerfs. Elle était aujourd'hui la possession de Söderberg Shipping et Edmund siégeait à son conseil d'administration. Or, dans un hôpital, tout était consigné dans des rapports d'analyses et des dossiers médicaux. On n'effaçait rien. Voilà, en gros, les éléments que le cerveau confus et paranoïaque d'Helene avait essayé d'assembler en pensées cohérentes.

Que savait-elle pour l'instant ? Elle savait que, peu de temps avant de disparaître, elle était passée à l'hôtel de Silkeborg, où elle avait demandé à voir un certain Hirsch. C'est Martin qui le lui avait dit.

Elle savait aussi que « Hirsch » était le nom d'un bateau appartenant à la firme. Les bateaux ne dorment pas à l'hôtel ; ce sont plutôt les êtres humains, d'habitude. Par ailleurs, ils sont souvent baptisés d'après le nom ou le prénom d'une personne – personne dont Edmund essayait visiblement de lui cacher l'existence. Helene n'était pas censée remarquer la vieille photo. Celui qui l'avait accrochée n'avait pas vu ce qu'elle y avait vu : les lettres quasiment invisibles sur le côté de la péniche, tout à gauche, pas loin d'être avalées sous la surface de l'eau. Non, la photo avait été choisie à cause de son père, qui y semblait si jeune et énergique. Si ça se trouvait, ce fameux Hirsch qui avait donné son nom à la péniche était passé par ce même hôpital, puisque tous les employés de Söderberg Shipping avaient la possibilité de s'y faire soigner ? Chacun tombe malade tôt ou tard. Auquel cas, il ou elle est répertorié dans la collection de dossiers médicaux.

Ce raisonnement allait-il trop loin ? Peut-être. Mais au moment où il avait été conçu dans le cerveau chaotique d'Helene, elle lui avait trouvé du sens. Voilà pourquoi elle s'était aussitôt lancée dans sa première phase : épier le mot de passe du médecin afin de pouvoir fouiller dans les archives si elles contenaient un Hirsch.

L'infirmière s'était penchée par-dessus l'épaule du médecin et ils s'étaient concentrés tous les deux sur l'ordinateur. Plusieurs minutes s'étaient écoulées, le réglage des paramètres leur ayant donné du fil à retordre. Tout, tout doucement, Helene avait déporté son corps sur le côté. Le nom d'utilisateur, elle l'avait déjà repéré. C'étaient les deux premières lettres du prénom puis du nom de famille du médecin. Johan Iversen, « JOIV ». Elle l'avait mémorisé. Quant au mot de passe, c'était un code à cinq chiffres. Il lui avait fallu de la patience, mais elle avait tenté sa chance et s'était penchée en avant. Victoire. 55039.

*

La nuit est tombée. Noir dehors, calme dedans. Allongée sur son lit, Helene attend que l'infirmière ait terminé sa ronde de nuit. Elle entend des pas dans le couloir. Ce sont ses sabots. La porte s'ouvre, une tête surgit dans l'encadrement. Helene a fermé les yeux, elle respire lourdement et régulièrement. La porte se referme, les sabots poursuivent leur chemin.

En une seconde, Helene est debout et se glisse jusqu'à la porte. L'ouvre prudemment, se faufile dans le couloir désert, que n'éclaire qu'une veilleuse. Elle franchit les quelques pas qui la séparent de la pièce d'en face, dont la porte est entrebâillée. Ici aussi, la lumière est tamisée. L'ordinateur est posé au milieu de la table. Helene appuie sur une touche, la fenêtre de connexion apparaît aussitôt. Ses doigts tremblent un peu. Nom d'utilisateur : JOIV. Mot de passe : 55039. Elle s'en souvient. Bien sûr qu'elle s'en souvient, elle n'a pensé à rien d'autre de toute la journée. Mais cela va-t-il fonctionner ? Un petit cercle bleu en rotation sur lui-même apparaît. Il tourne, tourne. Sans y penser, Helene porte la main à ses cheveux, enroule une mèche serrée autour de son doigt, tire – aïe. Enfin, le cercle s'arrête. Helene retient sa respiration. Un nouvel écran sur fond blanc s'affiche. Un champ de recherche. Et des lignes et des lignes d'entrées. Ce sont les dossiers médicaux.

Pendant quelques secondes, Helene reporte son attention sur le couloir. Y a-t-il des bruits ? Bruits de pas, bruits de voix ?

Ses doigts tremblent tellement que c'est à peine si elle arrive à taper les lettres qui ont pris tant d'importance pour elle : « Hirsch. » C'est la première fois qu'elle écrit ce nom. Elle appuie sur la touche « entrée » et le cercle bleu réapparaît. Il tourne long-temps avant de s'arrêter enfin. Le temps aussi. Helene flotte dans un vide insupportable, tout son être foca-lisé sur l'écran, dans l'attente de la réponse qui sera peut-être décisive pour la suite de son enquête. Enfin, l'ordinateur réagit et un message apparaît : « Votre recherche n'a donné aucun résultat. »

Une cruelle déception l'envahit. S'est-elle trompée en tapant le nom ? Elle revoit le masque de plon-gée de Martin face à elle, le mot qu'il y a écrit du bout du doigt dans la buée. Helene ne détache pas les yeux de l'écran. Elle a du mal à admettre que tout cela ne soit que le produit de son imagination. Soudain, elle entend des bruits de pas dans le couloir. L'infirmière s'approche, elle a terminé sa tournée. Il faut qu'Helene se dépêche de regagner sa chambre. Elle se lève, se dirige vers la porte, puis revient vers l'ordinateur. Qu'a-t-elle vu, là, tout en bas ? Il faut qu'elle le relise. Elle a beau entendre les pas s'approcher, elle se rassied, appuie sur une touche ; la fenêtre de connexion réapparaît. À toute allure, elle tape nom d'utilisateur et mot de passe, se mord la lèvre pendant que le cercle bleu tourne et tourne en rond. La porte s'ouvre.

— Qu'est-ce que vous faites ici ? demande une voix en colère.

La barre de recherche apparaît. Helene fixe l'écran, guettant la phrase entrevue.

— C'est du jamais-vu ! J'appelle le gardien, déclare l'infirmière, furieuse, en pressant au mur le bouton rouge de l'alarme.

Helene enregistre son geste du coin de l'œil tout en lisant la dernière phrase du résultat de ses recherches : « N.B. Les dossiers médicaux antérieurs à 1980 ne figurent pas dans cette base de données mais dans les archives papier. » Elle pousse un grand soupir, lève les yeux sur l'infirmière, qui continue à parler, mais Helene ne l'entend pas. Elle n'entend même pas ses propres pensées. Tout n'est pas fini. Il faut qu'elle trouve les archives papier. Il reste encore une chance.

34

Joachim fixe le miroir, essaie désespérément de se reconnaître dans l'homme dévasté qui s'y reflète. Est-ce vraiment ce à quoi il ressemble si on le dépouille de toute sa beauté ? Est-ce ainsi qu'il a toujours été ? Il repense à Louise, à sa Louise. À la lumière et à la vivacité qui sont toute son essence. Si elle le voyait ! Aurait-elle peur de lui ? De même que la jeune fille dans cette pièce ? Elle titube, c'est à peine si elle peut tenir debout. Elle a des cicatrices clairement visibles sur les bras, souvenir probable laissé par le fouet accroché au mur. Ou alors, quelqu'un lui a infligé des scarifications ? Joachim n'a qu'une seule chance, il le sait. Même si c'est sans espoir ou presque, il faut qu'il essaie. Il saisit le bras de la fille, lui murmure à l'oreille :

— As-tu entendu parler d'une femme qui s'appelle Louise ? Elle a disparu. Est-ce que tu sais ce qui lui est arrivé ?

Un éclat de surprise dans le regard de la jeune fille lui montre qu'au moins, elle a compris ce qu'il a dit. Elle garde les yeux obstinément rivés sur quelque chose derrière lui. Joachim pivote sur lui-même. Que fixe-t-elle ? Derrière lui, rien n'a bougé : le mur de ciment, le paravent dissimulant les costumes, la table au tissu bordeaux qui évoque un autel, le miroir. Il se tourne à nouveau vers la jeune fille.

— Louise Andersen ? reprend-il un peu plus fort. Est-ce que tu la connais ? Saurais-tu où elle est ?

Le regard de la jeune fille dérive. D'un coup, Joachim a un pressentiment. Quelqu'un les surveille. Le miroir. Il se retourne lentement, observe l'œil géant. Il y a quelqu'un de l'autre côté. Qui a vu toute la scène. Qui a vu qu'il n'est pas en train de faire ce qu'il serait censé faire. Qu'est-il censé faire, d'ailleurs ? Saisir un fouet et commencer à battre la pauvre fille ? L'attacher et la vider de son sang ?

Il la conduit vers le mur du fond, lui arrache sa culotte. Puis il saisit une cordelette noire qu'il noue à un de ses poignets. Il a des mouvements brusques mais elle n'oppose aucune résistance. Joachim attrape le solide crochet d'amarrage. Un outillage qu'on trouve d'ordinaire dans les ports ou les enclos à chevaux. Normalement, il est destiné à immobiliser des navires ou des animaux sauvages, pas des filles si chétives. Le nom de l'usine l'ayant produit est gravé dans le métal : Amager Jernfabrik. Joachim passe la cordelette à travers l'anneau de fer, l'y attache. Même procédure avec l'autre poignet. Voilà la fille bras écartés, tel un Christ prêt à se sacrifier pour les péchés de Joachim. Il regarde sa chatte. Rasée, pas un poil apparent, rien qu'une fente lisse. Rapide coup d'œil dans le miroir. Ils sont de l'autre côté, il le sait. Sont-ils en train de se branler ? D'attendre de voir une fille se faire à moitié tuer, voire se faire vraiment tuer ?

— Louise Andersen, souffle une nouvelle fois Joachim, saisissant le fouet accroché au mur.

Est-il vraiment obligé de faire cela ? Allez, rien qu'un coup pour le spectacle. Pour être crédible, leur montrer que ce n'est pas de l'esbroufe. Accomplir ce pour quoi il a payé deux cent cinquante mille couronnes.

— J'ai une question, chuchote-t-il juste avant d'armer le bras.

Il ne sait pas d'où cela lui vient, mais au moment où il abat le fouet, qui siffle dans l'air humide de la cave, il a l'impression de voir devant lui le visage d'Ellen. Il a visé juste. La fille pousse un gémissement de douleur. Intransigeant, c'est ce qu'Ellen disait. Il faut être intransigeant si on veut atteindre ses objectifs. Il donne un nouveau coup de fouet, plus appuyé, qui claque sur la fille. Ça y est, il l'a fait. Il entend dans les cris de cette femme l'écho de sa propre volonté. Il est prêt à tout. Il tire le fouet à lui, mais celui-ci s'est bizarrement coincé à l'intérieur de la cuisse. Joachim secoue le bras, la fille crie encore plus fort. C'est alors qu'il se rend compte qu'au bout se trouve un hameçon, un hameçon de bois. Le genre avec lequel on attrape le brochet ou les gros poissons de cet acabit. Le sang court le long des cuisses de la prostituée. Joachim s'approche, tente désespérément d'ôter le crochet, qui a creusé un sale trou dans la chair. Il n'arrive pas à libérer les ardillons.

— Merde, murmure-t-il.

Enfin, il a réussi. Il reprend ses esprits. Il est choqué par sa propre conduite. L'espace d'un instant, il reste paralysé de douleur en pensant à la vie que connaît cette jeune fille, qui se fait quasiment battre à mort une fois par semaine. Au même moment, la porte s'ouvre et les deux hommes de tout à l'heure font irruption dans la pièce, une cagoule noire sur le visage. On ne voit que leurs yeux.

— C'est pas moi ! s'écrie la fille d'une voix suraiguë.

— Laisse tomber, c'est qu'un simulateur, lui répond le premier en desserrant ses nœuds.

Joachim reste planté là, prend une profonde inspiration. Peut-être vont-ils pouvoir en discuter ?

— Écoutez. Je suis à la recherche d'une femme, explique-t-il.

Au même moment, un troisième homme emmène la jeune fille par la porte. Il pose un bras énorme sur son épaule et disparaît dans un couloir. Tout en lui est grand et gros, il a des cuisses énormes, un cou de taureau, ses pas sont pesants. Les deux hommes de la camionnette s'approchent vivement de Joachim, l'air menaçant.

— Qu'est-ce que tu veux, bordel ?

Joachim ne peut pas leur échapper. La dureté de leur regard est inquiétante.

— Je cherche juste Louise, répond-il pitoyablement, tout en essayant de garder l'œil sur les deux types à la fois car l'un d'eux s'est posté dans son dos. C'est important.

Il tente de trouver les mots pour parler d'amour, leur dire quelque chose qui pourrait les adoucir.

— Ça n'a rien à voir avec vous, c'est Helene qui m'intéresse…, murmure-t-il en essayant d'expliquer toute l'histoire.

Si seulement il pouvait faire en sorte qu'ils l'écoutent. C'est justement pour cette raison qu'il a commencé à écrire, il voulait s'expliquer, montrer au monde entier pourquoi il était devenu comme il était. Les enseignants toujours sur son dos à l'école, son père, jamais satisfait, qui l'accusait d'être un rêveur. Le vieux avait raison, Joachim *est* un rêveur, il s'interrompait toujours au beau milieu de sa tâche – quoi qu'il fît, mathématiques, travaux pratiques de chimie, corvée de bois avec son père… il décrochait. Il restait là, sa bûche dans les bras, à fixer les cercles dans le bois et à se demander quel âge avait l'arbre, ce qu'il pouvait avoir vécu. C'était donc pour se défendre qu'il avait commencé à écrire. Ses textes étaient la plaidoirie d'un rêveur. Voilà ce qu'il essaie de communiquer aux deux hommes cagoulés, une tirade dans ce goût-là. Il aime Helene, elle est la réponse à tous ses rêves, et à présent il ne sait plus où se tourner.

— Vous comprenez ? reprend-il à voix basse. Je cherche juste Louise.

Il a un homme devant lui, l'autre derrière.

— Je vous en supplie.

Alors coup de pied dans les jarrets, résolu, professionnel. Joachim tombe à genoux ; ça fait tellement mal qu'il pousse un cri et enfonce les ongles dans le sol dans un effort désespéré pour répartir la douleur.

— C'est pas ici qu'il faut venir chercher des disparues, ironise un des cagoulés.

Il oblige Joachim à mettre les mains dans le dos, lui passe les menottes, en serrant plus fort que tout à l'heure.

On lui enfonce à nouveau le capuchon sur la tête. Son tissu est encore imbibé par sa propre respiration désespérée. Il sent une main sur son épaule, on le soulève, le redresse, le conduit hors de la salle, dans l'escalier. Il lève les pieds, essaie de trouver les marches, reçoit une bourrade impatiente dans le dos.

— Allez.

Joachim trébuche, se cogne rudement le genou contre une marche. Le rebord de ciment transperce le tissu de son pantalon et du sang coule le long de sa jambe. Il respire vite, perd soudain tout sens de l'équilibre. Puis on lui saisit fermement le bras, on le projette presque en haut des dernières marches.

Les voilà de retour dehors. L'odeur de pins, le vent qui fait frémir les arbres. Ils le poussent devant eux avec impatience. Nouveaux bruits de portières.

L'une d'entre elles coulisse, on jette Joachim à l'intérieur. Il le sait à présent : il va mourir. C'est du
moins hautement probable. Ces gens n'accordent
aucune importance à la vie humaine. Peut-être tout
s'arrête-t-il là pour lui. Son dernier souhait, ce serait
de voir Helene… Une ultime fois.

35

Elle ne peut compter que sur elle-même. Elle ne peut se fier ni à Edmund ni à Joachim – qui l'a vendue, qui a vendu leur passé pour un million de couronnes. À partir de maintenant, il faut qu'elle soit forte, se dit-elle en dévisageant les personnes présentes. Le médecin est le dernier à avoir fait son apparition et, à voir son expression, c'est aussi le dernier à avoir envie d'être dans cette pièce. Il regarde ailleurs pendant que l'infirmière explique ce qui s'est passé, qu'elle a trouvé Helene devant l'ordinateur et que la patiente n'a pas voulu lui obéir. Celle-ci est d'ailleurs toujours assise au bureau, où elle se balance imperceptiblement d'avant en arrière.

— Je voulais juste voir si je pouvais me connecter à Internet pour ouvrir ma boîte mail, explique-t-elle.

L'infirmière lève les yeux vers le médecin. L'autorité. À lui de prendre la parole.

— C'est naturellement interdit, finit-il par dire. Les dossiers des patients sont protégés par le secret médical.

Helene acquiesce. Elle n'a qu'une idée en tête : les archives papier. Il faut qu'elle découvre s'il existe un dossier sur Hirsch. S'il existe ailleurs que dans sa tête.

— Nous allons vous remettre au lit, poursuit le médecin. Et puis il faudra que nous en parlions à votre mari. C'est mieux ainsi, n'est-ce pas ?

Elle réalise alors que ce n'est pas une question rhétorique. Il est vraiment en train de lui demander son avis. Il se tourne vers l'infirmière :

— Voudriez-vous raccompagner Mme Söderberg dans sa chambre ?

Puis, s'adressant au gardien :

— Vous pouvez retourner à l'accueil, nous n'avons plus besoin de vous, merci.

Helene se lève. Et, comme dans une scène au ralenti, elle voit chacun partir dans une direction différente : le gardien vers la porte, l'infirmière vers elle, bras tendus – le visage aussi –, le médecin vers le téléphone posé sur le comptoir, il sort la main de sa poche, lentement, tellement lentement, s'approche du combiné. Edmund ! Il veut appeler Edmund.

— Non, dit-elle d'une voix grave et autoritaire qu'elle ne se connaît pas.

Ils posent les yeux sur elle tous les trois. Helene serre tellement les mâchoires que ses tempes lui font mal.

— Vous n'appellerez pas mon mari.

La position dans laquelle le médecin s'est figé, la main sur le combiné, lui donne l'air coupable. Comme si c'était lui qu'on venait de prendre en flagrant délit.

— Euh…, dit-il.

Rien d'autre. Il rougit.

Helene a l'impression de voir l'expression de l'infirmière changer. Ou est-ce dans son imagination ? Si, elle vient de changer, de même que celle du médecin et celle du gardien. Ils ont *peur* d'elle, Helene en mettrait sa main à couper. C'est de la peur qu'elle lit dans leurs yeux, de la peur qu'elle entend dans la voix d'Iversen. Elle essaie de se représenter la manière dont ils la perçoivent. Mme Söderberg. Helene Söderberg, unique héritière d'un véritable empire, l'une des plus grosses fortunes du pays. L'une des femmes les plus puissantes du Danemark. Elle possède la majorité des actions de cet hôpital. Elle les possède, eux. Elle a du pouvoir sur leur personne, sur leur travail, sur leur avenir. D'un simple claquement de doigts, elle peut briser leur carrière. Voilà d'où vient leur malaise. Voilà pourquoi ils la craignent.

— Vous savez très bien qui je suis, lâche-t-elle à voix basse.

Elle pense à l'Helene qu'elle a vue, dans les enregistrements des caméras de surveillance, pénétrer d'un pas résolu dans le hall de l'hôtel. Une Helene forte, froide, dure. Cette Helene-là n'a pas besoin de parler trop haut, elle peut tout à fait se contenter de chuchoter, on l'écoutera.

— Et vous savez pertinemment que je peux vous faire renvoyer comme je veux. Si vous rapportez cet incident, je nierai tout. Je peux prétendre que je me sentais mal et que les médicaments m'avaient embrouillé l'esprit, je peux aussi me plaindre de la manière dont vous m'avez traitée. Si jamais je dis que vous vous êtes mal conduits envers moi, c'est mon témoignage qui prévaudra.

Elle marque une pause, qu'elle met à profit pour les regarder droit dans les yeux l'un après l'autre. Et savourer à fond le pouvoir qu'elle est en train d'exercer. Quelle délicieuse sensation que de se savoir obéie !

— Maintenant, vous allez me conduire aux archives papier, conclut-elle calmement.

*

Johan Iversen ouvre la marche, guide les autres vers l'escalier qui mène aux sous-sols. En bas, le médecin allume la lampe dans le couloir désert. Un néon blanc et capricieux illumine le troupeau pâle et renfrogné qui progresse lentement jusqu'au bout du couloir. Le médecin s'arrête devant une porte.

— Vous avez votre carte magnétique ? demande-t-il à l'infirmière.

L'infirmière glisse sa carte à travers le lecteur puis tape un code. Le voyant passe au vert et on entend un petit déclic. Helene, dans sa hâte, pousse la femme sur le côté, ouvre grand la porte, entre. Les archives. Enfin ! L'impatience lui consume la poitrine, lui ferait presque oublier la migraine qui lui déchire les tempes. Si seulement elle pouvait desserrer les mâchoires… Elle a les dents comme soudées ensemble.

Derrière elle, l'infirmière et le gardien se sont rapprochés l'un de l'autre et figés contre le mur. On dirait des otages. Helene se tourne vers le médecin, qui semble le plus raisonnable des trois.

— Je veux retrouver le dossier médical d'une personne du nom de « Hirsch », dit-elle.

Elle épelle le nom.

— De quand est-ce que ça date ? demande le médecin.

— Je n'en sais rien, répond Helene.

— Homme ou femme ?

Helene se contente de hausser les épaules, inspecte les longues rangées d'étagères métalliques qui se dressent devant eux. Du sol au plafond, des milliers de dossiers. Si jamais elle leur avouait qu'elle n'est même pas sûre qu'il y ait un classeur à ce nom, qu'il se peut même que cette personne n'existe que dans sa tête… Elle n'en démordra pas, Hirsch existe. Hirsch existe forcément, sinon… Sinon quoi ?

La question laisse un gouffre béant dans son cerveau. Sinon, elle devra regarder la réalité en face : elle est devenue folle.

Le médecin s'engage dans une rangée, l'air de savoir où il va. Helene lui emboîte le pas, se retourne pour vérifier que les deux autres sont encore là. Un simple coup d'œil lui suffit à comprendre qu'ils ne bougeront pas. Ils se sont résignés à la situation. Le médecin s'arrête face à une rangée de tiroirs, qu'il parcourt du début à la fin. Il progresse lentement car il lui faut passer en revue chaque dossier de chaque tiroir. Helene en ouvre un aussi et l'imite, parcourt une multitude de noms commençant par « Hi ». Une infinité d'historiques médicaux rédigés en pattes de mouche. Certains dossiers ne contiennent qu'une seule feuille, d'autres sont épais, des pages et des pages de descriptions de syphilis et de tuberculoses, de maladies d'un autre siècle, d'une autre époque. Helene avance vite, mais elle a peur de laisser passer le dossier, et à plusieurs reprises elle fait marche arrière. « Hicks, Arne. » A-t-elle bien lu ? Elle hésite. Était-il écrit « Hirsch, Arne » ? Retour en arrière. Non, non, c'est bien « Hicks ». Arne Hicks souffrait d'une leucémie, c'était dans les années 1940. Il en est mort, tout est allé très vite, pauvre homme. Helene continue ses recherches, ses doigts effleurent le fin papier des comptes rendus. Elle se coupe, lèche la goutte de sang qui perle à son index. Qu'il retourne là d'où il vient. Elle est sur le point de rugir de frustration. *Elle est si près du but.* Si près, mais il se peut qu'il n'en sorte rien. À chaque dossier médical qu'elle remet à sa place, ses battements de cœur ralentissent. Une chance de moins.

— Voilà, déclare le médecin, las, agacé, soumis, en lui tendant un dossier.

Il est mince.

Helene lâche les papiers qu'elle avait dans les mains ; ils s'éparpillent à ses pieds. Elle arrache presque le dossier des mains du médecin. Parcourt la première page. « Hirsch, William. » Son cœur s'accélère. Elle lit le dossier de bout en bout, dévorant avidement chaque mot. Enfin, elle va apprendre qui était ce Hirsch, enfin elle aura quelques certitudes. Tout en haut, sa date de naissance. 1918. Juif. Quand elle pense qu'on notait ce genre de détail à l'époque… Hospitalisé en 1937 pour une appendicite, opéré, tout s'est bien passé, il a été renvoyé chez lui. C'est tout. Helene revient en arrière, repart en avant, relit le formulaire contenant les renseignements personnels. Il était marié à Rosa Hirsch. William et Rosa ? Ces noms lui parlent-ils ? Éveillent-ils quelque chose dans sa mémoire ? Soudain elle découvre, un peu plus bas, parmi les renseignements à propos du patient : « directeur de la société Söderberg-Hirsch Shipping ». *Söderberg-Hirsch Shipping ?* Helene n'en croit pas ses yeux.

— Trouvez-moi Rosa Hirsch, ordonne-t-elle sans ménagement au médecin, accroupi à ses pieds pour rassembler les papiers qu'elle a laissés tomber par terre.

Elle garde les yeux rivés sur le dossier mais devine, aux bruits qu'elle entend, que le médecin lui obéit. Peu après, il lui tend un autre dossier. Helene feuillette rapidement l'historique de Rosa Hirsch. Un accouchement. Une fille. Plus tard, il est question d'une pneumonie. C'est tout.

Helene tient les deux dossiers entre ses mains et fixe, hypnotisée, les mots « Söderberg-Hirsch Shipping ». Comment est-ce possible ? Pourquoi n'en a-t-elle jamais entendu parler ? Tous les grands discours d'Edmund, ses louanges sur l'entreprise familiale, l'histoire de son père, Aksel Söderberg, qui a tout construit seul en partant de rien après la guerre. C'est toujours ce qu'elle a entendu dire. Jamais il n'a été question d'un second fondateur. Pourquoi ? Pourquoi aurait-on gardé secrète l'existence de William Hirsch ?

Le médecin l'interroge du regard. Helene se tourne vers les deux autres, toujours silencieux près du mur, dans l'expectative. Jusqu'ici, ils ont fait ce qu'elle leur disait, mais le temps est compté avant qu'ils ne changent d'avis. Qu'ils appellent Edmund. Ne lui administrent des calmants. Helene réfléchit à toute allure. Il faut qu'elle parte, bien sûr. Cela lui semble soudain clair comme de l'eau de roche. Il faut qu'elle quitte cet endroit, qu'elle quitte tous ceux sur qui Edmund exerce une influence. Fuir ses mensonges. Ainsi que tout ce qu'il lui cache.

Et puis il faudrait trouver quelqu'un… quelqu'un qui n'appartienne plus à l'entreprise mais qui la connaisse bien. D'un coup, Helene a une illumination : le vieil homme. Comment s'appelait-il, déjà ? Un nom à consonance suédoise ou islandaise… Gudmundson ! Membre honoraire du conseil d'administration, plus ou moins sourd – non, c'était la mémoire qui flanchait. Formidable, se dit-elle, comme ça ils seront deux. Avec de la chance, moins par moins donnera plus.

— Je veux sortir d'ici, annonce-t-elle au médecin.

Il ne faut pas qu'elle oublie son sac car il contient les clés de la voiture. Il faut aussi qu'elle reprenne ses vêtements de ville.

Depuis qu'ils sont descendus au sous-sol, le visage un peu chevalin du médecin s'est transformé. Disparue, sa nervosité, disparues, ses rougeurs. Il la regarde sans détour, en plissant légèrement les yeux. Il essaie sûrement de deviner ce qu'elle a en tête.

— Comment puis-je sortir le plus vite possible de ce bâtiment sans que personne le remarque ? lui demande-t-elle.

36

Il s'éveille en proie à la douleur. Mais elle est devenue son amie, et aujourd'hui il aurait du mal à s'imaginer la vie sans elle. Néanmoins, il n'aurait rien contre retrouver la vue. Il essaie de se redresser. Depuis combien de temps est-il là ? Une heure ? Un jour ? Un an ?

Dans la voiture, il s'est dit qu'ils allaient certainement le tuer. Au bout d'un long moment, ils se sont enfin arrêtés. Ils auraient pu s'épargner tout ce cirque de trajet alambiqué pour brouiller les pistes, Joachim n'aurait pas pu être plus désorienté qu'il ne l'était déjà. Ils l'ont tiré de la camionnette et l'un d'entre eux lui a susurré :

— On sait qui tu es, Joachim.

Et ils l'ont jeté par terre. Comme on jette une peau de banane par la fenêtre quand on roule sur l'autoroute. Avec détachement, sans mauvaise conscience. Eh bien quoi ? C'est biodégradable. Ils ont dû se dire la même chose pour lui. Un jour, il nourrira les vers de terre, qui à leur tour nourriront le blé et l'avoine, alors autant le jeter tout de suite après lui avoir collé une bonne rouste. *Et quelle rouste.*

— Putain.

Joachim se souvient encore du coup. Du premier, celui qui ne l'a pas assommé net comme dans les histoires de Tintin. Il a poussé un cri et, pendant quelques secondes, il s'est débattu. Instinct de survie. D'autres coups ont donc dû suivre. Car il a perdu connaissance.

— Putain.

Il ôte le capuchon. Seul. Nuit. Forêt. Il se palpe. Pas de sang. Juste une bosse, pile au même endroit que là où Gorm l'a frappé. Ça en endure, des choses, un crâne comme le sien. Le cœur, par contre… Lui ne supporte quasiment rien. Deux femmes ; une qui l'aimait trop, l'autre pas assez pour rester. Bon sang. Ça devrait pourtant être facile à surmonter. Mais non, c'est à peine si son cœur sait encaisser quelques égratignures quand son crâne supporte torgnoles et mandales. Il aurait préféré que ce soit l'inverse, mais il n'en est rien. Tant pis.

Il suit la route qui mène hors de la forêt. Kirke Hyllinge. Il ne manque pas grand-chose pour une bonne contrepèterie : Hyrke Kyllinge[1]. Mais d'où sort-il une idée pareille ? Ça doit être le coup sur la tête. Soudain, il réalise qu'il n'a rien. Il n'a pas réussi à avancer, cet épisode était une impasse. Jamais il ne retrouvera Louise Andersen, jamais il ne retrouvera de bonne histoire pour un roman, jamais il ne retrouvera l'amour.

*

Gare de Roskilde. Joachim allume son téléphone. Il le tient à deux mains pour en extraire les dernières

---

1. Petite bourgade danoise du Seeland. « Kirke » signifie église, et Hyllinge est un nom propre. « Kylling » c'est, littéralement, un poulet, et au sens figuré, une poule mouillée. (*N.d.T.*)

gouttes d'autonomie, telles les Égyptiennes essorant leur linge pour en exprimer l'eau du Nil. La batterie n'est plus chargée qu'à cinq pour cent. Peu importe. Il veut juste rentrer chez lui.

Chez lui ? Il n'a pas de chez lui. Tout ce qui l'attend, c'est un matelas dans l'appartement du fils de Gudrun. Demain, il mettra un plan au point. Partir. L'Afrique. Bien sûr. Remonter le Nil tout du long, depuis Suez jusqu'au Kenya. Il a envie de se baigner dans des eaux sales, de traverser la savane et d'offrir sa chair en pâture aux hyènes et aux lions, ses chevilles aux morsures des serpents, son sang aux moustiques porteurs de malaria. Peut-être les animaux seront-ils capables d'accomplir ce que ni Gorm ni ces psychopathes misogynes n'ont réussi jusque-là : en finir pour de bon avec lui.

Le train arrive. Il monte. Les quelques passagers à bord le dévisagent.

— Désolé, murmure-t-il, et il se lance à la recherche d'un compartiment fumeur, bien qu'il sache pertinemment qu'il n'en existe plus depuis longtemps.

Il s'assied. Laisse les visions d'horreur défiler devant ses yeux. Les filles. Maltraitées. Qu'elles soient enfants, adolescentes, adultes. Abîmées. Les hommes ne sont pas mieux lotis, c'est juste qu'on a plus de mal à éprouver de la compassion pour eux. Des hommes qui attachent des femmes, des cordes, du fer…

— Amager, chuchote Joachim, qui se fige.

Il y avait quelque chose de gravé dans les solides crochets, dans ces cercles de métal pensés en leur temps pour un tout autre usage, suspendre le bétail ou de lourdes charges, mais certainement pas des femmes.

— Fonderie d'Amager.

C'est bien ça. Le seul indice qu'il ait collecté. Il n'a vu aucun visage à part celui de la fille, n'a aucune idée de l'endroit où ils se trouvaient – en tout cas, ce n'était pas Hirke Kyllinge. En revanche, il sait que les crochets ont été fabriqués à la fonderie d'Amager. Et après ? Qu'est-ce que ça peut faire ? Encore un tour de sa cervelle d'écrivain, toujours à l'affût d'un détail. N'importe quoi qui puisse donner à l'histoire un côté per...

— Hé, mais... ! s'exclame-t-il, interrompant ses propres réflexions.

La dernière fois qu'il a vu Helene, au restaurant, il lui a dit que l'histoire résidait dans les détails. Ce à quoi Helene a répondu : « Comme le diable. » De quoi parlaient-ils ? Ah oui, de son sac à dos. Enfin, du sac à dos de Louise, la seule preuve matérielle en leur possession de l'existence de Louise Andersen. Joachim l'avait découvert au grenier et, dans le sac, ce ridicule sous-bock qui l'avait mené sur une fausse piste.

— Le fer, murmure-t-il.

Le fer au fond du sac. Le tissu lui avait donné la drôle d'impression d'être rouillé. Comme s'il avait séjourné dans de l'eau chargée en particules métalliques. Et cette fonderie, alors ? Joachim utilise les trois pour cent de batterie qui lui restent pour faire une recherche sur la fonderie d'Amager. Elle se trouve à sept kilomètres du centre-ville de Copenhague. Fermée depuis longtemps. Sur les photos que quelques explorateurs urbains ont mises en ligne, il en découvre les ruines. Elles existent toujours. Des pièces gigantesques, de grands fours, une architecture datant de l'époque où l'on moulait le monde que l'on connaît aujourd'hui. Quoi qu'il en soit, les ruines sont encore là. Il se lève. Où sont-ils ? Il consulte la carte du réseau ferroviaire. Encore vingt minutes jusqu'à la Gare centrale, constate-t-il en se postant déjà, impatient, à côté de la portière du train.

37

Il n'y a personne d'autre qu'Helene sur le parking devant Söderberg Shipping. Quelques voitures y sont garées, dont la sienne. Elle est venue à pied depuis l'hôpital en compagnie de l'aube. Que lui a dit sa secrétaire, déjà ? Qu'avant, elle était toujours la première arrivée. Elle ne se levait donc pas en même temps que ses enfants et partait avant que le reste de la maisonnée se réveille. Dans le but de veiller sur la fortune de son entreprise. La moindre couronne. Jusqu'à ce jour où tout avait basculé.

Helene prend le risque, traverse tranquillement le parking, ouvre la portière de sa voiture. S'assied. Son téléphone est dans le chargeur, exactement où elle l'a laissé. Elle l'allume. Ouvre son répertoire. Elle a tellement peu de contacts. Caroline, Christian, Edmund, Karen-secrétaire. Sofie n'a pas encore de téléphone, Edmund trouve que c'est trop tôt. Helene sélectionne celle qu'elle cherchait, appelle.

— Madame Söderberg, dit Karen d'une voix rauque.

— Je suis désolée si je vous réveille.

— Non, pas du tout, j'étais debout, répond Karen.

Helene sent bien qu'elle ment. Pourquoi ? Quel genre d'employeur attend de ses collaborateurs qu'ils soient disponibles à 5 h 30 du matin ?

— Karen… J'ai fait la connaissance d'un homme l'autre jour, pendant la réception. Gudmundson.

— Oui, Karl Gudmundson, répond vivement Karen.

— Il me faudrait son adresse.

*

Hvide Sande. « Sables blancs. » Comme c'est romantique. Le genre de nom de ville qui évoque des couples allongés dans le sable, la femme en robe, regards prudents mais enflammés jetés à l'homme dans l'ombre d'un chapeau d'été.

Helene roule vers l'ouest toute la matinée, laissant libre cours à ses pensées. Depuis les tableaux de femmes sur la plage par Krøyer jusqu'à Joachim. Elle pense au temps qu'ils ont partagé ensemble. À son corps, à sa voix, à sa manière de la regarder. À tout ce qu'elle a perdu. « Hvide Sande, 10 km », indique le panneau. Elle se range sur le bas-côté. Sort de la voiture, sent les larmes couler sur ses joues – son amour perdu. Est-ce le nom de la ville qui lui fait cet effet-là ? Ce nom de ville idiot ? « Sables blancs… » Tout le monde éprouve-t-il la même chose ? Les gens qui parcourent les rues de Hvide Sande pleurent-ils tous un amour perdu ?

Helene contemple le paysage balayé par les vents. Les plantations de sapins de Noël, dont beaucoup sont encore très jeunes ou déjà à l'état de souches. Combien d'années s'écoulent avant que les familles ne se rassemblent, main dans la main, autour d'eux ? Soudain, elle se met à hurler. De colère, de désespoir, là, par cette belle matinée dans le Jutland de l'Ouest, peu avant 8 heures. Cela fait tellement de bien qu'elle recommence. Elle rugit. Comment a-t-il pu effacer tout ce qu'ils ont vécu ? Compte-t-elle si peu à ses yeux ? Joachim l'a vendue, ce Judas, il l'a trahie. Il a vendu ses souvenirs d'elle et leur passé commun pour un million de couronnes. Elle pousse encore un cri. Tout est toujours une question d'argent.

Ça y est, ça va mieux. S'époumoner face à un champ de sapins de Noël l'a bien soulagée. Pendant le reste du trajet jusqu'à Hvide Sande, Helene garde un œil sur le rétroviseur. Elle est certaine que personne ne l'a vue quitter le parking. Néanmoins, une voiture la suit à une certaine distance, tellement loin derrière qu'elle n'en distingue que les phares. Peu importe qu'elle conduise vite ou lentement, la voiture est toujours là. Est-ce le même homme que celui qui l'a suivie au Himmelbjerget ? Est-ce sa secrétaire qui l'a dénoncée ? Edmund qui la traque grâce à son téléphone ?

Pour se rendre là où habite Gudmundson, elle traverse le centre-ville, parvient devant une maison de retraite. Vue sur mer, éternité. Elle se gare. Pas d'autres voitures en vue. Elle reste assise un moment, prise d'une subite envie de fumer. Comme c'est étrange. A-t-elle déjà fumé dans sa vie ?

*

Les odeurs de renfermé, on ne peut pas les ignorer. Avec les personnes âgées, c'est la même chose : elles ne sentent pas comme les personnes plus jeunes, c'est ainsi. Leur odeur évoque un peu à Helene la corbeille à fruits du café quand les pêches commençaient à être trop mûres. Elle et Lina avaient toujours des pêches à Christiansø. Elles s'en servaient pour faire du sorbet. Le dessert préféré de Joachim, le seul qu'il mangeait.

— Excusez-moi ? Je cherche Karl, dit Helene à une soignante en essayant d'avoir l'air habituée à prononcer ce prénom.

— Nous en avons plusieurs.

— Karl Gudmundson.

— C'est la dernière chambre. La seule avec un balcon, répond la femme en lui indiquant le fond du couloir.

Helene suit les flèches collées sur le lino jusqu'au bout. Elle frappe à la porte ; personne ne répond. Après un rapide coup d'œil par-dessus son épaule, elle entre. Il est allongé dans son lit. Peut-être est-il malade, au stade terminal, se dit Helene en s'approchant de lui. Elle fixe sa bouche ouverte, noire comme un four, dont il s'échappe un bruit infiniment las, une respiration qui lui rappelle un vieil harmonica rouillé, très grave, doublée d'un faible sifflement sous-jacent.

— Gudmundson ? demande Helene en lui touchant doucement le bras.

La porte s'ouvre dans son dos.

— Excusez-moi ?

Helene se retourne. Examine l'homme qui se tient dans l'encadrement de la porte. À en juger d'après son attitude, il ne s'excuse de rien du tout. Au contraire, il a un regard accusateur.

— Que se passe-t-il, ici ?

— Ce qui se passe ? répète Helene.

Elle se lève. Tend la main en un geste vieux de plusieurs milliers d'années destiné à sceller la rencontre entre deux inconnus. Mais pas pour lui. Il secoue légèrement la tête.

— Je suis Helene Söderberg, j'étais juste venue…

Il l'interrompt :

— Je sais qui vous êtes. Et ce n'est pas parce que votre père a payé un balcon à Karl que cela vous donne le droit de débarquer sans prévenir. C'est moi qui décide, dans cette maison.

Helene jette un coup d'œil vers le balcon, qui n'est pas spécialement beau. D'acier, froid. Est-ce son père qui l'a donné à Karl en récompense pour de nombreuses années de bons et loyaux services ? C'est à ce moment qu'elle la repère. En face du parking, une voiture avec un homme au volant. Helene est quasiment certaine que c'est le même que celui qui l'a suivie ce jour-là au Himmelbjerget. Le genre d'homme comme il en existe des milliers : veste coupe-vent, raie sur le côté, un vrai archétype. Que l'on peut employer à n'importe quoi, tenir la comptabilité, conduire un bus, installer des logiciels, se charger de filatures.

— Si vous voulez rendre visite à M. Gudmundson, il vous faut l'accord de sa famille.

— Ça ne prendra pas longtemps, assure Helene.

— Pour le moment, je vais vous demander de partir. C'est aussi simple que cela, déclare-t-il avec son accent de Copenhague.

Les Söderberg se font peut-être respecter dans le Jutland, mais lui ne se laisse pas impressionner par le nom de famille d'Helene. Ou alors, quelqu'un a prévenu Edmund.

— Je viens de me mettre d'accord avec la fille de Karl, dit Helene en souriant.

— Je... Je... Je ne suis pas au courant de cela.

— Dans ce cas, appelez-la, propose Helene. À présent, si vous voulez bien m'excuser, Karl et moi voulions discuter tous les deux.

Elle s'avance vers le directeur. Lève un sourcil. Le pouvoir. Le directeur sort dans le couloir. Marmonne une vague phrase comme quoi il va immédiatement essayer de joindre la fille de Gudmundson, mais

Helene n'en entend pas plus. Elle a fermé la porte. Pas de serrure. Elle place donc une chaise sous la poignée tout en se demandant si c'est bien utile. Après quoi elle retourne au pied du lit, au chevet de l'homme qui a participé à la fondation de l'entreprise et connaît son histoire mieux que personne sur la Terre. Selon Edmund, Gudmundson a été le bras droit d'Aksel, ou a occupé une position similaire.

— Karl ? appelle-t-elle d'une voix forte à son oreille.

Le vieux ouvre les yeux et la regarde.

— Karl, vous souvenez-vous de moi ? demande-t-elle doucement.

Le vieil homme ne répond rien. Il a le regard embué, couvert d'un voile. Sa bouche commence d'emblée à s'activer mais il garde les lèvres fermées, exactement comme quand elle l'a rencontré la première fois sur la terrasse. On pourrait interpréter ce geste de bien des manières. Une faim jamais rassasiée ? Un sein maternel auquel on l'aurait trop tôt arraché ? Helene examine les murs, dont le moindre centimètre est couvert de photographies jaunies dans des cadres sombres, de gravures sur cuivre de paysages étrangers – déserts avec chevaux, citadelles devant lesquelles de petits commerçants arabes ont étalé épices, noix et fruits sur de splendides étoffes à motifs. Les rebords des fenêtres sont eux aussi envahis. Lampes à huile, chandeliers anciens. Le sol est jonché de tapis véritables qui se chevauchent les uns les autres, formant une mosaïque d'ornements. Peut-être a-t-il beaucoup navigué pour le compte de Söderberg quand il était jeune. Et ramené un peu de l'Arabie heureuse jusque dans le Nord glacial.

— Karl ? répète Helene.

Il la regarde, bouche tremblotante.

Helene examine la pièce. Y a-t-il quoi que ce soit qui puisse lui être utile ici ? Des traces de sa carrière professionnelle, de l'entreprise pour laquelle il a travaillé toute une vie ? Elle s'approche de l'étagère, passe en revue les titres des livres. Lexiques, ouvrages de référence, dictionnaires. Et puis, tout au bout, trois livres sans titre sur le dos. Helene s'accroupit, les tire de là, en ouvre un ; le feuillette rapidement. C'est un album consacré à Söderberg Shipping. Coupures de journaux, photos, tout est méticuleusement découpé et collé. Et tout tourne autour de Gudmundson. Le genre d'album que se compose un père ou une mère une fois que l'enfant a quitté le nid familial. Sous chaque coupure, une date et un lieu sont inscrits au stylo à bille bleu, d'une écriture penchée, bien lisible. Sous les photos, les noms des personnes. Helene tourne les pages. La seconde moitié du livre est vierge. Rien que des pages blanches. Là s'arrête l'histoire de Karl Gudmundson. Helene saisit le deuxième livre. Des photos des années 1960 et 1970 ; aucune des tout débuts de l'entreprise. Elle ouvre le troisième. Tourne les pages avec avidité, scanne les photos des yeux à toute allure. Rien. Elle pousse un soupir. C'est si difficile. C'est une tâche pour la police, pas pour un individu seul.

— Bon, murmure-t-elle pour elle-même avant de recommencer depuis le début.

Cette fois, elle examine chaque photo avec attention. Avant guerre. Quand ils ont commencé avec une simple péniche, le père d'Helene et un autre jeune homme, peut-être William Hirsch ? Et puis un gamin qui se tient un peu en retrait. Est-ce Gudmundson ? Il y a aussi un petit article de journal sur du papier passé, froissé. Helene le déplie. C'est un communiqué annonçant la création de l'entreprise

Söderberg-Hirsch Shipping. Söderberg-Hirsch a donc existé en tant qu'entreprise, cela ne fait plus aucun doute. Helene n'est pas folle. Elle étudie la photo de celui qui est donc William Hirsch. N'y a-t-il pas quelque chose de... d'étonnamment familier en lui ? Helene parcourt des articles sur les mariniers, les tourbières et les briqueteries installés le long de la rivière Gudenåen expliquant la manière dont cette voie maritime a pris de l'importance jusqu'à devenir le principal canal fluvial de la région servant au transport des marchandises et des passagers. Helene trouve des photos du chemin de halage le long de la rivière. Visages durs et crasseux de travailleurs ; avec le temps, ils se font plus détendus, pas loin d'être souriants. Mais pas au début.

À la page suivante est collée une photographie de deux hommes devant un singulier bâtiment. Pas celui qui constitue aujourd'hui le siège de l'entreprise, mais les premiers locaux. Posant devant, ses deux fondateurs. Le voilà donc, son père, Aksel Söderberg. Une expression de dureté dans les yeux, un large nez qui s'accorde mal avec ses sourcils fins. À côté de lui, William Hirsch. Leurs noms sont indiqués sous la photo. Hirsch est peut-être un peu plus âgé que le père d'Helene. Tous deux ont l'air sûrs d'eux, presque arrogants. Helene continue à feuilleter l'album. Coupures de journaux tirés du *Silkeborg Avis* local, papiers jaunis. Pour une raison ou une autre, Gudmundson a inséré un petit entrefilet à propos d'un avion américain entré en collision avec un pylône de ligne à haute tension à New York. Tous ses passagers sont morts. Peut-être y avait-il à bord quelqu'un qu'il connaissait ? À la page suivante, il figure en photo dans l'article présentant la jeune entreprise en pleine ascension.

Helene continue à tourner les pages. Son excitation est perceptible jusque dans sa respiration. Pourquoi Edmund lui a-t-il caché l'existence du second fondateur de l'entreprise ? Pourquoi William Hirsch a-t-il été maintenu dans l'ombre ? Elle voit défiler des dizaines d'articles sur cette nouvelle et ambitieuse entreprise, ce duo fracassant. Puis – d'une page à l'autre – William disparaît. Le nom de Hirsch est escamoté. Ne restent que son père et Karl Gudmundson. Et Söderberg Shipping. Helene tourne les pages en avant, en arrière. Ici il y a encore William. Là, il n'y est plus. Que s'est-il passé ? Autant qu'Helene puisse en juger, c'était vers la fin de la guerre.

Elle s'approche du lit, tend l'album pour que Gudmundson puisse le voir.

— Karl, insiste-t-elle. Qu'est-il arrivé à William ?

Karl baisse les yeux, regarde les pages qu'Helene lui tient sous le nez ; le sillon inquiet entre ses sourcils se creuse. Helene tourne les pages dans une tentative de réactiver sa mémoire amochée. William est sur la photo, William n'est plus là. Le vieil homme pose un regard amical sur Helene. Il n'a aucune idée de qui elle est. C'est maintenant qu'elle doit tenter sa chance. L'amnésie d'Helene et la sénilité de Gudmundson. Moins par moins. Il faut que cela donne plus. Or, Helene entend quelqu'un essayer d'ouvrir la porte. Pour l'instant, la chaise l'en empêche, mais elle ne résistera pas longtemps.

— Ouvrez ! crie-t-on de l'autre côté – c'est le directeur des lieux.

Helene se lève.

— Caroline ? demande soudain Karl.

Il tend la main, caresse Helene sur la joue du bout de l'index. Geste si inattendu, si doux.

— Caroline ? répète vivement Helene.

Elle lui saisit impétueusement la main, la serre fort.

— William…

La voix de Karl est faible, il s'interrompt, cligne à nouveau des yeux.

— Ils étaient juifs, murmure-t-il avec dureté.

— Si vous n'ouvrez pas, j'appelle la police ! hurle le directeur dans le couloir.

Gudmundson regarde à nouveau la photo. Helene lui presse la main, se cramponne à lui.

— William Hirsch était juif, répète Helene. Les Allemands l'ont-ils pris ?

Karl hoche la tête, mais Helene a l'impression qu'il acquiescerait à n'importe quoi rien que pour avoir la paix. Elle revient rapidement à une photographie datant, à vue de nez, des années 1940. On dirait une photo de groupe rassemblant tous les employés de l'entreprise. À l'époque, ils n'étaient que quinze personnes tout au plus. À côté de William, une femme. Elle se tient droite et semble parfaitement consciente qu'elle rayonne. Élégamment vêtue, les cheveux lâchement relevés, une main sur le ventre. Enceinte.

— Est-ce Rosa ? La femme de William ?

Karl acquiesce. Helene hésite. Acquiesce-t-il à tout ?

— Karl, sommes-nous en Chine ?

Il lève les yeux sur Helene, déconcerté. Très bien, il a encore un peu les pieds sur terre. Enfin, un tant soit peu.

— Pas en Chine. En Amérique, dit-il. Ils se sont enfuis…

— En Amérique ?

Il la dévisage, penche la tête sur le côté.

— Rosa ?

Helene pousse un soupir, elle voit bien qu'il est reparti loin dans ses souvenirs. Il feuillette l'album, murmure des propos incohérents. Elle lui lâche la main avec précaution. Se lève. Les yeux de Karl se révulsent. Helene reprend doucement l'album, contemple la photo des employés. Elle reconnaît son père, se reconnaît elle-même dans son visage. Elle regarde William. Puis Rosa, enceinte. Que s'est-il passé ensuite ? Se sont-ils enfuis en Amérique pendant la guerre ? Elle devine quelque chose de familier là-dedans. Qu'est-ce donc ? Helene réfléchit. Elle est certaine que c'est la première fois qu'elle tombe sur une photo de la famille Hirsch. Tous les albums, que ce soit chez elle ou au bureau, ont été expurgés. Il y avait même une page arrachée. Quelqu'un, probablement Edmund, a soigneusement effacé toutes les traces de Hirsch. Pourquoi donc a-t-elle l'impression de les reconnaître ? William. Non, surtout Rosa. Son visage. Son attitude. Sûre d'elle. Et puis, pour quelle raison Gudmundson a-t-il parlé d'une certaine Caroline ? Comme ça, sans lien apparent avec quoi que ce soit…

Gudmundson s'est enfoncé dans son propre monde. Helene pose une main sur son épaule, il lui sourit aimablement.

— Ouvrez ! répète-t-on dehors.

Helene s'approche de la porte, dégage la chaise, complètement coincée ; la partie supérieure de l'accoudoir a été endommagée par la poignée. Ou, plus exactement, par les tentatives hystériques du directeur de pénétrer dans la chambre. Quand elle lui ouvre enfin, il la fusille du regard.

— Tout va bien, dit-elle. Il y avait juste un problème avec la porte.

Il aurait envie de l'étrangler, mais n'ose pas.

Tout va bien. Non, tout ne va pas bien. Helene sait pourquoi Rosa, cette femme certainement morte depuis longtemps, lui évoque quelqu'un. Elle reconnaît ses traits. Le physique juif, les mâchoires, les cheveux. Elle ressemble à la femme qui s'occupe de ses enfants. Ce nom. Ce visage. Cette posture. Caroline Hirsch, qui a fui avec sa mère aux États-Unis. Et à présent, elle habiterait sous le toit d'Helene ?

38

Le panneau est de travers. Le portail, fermé par une grosse chaîne qui fait plusieurs fois le tour des montants et dont les deux extrémités sont scellées par un cadenas aux dimensions démesurées. Le grillage qui entoure la propriété est troué et s'est effondré en plusieurs endroits. Cela doit faire longtemps que la fonderie est désaffectée. Joachim passe par un trou de la clôture, gémit en se penchant en avant. Son dos lui fait mal.

Comme il n'a pas trouvé de bus pour venir depuis la place de l'Hôtel-de-Ville, il a fini par y aller à pied, le col remonté jusqu'aux oreilles, trempé jusqu'aux os, grelottant de froid. Il a traversé tout le quartier de Christianshavn jusqu'à arriver à Amager. Il est passé devant le parc Kløvermarken et a suivi les rails désaffectés de l'ancienne ligne Amagerbanen, marchant en équilibre sur les traverses jusqu'à ce qu'enfin il trouve le bâtiment ayant autrefois abrité la fonderie Amager, qui n'attend sûrement plus aujourd'hui que d'être démolie ou réhabilitée en appartements chic que l'on privera de leur caractère historique.

Joachim s'immobilise, tend l'oreille. C'est le matin. Il n'entend rien d'autre que la pluie. Prudent, il commence par faire tout le tour de l'édifice. La nature a repris ses droits parmi les plaques rouillées et les blocs de ciment disséminés çà et là. Il pénètre à l'intérieur du bâtiment par l'arrière et se retrouve les pieds dans une flaque d'eau sale. Des gouttes froides atterrissent dans ses cheveux, lui dégoulinent le long de la nuque. Joachim avance de quelques pas. Il devine un escalier qui monte. Une porte qui s'ouvre sur une grande pièce vide. Un couloir, plusieurs embrasures de portes béantes.

Il remonte prudemment le couloir, jette un coup d'œil dans chaque pièce. Des cavités carrées, des trous à l'endroit où il devrait y avoir des fenêtres. Puisque tout a été dégagé, impossible de deviner quelles étaient leurs fonctions antérieures. Ateliers ? Bureaux ? Soudain, Joachim s'immobilise. Est-ce un bruit qu'il vient d'entendre ? Comme un écho, du métal cognant du béton. Il attend. Silence. Il poursuit, passe devant une autre pièce. Ici, les trous des fenêtres sont bouchés. Quelqu'un y habite. Dans le coin, un matelas. Joachim entre, enjambe prudemment amoncellements de détritus, bouteilles vides, mégots de cigarette, emballages, cartons à pizza, journaux froissés, piles de publicités, les restes d'un feu. Il s'accroupit, pose une main sur le matelas avant de la ramener vivement à lui. Il est baveux, taché d'humidité. Ça ne fait pas longtemps que son propriétaire l'a quitté. Un sans-abri. Bon. Cela vaut toujours mieux de dormir ici qu'en pleine rue ou dans un parc. Louise habite-t-elle, a-t-elle habité ici ? Peut-être en compagnie d'Helene, après avoir fui Silkeborg ? Joachim a du mal à s'imaginer sa Louise à lui dans cet endroit. Peut-être était-ce plus agréable il y a trois ans.

Il atteint le bout du couloir, se retourne ; on peut encore monter. Soudain, il découvre deux yeux noirs.

Devant lui se tient un homme dont il devine à peine la silhouette. Joachim recule de quelques pas et, avisant un objet traînant à ses pieds, se baisse vivement. Il le saisit à deux mains, mais le métal est ancré au sol. Il tire de toutes ses forces et manque de partir à la renverse quand le métal cède. Quelque chose de pointu, un clou ou une vis, lui pénètre dans la paume. Il lève la barre de métal au-dessus de sa tête, pousse un beuglement. La créature devant lui recule, les deux mains tendues devant elle.

— Qu'est… Qu'est-ce que tu fais ? bredouille-t-elle.

Joachim baisse les bras. L'homme s'est arrêté dans la vague lumière d'une ouverture. C'est un pauvre hère qui a eu encore plus peur que lui. Le type a la bouche ouverte, il lui manque les deux dents de devant. Les rides profondes qui partent des ailes de son nez pour rejoindre les coins de ses lèvres sont incrustées de saleté. Ses cheveux pendent en touffes épaisses sous son bonnet bleu, bien enfoncé sur sa tête.

— Qu'est-ce que tu fais, *toi* ? demande Joachim. Pourquoi tu t'es glissé dans mon dos comme ça ?

Il regarde sa main. Il saigne, mais ça va encore.

À son tour, l'homme laisse tomber les bras. Un coin de sa bouche se relève en une grimace que Joachim n'arrive pas à interpréter.

— T'as rien à faire ici, dit l'homme.

— Je cherche quelqu'un. Louise Andersen. Est-ce que tu la connais ?

— Ben, il y a pas mal de nanas qui sont passées ici.

— Vous êtes plusieurs à habiter là ?

— Peut-être bien. C'est pas comme s'il y avait une réception pour que tu puisses réserver ta chambre.

L'homme a une attitude insolente d'adolescent qui jure avec son apparence physique. Quel âge peut-il bien avoir ?

— Qu'est-ce qu'il y a en haut ? reprend Joachim.

— Les fours. Faut pas monter.

— Pourquoi ?

— À cause de l'odeur, répond le sans-abri.

— L'odeur ?

— On jette les poubelles dans les fours.

Joachim regarde autour de lui. Il n'a pourtant pas l'impression qu'ils se donnent la peine d'aller jeter les poubelles très loin.

— T'as du fric ? Des clopes ?

Joachim fouille ses poches, sort son portefeuille tout en surveillant l'homme, qui fixe avec cupidité son liquide et ses cartes de crédit. Joachim n'aurait peut-être pas dû lâcher la barre de fer. Ni montrer à l'autre le contenu de son portefeuille. Et merde, à la fin. L'argent, ce n'est pas ce qui lui manque : il vient de lâcher un quart de million. Il tend au sans-abri tout son liquide, un billet de cent couronnes plus de la monnaie.

— Je ne fume pas, dit-il.

L'homme empoche le tout avec satisfaction et sort dans le même mouvement un paquet de cigarettes froissées, en allume une avec un briquet plaqué or. Puis il passe tranquillement dans la pièce d'à côté. Joachim prend une profonde inspiration, essaie de calmer un peu ses battements de cœur. Il retourne vers l'escalier, qu'il commence à grimper. La lumière du matin tente de se frayer un chemin à travers les petites craquelures des fines plaques qui recouvrent les fenêtres. Joachim fait quelques pas circonspects. S'approche du bord d'un trou. Un cratère. Le sans-abri a raison, l'odeur est infecte. Il poursuit jusqu'au dernier étage, une grande pièce dans laquelle se dressent de solides piliers de béton.

Au milieu, une porte grillagée. On ne peut pas voir où elle mène. Joachim secoue rudement la poignée, s'arc-boute avec les pieds, mais elle est coincée. Il lui faut un instrument pour l'ouvrir. Un pied-de-biche. Essoufflé, il parcourt la grande pièce, fouille du pied les tas d'ordures. Enfin, il rencontre un objet dur. Il se penche et repêche un tuyau métallique d'un mètre et demi de long. Cette fois, il fait plus attention, tâte prudemment le tuyau pour éviter de se couper. Il considère la porte. Il faut qu'il réussisse à l'ouvrir. C'est sa dernière chance. Il veut voir ce qu'il y a derrière. Il introduit le tuyau dans l'étroite ouverture entre la porte et le chambranle et appuie de tout son poids. Il entend un craquement et sent la pression qu'il exerce prendre peu à peu le dessus sur la résistance que lui oppose le grillage. Qui cède, lentement, lentement. Enfin, la porte s'ouvre en crissant. Joachim s'avance et une exhalaison le frappe au visage. Douceâtre, écœurante, insupportable. Il jette un œil à l'intérieur. Plus exactement, en bas. C'est tout simplement une cage d'ascenseur. Le soleil du matin éclaire le fond du puits. Il doit y avoir une autre porte en bas, ouverte. Par où est passée une grande famille de pigeons.

Joachim ressort du bâtiment, inspire avidement l'air frais. Il est soulagé de s'être fourvoyé, d'avoir perdu son pari. Louise Andersen n'est qu'un fantôme. Une idée fixe dans sa tête. Il le reconnaît enfin. Il en va peut-être ainsi de nous tous, songe-t-il ; l'amour n'est qu'un concept, un idéal, une chimère que nous poursuivons sans cesse mais qui n'existe pas dans la réalité. Ce n'est pas une chose qu'on peut rencontrer en un autre être humain. Joachim croyait l'avoir trouvé, mais cet amour était basé sur un mensonge, sur le fait qu'ils ne parlaient pas trop ni du passé ni de l'avenir. C'est la même chose pour chaque relation amoureuse : mieux vaut éviter la réalité. Éveilles-tu le désir chez d'autres, as-tu envie d'aller voir ailleurs, m'aimerais-tu encore si je tombais malade ? Toutes ces questions auxquelles on ne peut répondre honnêtement si l'on veut pouvoir entretenir l'idée stupide du véritable amour. Voilà à quoi réfléchit Joachim en reprenant le chemin du centre de la capitale. Il est soulagé. Prêt à laisser tomber. Bon, il a de l'argent sur son compte et il a vécu deux ans et quatre mois de grand amour, c'est davantage que ce que vivent la plupart des gens. Maintenant, il va partir en voyage...

Soudain, il s'immobilise. Se retourne pour regarder l'usine, ombre noire qui fait barrage au matin.

— Arrête, maintenant, se dit-il.

Mais c'est comme si son corps et sa volonté ne parlaient plus le même langage. Il n'a pas inspecté le fond du four. Cet énorme creuset dans lequel les crochets de fer ont été produits, ceux qui sont aujourd'hui fixés dans une répugnante chambre de torture souterraine quelque part dans le Seeland.

Il monte les marches comme s'il était un habitué des lieux. Croise le sans-abri. Celui-ci est paisiblement allongé sur son matelas, en train de fumer une cigarette, et lance un regard accueillant à Joachim en le voyant pénétrer dans la pièce.

— Tu veux emménager ou quoi ? C'est ma piaule, ici.

— Faut que je t'emprunte ton briquet, répond Joachim avec impatience.

L'homme le sort de sa poche.

— Tu me le rends, hein.

Joachim remonte l'escalier, attrape en route quelques journaux gratuits sur le dessus d'une grosse pile entassée au sol. Il s'arrête face au cratère. L'odeur est immonde. Pire que de simples ordures. Il froisse quatre pages de journaux en une boule à laquelle il met le feu, puis il la brandit au-dessus du trou noir béant. Le papier journal brûle vite, Joachim est obligé de le lâcher. La boule de papier se désagrège en petites étincelles qui descendent lentement et atterrissent, encore incandescentes, au-dessus et autour de ce qui gît au fond. Ce qui était autrefois un être humain qui vivait, qui respirait. Avec un cœur qui battait et des yeux qui voyaient. Ses bras sont écartés, le dos tordu, les jambes étirées en arrière dans une position totalement forcée, la tête basculée vers le ciel ; elle n'a plus de peau, plus d'yeux, trous noirs, presque rien qu'un crâne. Sans les longs cheveux sombres, Joachim aurait eu du mal à reconnaître là une femme.

39

Caroline est-elle la fille de William Hirsch ? Cette pensée obsède Helene tout le long du trajet depuis Hvide Sande jusqu'à Silkeborg. Pourquoi ne l'a-t-elle pas dit ? Comment a-t-elle trouvé le moyen de pénétrer jusqu'au cœur de sa famille ? Cette femme belle, douce, effacée ?

Helene se gare dans la rue. Reste assise un moment derrière le volant. Ni la voiture d'Edmund ni celle de Caroline ne sont en vue. Il y a du bruit dans l'écurie. Elle monte les marches jusqu'au perron, passe dans l'entrée. Le silence y règne. Elle se hâte de gagner l'aile des invités et remonte le long couloir jusqu'à la porte de Caroline. Elle est déjà venue y frapper pour lui faire une commission, mais elle n'a jamais été invitée à entrer. Caroline s'est toujours contentée de lui répondre par la porte entrebâillée. *Que cache-t-elle ?*

La porte est fermée à clé. Une porte fermée dans sa propre maison ! Des secrets, des tabous passés sous silence. Non. Elle refuse que les choses en restent là. Helene pose l'épaule contre la porte, essaie de donner un petit coup. La porte ne cède pas. Mais la serrure est du même type que toutes les autres de la villa, et il ne faut pas longtemps à Helene pour revenir avec la clé des toilettes. Ça marche. Elle baisse la poignée. La porte s'ouvre sans difficulté et Helene pénètre dans ce qui ressemble à un appartement privé. Deux salons en enfilade, une chambre, une salle de bains carrelée avec baignoire. Caroline Hirsch. Est-ce son vrai nom ? Helene s'avance d'un pas résolu vers la commode, ouvre tous les tiroirs, les fouille de manière systématique, efficace. Rien. Elle inspecte les placards, considère, vaincue d'avance, les longues rangées d'ensembles sur cintres et dans les étagères. Va-t-elle vraiment tout passer au peigne fin ? Oui. C'est son droit. Elle jette les vêtements par terre. Corsages, foulards, vêtements de vieille dame, le genre de tenues que l'on met lorsqu'il ne s'agit plus d'être attirante et jolie, lorsque le pratique l'emporte sur l'esthétique.

Helene l'entend avant de le voir car l'objet atterrit par terre avec un bruit discret. Une boîte à bijoux. Elle la ramasse. L'agite. Il y a quelque chose à l'intérieur. Une fois de plus, elle n'a pas la clé. Elle descend l'escalier, passe dans la cuisine. Essaie d'abord de fracturer la boîte avec la lame d'un couteau, réussit à la glisser entre le bas du coffre et le rabat. Le couteau cède, plie. Helene se fait un mal de chien aux doigts. Elle essaie avec un fusil à redresser les couteaux, en martèle le minuscule coffre. Sous l'effet de la frustration, elle commence à cogner violemment le coin de la boîte, à la détruire littéralement. Elle exige des réponses.

— Excusez-moi ? Que faites-vous avec ma boîte à bijoux ?

Helene lève les yeux. Elle est là. Caroline. L'air affolé.

— Vous avez la clé ?

— Je n'ai aucune intention de…

Helene l'interrompt d'un cri :

— Donnez-moi la clé !

Caroline ne réagit pas. Helene poursuit donc, cogne encore trois fois et voilà, une fissure apparaît, assez grosse pour qu'elle puisse y introduire le fusil à couteau. Sans lever les yeux sur Caroline, elle continue mais, la serrure n'ayant pas complètement cédé, elle essaie plutôt d'en faire sortir le contenu. Une chaîne.

— Elle est à moi, dit Caroline, toujours dans l'encadrement de la porte, les larmes aux yeux.

Helene tire. L'objet au bout de la chaîne est coincé à l'intérieur. Elle entend une voiture arriver devant la maison. Lève les yeux. Edmund. Tant pis, elle veut savoir.

— Je la tiens de ma mère, dit Caroline.

— De Rosa ? demande Helene d'une voix dure, en plantant ses yeux dans ceux de la vieille femme.

Celle-ci hésite.

— Oui. De Rosa.

— Que faites-vous sous mon toit, avec mes enfants, qui êtes-vous ?

— On dirait que vous savez parfaitement qui je suis, réplique Caroline.

Puis elle se tourne en entendant des pas.

Edmund se fige. Ses yeux sautent de l'une à l'autre.

— Helene, tu es là, on t'a cherchée par... Qu'est-ce qui se passe, ici ?

Il regarde la boîte à bijoux, le plan de travail défoncé. Il a des cernes sous les yeux, les cheveux ébouriffés, les vêtements froissés. Les signes distinctifs d'une nuit sans sommeil. Helene sent naître en elle une pointe de mauvaise conscience ainsi qu'un tout nouvel élan de tendresse envers l'homme grand et beau qui se tient face à elle. Elle l'a soupçonné sans aucune raison. Ce n'était pas lui le problème, mais Caroline.

— Edmund, dit Helene. Caroline n'est pas celle qu'elle prétend être.

Edmund fait un pas dans la cuisine.

— Je ne comprends pas de quoi tu me parles, assène-t-il.

Quelque chose dans le timbre de sa voix perturbe Helene. Sa gaieté a disparu, il a un ton dur, tranchant, ses yeux ont comme rétréci.

— Caroline est la fille de William Hirsch, qui a fondé l'entreprise avec mon père. Il était juif, il a été tué par les Allemands pendant que sa femme Rosa était enceinte. Elle a fui en Amérique. La fille de William s'appelait Caroline… Et la voilà ici, cette Caroline. Dans notre propre maison. Je n'ai aucune idée de ce qu'elle veut mais c'est sûrement une histoire d'argent, un chantage ou quelque chose de ce genre.

La voix d'Helene tremble sous l'effet de l'émotion.

— Helene, dit sourdement Edmund.

Il s'avance jusqu'à elle. Chacun de ses mouvements est précisément contrôlé. N'empêche, Helene voit bien ce qui couve en lui. Il est en colère. Enragé. Pourquoi ? N'a-t-il pas entendu ce qu'elle a dit ? Ne lui fait-il pas confiance ?

— Helene, tu n'es pas toi-même. Tout cela, c'est dans ta tête, reprend-il en passant un bras autour de ses épaules.

— Laisse-moi ! s'écrie-t-elle. Je ne suis pas malade, écoute-moi. Cette femme est une traîtresse.

Edmund ouvre la bouche pour protester, mais la voix aiguë de Caroline l'interrompt.

— Arrête, Edmund, elle n'abandonnera jamais.

Edmund lâche Helene, baisse les yeux, s'appuie d'une main sur le plan de travail.

— Caroline, dit-il d'un ton de mise en garde.

La vieille dame secoue la tête.

— Ce n'est qu'une question de temps avant qu'elle le comprenne toute seule, répond Caroline de la même voix tranquille qu'elle adopte quand elle est en compagnie des enfants.

Puis elle ajoute avec un sourire timide :

— Espérons qu'elle le prendra mieux, cette fois.

Cette fois ? Qu'insinue-t-elle ? Helene, à côté de l'évier, tient toujours le fusil à couteau à la main.

— Par où commencer ? demande Caroline, qui laisse fugitivement errer son regard par-dessus Helene et s'arrête quelque part dehors, dans l'herbe verte. Votre père, Helene…

— Caroline, répète Edmund.

— Ce que vous avez dit est exact. Mon père a été assassiné par les Allemands. Il a été dénoncé par Aksel. Votre père, Helene, est responsable du meurtre du mien.

Helene refuse de la croire. Cette femme ment.

— Votre père souhaitait entamer une collaboration avec les Allemands, ce qui aurait été une affaire lucrative pour lui. Les nazis avaient besoin de bateaux de commerce afin de transporter du matériel de l'Allemagne au Danemark et inversement. Mon père et le vôtre n'étaient que deux jeunes hommes de vingt ans à peine qui venaient d'acheter une péniche et un transbordeur décrépit.

Caroline interrompt son récit. Hésite. Helene ne la lâche pas du regard. Puis la vieille dame reprend :

— Un accord avec les Allemands leur aurait ouvert de nombreuses possibilités. Personne d'autre ne voulait traiter avec eux. Mon père non plus. Naturellement, il s'est battu contre cette idée : il refusait de collaborer avec l'ennemi. Mais il n'y a pas eu moyen d'arrêter Aksel. Il était prévoyant.

Caroline trouve encore la force de sourire. Elle est fatiguée, Helene le voit à son geste pour se soutenir le dos alors qu'elle s'assied à la table de la cuisine.

— Aksel savait que la guerre se terminerait un jour. Et que les Allemands redeviendraient le principal partenaire commercial du Danemark. C'était déjà la fin du conflit. À cette époque, mon père vivait caché dans une cave. Comprenez-vous ?

— Oui, répond Helene d'une voix faible.

— Sans cela, il aurait été envoyé en camp de concentration. Mais votre père l'a dénoncé aux Allemands.

— Je ne vous crois pas, murmure Helene.

— Il y a un témoin, Helene. Un homme qui a vu William se faire attraper et fusiller. Et Aksel Söderberg était là quand ils ont jeté le corps dans le lac.

Helene essaie de rassembler ses esprits. Est-ce possible ? Son père est-il un assassin ?

— Toute votre fortune, Helene. Tout ce dont vous avez hérité…

Caroline achève sa phrase dans un souffle :

— … est une richesse incommensurable bâtie sur un crime incommensurable.

— Je ne vous crois pas.

Caroline, sans l'écouter, enchaîne :

— Je suis née en 1945. Après la guerre, nous sommes revenues, ma mère et moi. Ma mère a essayé de persuader Aksel de lui céder une part de l'entreprise. L'entreprise que mon père avait fondée avec lui, qui s'était développée, et qui avait prospéré grâce à sa collaboration avec l'Allemagne nazie. Mais le nom de « Hirsch » avait été effacé depuis longtemps.

Aksel Söderberg voulait nous rayer de l'histoire. Il a menacé ma mère.

Helene demande :

— Menacé de quoi ?

— D'un procès en diffamation si elle parlait à qui que ce soit, si elle racontait ce qu'elle avait appris au sujet de la mort de mon père par l'intermédiaire du témoin présent cette nuit-là… Celui qui aurait pu dénoncer Aksel comme complice. Il s'est contenté de lui proposer un peu d'argent pour partir, ainsi qu'un billet sur un bateau en partance pour Le Cap, conclut-elle en haussant les épaules. Il avait ouvert une succursale là-bas. Elle pouvait y obtenir un travail.

Caroline émet un claquement de langue désapprobateur.

— Le Cap, dans les années 1950… Ce n'était pas un endroit pour une mère célibataire. Cette vie l'a rendue bien amère. Voilà quel a été mon héritage : l'amertume. On nous a privées de tout. De notre argent. Et de notre droit.

Helene s'assied à la table. L'espace d'un instant, elle ressent de la compassion pour la vieille dame. Edmund est incapable de rester en place. Que lui arrive-t-il ?

— Quand j'ai eu fini mes études, je suis revenue au Danemark. Je me suis lancée à la recherche de votre père. J'étais jeune. Il est tombé amoureux de moi sans savoir qui j'étais. C'était justement mon plan. La seule manière de récupérer ce qui était à nous, notre propriété légitime. Il en a toujours été ainsi. La meilleure arme d'une femme, c'est de tomber enceinte d'un homme.

— Enceinte ?

Helene secoue la tête, incrédule.

— Êtes-vous tombée enceinte de mon père ?

— Ce n'était pas l'argent le plus important, se hâte de répondre Caroline.

Elle se tourne vivement vers Helene et répète :

— Ce n'était pas l'argent ! Mon père a contribué à fonder l'entreprise, et le vôtre l'a totalement effacé du tableau. Comme s'il n'avait jamais existé. Je pensais que, si j'arrivais à faire en sorte qu'il m'aime, si j'étais assez séduisante, que sais-je...

Elle s'interrompt de nouveau.

— Que s'est-il passé ensuite ? demande Helene.

— Au bout d'un moment, votre père a découvert le pot aux roses. Il n'était pas bête, Helene. Au contraire. Un détail a dû éveiller ses soupçons. Peut-être s'est-il aperçu que je ressemblais à Rosa. Et il a deviné que j'étais sa fille. Ou alors, il a fouillé dans mes affaires et trouvé les lettres que ma mère m'avait écrites.

Caroline soupire. Soit la vieille dame est très douée pour le mensonge... soit elle dit la vérité. En tout cas, à sa grande surprise, Helene la croit à présent.

— Continuez.

Le visage de Caroline prend une expression amère.

— Après ça, il a changé du tout au tout. Il est entré dans une rage folle et m'a renvoyée au Cap. Il m'a forcée à déclarer que l'enfant était d'un autre et m'a menacée de faire de ma vie un enfer si jamais j'osais l'approcher encore une fois.

Les épaules d'Helene s'affaissent. Elle en est de plus en plus convaincue, Caroline dit la vérité.

— Votre père s'est hâté d'épouser une de ses comptables. Deux ans après, vous êtes née. En 1972.

On sent la haine dans la voix de Caroline.

— On aurait dit qu'il essayait d'effacer mon souvenir, ainsi que celui de William et de Rosa, le plus vite possible. Nous étions comme le sceau indélébile de la honte sur sa belle image d'homme d'affaires.

Votre père avait un caractère résolu et, puisqu'il voulait donner un héritier à son empire, il l'a eu, naturellement.

— Mais si vous êtes tombée enceinte…, commence Helene, ne sachant que penser. Avez-vous donné naissance au bébé ? Aksel était bien le père ?

Caroline acquiesce, d'un air infiniment las.

Derrière elle, Edmund, incapable de tenir en place, fait un pas en avant, puis recule.

— Est-il encore en vie ? demande Helene.

Imaginer qu'elle ait un demi-frère !

Caroline pousse un soupir. Elle a un drôle de sourire crispé. Elle fait un geste de la tête en arrière. Helene ne comprend pas. Edmund laisse échapper un cri étouffé. Il a l'air tout petit, d'un coup ; c'est à peine si on le reconnaît.

— Ce sera fort intéressant de voir si vous oublierez tout encore une fois, déclare Caroline en plantant les yeux dans ceux d'Helene.

— Maman, arrête ! s'écrie soudain Edmund.

Helene le fixe. Edmund ?

— Es-tu… ? souffle-t-elle.

Edmund ne dit rien, baisse les yeux vers le sol noir et blanc de la cuisine pour éviter son regard. Helene se lève. Un écœurement la prend, elle se sent défaillir, essaie de retenir les aigreurs qui lui montent dans l'œsophage, porte la main à la bouche.

— Mais, mais…, bredouille-t-elle en les regardant tous les deux.

Soudain, cela lui semble évident : la ressemblance entre Caroline et Edmund. Et que dire d'elle et Edmund ? Se ressemblent-ils ? Grands, minces… Le nez ? A-t-il le même nez qu'elle ?

— Mais c'est un inceste, murmure-t-elle. Les enfants… Si Edmund est mon demi-frère…

Elle se dirige vers la porte comme si ses jambes en avaient pris la décision toutes seules.

— Et voilà, elle va encore s'enfuir et tout oublier, lâche Caroline dans son dos.

Edmund crie sur sa mère, et ce sont les derniers mots qu'Helene entend avant de fermer la porte des toilettes, où elle s'effondre à genoux, ouvre la bouche et vomit. De la bile pure. Et elle a de quoi vomir : elle a eu des enfants avec son propre frère. Consanguinité. Inceste. Les mains plaquées sur ses oreilles, elle hurle de toutes ses forces. Elle ne veut rien entendre, ne veut rien voir, préférerait ne rien savoir. Edmund est penché sur elle, il la tient dans ses bras. Il a les yeux injectés de sang.

— Helene, je t'aime. Je t'aime, Helene, répète-t-il, d'une voix presque éteinte.

Helene s'effondre à côté des toilettes, et peu lui importe. Pire sera l'endroit, mieux ce sera. Rien n'est trop sale pour elle. Voilà donc l'état d'esprit dans lequel elle se trouvait quand elle a rencontré Louise. Soudain, elle sait. Elle sait ce qui s'est passé. Elle était sous le choc, elle chevauchait à travers la forêt…

— Helene, dit Edmund. Je t'aime.

… elle est descendue de cheval près du ruisseau. A couru le reste du chemin en foulant les aiguilles de pin sèches, débouché de l'autre côté le long de la route. Elle ne savait pas où aller. Elle devait faire le point. Il lui fallait au moins un temps de réflexion. Jamais elle n'avait voulu abandonner ses enfants… Mais elle était sous le choc. Et elle avait disparu. Jusqu'à ce qu'Edmund la retrouve.

— Tu es malade, murmure-t-elle.

— Au début… Ce que dit Caroline… enfin, ma mère, est vrai.

Edmund lance un regard nerveux en direction de la vieille dame, qui attend dans le couloir. Elle a l'air très détendue. Soulagée. Comme si tout était en ordre, tout était fini.

— Tu pourrais nous laisser un peu seuls, maman ? demande Edmund à voix basse.

Après un temps d'hésitation, Caroline ajuste son ensemble et, lentement, s'éloigne.

— Ma mère détestait ton père, et c'est dans cette ambiance que j'ai grandi, reprend Edmund en caressant la main d'Helene.

Ce contact la brûle comme un fer rouge, lui fait mal jusque dans les os.

— Ton père n'a pas voulu me reconnaître à ma naissance, poursuit Edmund. Cela n'a fait que renforcer la haine de ma mère. C'est elle qui a eu l'idée : que je me fasse employer dans l'entreprise, que je grimpe les échelons jusqu'à gagner la confiance de ton père en me faisant passer pour un autre. De cette manière, je pourrais t'approcher. Tu étais vraiment la fille de ton père, tu l'admirais beaucoup. Pour gagner ton cœur, il allait d'abord falloir gagner celui de ton père. Je travaille pour l'entreprise Söderberg depuis l'âge de vingt ans. J'ai commencé dans une filiale en Afrique du Sud et terminé comme son assistant personnel, celui en qui il avait une confiance totale. Helene, moi aussi j'admirais ton père, sache-le. Même si je connaissais toute l'histoire par ma mère et que j'avais été élevé dans la rancune qu'elle nourrissait envers lui, eh bien… malgré cela, je l'admirais. Ton père était formidable, tellement charismatique, il avait le génie du commerce.

— Ton père, réplique Helene sourdement.

— Pardon ?

— C'était aussi le tien, rappelle-t-elle.

— Je sais bien, mais je ne l'ai jamais considéré comme tel. Il ignorait qui j'étais. Je suis devenu son gendre, c'est comme cela que je me vois. Et puis, Helene, je suis vraiment tombé amoureux de toi. Ce n'était pas du théâtre. L'idée de ma mère, la vengeance, tout ça, au bout du compte, ce n'était pas du tout ce que je ressentais.

— Quel était le plan de ta mère exactement ? demande Helene en se remettant sur pied.

Elle veut partir. Edmund lui saisit la main.

— Rétablir l'honneur de la famille. Si nous nous mariions et si nous avions des enfants, la famille Hirsch récupérerait la part de l'entreprise qui lui revenait de droit.

— Son *honneur* ? répète Helene, sceptique.

— Mais Helene, je t'aime, et les enfants sont en parfaite santé. Personne n'a besoin de l'apprendre. Nous pouvons vivre en gardant ce secret, toi et moi. Toi aussi, tu m'aimais ; les choses peuvent redevenir comme elles étaient. Je ferais tout pour toi.

Helene libère son poignet, quitte les toilettes. Où va-t-elle s'enfuir cette fois ? Il continue à parler, sa voix la suit comme un bourdonnement agaçant à ses oreilles pendant qu'elle s'efforce de monter l'escalier. Une logorrhée. Il raconte qu'il l'a retrouvée alors même qu'il savait qu'elle avait tout deviné ce jour-là, celui où elle a disparu. Caroline était venue à l'enterrement d'Aksel. Elle n'avait pas pu s'en empêcher. C'était le couronnement de sa vengeance. Helene avait surpris un regard entre elle et Edmund et deviné que quelque chose les liait. Un secret. Mais ce n'était pas tout : Helene avait déjà vu le visage de Caroline mais, elle avait eu beau se creuser la tête, elle n'avait pas pu se rappeler où. La réponse lui était venue de la même manière que tout venait à elle

– la richesse, les hommes, l'amour, les malédictions. Grâce à un album photo. Un album de l'époque de la jeunesse d'Aksel, avant guerre. Helene avait retrouvé le cliché en question, une photo en noir et blanc d'une femme se tenant un peu en retrait pendant le baptême d'un bateau dans le port de Silkeborg. Une jolie femme qui ressemblait à Caroline. Helene avait demandé à Edmund qui était cette vieille dame qui était venue à l'enterrement et pourquoi elle ressemblait à cette femme sur une photo d'une autre époque. Puisqu'Edmund avait nié la connaître, Helene avait mené ses propres investigations, posé la question à l'hôtel où descendaient la plupart des visiteurs de Silkeborg. Et une fois qu'elle avait trouvé le nom de Hirsch, elle n'en était pas restée là. Tout comme maintenant, elle avait continué son enquête jusqu'à ce qu'elle ait découvert une vérité qu'elle était incapable de supporter. Une vérité qu'elle avait une nouvelle fois en face d'elle : Edmund était son demi-frère. Et ils avaient eu des enfants ensemble.

— Est-ce si mal que cela, après tout ? demande Edmund. Nous pouvons facilement continuer à vivre sous le même toit. Personne n'a besoin de savoir quoi que ce soit. J'ai enlevé la page de l'album photo, Hirsch est effacé. Tout ça, ce sont des événements malheureux, mais ils se sont produits avant notre venue au monde. Nous sommes réunis à présent Helene. Nous pourrions être heureux.

— Jamais, murmure Helene, qui ne s'arrête qu'une fois dans sa chambre.

Elle considère ses vêtements.

— Je suis désolée de vous déranger…, dit Caroline.

Elle se tient dans l'encadrement de la porte. Helene ne l'a pas entendue arriver.

— ... mais la police est là.

— La police ? répète Edmund, ahuri.

Derrière Caroline, deux hommes en uniforme font leur apparition.

— Est-il arrivé quelque chose aux enfants ? s'exclame Helene.

— Non, répond le plus âgé des deux.

— Quoi, alors ?

— Helene Söderberg ? demande le plus jeune.

Helene fait un pas en avant. Sa seconde pensée est : est-il arrivé quelque chose à Joachim ?

— Je répète. Êtes-vous Helene Söderberg ?

— Vous savez parfaitement qui est ma femme, nom de Dieu ! s'écrie Edmund, en colère.

— C'est la procédure, rétorque le plus âgé.

— La procédure de quoi ?

— Du ministère public. Madame Söderberg, vous êtes en état d'arrestation.

Edmund, vif comme l'éclair, vient se poster devant le policier.

— En état d'arrestation ? Pour quelle raison ?

— Pour le meurtre de Louise Andersen.

40

En réalité, quel soulagement d'être enfermée ! Loin d'Edmund, de l'horrible vérité, des journalistes qui campent devant le commissariat d'Aarhus et attendent l'occasion de la mitrailler. Combien leur faudra-t-il de photos d'elle menottée avant d'être satisfaits ?

Helene inspecte sa petite cellule. Des murs nus, trop de lumière. Elle entend des pas dans le couloir. On vient encore la chercher. Toujours des questions, elle n'en peut plus. Elle a déjà tout dit : oui, elle est coupable, peu lui importe, qu'on l'enferme et qu'on jette la clé. Depuis quand est-elle ici ? Deux jours ? Elle n'en est pas sûre. Elle a dormi la majeure partie du temps. Enfin, dormi, non, elle était plutôt dans les nuages, perdue dans ses pensées. Si elle pouvait faire en sorte que son cœur s'arrête de battre rien que par la force de son esprit, elle le lui ordonnerait.

Après la convocation à une audience et une fois les prises de sang routinières effectuées par les équipes de la police, Edmund a demandé l'autorisation de venir la voir. Mais Helene a évité son regard, refusé de se laisser défendre par les avocats de l'entreprise. Elle n'a pas trop suivi ce dont le représentant du ministère public et le juge d'instruction ont discuté. Elle a juste compris qu'on avait retrouvé le corps de

Louise Andersen. La police attend encore l'identification formelle grâce aux dents, mais ils sont déjà sûrs de leur fait à quatre-vingt-dix-neuf pour cent, notamment parce que le cadavre portait autour du cou un médaillon contenant une photo de Louise enfant.

Selon la police, il était primordial de placer Helene en détention provisoire sur-le-champ. Elle avait usurpé l'identité de Louise, lui avait volé ses papiers. Ce qui en faisait la principale suspecte. Et étant donné que la famille Söderberg n'était pas dépourvue de moyens et était fort capable d'influencer une enquête, il était crucial pour le parquet de s'assurer qu'Helene soit derrière les barreaux pendant que l'instruction suivait son cours. La police avait également fouillé sa maison. Helene se demandait pourquoi.

La porte s'ouvre.

— Si vous voulez bien me suivre, dit un agent de police en la prenant par le bras.

Un deuxième policier attend dehors. Helene obéit. Elle n'oppose plus aucune résistance, on peut disposer d'elle comme on veut. Que des volontés plus fortes que la sienne décident de son sort. Cela lui convient très bien si des mains étrangères la guident. Elle a été remise entre les mains de la justice, qui la feront probablement passer du tribunal en prison. Ensuite, elle vieillira et d'autres mains prendront le relais, des mains chaudes la porteront du lit jusqu'à la baignoire puis la ramèneront au lit. Jusqu'à ce qu'elles la soulèvent une dernière fois pour la déposer dans son cercueil. Là seulement, elle sera libre. Enfin.

Voilà ce qu'elle rumine pendant qu'on l'emmène au bout du couloir. Elle pense aussi à Edmund, à Caroline. Aux enfants. À tout ce qui s'est passé, à l'épouvantable vérité qu'elle n'apprend qu'aujourd'hui. Est-ce cela qui a déclenché son amnésie ?

Son inconscient a-t-il essayé de la protéger de l'abominable réalité, à savoir qu'elle a eu des enfants avec son propre frère ?

— Je vous en prie, asseyez-vous, madame Söderberg, dit le policier.

Helene s'assied. Le policier s'installe en face d'elle. Costume gris, assorti à sa moustache.

— Je m'appelle Gregers Sperling, poursuit-il d'une voix lasse. Si je comprends bien, vous avez refusé d'être accompagnée par votre avocat ?

— Oui.

Gregers la jauge. Ses doigts tambourinent sur la table et le bruit résonne dans cette pièce aux murs nus. Helene ne dit rien, se contente de fixer, hébétée, les mouvements de ses doigts. Le policier se penche par-dessus son bureau jusqu'à ne plus laisser que quelques centimètres entre leurs deux visages.

— Vous dites que vous l'avez tuée… Mais parlez-moi de vous et de Louise. Comment l'avez-vous rencontrée ? Quel genre de relation aviez-vous ? Pourquoi l'avez-vous assassinée ? Vous avez débarqué à Bornholm avec son sac à dos et ses papiers d'identité, n'est-ce pas ?

Helene réfléchit. Essaie de toutes ses forces de réveiller sa mémoire. Soudain, une odeur lui revient. De la vanille ?

— Louise mettait un parfum sucré, lance-t-elle.

S'en souvient-elle vraiment, ou est-ce le fruit de son imagination ? Helene hésite. Non. Elle se rappelle bien Louise. Elle l'a connue. Elle se rappelle sa voix, rauque, et son rire.

— J'habitais dans… dans cet endroit, là…, dit-elle, hésitante.

Helene se remémore les lieux. À part l'odeur de vanille, tout sentait l'humidité. Elle avait tellement froid, elle s'est rapprochée tout contre Louise, qui l'a laissée se glisser avec elle sous la couverture.

— Elle a pris mon argent, poursuit Helene d'une voix qu'elle ne reconnaît pas. Je n'avais que cet argent-là, j'en avais vraiment besoin. Mais elle me l'a volé. Elle m'a traitée de gosse de riches…

Helene s'interrompt, surprise par son propre flot de paroles. D'où viennent tous ces mots ? Est-elle en train de tout inventer, ou est-ce que ce sont des souvenirs authentiques ? Elle n'en sait rien. Tout ce qu'elle sait, c'est que ses beaux enfants, ses innocents enfants, sont le produit d'un inceste. Que son mariage et sa vie amoureuse sont fondés sur des mensonges et des secrets. Elle se souvient du froid chez Louise. De l'argent disparu. De l'argent que Louise lui a volé et qui était censé lui permettre de fuir. Avec les enfants ? Était-ce ça, son plan ? Oui, elle cherchait un moyen de les récupérer, de les protéger, de redémarrer de zéro quelque part où personne ne les connaîtrait.

— J'ai tué Louise, dit-elle à voix basse.

Elle ferme les yeux. Murmure à nouveau les mots :

— J'ai tué Louise.

Elle est un assassin. Une menteuse, une traîtresse, mariée à un pervers. La fille d'un monstre, un monstre elle aussi pour avoir mis au monde de petits êtres innocents par inceste. Et puis elle a tué. Elle n'en doute plus. Elle regarde ses mains, comme dans l'espoir de lire sa propre vie dans ses paumes moites. Un labyrinthe de lignes. Quelle est celle qui indique qu'elle est une meurtrière ?

— C'est ce que vous prétendez, oui. Mais pouvez-vous me raconter plus en détail la manière dont ça s'est passé ? demande Sperling.

Helene ferme à nouveau les yeux. Fouille sa mémoire, exhume des images, encore des images, elles surgissent à toute allure à présent. Il fait sombre, il fait froid, et elle est en colère contre Louise. Elles se disputent à propos de l'argent. Oui. Elles se disputent, et Louise s'en va. Helene s'en souvient très clairement.

— Louise m'avait pris l'argent que je comptais utiliser pour m'enfuir. Tout ce qu'il me restait d'argent liquide. Je ne pouvais pas me servir de ma carte de crédit sinon on aurait retrouvé ma trace. C'était capital pour moi de disparaître sans laisser d'indices. Nous nous sommes disputées. Louise disait que je pouvais gagner de l'argent en me prostituant comme elle. Mais je ne voulais pas et ça l'a mise en colère. Elle trouvait que je la regardais de haut, et… nous nous sommes disputées, il faisait nuit, elle est partie. Je suis restée toute seule, je ne savais pas quoi faire.

Helene hésite. Elle cherche le bon souvenir dans la multitude de sensations qui l'assaille. La nuit, le désespoir. La rage. Louise lui avait promis de l'aider, et…

— Et j'ai trouvé un couteau sous le matelas. J'ai attendu qu'elle revienne. J'avais tout planifié, je savais qu'elle rapporterait beaucoup d'argent liquide, elle gagnait bien sa vie. Et donc, quand elle est revenue, j'ai voulu l'attaquer…

Helene cherche, cherche. Où est cette image ? Elle attend dans la pièce plongée dans l'obscurité. Aux aguets à côté de la porte. Prête à planter le couteau dans le dos de Louise, entre les omoplates et les côtes, directement dans le cœur. L'image est très claire. Mais que s'est-il passé ensuite ? Combien de temps a-t-elle attendu ?

— Et je lui ai mis un coup de couteau. De toutes mes forces. Je l'ai touchée entre les côtes, précise Helene, qui revoit le couteau entrer, sortir, le fer dans la chair, encore et encore. Je voulais lui prendre son identité et son argent, voilà pourquoi j'ai fait ça.

Helene s'interrompt. Elle est hors d'haleine. Submergée par ce qu'elle est en train de raconter, les mots qui deviennent des images au fur et à mesure qu'ils sortent de sa bouche. Tout lui revient maintenant.

— Qu'avez-vous fait ensuite ? demande calmement Sperling.

Helene aussi est calme. Pour la première fois depuis cette journée fatale au café de Christiansø, quand Edmund l'a retrouvée, elle est calme. Elle est une meurtrière. Elle ira en prison. Elle sait la vérité, elle sait ce qu'elle a fait.

— J'ai caché le corps. Je l'ai soigneusement caché, répond Helene.

— Où ça ?

Helene cherche. Cherche dans les débris de son être, au plus noir. Ces images horribles. Le cadavre, le sang, tellement de sang, tellement de coups de couteau. Où a-t-elle caché le corps ? Elle se met à pleurer. Elle ignore d'où viennent ses larmes.

— Le problème, dit le policier, c'est que Louise Andersen n'est pas morte de la manière que vous décrivez.

— Mais, mais…

Helene lève les yeux sur lui, vaincue.

— Louise Andersen n'a pas reçu de coups de couteau. Pas un seul. Elle a été battue à mort. Ensuite, on lui a enlevé la peau.

— Oui ! hurle Helene. Je me souviens maintenant. C'est ça que j'ai fait. Je l'ai frappée. Et j'ai fait ce que vous venez de dire. Avec sa peau. Je l'ai écorchée.

Elle sent un haut-le-cœur la soulever.

— Pourquoi ? Pour dissimuler son identité ?

Helene ne comprend pas la question, mais elle acquiesce.

— Oui.

— Pour pouvoir vous faire passer pour elle ?

— Oui.

Sperling secoue la tête.

— Madame Söderberg, qu'avez-vous fait de ce corps ? Après l'avoir écorché.

— Je le sais. C'est juste que je ne m'en souviens pas très bien pour l'instant, tout ça est tellement... embrumé, mais je m'en souviens. Ça y est, je m'en souviens, laissez-moi juste un peu de temps, demande Helene, au désespoir.

— Êtes-vous en train de me supplier de croire que c'est vous qui avez assassiné Louise ? interroge le policier avec un étonnement sincère.

— Oui, c'est bien moi. J'ai tué Louise, déclare Helene d'une voix posée.

Mais un simple coup d'œil au policier suffit à lui faire comprendre qu'il ne la croit pas.

41

Enfin, on éteint la lumière dans la cellule de détention et elle se retrouve seule. Sans Joachim, la seule bonne chose qui lui soit arrivée dans la vie. Et qu'elle a abandonnée. À présent, il ne reste que la nuit. Comme cette fois-là. La nuit est une amie, personne ne le comprend. Ne comprend comment on se sent quand la nuit est notre seule amie.

— Madame Söderberg ?

Une voix. Du dehors. Ce nom, « Söderberg »… Elle refuse de continuer à porter ce patronyme plus longtemps.

— Votre mari est venu vous voir.

— Je veux être seule. Je ne veux plus être dérangée ce soir, répond-elle, en colère.

Alors elle crie :

— Partez !

Au départ, aucune réaction. Puis elle entend des pas s'éloigner. Enfin seule. Elle ne verra plus jamais personne.

*

On conduit Helene au parloir. Sperling a insisté : si Helene refuse de voir sa famille, il la transférera en psychiatrie, en unité fermée. Ça, non. Elle veut être jugée comme tout un chacun, elle veut qu'on la condamne à la prison à vie. Elle a perdu la notion du temps. Est-ce le soir ou le matin ? Elle regarde par la fenêtre. Les barreaux découpent la lumière blafarde en bandes. Depuis combien de jours est-elle placée en détention provisoire ? On lui a proposé un petit déjeuner à deux reprises, voire trois, elle ne s'en souvient pas. Elle n'y a pas touché. Elle regarde autour d'elle. De petites tables carrées et des chaises à pieds métalliques sont réparties dans la pièce. Du lino gris clair par terre. Sans les barreaux aux fenêtres et les systèmes d'alarme des portes, on pourrait se croire dans une salle de cour de collège.

— Asseyez-vous, lui intime la policière.

Peu après, la porte s'ouvre. Edmund entre. Derrière lui, Caroline. Qui adresse à Helene un sourire timide. Presque tendre. Pourquoi Edmund l'a-t-il emmenée ? Ou bien est-ce le contraire, est-ce Caroline qui dicte à Edmund tous ses faits et gestes ?

— Helene, nous allons te faire sortir d'ici, dit Edmund.

Il s'assied sur la chaise et pose ses deux mains sur la table.

— Sois tranquille. Nous avons fait appel de la décision de te placer en détention provisoire. Selon moi, la police n'est pas en position de force, et c'est aussi ce que m'a assuré l'avocate.

— L'avocate ?

Helene, surprise, lève les yeux, découvre le visage pâle d'Edmund, baisse vivement la tête. Cette envie de vomir, toujours cette envie de vomir. *J'ai eu des enfants avec mon frère.*

— Calme-toi, c'est la meilleure avocate du pays, elle connaît déjà bien le dossier. Elle est en train de parler aux policiers et viendra te voir ensuite. C'est incroyable qu'ils t'aient interrogée sans la présence d'un avocat, je te promets que ça ne se reproduira pas.

Edmund parle d'une voix forte, presque enthousiaste.

— Ils n'ont aucune chance. Il n'y a pas de témoin, la police n'a rien d'autre que le fait que tu sois réapparue avec le sac à dos de Louise. Et puis tu n'étais pas toi-même à ce moment-là, ils ne peuvent pas te condamner, tu étais en état de choc. Malade. Le pire qui puisse se produire, c'est qu'on t'impose un suivi médical ou un traitement psychiatrique, mais selon l'avocate, ça ne sera pas le cas.

— Edmund, répond Helene calmement. J'ai toutes mes facultés mentales. Je n'étais pas *malade*. Je me souviens de tout, c'est moi qui ai tué Louise. Je ne veux pas d'avocat. J'irai en prison. Et maintenant, va-t'en.

— Helene, ça n'a aucun sens, réplique Edmund d'une voix pressante. Je te le répète, tu n'es pas toi-même, tu es sous le choc. Tu n'iras évidemment pas en prison. Pense aux enfants. Tu leur manques.

Il a toujours les mains posées sur la table qui les sépare. Il suffirait à Helene de les saisir. Surgit une scène du passé. Cela lui vient très clairement. Par une journée d'été, l'air tiède contre sa peau. Elle est allongée sur le dos dans l'herbe douce. Tôt le matin, la terre est encore humide, la rosée s'évapore autour d'elle. C'est un souvenir d'enfance. Le plus ancien qu'elle ait. Pourquoi lui revient-il maintenant ?

Edmund s'est levé. Il lui dit quelque chose à propos de l'avocate, et aussi qu'il sera bientôt de retour. La porte s'ouvre, se referme, et Helene reste seule avec ses pensées. Elle regarde par la fenêtre. Il ne fera pas nuit avant longtemps.

— Helene ?

Elle lève les yeux. Depuis combien de temps est-elle assise ici ? Caroline.

— Nous n'avons que quelques minutes avant qu'Edmund ne revienne, il est en train de discuter avec l'avocate, dit Caroline.

Elle est assise bien droite, son sac à main sur les genoux, les deux mains posées dessus.

— Qu'est-ce que vous voulez ?

— Je crois que je sais comment vous vous sentez.

— Non.

— Si, Helene, répond la vieille dame en lui adressant un regard compatissant. Quand je suis tombée enceinte, c'était d'un monstre. J'étais enceinte de l'homme qui avait tué mon père.

— Vous avez fait ça de votre propre gré.

— Vous aussi. Vous étiez très amoureuse de mon fils.

— Il y a une différence.

— Oui. Il y a une différence. Mais mon père, William Hirsch, a contribué à fonder cette entreprise. Votre père s'est comporté comme s'il avait tout accompli seul. La place qui revenait de droit à mon fils, à Edmund, lui est aujourd'hui assurée, et vos enfants sont le symbole d'une heureuse réconciliation entre les deux lignées. Tout est parfait, Helene. Les choses sont comme elles devraient l'être. À part vous.

Helene se sent perdue. Plusieurs secondes s'écoulent, pendant lesquelles elle ne sait pas quoi dire.

— Helene, vous m'entendez ? demande Caroline, dont la voix la rappelle au présent.

— Qu'est-ce que vous insinuez ?

— Vous n'auriez jamais dû naître. Edmund est l'aîné. C'est à nous que l'entreprise revient. À la famille Hirsch. Elle est à nous. Comprenez-vous ?

— Que dois-je faire ? murmure Helene, désemparée.

Elle a l'impression de lire de l'amour dans le regard de Caroline.

— Il y a quelque chose que vous pouvez faire, répond-elle à voix basse, en jetant un coup d'œil en direction de la porte par-dessus son épaule.

Puis elle se penche en travers de la table, pose une main sur la fermeture de son sac.

— Helene, moi aussi je suis passée par là. Par là où vous en êtes, chuchote-t-elle. J'étais complètement perdue. J'ai bien connu cette situation où je croyais que la seule solution était que je disparaisse. J'étais persuadée que c'était *moi* qui devais disparaître.

Elle ouvre son sac, y plonge rapidement la main, la ressort et la pose sur la table, le poing serré.

— Helene, j'avais un ami à l'époque, un médecin, il… Il a compris ma situation comme je comprends la vôtre maintenant.

La voix de Caroline est soudain étrangement faible. Le silence se fait entre elles. L'expression de la vieille dame a changé, elle semble plus sincère, plus vulnérable. Sa main crispée est posée sur la table. Une main de femme âgée, à la peau fragile, ridée. Caroline se racle la gorge et poursuit :

— Il m'a donné quelque chose… Il me comprenait… J'ai caché son cadeau pendant de nombreuses années, c'était mon assurance. Savoir que cette possibilité existait me rassurait. Mais j'ai découvert que ce n'était pas la bonne solution. Ce n'était pas moi, le problème. Voilà ce que j'ai découvert, Helene, voyez-vous ? Ce n'était pas ma solution. Ce n'était pas moi qui étais censée l'utiliser.

Caroline tourne le poignet, ouvre la main. Helene fixe la petite pilule blanche posée au cœur de sa paume. Caroline laisse tomber la pilule sur la table. Puis elle ramène vivement la main à elle, ferme son sac.

— Il était médecin, il savait de quoi il parlait. Il m'a assuré que c'était sans douleur. Cet homme était bon, Helene, c'était un homme entre les mains duquel on aurait remis sa vie. Vous comprenez ?

Helene acquiesce et secoue la tête en même temps, fixe toujours la pilule posée sur la table devant elle, hypnotisée. Caroline se dirige vers la porte, se retourne.

— Tout dépend de vous, conclut la vieille dame. Mais votre chance, c'est maintenant. L'avocate veut vous faire libérer sous caution, et elle est douée. Comme vous l'avez entendu, c'est la meilleure du pays. Il faut profiter que vous soyez seule pour décider de ce qui va se passer.

Caroline appuie sur le bouton et, peu après, la porte s'ouvre. Helene voit sa main lâcher le rebord de la table auquel elle s'agrippait, se diriger vers la pilule et se refermer sur elle.

42

Joachim attend à l'accueil. Derrière son comptoir, l'agent de police le regarde d'un air buté.

— Helene Söderberg ne souhaite pas recevoir d'autres visites, dit-il.

— Mais c'est important, proteste Joachim. Il faut absolument que je la voie.

— En plus, vous n'êtes pas de la famille, je n'ai votre nom nulle part sur la liste.

— Écoutez, c'est votre chef en personne qui m'a appelé pour me demander de venir, répond Joachim, révolté. Comment s'appelle-t-il, déjà ? Gregor quelque chose... L'inspecteur chargé d'enquêter sur le meurtre. Vous devez bien savoir de qui je parle, il est venu à Aarhus spécialement à cause de cette affaire.

Aucune réaction de la part du policier. Joachim voit à son attitude qu'il est habitué à maintenir les gens à distance. Qu'il est prêt à rester là pendant trois jours si c'est ce qu'il faut pour que Joachim s'en aille.

— Je veux voir Mme Söderberg, répète Joachim.

Cette fois, il ne peut s'empêcher de hausser le ton. Depuis qu'il a découvert le cadavre, il a vécu un enfer. Il a eu du mal à estomper le souvenir de la femme défigurée. Quand il parvenait enfin à s'endormir, il faisait des cauchemars, revoyait le cadavre devant lui. Et quand il ne dormait pas, il était entendu par la police. Il leur a expliqué les mêmes choses encore et encore : le sous-bock Campari avec le numéro de téléphone, le photographe, les deux prostituées, le sauna, la cave équipée d'instruments de torture, maculée de sang... et la fille. Mais non, encore une fois depuis le début. Campari ? Êtes-vous sûr que c'est dans le sauna que vous avez rencontré cet homme ? Comment connaissez-vous la boutique Algade Foto ? Ils lui ont posé les mêmes questions mille fois. Il a cru qu'il allait devenir fou. Au bout d'un moment il a réalisé que lui aussi était soupçonné.

Quand il a enfin pu partir, Joachim a appris qu'Helene avait été arrêtée. Ce qui ne faisait qu'aggraver la situation. Il s'est retrouvé dans le minuscule appartement, et des images du cadavre gisant au fond du four lui surgissaient en permanence devant les yeux. Il a éprouvé une drôle de forme de... de chagrin. Oui, c'est ça. Il ne connaissait pas cette femme, il ne connaissait pas *cette* Louise Andersen. Mais là, assis dans son appartement à boire du mauvais vin, il n'était plus capable de les différencier l'une de l'autre. Helene et Louise. Il avait l'impression qu'il s'agissait de la même femme. On aurait tout aussi bien pu retrouver Helene morte à la place de Louise.

Est-ce pour cela qu'il se met à crier au visage de l'agent de police ? Est-ce pour cela qu'il veut à tout prix voir Helene ? Pour s'assurer qu'elle est en vie ? Son Helene, vérifier qu'elle respire encore, que sa peau est intacte, son parfum aussi.

— Vous m'avez appelé ce matin, répète Joachim, qui s'efforce de contrôler sa voix. Ça me revient, j'ai parlé à un certain Sperling. Il m'a dit de me présenter immédiatement.

Ses pensées se font à nouveau absorber par Helene. Il se l'imagine seule, accablée, apeurée. Elle serait sûrement heureuse de le voir. Il veut l'aider. Il sait que ce n'est pas elle qui a commis ce meurtre. Elle a besoin de lui en ce moment. Mais l'agent de police ne se laisse pas influencer. Il ne lui adresse même pas un regard, reste absorbé par l'écran devant ses yeux. Il fait comme si leur conversation était terminée et ignore complètement Joachim, planté là face à lui.

Soudain, Joachim se met à hurler. Tout ce qu'il a en lui de chagrin, de colère, d'angoisse et de culpabilité, tout sort dans ce cri. Des regards effrayés se braquent sur lui. Le gardien en uniforme posté à la porte se précipite.

— Non ! rugit Joachim.

Mais l'homme lui immobilise les deux bras par-derrière, et Joachim se retrouve plaqué au sol. Peu lui importe, il a un nouveau plan : il va se faire arrêter, c'est le seul moyen d'approcher Helene. Avec de la chance, il sera dans la cellule d'à côté et ils pourront se parler à travers le mur, comme dans les films de prison américains.

— Lâchez-le.

Joachim lève les yeux. Un homme autoritaire, une barbe autoritaire, le gris est la couleur du sérieux. C'est un de ceux qui l'ont interrogé à Copenhague.

— C'est moi qui lui ai demandé de venir, déclare Sperling en posant une main sur l'épaule du gardien.

*

Sperling remonte le couloir à pas rapides. Joachim le suit. Ils bifurquent plusieurs fois et doivent passer différentes portes-sas avant d'arriver enfin dans la zone de détention. Sperling se tourne vers lui.

— Vous pouvez la voir quelques minutes, d'accord ? Mais ensuite, j'aimerais bien discuter avec vous. Il y a quelque chose qui cloche là-dedans, et je pense que vous êtes la clé qui saura la faire parler.

Joachim acquiesce. Il regarde un agent de police déverrouiller la porte pour lui, sent l'impatience le gagner. Enfin ! Ce manque qui l'a réduit en miettes… Enfin, il va la revoir. La porte s'ouvre, il entre, s'immobilise aussitôt. Helene gît par terre, le visage au sol, ses longs cheveux blonds le cachant entièrement des deux côtés. Un bras tordu par-dessus la tête, l'autre rabattu sous son corps, les jambes repliées en position fœtale.

— Helene ?

Il s'agenouille, pose une main sur son épaule, la retourne doucement pour examiner son visage. Sa peau est froide. Il lui soulève le haut du corps, appuie sa tête contre sa poitrine. Elle est lourde, flasque. Un corps inanimé.

— Helene ? Au secours ! hurle-t-il.

Sperling se rue dans la cellule.

— Que se passe-t-il ?

— Elle ne respire plus ! s'écrie Joachim d'une voix qui se brise.

Il se penche sur son visage, colle l'oreille sur sa bouche. Rien. Elle n'inspire pas, n'expire pas non plus. Sperling garde son calme. Il pose deux doigts sur le poignet d'Helene, reste accroupi un moment, écoute. Puis il se relève brusquement et se précipite dans le couloir en appelant à l'aide. Joachim repose le corps inerte d'Helene sur le sol. Il s'agenouille à côté d'elle. Elle ne peut pas mourir. Elle ne le doit pas. Ces deux phrases résonnent en écho dans sa tête. Il se penche, pose ses lèvres contre les siennes, souffle. Se redresse, trouve le bon endroit sur la poitrine, appuie fort et régulièrement, cinq fois, il compte, souffle à nouveau dans sa bouche, appuie, souffle, appuie, souffle. Rien. Son corps est là, devant lui. Son adorée Louise, Louise la lumineuse. Helene. Louise. Helene. Elle ne doit pas mourir. La véritable Louise est déjà morte, c'est assez. Helene ne peut pas mourir, elle ne peut pas disparaître. Il recommence le bouche-à-bouche, essaie de lui insuffler la vie, il y met sa vie à lui, son espoir, tout son amour pour elle... Puis quelqu'un l'attrape fermement par-derrière, des bras forts qui l'emportent, d'autres bras qui le maintiennent, qui palpent Helene. Des blouses blanches, une civière, on l'oblige à reculer. Il hurle, il résiste. Tout est sa faute. Il a trouvé le corps de Louise, il a tué Helene. Tout est sa faute, il aurait dû abandonner la partie, il aurait dû laisser Helene tranquille. Il voit son corps mou et sans vie sauter curieusement en l'air à chaque fois qu'on lui envoie une décharge électrique. On la pose sur la civière. Deux ambulanciers partent au pas de course, graves, silencieux. La civière disparaît dans le couloir, Joachim s'effondre, ses jambes ne peuvent plus le porter. Helene n'est plus.

43

Joachim n'a pas été autorisé à monter dans l'ambulance. La porte claque, les sirènes hurlent encore à ses oreilles longtemps après son départ. Encore un taxi. Pendant tout le trajet jusqu'à l'hôpital, il se tient prêt, la main sur la poignée de la portière. Il tend impatiemment sa carte Visa au chauffeur, sort de la voiture. Entrée principale. Il arrête la première personne vêtue d'une blouse blanche qu'il croise : les urgences ? Les grands blessés ? La réanimation ? L'infirmière essaie de calmer Joachim. Il remarque qu'elle a posé la main sur son bras, elle est habituée à voir compagnons, amoureuses, maris, femmes, parents, frères et sœurs se précipiter à l'intérieur, des gens sur le point de tout perdre. Cet hôpital est une église dédiée aux disparus, une cathédrale des pertes. Quand on a de la chance, se dit Joachim en courant vers l'ascenseur et en appuyant sur le bouton comme un forcené, on ne perd que peu de chose pendant son séjour ici. Un appendice, un sein, quelques battements de cœur. Il faut que ce soit le cas d'Helene. Elle va laisser filer quelques battements de cœur, sacrifier quelques inspirations, mais pas plus.

— Pas plus, murmure-t-il en écrasant une nouvelle fois le bouton.

Il sait que cela ne fera pas arriver l'ascenseur plus vite mais ne peut pas s'en empêcher, encore et encore, jusqu'à ce qu'enfin les portes s'ouvrent. Joachim regarde ses ongles. Ils sont sales. Alors il se souvient. D'horribles images surgissent devant lui, le pourchassent jusqu'ici. Le sang séché sur le sol de la chambre des tortures.

— Attendez.

Un pied a bloqué les portes et stoppé leur fermeture. Dans un accès de frustration, Joachim donne un coup de poing contre la paroi. Puis il voit un homme pénétrer dans l'ascenseur. Il a la peau grise, les paupières lourdes et gonflées, les yeux injectés de sang, on dirait qu'il n'a pas dormi depuis des jours. Sa chemise est froissée et boutonnée de travers. Sans sa réaction en découvrant Joachim, celui-ci n'est même pas certain qu'il l'aurait reconnu. Edmund.

— Entre, putain, que la porte puisse se fermer, siffle Joachim en enfonçant le bouton.

Bien sûr qu'Edmund est là. Personne ne peut le lui interdire. Joachim a beau haïr cette idée, Helene est sa femme, après tout. Il serre les poings, essaie de se contrôler. Il fixe, au-dessus de la porte de l'ascenseur, les chiffres rouges qui changent au fur et à mesure qu'ils grimpent, étage après étage. Enfin. Joachim se dépêche de sortir, se dirige vers la réception en essayant d'ignorer le bruit des pas d'Edmund dans son dos. Un peu plus loin, à l'entrée de la salle d'opération, Joachim repère un agent de police. Monte-t-il la garde ?

— Qu'est-ce que vous dites ? demande l'infirmière d'un ton amical.

— Helene Söderberg, répète Joachim à voix haute. Elle vient d'arriver.

Derrière lui, Edmund se racle la gorge mais ne dit rien. L'infirmière consulte son écran, sourcils froncés, concentrée. Quelles données ont-ils bien pu avoir le temps de rentrer là-dedans pendant les dix à vingt minutes qui se sont écoulées depuis qu'ils l'ont découverte ? songe Joachim.

— Êtes-vous son mari ? demande-t-elle à Joachim sans lever les yeux.

Joachim sent ses épaules s'affaisser. Edmund fait un pas en avant, s'immisce entre lui et l'infirmière.

— Edmund Söderberg, je suis le mari de Mme Söderberg, déclare-t-il calmement.

L'infirmière se penche légèrement sur le côté et lance à Joachim un regard interrogateur.

— Et vous êtes ?

— C'est moi qui l'ai trouvée, répond-il.

Il aurait envie de lui en dire plus, qu'il a trouvé Helene il y a des années, qu'il a su la repérer à l'autre bout d'un café plein à craquer, qu'il a capté son regard et découvert l'amour. Mais ce n'est pas le moment.

Joachim ne sait pas où se mettre. Il refuse de s'asseoir à côté d'Edmund. Il s'adosse au mur à quelques mètres de distance. Attend que le temps passe. De longues minutes douloureuses et embarrassantes. Enfin, la porte s'ouvre, un médecin apparaît. Un homme mince, à l'air grave, portant une blouse verte, un masque pendu autour du cou. Il se présente : Rasmussen, médecin-chef. Il serre la main à Edmund et adresse un signe de tête à Joachim, qui reste adossé au mur.

— Mme Söderberg va s'en sortir. Elle est forte, elle survivra, annonce-t-il.

Une vague de soulagement envahit Joachim, telle une averse après la sécheresse. Il porte les deux mains à son visage, entend le médecin raconter à Edmund qu'ils ont procédé à un lavage d'estomac. Il est question d'un empoisonnement. Il indique quelle dose d'adrénaline ils lui ont injectée directement dans le cœur, explique que les dommages au cerveau sont très rares si l'on est ranimé au bout de quelques minutes. Or, les secouristes ont réussi à faire revenir un pouls dans l'ambulance… Joachim n'en entend pas plus. Il s'assied, essaie de digérer l'information. Helene vit.

— Est-ce que je peux la voir ? demande Edmund.

— L'équipe de médecins est encore avec elle et nous avons besoin de faire des analyses. Mais elle est hors de danger, c'est le plus important pour le moment.

— Que lui est-il arrivé ? intervient Joachim d'une voix rauque.

La question de Joachim fait sursauter Edmund. Comme s'il avait oublié sa présence. Le regard du médecin passe d'un homme à l'autre. Il hésite une seconde avant de répondre :

— Il faut d'abord analyser sa prise de sang, le plus probable est qu'elle ait ingéré une sorte de poison. Cela se devinait à ses pupilles. Il s'agit peut-être d'une overdose de paracétamol. Il est trop tôt pour le dire.

— Un suicide ? demande Joachim, ébahi.

— Dans l'état actuel des choses, je n'en sais rien, vous dis-je, réplique brusquement le médecin.

— Mais où aurait-elle pu se procurer du paracétamol ? insiste Joachim. En détention provisoire ? Qui le lui aurait donné ?

Edmund se tourne vers Joachim et le fusille du regard.

— De quoi te mêles-tu ? s'exclame-t-il. Qu'est-ce que tu fais ici, pour commencer ?

Puis il se tourne à nouveau vers le médecin.

— Excusez-moi. Quand en saurez-vous plus ? Quand pourrai-je voir ma femme ?

— Bientôt, je pense. Il faut d'abord stabiliser son état, faire quelques ultimes analyses. Attendez ici, quelqu'un viendra vous chercher.

Le médecin serre la main à Edmund, se contente là encore d'un hochement de tête froid à l'intention de Joachim et retourne d'où il vient. Joachim sent un nouveau sentiment le gagner lentement, irrépressiblement. Un sentiment qui s'est trouvé quelque peu étouffé ces dernières minutes à cause de son inquiétude pour Helene. Mais ça y est, la colère est là, et il ne peut pas la refréner.

— Qu'est-ce qui se passe ? Pourquoi Helene a-t-elle pris des médicaments ? Où les a-t-elle trouvés ? demande-t-il d'un ton hargneux.

Edmund se tourne vivement vers lui ; ils sont face à face à présent. Edmund garde son calme, ce qui ne fait qu'énerver Joachim davantage.

— Qu'est-ce que tu as fait à Helene ? insiste-t-il.

Il tente de maîtriser ses pulsions, qui le poussent à attaquer l'homme face à lui, à faire ce qu'on fait à son rival depuis l'âge de pierre : lui éclater la tête.

— C'est toi qui as découvert Louise, rétorque Edmund. Si tu ne t'en étais pas mêlé, tout ça ne serait jamais arrivé. Pourquoi tu ne veux pas laisser Helene tranquille ?

Joachim considère ce grand brun. Écoute sa voix calme, ses mots mûrement réfléchis. Il recule d'un pas, s'immobilise, sent le poids de la défaite s'abattre sur ses épaules. Edmund a raison. Dans un sens, il a raison. Tant pis. Joachim n'est plus maître de lui-même, il ne peut plus se contenir. Son poing frappe Edmund sur le côté de la tête, violemment, presque sans un bruit. C'est un coup qui vient de très loin, de l'épisode de Gorm le photographe, qui l'a assommé dans la forêt de Hareskoven, peut-être même avant cela, depuis le jour où Edmund est arrivé comme une tornade dans le café et a foutu toute sa vie en l'air. Le deuxième coup vient de presque aussi loin. De cette chambre humide chez Miss Daisy, de la douleur sans fond qu'il a connue ces derniers jours, de son humiliation.

— Stop, dit Edmund.

Mais Joachim est incapable de se raisonner. Pas maintenant. Rien ne peut plus l'arrêter.

Il a passé les deux bras autour d'Edmund pour l'immobiliser et lui assène un coup de tête qui rencontre sa mâchoire. Il entend les dents d'Edmund claquer les unes contre les autres. Edmund réplique. Joachim a réveillé sa colère – enfin ! C'est bien, ils vont régler ça ici, pas de problème. Edmund se libère, lui envoie un coup de poing dans l'oreille ; pendant quelques secondes, Joachim n'entend plus rien qu'un bourdonnement, comme il y en avait au bon vieux temps à la télévision après la dernière émission, une fois l'arrêt du signal. Soudain, quelqu'un lui agrippe le bras et l'oblige à se redresser.

— Qu'est-ce qui se passe ici ? s'écrie l'homme qui lui tient le bras.

Un médecin, le médecin d'Helene. Rasmussen. Silence. Joachim regarde Edmund. Celui-ci a la lèvre en sang.

— Vous vous occupez de lui ? demande le médecin à une infirmière en désignant Edmund d'un signe de tête.

Deux brancardiers arrivent. Grands, forts, prêts à intervenir.

— Bon, c'est fini ?

Le médecin bout de colère.

— Je vous rappelle que vous êtes dans un hôpital. Il y a des enfants en train de mourir du cancer à vingt mètres d'ici.

Ses mots résonnent dans le couloir. Joachim baisse les yeux. Longues minutes de honte.

— Mme Söderberg est réveillée, finit par annoncer le médecin une fois que tout le monde a pris une ou deux grandes inspirations. Elle consent à vous parler, dit-il.

En regardant Joachim.

Clairement et uniquement Joachim.

— Mais c'est moi, son mari, proteste Edmund.

— Oui. Mais elle n'a pas laissé l'ombre d'un doute sur la personne qu'elle veut voir, répond le médecin.

Il lâche Edmund, revient à la porte de la salle, qu'il maintient ouverte.

44

On dirait qu'il revient de la guerre ; c'est la première chose qu'Helene pense quand Joachim passe la porte. Du sang sur les vêtements, un peu sur le visage. Elle ne l'a jamais vu avec les cheveux aussi gras et mal coiffés. Est-ce bien lui ? Elle le regarde s'approcher prudemment, s'arrêter au pied du lit. Sa main effleure le drap. C'est presque une caresse. Comme cela fait du bien.

— As-tu réussi à écrire ? murmure-t-elle.

Il sourit. Là, oui, elle le reconnaît. Ce sourire.

— Tu es vivante, dit-il.

Il s'assied sur la chaise à côté du lit.

— J'aurais préféré que tu ne me trouves pas, répond-elle.

— Ne dis pas ça, souffle Joachim.

— Je préférerais être morte.

Joachim se lève, lui prend le visage entre les mains. L'embrasse. Baiser qui fait naître des larmes. Il se rassied. Le silence qui règne entre eux est comblé par les bruits habituels de l'hôpital. Des machines qui maintiennent des gens en vie. Combien préféreraient y échapper, comme elle ? se demande Helene.

— Tu as vendu notre histoire, reprend-elle.

Elle ignore pourquoi elle y pense à présent, mais elle y pense, et les larmes roulent sur ses joues. La seule chose pure et belle de sa vie.

— Pardon ?

— Edmund m'a montré le contrat…

Joachim l'interrompt.

— Arrête. Ce n'est pas ce que tu crois, dit-il.

Au fur et à mesure, il se rapproche d'elle. Il parle vite, Helene a du mal à le suivre, mais elle l'écoute lui raconter comment il a trouvé le cadavre. Les pauvres prostituées que l'on bat parfois à mort, c'est pile ou face, la cave des tortures, pourquoi il avait besoin de l'argent, les particules de fer dans son sac, le four. Louise.

— Pourquoi ? demande Helene.

— Pourquoi quoi ?

— Pourquoi as-tu fait tout ça ?

— Parce que je t'aime.

Comme si c'était la chose la plus évidente du monde, comme si elle lui avait demandé combien font deux plus deux.

— Et je sais que tu ne l'as pas tuée, poursuit-il. Tu ne ferais pas de mal à une mouche. Pourquoi as-tu dit ça à la police ?

Il la dévisage, attend une réponse. Pendant un long moment, elle refuse d'ouvrir la bouche. Mais il ne cède pas.

Et si c'était la seule chose à faire ? Raconter la vérité ? Tant pis si elle est laide.

Helene prend une profonde inspiration avant de se lancer. Au départ, ses mots sont lents et hésitants, elle s'interrompt à plusieurs reprises. Mais ensuite cela s'améliore, les paroles affluent, les sentiments aussi, les terribles révélations sur Edmund, Caroline et les enfants. L'inceste. Les répugnants secrets de la famille Söderberg. À l'approche de la fin, elle hésite. Une fois qu'elle aura tout dit, ce sera à nouveau fini entre eux. Quand il saura tout. Quand il apprendra que la femme qu'il croyait connaître est vraiment une meurtrière, ce sera terminé. Peu importe. Elle expose les choses telles qu'elles sont : qu'elle se souvient de Louise, et qu'elle l'a tuée. Elle ne se rappelle pas encore les détails, mais ce n'est sûrement qu'une question d'heures ou de jours.

— J'ai commencé à retrouver la mémoire. C'est lent, ça prend du temps, mais ça vient, dit Helene à voix basse.

Joachim la fixe. Pendant qu'elle parlait, il a trouvé un chemin sous la couverture et lui tient doucement le bras. Helene ne sait que penser. Pourquoi ne l'a-t-il pas lâchée ? Pourquoi n'a-t-il pas retiré sa main ? Elle s'attendait à du dégoût, à du mépris. Mais Joachim a l'air pensif, c'est tout. Il n'est pas en colère, juste pensif. Et il secoue la tête.

— Cela fait vingt-cinq ans que j'invente des histoires, que j'en ai fait mon métier... mais rien de ce qu'on pourra sortir de notre chapeau ne surpassera jamais les mensonges et les non-dits familiaux de la vraie vie. Rien.

Helene regarde Joachim, déconcertée. Il s'est tu, ses yeux se sont assombris, il lui étreint les mains.

— Tu n'es pas une meurtrière. Tu n'as pas assassiné Louise Andersen.

Helene essaie de libérer ses mains.

— Joachim, je sais bien que c'est dément, mais Louise est morte, et c'est moi qui l'ai tuée. Je ne suis pas celle que tu croyais. Tu ne m'as jamais vraiment connue. Aucun d'entre nous ne me connaissait vraiment, tout cela est un mensonge.

— La seule chose qui n'était pas un mensonge, c'était toi et moi, répond Joachim. Nous sommes la seule vérité de cette histoire. Je te connais, je sais que tu n'as tué personne. C'est impossible, tu es la personne la plus sensible que j'aie jamais rencontrée. Tu as de la peine pour les autres, même les araignées. Quand les gens en voient une, ils essaient en général de l'écraser, ils se disent que ce n'est qu'une stupide araignée et que tout le monde fait la même chose. Toi, tu en es incapable. Tu vas chercher un verre et tu la transportes avec mille précautions jusqu'à la fenêtre. Tu ne la jettes même pas dehors, tu la poses délicatement sur le rebord extérieur de la fenêtre, et avant de refermer tu la surveilles jusqu'à ce que tu sois sûre qu'elle ait trouvé où s'accrocher. Tu n'es pas une meurtrière, Helene. Je te connais, je le sais.

— Non.

— Non quoi ?

— Les employés… de l'entreprise.

— Eh bien ?

— Ils me détestent. Helene Söderberg n'est qu'une vieille harpie dont les gens ont peur. Je ne suis pas celle que tu croyais.

Joachim sourit.

— Les gens sont comme les fleurs, dit-il.

Elle est incapable d'en entendre davantage, elle veut dormir, s'enfuir, elle plaque les mains sur ses oreilles.

— Helene, écoute-moi, murmure-t-il.

Il lui attrape les mains pour la forcer à l'écouter.

— Les gens sont comme les fleurs : chaque être humain doit trouver l'endroit où il pourra s'épanouir, et les gens capables de tirer le meilleur de lui, lui chuchote-t-il tout contre l'oreille.

— Non.

Elle fond en larmes.

— Si, répond Joachim, et il répète sa phrase, comme si elle était son nouveau « Notre Père ». Chaque être humain doit trouver l'endroit où il pourra s'épanouir, et les gens capables de tirer le meilleur de lui.

Helene sent sa main, entend ses mots. Lui aussi était un drôle de type avant de la rencontrer.

— En nous-mêmes, nous ne sommes rien, ce n'est qu'au contact des autres que nous nous révélons, poursuit-il.

Il dit qu'il en va ainsi dans tous les processus de la vie et se perd dans une longue explication au sujet de la glycérine, qui est inoffensive – rien d'autre qu'un genre d'alcool doux que l'on utilise dans la nourriture – mais qui, associée à l'acide nitrique, devient de la dynamite. Et il fait « Boum ! », comme s'il devait l'aider à se rappeler ce qu'est la dynamite. Elle sourit, son premier sourire depuis mille ans, elle avait oublié comment fonctionnent les zygomatiques. Puis elle se remet à pleurer, elle ne sait pas pourquoi elle fond en larmes ainsi mais elle est incapable de s'arrêter, Joachim aussi pleure, il est incroyable avec son indécrottable conviction qu'on peut toujours tout régler par la parole.

Helene se souvient de Louise. Elle se souvient de sa colère en découvrant que son argent avait disparu.

— Il y a tant de choses que tu ignores, lâche-t-elle.

— Il y a tant de choses que *tu* ignores, rétorque Joachim d'un air décidé. C'est moi qui ai trouvé le corps de Louise. C'est ma faute si tu as été mise en prison, c'est moi qui ai suivi cette piste qui, selon la police, ne mène qu'à toi. Mais j'ai aussi découvert autre chose : il y a beaucoup d'autres éléments dans cette histoire. Louise faisait partie d'un milieu… un milieu vraiment horrible, extrêmement violent. Je suis persuadé que c'est quelqu'un de ce milieu le coupable. Ce n'était pas toi, Helene, tu entends ?

Helene l'écoute. Essaie de suivre ce qu'il dit.

— Mais puisque je m'en souviens, proteste-t-elle, mal assurée.

— Te souviens-tu que tu l'as tuée, ou te souviens-tu que tu la connaissais ? Ce sont deux choses très différentes, n'est-ce pas ?

Helene acquiesce lentement. Elle ferme les yeux, essaie encore une fois de réveiller ses souvenirs, mais ce n'est pas comme ça que ça marche. Ils arrivent sans prévenir, comme un souffle de vent, comme une brise. Elle se souvient de Louise, elle connaissait Louise. L'a-t-elle tuée ? La police prétend qu'on lui a ôté toute sa peau. Que c'est le signe que quelqu'un voulait effacer son identité, effacer tout ce qui pouvait faciliter l'identification du corps. Qui d'autre qu'Helene aurait pu y avoir un intérêt ?

— C'est moi qui ai volé son identité.

— Helene. Tu n'as pas pu écorcher un être humain. C'est ridicule, insiste Joachim.

Elle le regarde. Sent quelque chose monter en elle. Un espoir ? Puis elle se recroqueville sur elle-même. Edmund. Caroline. Son propre père. Tout cela est vraiment répugnant. Et rien ne pourra être réparé. Joachim la secoue doucement.

— Helene, écoute-moi. Tu n'es pas la meurtrière de Louise.

— Mais, proteste Helene, il y a aussi tout le reste. C'est mal, ce que j'ai fait. Mes propres enfants... Mon père était un monstre. Je n'aurais jamais dû naître.

Elle a murmuré ces derniers mots, submergée par les sanglots qui montaient.

— Tu n'as rien choisi de tout cela, on t'a menti, tu n'étais qu'une pièce dans un puzzle fabriqué par un fou.

Il se lève, la repousse légèrement afin de mieux la voir.

— Tu es la plus belle personne que j'aie jamais rencontrée, dit Joachim. Rien de tout ce que tu m'as raconté n'y change rien. Ta famille, ton mari, sa mère, ils t'ont fait du tort et c'est mal, mais ce n'est pas ta faute, comprends-tu ? Ce n'est pas toi.

Joachim se tait, prend un air pensif.

— Ils t'ont donné leur version de l'histoire, déclare-t-il. Mais ça reste la leur. Qui dit que c'est la bonne ?

— Pourquoi m'auraient-ils raconté un tel mensonge ? demande Helene. Quand on ment, c'est pour enjoliver la réalité, pas pour se rendre pire qu'on ne l'est.

Joachim hausse les épaules.

— Pour le moment, nous n'en savons rien. As-tu vu une preuve de quoi que ce soit ?

— Joachim...

— Non, répond-il. Tu as le droit de décider de ce que tu vas faire. Tu as choisi de rentrer...

— J'avais des enfants, lâche Helene.

Elle songe qu'elle les a toujours, qu'elle les adore. Mais aura-t-elle jamais la force de les revoir ? Voilà pourquoi il aurait mieux valu qu'elle disparaisse : pour les épargner. Tout le monde est capable de surmonter la perte d'un parent. Peut-être même des deux. Mais personne ne peut surmonter un inceste. En tout cas l'amour filial, pour la mère ou pour le père, n'y survit pas. Joachim interrompt le cours de ses pensées en posant ses deux mains sur le visage d'Helene.

— Veux-tu que nous fassions un pacte ?

— Lequel ?

— La mort est toujours une option. N'est-ce pas ?

— Qu'est-ce que tu veux dire par là ?

— Nous allons découvrir la vérité. Toute la vérité. Pas des demi-vérités, ni des conjectures. Ensuite seulement tu pourras choisir la mort si c'est ce que tu veux, propose-t-il.

Elle sait bien ce qu'il a en tête. Mais cela ne l'intéresse pas. L'espoir. Il veut la forcer à être optimiste.

— Cette fois, nous voulons des preuves.

Helene regard Joachim. Il s'est tu. Il reste ainsi, à fixer ses ongles. Comme s'il venait seulement maintenant de se rendre compte qu'ils étaient sales.

— Des preuves, murmure-t-il.

45

Il est tôt ce matin-là quand Joachim quitte l'hôtel. La veille, Helene a essayé de se tuer. La veille, on a rendu à Joachim le sens de sa vie. Il est seul sur le parking face à l'hôtel Blicher. *Blicher*. Le grand homme local. Chaque région a sa petite fierté historique ; il se trouve que celui-ci a écrit le premier roman policier au monde et, de plus, réussi à introduire la démocratie au Danemark. Joachim se souvient des deux tentatives qu'il a faites dans sa jeunesse de lire *Le Prêtre de Vejlbye*. À l'époque, il était trop impatient, il ne pouvait pas lire quatre lignes sans que lui viennent une foule d'idées de choses que lui aussi aurait aimé écrire. Ce n'était qu'à Christiansø qu'il avait réussi à prendre le temps de le lire jusqu'au bout. « C'est un vieux machin, a-t-il expliqué à Helene la veille dans la chambre d'hôtel. Ça date de 1829. »

Elle est sortie de l'hôpital. Gregers Sperling, l'enquêteur de Copenhague, l'a libérée sous caution. Edmund s'est présenté au tribunal. Il croyait que le fait d'avoir payé la somme demandée – avec l'argent de Söderberg Shipping – lui donnait le droit de récupérer Helene. Mais c'est Joachim qui l'a accompagnée hors du palais de justice, l'entourant de ses bras, en passant par la sortie de service pour éviter la presse locale. Et il a eu l'impression que... qu'enfin, il avait fait un pas vers la victoire dans cette antique bataille pour la belle Hélène. Le regard d'Edmund, si triste... Tout son être respirait le chagrin. La tournure prise par les événements laissait à penser que Joachim avait gagné. Pour l'instant, du moins.

— Allez, vas-y, murmure Joachim pour s'encourager, regardant son haleine se mêler à l'air frais du matin au moment où il s'installe dans la voiture de location.

Ce n'est pas terminé, rien n'est définitif. Il le sait bien. Jusqu'ici, ils n'ont réussi qu'à acheter du temps. Exactement comme le prêtre accusé de meurtre dans le roman policier de Blicher : il affirme que c'est quelqu'un d'autre qui a commis le meurtre, que c'est l'œuvre du diable. Mais personne ne le croit, tout comme personne ne croit en l'innocence d'Helene.

— Pourquoi me parles-tu de ce vieux bouquin ? a demandé Helene cette nuit.

Elle était épuisée, elle voulait juste dormir.

— Je te parle du premier roman policier de la littérature parce qu'il y a du vrai dans cette histoire, a-t-il répondu avec le sentiment de jouer le vieux maître d'école. Il y a une morale, un enseignement que Blicher nous transmet. Rien n'est vraiment comme on se l'imagine, la vérité est tout autre, il ne faut pas croire ce que les gens racontent. Il ne faut jamais faire confiance au narrateur.

*

Le moteur de la voiture de location ne fait presque aucun bruit, et Joachim conduit trop vite. Mais c'est nécessaire, il le sent, il faut qu'il reste sur la voie de gauche, sinon il a peur de changer d'avis et de faire demi-tour. Demi-tour vers Helene. Il est encore imprégné de la nuit qu'ils viennent de passer ensemble, son parfum est encore incrusté dans sa barbe. Mais ils font ce qu'il faut faire, il en est persuadé. Helene doit découvrir la vérité à propos de son père. Quant à Joachim, il démêlera jusqu'au bout ce mystère, il trouvera qui a tué Louise Andersen. Il va blanchir Helene. Remettre en ordre le bazar qu'il a occasionné.

Mais par où commencer ? Que sait-il ? Rien. Absolument rien. Il frappe le volant et, par hasard, appuie sur le klaxon. La voiture qui le précède, prenant l'avertissement sonore pour elle, ralentit brusquement et se décale sur la bande d'arrêt d'urgence. Joachim se hâte de la dépasser et adresse au conducteur un signe d'excuse.

Gregers Sperling, le commissaire chargé de l'enquête sur le meurtre, n'est toujours pas convaincu de l'innocence d'Helene. Le persuader de faire analyser le sang que Joachim avait sous les ongles – le sang séché datant de son séjour dans la chambre de torture – a été une vraie bataille. Joachim lui a raconté sa rencontre avec le duo de chauffeurs, la pauvre fille droguée. Sauf qu'il n'a aucune idée de l'endroit où se trouve cette cave. Tout ce qu'il peut affirmer avec certitude, c'est que Stella, la prostituée, a leur numéro, et qu'on convient des rendez-vous dans le sauna de la piscine de Frederiksberg – bref, des choses qu'il leur a déjà expliquées douze mille fois. Sperling a pour le moins semblé sceptique. Cependant, si toute cette histoire n'était pas véridique, comment aurait-il pu remonter jusqu'au cadavre de Louise ? Sperling a souri à Joachim, haussé les épaules et répondu que pour lui le plus logique était qu'Helene lui ait indiqué où se trouvait le corps.

Le Prêtre de Vejlbye... Ce livre obsède Joachim pendant tout le trajet jusqu'au pont Storebæltsbroen. Ne faites jamais confiance au narrateur. Gregers ne croit pas à la version de Joachim, et Joachim ne croit ni à la version d'Helene ni à celle de sa famille.

— Je vais mettre un point final à tout ça, se promet-il.

C'est le privilège du narrateur. Mais par où commencer ? Va-t-il vraiment tout reprendre depuis le début et essayer de retrouver Stella ? Le cours de ses pensées est interrompu au milieu du pont par la sonnerie de son téléphone.

— Je parle bien à Joachim ?

Sperling a l'air fatigué.

— Vous avez terminé les analyses de sang ? demande Joachim, qui retient son souffle.

— Eh bien, je ne sais pas si on pourrait appeler ça comme ça, car ce n'était pas du sang que vous aviez sous les ongles. Juste de la peinture, répond sèchement Sperling.

— De la peinture ?

Joachim n'y comprend rien.

— Nos labos ont analysé les échantillons de la substance que vous aviez sous les ongles, ce n'est pas du sang. Je sais que vous aviez votre petite idée là-dessus, mais ce n'est pas une piste exploitable.

Joachim cligne des yeux et se range sur la bande d'arrêt d'urgence en laissant le moteur tourner. Ça n'a aucun sens. Il revoit encore la cave des tortures devant lui : la couche d'hémoglobine dont le sol était maculé et dans laquelle il a planté ses ongles quand les deux costauds ont commencé à le tabasser.

— Pourriez-vous refaire les analyses ? Peut-être que l'échantillon a été mélangé avec de la peinture ?

Je suis absolument certain que c'était du sang, je ne vois pas comment ça pourrait être de la peinture.

Sperling pousse un soupir.

— Le labo sait ce qu'il fait. C'est de la peinture, de…

Sperling s'interrompt. Joachim entend des froissements de papier.

— … de la peinture à la colle de peau couleur carmin, dit le policier, qui répète, de la pein-ture-à-la-colle-de-peau… cou-leur-car-min… J'ai le rapport sous les yeux, il n'y a aucun doute possible. Ce n'est que de la peinture, il n'y a aucune autre substance présente dans l'échantillon.

Sperling conclut avec emphase :

— Ce n'est pas du sang.

Joachim a l'impression de rapetisser. Sa déception est énorme. S'est-il vraiment trompé ? Dans ce cas, il n'y a décidément aucune piste à suivre. Il a envie de reposer la question, de les prier de refaire les analyses. Mais cela ne sert à rien : ils ont raison, c'est sûr. S'ils disent que ce n'est pas du sang, ce n'est pas du sang.

— Et cette Stella ? Avez-vous essayé de la retrouver ?

— Oui. En vain.

— En vain ? Pourtant, quelque part au Danemark, il existe une chambre de torture où des filles se font assassiner.

— Où vous vous êtes fait conduire en voiture avec un sac sur la tête ?

— Il y a peut-être des caméras de surveillance dans le parking souterrain où je me suis fait ramasser par les deux types ! s'écrie Joachim. Retrouvez la camionnette, le propriétaire – je suis le seul ici à avoir un cerveau ou quoi ?

— Cher monsieur, répond Sperling sur un ton légèrement condescendant, je ne peux pas vous expliquer sur quoi nous sommes en train d'enquêter. Vous faites partie des protagonistes.

— C'est moi qui ai trouvé le corps. Où en seriez-vous sans moi ?

— Sans vous, nous n'aurions rien contre Mme Söderberg. Mais ça y est. Nous avons aussi découvert autre chose. Sur les lieux du crime. Je ne devrais pas vous le dire, mais… vous m'avez l'air, comment exprimer ça en bon vieux dialecte du Jutland…

— Quoi donc ? Vous ne pouvez pas le dire en danois normal ?

— Vous m'avez l'air un peu « surexcité ». Ça nous arrive parfois de voir des gens qui se lancent dans leur propre enquête. Ça ne donne jamais de résultats. On est capable de faire beaucoup de choses soi-même, en cette époque de *Do It Yourself.* Mais pour les enquêtes criminelles, il faut s'en remettre à nous.

— Je vous pose encore une fois la question : qui a retrouvé Louise Andersen ? demande rudement Joachim.

Pas de réponse. Sperling serait-il en train d'allumer sa pipe ? Quel bouffon. Quel arrogant.

— Vous avez dit que vous aviez découvert autre chose ?

— Oui. Nous avons trouvé des cheveux sur le lieu du crime. Dont l'ADN correspond à celui de Mme Söderberg.

— Ça ne prouve rien, rétorque Joachim.

Pendant quelques instants, chacun à un bout de la ligne, les deux hommes gardent le silence, un silence à peine troublé par le bruit d'une pipe qu'on cogne contre un cendrier pour la vider. Puis Joachim raccroche. Il reste plusieurs minutes sur la bande d'arrêt d'urgence. Regarde la mer avec l'impression qu'il vient de perdre quelque chose : l'opportunité de prouver l'innocence d'Helene. Au lieu de ça, il a récolté de la peinture à la colle de peau. Couleur carmin.

46

La mort est encore larvée dans son corps, elle suit Helene comme une ombre pendant qu'elle remonte l'allée qui mène à la maison. Tout ce pour quoi son père s'est battu ; la richesse et le pouvoir. Elle pose les yeux sur la villa blanche. La vérité est là, à l'intérieur. Elle le sait. L'heure est venue de la déterrer. Elle regarde la fontaine, les dauphins finement sculptés, la preuve que son père avait conquis les sept mers. La lumière du soleil frappe le mur clair à l'abri duquel les rosiers fleurissent, rouges, blancs, orange et vermillon, fleurs somptueuses et exubérantes. Helene inspire leur odeur sucrée à pleins poumons. Elle l'associera pour toujours à cette maison : écœurante, malsaine, fausse.

*

Helene reste un moment dans l'entrée déserte. Elle entend des voix dans l'un des salons. Elle reconnaît celle de Caroline. Il faut qu'elle lui parle. Elle va se planter devant elle et exiger des réponses. Qui a été témoin du meurtre de William Hirsch ? Elle veut le savoir. Elle va forcer Caroline à tout lui raconter de nouveau en observant bien son comportement. C'est un jour de semaine, les enfants doivent être à l'école.

Les enfants… Que va-t-elle bien pouvoir leur dire ? Non. Pour l'instant, il s'agit de se concentrer sur ce qu'elle a promis à Joachim. Découvrir la vérité. Rien d'autre.

Helene suit la voix de Caroline jusqu'au salon donnant sur la terrasse. Le salon aux deux grands canapés verts et aux larges portes vitrées qui s'ouvrent sur le jardin. Son salon préféré à l'époque où elle croyait qu'elle resterait vivre ici, durant les quelques jours où elle s'est imaginé qu'elle était la seule à avoir un problème. En s'approchant, elle perçoit aussi la voix d'Edmund ; ils se disputent, les mots volent. Les enfants, l'argent, le meurtre, les pilules.

— Nous n'exigeons que notre dû, assène Caroline.

Elle semble reprocher à Edmund d'avoir quasiment ramené Helene de force avec lui à Silkeborg. Ne voit-il pas qu'il n'a fait que s'attirer des problèmes ? Pourquoi ne l'a-t-il pas laissée là-bas, sur son île, à l'autre bout du Danemark ?

Helene éprouve une pointe de compassion envers Edmund quand elle l'entend répliquer d'une voix enragée, mais fragile. Reprenant ses esprits, elle pousse la porte. Edmund et Caroline la fixent, interloqués.

— Où sont les enfants ? demande-t-elle en serrant les dents.

Edmund fait un pas dans sa direction. Il y a quelque chose de résolu en lui qui fait peur à Helene. C'est bien lui, ça : on croirait que toute cette histoire ne l'affecte même pas.

— Où sont les enfants ? reprend Helene.

— À Londres, répond calmement Edmund.

— À Londres ? répète Helene, qui n'y comprend rien.

— Nous avons décidé qu'il valait mieux les éloigner d'ici. Ils étaient passablement perturbés.

Nous étions assiégés par les journalistes, et puis ils demandaient en permanence où tu étais. Nous avons voulu leur épargner les premières pages des journaux et les commentaires de leurs amis à l'école.

— *Nous* avons décidé ? murmure Helene en considérant Caroline.

Elle sait bien qu'elle est la grand-mère des enfants. Peu importe, elle ne supporte pas que la vieille dame se sente en droit de prendre des décisions à propos de leurs enfants. De ses enfants à elle.

— Mais… Pourquoi Londres, et…

Helene lance un regard déconcerté à Edmund, revient vers Caroline, puis vers son mari.

— Avec qui sont-ils ?

— Avec Katinka, dit Edmund sur un ton rassurant.

— Katinka ?

Helene réfléchit à toute allure. Ce nom devrait-il lui évoquer quelque chose ?

— Oui, Katinka, tu sais bien, le professeur d'équitation de Sofie.

Helene revoit en esprit cette cavalière renfrognée qui a à peine consenti à la saluer ; elle se rappelle aussi que la jeune fille avait une tout autre attitude quand elle l'a regardée discrètement par la fenêtre. Les enfants sont en sécurité avec elle, aucun doute là-dessus.

— Elle les a déjà emmenés à Londres pour des meetings équestres, ça fait des années qu'elle habite avec nous et les enfants l'adorent. Ils sont bien avec elle, et il vaut mieux pour eux qu'ils restent loin tant que cette affaire n'est pas réglée, dit Edmund.

Helene soupire. Il a raison. Elle sent un nœud se défaire petit à petit à l'intérieur d'elle-même. Voilà toujours un problème remis à plus tard. Les enfants sont entre de bonnes mains. Elle n'a plus aucune excuse pour ne pas s'attaquer à ce pour quoi elle est venue. Helene pose les yeux sur Caroline.

— Vous avez dit que mon père avait tué William Hirsch.

— Oui, mon enfant. C'est exact, acquiesce Caroline.

Helene le savait déjà. Caroline ne ment pas sur ce point.

— Il faut retrouver le corps, déclare tranquillement Helene. Je refuse de vivre plus longtemps avec ce mensonge. Il faut que les agissements de mon père soient révélés au grand jour.

Caroline fixe Helene, interdite. On dirait qu'elle va parler mais elle reste bouche bée, muette. Cela ne dure qu'un instant. Très vite, elle se reprend.

— Ce n'est pas nécessaire, répond-elle.

— Pas nécessaire ? Comment faire justice pourrait ne pas être nécessaire ? demande Helene.

Caroline secoue la tête, regarde Edmund.

— Helene, si tu commences à exhumer cette vieille affaire, cela aura des conséquences fâcheuses pour l'entreprise, tu t'en rends bien compte, n'est-ce pas ? Annoncer que la fortune des Söderberg s'est construite sur le commerce avec les nazis et que, par-dessus le marché, un Juif a été sacrifié par le directeur en personne pour sceller la collaboration avec l'occupant, ce n'est pas exactement le genre d'information que la Bourse appréciera, assène Edmund.

Helene reconnaît bien là Edmund l'homme d'affaires.

— Vous avez dit que William Hirsch avait été jeté dans un lac et qu'il y avait eu un témoin, insiste Helene en fixant la vieille dame. Qui était-ce ?

Caroline cligne des yeux quelques secondes. Aurait-elle peur ?

— Je ne vois pas très bien à quoi vous faites allusion. Je n'ai jamais parlé d'un lac, ni de témoin.

Helene fronce les sourcils. La mémoire est son point faible. Elle essaie de se souvenir de leur conversation dans la cuisine. La vieille dame a affirmé qu'il y avait un témoin. Et que le cadavre de Hirsch avait été jeté dans un lac. Oui, Helene en est sûre. Elle se souvient même du ton triomphal avec lequel la vieille dame le lui a raconté. Du moment où elle a achevé de la convaincre que son père était un assassin. Pourquoi le nie-t-elle maintenant ?

— Je découvrirai la vérité quoi qu'il en soit, donc autant me dire tout de suite de qui il s'agissait.

La phrase d'Helene fait impression sur Caroline. Elle essaie de le cacher, sans grand succès.

— Je n'en resterai pas là. Vous le savez, non ? Alors dites-moi qui était le témoin.

— Pourquoi tiens-tu tellement à tout gâcher ? demande soudain Edmund.

Sa voix vient de loin. Il s'est installé dans la pièce attenante, à son bureau. Celui auquel il était assis le matin où Helene s'est donnée à lui.

— Pourquoi ne veux-tu pas laisser tomber cette histoire ?

— Comment le pourrais-je ? réplique Helene. Pense aux enfants. À…

— Sofie et Christian vont hériter de la fortune de nos deux lignées, l'interrompt Edmund. Si seulement tu voulais bien oublier tout ça et rentrer à la maison, nous pourrions reprendre notre vie d'avant. Tout pourrait redevenir parfait.

Helene est stupéfaite : il est sérieux en prononçant ces mots. Il est persuadé de ce qu'il avance. Comment peut-il, ne serait-ce qu'une seconde, croire qu'il soit envisageable pour elle de recommencer à vivre avec lui en sachant ce qu'elle sait ? Pauvre, pauvre Edmund. Caroline l'a détruit. Elle a sacrifié son propre fils pour se venger. C'est trop inhumain. Helene ne sait que dire. Elle tourne les talons et quitte le salon. Reprend ses clés de voiture dans la commode de l'entrée et sort de la maison. Il n'y a qu'une seule issue, qu'une possibilité pour poursuivre son enquête. Le cadavre dans le lac. Le témoin. La vérité.

47

Joachim observe l'intérieur de la boutique de peinture. Tout lui semble à la fois étranger et familier et lui rappelle son ex-femme, Ellen. Ça, c'est son univers, son terrain. L'art, Copenhague, l'élite. Il se souvient des rares fois où il lui a rendu visite à l'Académie des beaux-arts. Il y a trouvé exactement la même odeur ; essence de térébenthine, peinture, colle. Joachim attend avec impatience que le seul vendeur du magasin en ait fini avec un client. Celui-ci tient un fin pinceau dans une main et fait des gestes fougueux avec les bras. Peinture à la colle de peau couleur carmin. Joachim a effectué une recherche sur Internet. Ce n'est pas le genre de peinture qu'on applique sur les façades des maisons. Ce sont les artistes et les doreurs qui s'en servent. Enfin, le vendeur se libère du client, tourne son visage poupin vers lui tout en ajustant sa chemise impeccablement repassée. Joachim n'ose même pas penser à quoi il ressemble, lui.

— Et comment pourrais-je être utile à ce monsieur ? demande le vendeur avec bonne humeur.

— De la peinture à la colle de peau couleur carmin, répond Joachim à toute vitesse.

— Comptez-vous en faire une utilisation immédiate ?

— Non, non, ce n'est pas pour en utiliser, mais qu'est-ce que c'est ? Pourriez-vous me dire à quoi ça ressemble, à quoi ça sert ?

Le vendeur l'évalue rapidement de la tête aux pieds, sans laisser paraître ce qu'il pense de l'allure ou de l'ignorance de Joachim.

— Le carmin, ou cramoisi, est une nuance spécifique de rouge fabriquée à partir d'un parasite, la cochenille. Le nom « carmin » vient de l'acide carminique produit par cet insecte et dont on se sert pour fabriquer la teinture. C'est un parasite qui se défend contre ses prédateurs grâce à cet acide. Les Aztèques ont découvert un moyen de s'en servir comme colorant, débite le vendeur, qui sort une petite boîte qu'il pose sur la table. Au départ, la cochenille n'existait qu'en Amérique du Sud, où elle vivait sur des cactus. Mais les Européens ont importé tant l'insecte que la technique en Europe.

Joachim acquiesce avec enthousiasme et émet à intervalles réguliers des « ha ha » et des « mmm » comme si c'était diablement intéressant. Mais rien de ce que cet homme dit ne lui permet d'avancer. Pourquoi y avait-il de la peinture rouge dans la chambre de torture ?

— D'accord. Et la peinture à la colle de peau ?

— La peinture à la colle de peau a été inventée au Moyen Âge, poursuit le vendeur. On la fabrique à partir d'os, de moelle et de cartilages, qu'on cuit jusqu'à en extraire de la colle. Bon, évidemment, le processus est un peu plus compliqué que ça ; on ajoute aussi de l'acide chlorhydrique pour se débarrasser des sels minéraux, et il faut la faire cuire jusqu'à ce qu'elle obtienne la bonne consistance. Ensuite, on la filtre.

Le vendeur s'interrompt et lui lance un regard interrogatif. Joachim réfléchit, réfléchit.

— C'est souvent utilisé ?

— Au contraire. Elle a subi la concurrence de nouveaux types de peinture présentant la même consistance, y compris à des températures plus basses. Pour qu'on puisse peindre avec de la peinture à la colle de peau, elle doit être à soixante degrés, ni plus ni moins. Ça peut être assez délicat de maintenir la bonne température. En tout cas, la technique demande de la précision. C'est comme si cette peinture était plus vivante que les autres. Et puis, ce n'est pas sans danger.

— Ah bon ?

— Si elle atteint une trop forte température, elle peut prendre feu toute seule. C'est souvent arrivé. Sur les torchons que les peintres utilisent pour sécher leurs pinceaux, par exemple : ils les laissent traîner par terre, ils se saoulent, et ils s'endorment. Les chiffons restent là, au chaud, le soleil tape sur la fenêtre de toit... Il ne faut pas grand-chose pour déclencher une combustion spontanée.

— Quel genre d'artiste se sert de peinture à la colle de peau aujourd'hui ? demande Joachim.

Le vendeur fronce les sourcils, réfléchit.

— Mmm... Je sais que Tal R en utilise, mais à part lui personne ne me vient à l'esprit dans l'immédiat... Je dois dire que ce sont plus les matériaux que les artistes qui m'intéressent, précise-t-il pour s'excuser. Mais j'ai l'impression qu'il y a un regain d'intérêt pour la technique, parce qu'on me pose de plus en plus souvent la question. Ça vient par vagues.

Le vendeur dévisage Joachim.

— Voulez-vous que je vous en commande ?

— Non, je ne peins pas, mais je vous remercie beaucoup pour toutes ces informations.

— Je vous en prie, répond poliment le vendeur, qui retourne à son comptoir, où l'attend patiemment un client.

Ceux qui fréquentent la boutique ont l'air de savoir qu'ici il ne faut pas être pressé. Joachim regarde autour de lui, inspire l'odeur chimique prégnante. Ellen. La dernière personne sur terre qu'il aurait envie de voir. Il repense au ballet sans fin de vernissages auxquels elle l'a traîné et où elle lui montrait les gens importants. Artistes, galeristes, collectionneurs. Ellen savait tout sur tout le monde, c'était son domaine de compétence. « Le milieu », comme elle disait. Tout ce que Joachim fuyait, un univers avec des règles du jeu que lui était trop bête pour comprendre. Ou peut-être n'avait-il tout simplement pas assez de talent. En général, il survivait aux conversations pénibles, superficielles mais tranchantes comme des rasoirs de ces réceptions et de ces vernissages en se saoulant le plus vite possible.

Et voilà qu'il faut qu'il en retâte ! Il doit en passer par la pénitence. S'il y a bien quelqu'un capable de lui fournir les renseignements susceptibles de le lancer sur la bonne trace pour découvrir pourquoi il y avait de la peinture à la colle de peau couleur carmin dans la chambre de torture, c'est Ellen.

48

Helene attend que les derniers élèves aient quitté l'école de plongée avant de s'approcher. Elle a repéré Martin. Il est en train de remballer son équipement. Elle s'assied sur le ponton. Sous elle, le bois est doux, chauffé par le soleil. Elle contemple l'eau noire. Ferme les yeux, inspire l'eau du lac ; une odeur vieille de plusieurs milliers d'années, qui lui donne envie de dilater ses poumons pour pouvoir en inspirer plus, toujours plus. Puis, lentement, elle expire. Elle regarde Martin. Il ne l'a pas encore remarquée. Elle est loin d'être sûre que ce soit le bon point de départ, mais c'est la seule piste qu'elle ait. Elle jette un coup d'œil par-dessus son épaule. Elle ignore si elle est suivie. Elle ne le croit pas. Elle a passé quasiment une heure à brouiller les pistes par les petites routes autour de Silkeborg pour s'assurer que personne ne la surveillait. Elle laisse son regard errer sur le grand lac à la surface sombre, presque aussi noire que du pétrole. Elle entend encore résonner dans sa tête les mots de Caroline quand elle a soudain nié avoir affirmé que le cadavre de William avait été jeté dans le lac. Nié que la vérité se trouvait là-dessous.

Ça y est, Martin l'a remarquée. Il s'approche d'elle. Il se redresse en la voyant s'approcher elle aussi.

— Bonjour, Martin, dit-elle en s'arrêtant devant lui.

Elle lui tend la main ; il essuie la sienne sur son short blanc avant de la lui serrer.

— Vous souvenez-vous de moi ? lui demande-t-elle, bien qu'elle voie à son regard qu'il l'a reconnue.

— Bien sûr, répond-il.

— Je suis venue car j'aurais besoin de votre aide.

Elle se tait. Par où commencer ? Que doit, que peut-elle lui confier ?

— Est-ce que ça s'apprend vite ?

Martin la regarde avec surprise.

— Vous voulez apprendre à plonger ?

— C'est difficile ?

— Non. Il y a un groupe qui commence le mois prochain.

Le mois prochain ? Le mois prochain, elle risque d'être en prison pour le restant de ses jours.

— Je comptais essayer un peu plus tôt que ça, avoue Helene.

Elle rit. Elle ne sait pas très bien pourquoi mais cela lui semble bon, adapté à l'ambiance, à l'eau, au soleil – une trinité.

*

Sentiment de liberté. Helene tient fermement la poignée du pneumatique. La tenue de plongée épouse son corps de très près. Elle observe Martin, assis à l'autre bout du bateau. Un homme adulte, mais aussi un vrai petit garçon, le genre qui ne se lassera jamais de la vitesse et de tout ce qui concerne le matériel, la technique.

Elle a senti que son enthousiasme était sincère quand, deux heures plus tôt à peine, sur le rivage, il lui a enseigné les bases de la plongée. Il lui a expliqué le fonctionnement du masque. Il ne faut pas retenir sa respiration, toujours soit inspirer, soit expirer, et tout devrait bien se passer. Si on veut plonger en eau peu profonde, on peut se contenter d'une formation d'une journée. Ce n'est que quand on veut descendre à une dizaine de mètres ou pour explorer des épaves qu'il faut le certificat de plongée. Avant de monter à bord, il a fallu qu'elle apprenne à vider son masque de l'eau qu'il contenait... Le tout, sous l'eau. Elle s'y est reprise à cinq fois avant d'y parvenir. Il faut appuyer fort avec deux doigts sur la partie supérieure du masque et souffler par le nez en même temps, ce qui chasse l'eau dans l'eau. Miraculeux, trouve-t-elle.

— Avez-vous facilement le mal de mer ? lui crie Martin.

— Assez facilement, mais là, ça va. Je me sens bien, répond-elle.

Sa voix essaie de couvrir le vacarme du moteur. Des gouttes d'eau lui atterrissent sur le visage, sur la bouche, elle les avale. Le goût du temps.

— Est-ce qu'on pourrait plonger devant ma maison ? reprend-elle.

— Pardon ?

Martin ralentit l'allure. Helene se racle la gorge. Elle n'a pas raconté à Martin la raison de son intérêt soudain pour la plongée.

— Je me demandais... si on pouvait plonger devant ma maison.

— C'est un peu profond, dit-il.

— Et aux environs ?

Martin la dévisage. Il a deviné qu'il y a anguille sous roche. Peut-être pas qu'Helene cherche le cadavre du père de Caroline, mais ce ne sont pas les brochets, les perches et les algues qui l'intéressent, c'est clair.

— On va s'arrêter de l'autre côté de la pointe, à environ cent mètres de la rive est du lac de Julsø. C'est tout près de chez vous. Il y a plus de vingt mètres de profondeur, c'est un kettle qui date de la période glaciaire, on a une très mauvaise visibilité.

Puis il explique à Helene ce qu'est un kettle : un énorme bloc de glace qui s'est détaché d'un glacier et a creusé comme une marmite dans la terre, formant ce qu'on appelle des « marais sans fond ». L'endroit parfait pour cacher un cadavre, songe Helene. Martin éteint le moteur, jette l'ancre par-dessus bord. Helene regarde les mètres et les mètres de chaîne disparaître. Les petits clapotis de l'eau contre la coque font comme une musique. Une musique séduisante, attirante.

— Qu'est-ce qu'on cherche exactement ? demande Martin sans lever les yeux, car il est en train de manipuler les bouteilles d'oxygène.

— Mon passé.

— Si vous m'en disiez un peu plus, je pourrais peut-être vous aider. Ce n'est pas la première fois que je plonge dans ces lacs.

Helene réfléchit. Doit-elle le mettre dans le secret ? S'il avait trouvé un cadavre dans ses explorations précédentes, il l'aurait déjà rapporté aux autorités. Non, il n'y a aucune raison de rien lui dire pour le moment.

— Vous êtes prête ?

— Je suis prête.

— Vous ne devez jamais vous éloigner à plus d'un mètre de moi. D'accord ?

*

Ses oreilles lui font mal. Elle les désigne du doigt à Martin. Celui-ci hoche la tête, lui montre comment elle doit équilibrer la pression : deux doigts sur le nez, et on appuie. C'est ce qu'elle fait pendant qu'ils s'enfoncent dans l'obscurité.

Les premières minutes, Helene ne quitte pas Martin des yeux, elle a trop peur. Ce n'est que lorsqu'il lui sourit et lui montre la surface du doigt qu'elle ose détacher le regard de celui qui est sa bouée de secours, l'homme qui la fera sortir vivante d'ici. Elle lève les yeux. Les rayons du soleil achevant leur voyage de plusieurs millions de kilomètres à la surface de l'eau ; le bateau vu du dessous. C'est infiniment beau, comme de se tenir de l'autre côté d'un miroir, le miroir de la vie, et d'être témoin de la création, de la lumière qui arrive de si loin jusqu'ici, précisément ici.

Martin lui saisit l'épaule. Helene lutte pour rester aussi immobile que lui. Il gesticule pour lui indiquer qu'il ne faut pas qu'elle utilise ses bras. Elle se remémore alors ce qu'il lui a expliqué : si les poissons n'en ont pas, c'est parce qu'ils ne servent à rien sous l'eau. Il faut qu'elle se dirige avec ses pieds. Elle essaie, et, soudain, elle part à la renverse, tête en bas – ce n'est pas aussi facile que lors des exercices en eau peu profonde. Martin la regarde avec un sourire indulgent. Elle doit avoir l'air d'un bébé, se dit-elle, un bébé géant incapable de décider s'il veut monter ou descendre. Enfin, elle parvient à un certain équilibre. Elle suit Martin dans l'obscurité naissante. Voit des bancs de poissons. Elle n'a aucune idée de comment ils s'appellent. Ils n'ont pas peur, ils s'approchent tout près, la regardent dans les yeux. Il ne faut pas qu'elle oublie pourquoi elle est là. Elle cherche quelque chose qui reposerait au fond. Sauf qu'on ne peut pas voir le fond, c'est presque une forêt vierge ici. Impossible d'y voir quoi que ce soit. Sa mission est perdue d'avance ; ce n'est certainement pas ce qu'une plongeuse amatrice aurait la moindre chance de réussir.

Au bout d'un moment, Martin consulte son ordinateur de plongée, contrôle des chiffres qu'Helene est incapable d'interpréter. D'un mouvement du pouce, il lui indique qu'ils vont bientôt devoir remonter. Encore cinq minutes. Helene acquiesce. Elle le suit mais essaie de descendre un peu plus profondément, de s'aventurer dans la jungle ramifiée qui s'étend en bas. Abrite-t-elle ce qu'elle espère ? Là, entre tous ces bras verts qui se meuvent dans l'eau avec autant de grâce que des épis de blé sous la caresse du vent ? Peut-être. Elle voit quelque chose qui brille. Elle s'en approche…

Soudain, elle sent une violente secousse. Martin lui a saisi le bras. Il semble en colère. Lui fait un nouveau signe du pouce qui signifie qu'ils doivent remonter. Helene se retourne, jette un dernier regard en direction de l'éclat brillant et, l'espace d'un instant, algues et roseaux s'entrouvrent et découvrent le fond du lac. Une bouteille, une vieille bouteille. C'est tout.

*

— Pourquoi vous êtes-vous éloignée de moi ? lui demande Martin une fois qu'ils ont regagné la surface et se sont accrochés au rebord du bateau.

Il a l'air vexé.

— Désolée, dit Helene.

— Bon, tenez-vous bien, je vous enlève les bouteilles, d'accord ?

— D'accord.

Elle laisse Martin s'occuper de tout ; ses mouvements sont tellement calmes, tellement professionnels.

Il est le premier à remonter dans le pneumatique.
Ensuite, il l'aide à y grimper.

— C'était incroyablement beau, dit-elle.

Il lui fait signe de s'installer. Elle s'assied sur la
planche. Agrippe le rebord de chaque main en serrant
les mâchoires. Martin se poste à côté du moteur.

— Vous n'auriez pas dû vous éloigner de moi,
répète-t-il.

Il démarre, et ils prennent le chemin du retour.
Helene plonge une main dans l'eau le long de la
coque. Elle reste longtemps dans cette position, laissant l'eau fraîche glisser entre ses doigts, à se dire que
tout cela est sans espoir. Elle se penche légèrement
par-dessus bord, regarde le fond. L'eau est sombre et
trouble, opaque, un abysse de vase sans fond. Quelle
idée ridicule et irréfléchie. S'imaginer qu'elle allait
pouvoir se mettre à la recherche d'un cadavre, ici,
toute seule… Elle se rappelle l'expression apeurée
de Caroline, ses paroles : un cadavre, un lac, un
témoin. Elle ferme les yeux, ressent une envie de tout
abandonner. De disparaître dans le noir là-dessous…
Quoique. Elle rouvre les yeux. Que vient-elle de voir ?

— Pourriez-vous faire demi-tour ? Juste un peu ?

— Pardon ?

Martin lui lance un regard agacé. Il se sent exploité,
c'est clair.

— Martin, juste quelques mètres, s'il vous plaît.

Il fait faire demi-tour au bateau à une vitesse telle
qu'Helene manque de passer par-dessus bord. Ça
l'amuse, ce gamin. Elle aussi rit. L'ambiance vire de
nouveau au beau fixe. Et Helene aperçoit ce qu'elle
cherchait. Un vieux bâtiment de bois dont le nom est
écrit en lettres blanches. Julsø Kro.

— Vous connaissez cet endroit ? demande-t-elle
en montrant l'auberge du doigt.

Martin se retourne, hausse les épaules.

— C'est juste une auberge. Il y en a beaucoup de ce genre.

Julsø Kro ? Helene inspecte la construction, la terrasse donnant sur le lac. Pourquoi ce nom lui est-il si familier ? D'un coup, elle se souvient. C'était pendant cette affreuse journée, quand elle s'est rendue au siège de Söderberg Shipping et qu'elle a discuté avec sa secrétaire, Karen – la seule personne à s'être comportée de manière normale et gentille avec elle. Helene lui a demandé sur quoi elles travaillaient au moment de sa disparition et c'était justement le Julsø Kro. Elles essayaient de déterminer pourquoi elles recevaient chaque année une facture de la part de cette auberge. Helene n'avait pas réussi à remettre la main sur le contrat correspondant. Qu'avait dit Karen encore ? Que quel que soit le montant, cela préoccupait sa directrice. Était-ce de l'avarice ? Ou autre chose ?

— Pourquoi vouliez-vous venir ici, Helene ? demande Martin.

Il n'est plus en colère. C'est un garçon sympathique, il recouvre sa bonne humeur aussi vite qu'il la perd.

Elle regarde à nouveau l'auberge. Un témoin ? Un cadavre, un lac, et un témoin. De l'argent. Y aurait-il à Julsø Kro quelqu'un qui recevrait encore de l'argent pour garder un secret ?

49

Ellen est sur le point d'achever son cours.

En découvrant sa présence, elle lève un sourcil mais ne laisse paraître aucun signe de surprise. Joachim enfonce les mains dans ses poches et s'adosse à l'encadrement de la porte en espérant que sa nervosité ne se remarquera pas. Les étudiants défilent devant lui. À la fin, il n'en reste plus que deux dans la salle. Debout à côté du bureau, ils discutent à bâtons rompus avec Ellen pendant qu'elle range ses livres dans une élégante serviette, en peau de… de zèbre peut-être, en tout cas d'étroites bandes noires et blanches courent de haut en bas du cartable. Ellen est bronzée. À se demander si elle ne vient pas de rentrer d'Afrique. Il ne l'a jamais vue aussi hâlée. Elle répond avec attention aux questions de ses étudiants, ne se laisse pas impressionner par l'enthousiasme des jeunes hommes ni par leurs gestes des bras un peu trop vifs. C'est ici, dans cette salle, qu'elle leur enseigne que, s'ils sont prêts à aller jusqu'au bout, ils peuvent devenir grands. « Jusqu'au bout » ? Qu'est-ce que ça veut dire, « jusqu'au bout » ? Enfin, les deux derniers étudiants quittent la salle. Ellen les suit.

— À demain ! lance l'un d'eux, qui a l'air de déjà se languir.

Ellen lui adresse un bref sourire avant de poser son regard vif et intelligent sur Joachim. Rien qu'à la manière dont elle le regarde, elle le cloue sur place.

— Je n'ai pas répondu à ton appel, déclare-t-elle un peu sèchement, mais sans animosité. Je me suis dit que, si tu voulais vraiment quelque chose, tu savais où me trouver. Et apparemment, tu veux vraiment quelque chose ?

Joachim redoutait cette rencontre. Il a consacré toute la journée à s'y préparer, sautant d'un café à un autre en délibérant avec lui-même. Mal à l'aise, il a fait la balance entre la perspective de leur confrontation et la possibilité d'obtenir les réponses dont il a si désespérément besoin. Il a passé et repassé en revue dans sa tête leur dernier affrontement, la dernière fois qu'ils ont été face à face. Ellen écumait de rage, elle l'a agressé physiquement. Il a été obligé de l'immobiliser, de la maintenir fermement par les poignets. Elle a quand même réussi à le griffer de ses ongles longs et durs, toujours soignés. Ça a été le pire moment qu'ils aient vécu ensemble. Ensuite, elle avait organisé une escapade à Saint-Sébastien pour qu'ils se réconcilient. Elle l'a attendu à l'aéroport, il n'est jamais venu. Cela fait plus de quatre ans. Tout ce qui concernait le divorce s'est déroulé par voie d'avocat. Il s'est comporté comme un lâche, il a refusé de lui parler. Alors, aujourd'hui, il s'attendait à ce qu'elle soit en colère, à ce qu'il doive affronter sa rage. Il s'était préparé à écouter ses accusations, à acquiescer, à demander pardon pour tout. Il avait même prévu de recevoir des coups, comme au bon vieux temps. Mais les voilà face à face et elle se contente de sourire, elle est belle, et elle ne ressemble en rien à la femme amère qu'il s'était attendu à trouver.

— La question est donc de savoir pourquoi tu es là, Joachim, poursuit-elle sur un ton neutre.

— J'ai besoin de ton aide, Ellen.

Il s'étonne que le simple fait de lui parler, de prononcer son prénom, crée un tel sentiment d'intimité entre eux. Ils ont formé un couple pendant de si nombreuses années. Ils s'appelaient par leurs prénoms sans y penser. Soudain, Joachim sent un nœud dans sa gorge. Il est ému. Rien ne se déroule comme il se l'était imaginé. Ellen reste immobile, apparemment totalement indifférente à sa présence.

— J'ai besoin de toi, répète-t-il.

*

Ellen lui montre le chemin du café, puis une table à l'extérieur. Joachim s'assied, écoute le tapage des travaux de construction en face. Les bruits de la ville. Ellen revient avec une bouteille de S. Pellegrino et deux verres de vin rouge. Ils trinquent à la va-vite, sans se regarder dans les yeux. Joachim sent le doux breuvage français lui couler dans l'œsophage et venir se mêler aux litres de café qu'il a ingurgités aujourd'hui. A-t-il mangé, au moins ?

— Comment vas-tu ? demande-t-il.

— Bien. Je pars à Boston le mois prochain.

Joachim doute. Il pensait qu'elle voudrait ressasser la période qui a suivi le divorce. Tout ce qui s'est mal passé. Mais elle lui parle de son travail avec enthousiasme, elle a l'air gaie et détendue. Est-ce l'effet du temps ? Est-ce si simple que cela, ou Ellen a-t-elle changé ? Elle est toujours petite et fluette, il se souvient qu'il était obsédé par son corps, complètement différent de celui d'Helene. Helene est pleine, elle est tout en courbes. Le corps d'Ellen, ce ne sont que des allusions. Ses seins, à peine une ébauche, son épiderme, aucune tache de rousseur, aucune cicatrice, rien que cette peau de lait, du papier, une page blanche.

Il l'aimait, à l'époque. Il était amoureux d'elle. Ou n'aimait-il en réalité que l'image de lui-même que son regard lui renvoyait ? Les espoirs immenses qu'elle plaçait en lui. Il pouvait devenir un grand écrivain, le plus grand. Peut-être les problèmes avaient-ils commencé précisément quand sa manière de le considérer avait changé. Quand elle s'était mise à douter qu'il puisse atteindre les sommets. Il avait alors contre-attaqué : il avait trouvé d'autres femmes, l'avait rendue jalouse. C'était peut-être à cause de lui qu'Ellen était devenue ce qu'elle était devenue, qu'elle avait craqué mentalement. N'était-ce pas justement ce dont il avait essayé de convaincre Helene à l'hôpital ? Que chaque être humain est le produit du lieu où il se trouve, qu'il doit découvrir l'endroit où il peut grandir, rencontrer les gens capables de tirer le meilleur de lui-même ? Dans ce cas, Joachim a été un poison pour Ellen, il s'en rend bien compte aujourd'hui.

Soudain, il réalise qu'elle s'est tue pendant qu'il divaguait. Elle attend simplement qu'il lui explique pourquoi il est là. Comment s'y prendre ? Joachim cherche les mots, s'humidifie les lèvres. Il lui parle d'abord du cadavre de Louise Andersen mais se rend compte qu'il vaudrait mieux parler d'Helene. Il faut qu'il commence par le commencement, qu'il lui dise tout. Heureusement, Ellen a lu des articles dans les journaux. Elle sait qu'on a retrouvé l'héritière disparue. Il garde un œil inquiet sur elle pendant qu'il parle. La peur qu'elle réagisse avec violence, en lui tombant dessus ou en se laissant aller à une crise de nerfs, est bien ancrée en lui. Mais apparemment, rien ne la choque. Ni qu'il ait rencontré une autre femme ni les horribles histoires d'amnésie, l'échange d'identités, l'inculpation pour meurtre, l'ADN que Sperling, ce bouffon fumeur de pipe, a trouvé sur le corps. Il se détend, et, au fur et à mesure, les mots lui viennent plus facilement.

Il arrive enfin à la raison de sa venue : une putain de peinture à la colle de peau couleur rouge carmin dans une chambre de torture.

— De la peinture à la colle de peau, répète Ellen.

Est-elle en train de secouer la tête ?

— Couleur carmin, se hâte de préciser Joachim.

Il boit sa dernière gorgée de vin, fait signe au serveur de leur apporter deux autres verres.

— Pas pour moi, merci, dit Ellen en repoussant légèrement sa chaise.

C'est maintenant que ça va venir. La colère. La scène. Là, il la reconnaît bien. Elle termine son breuvage et tend la main vers son verre d'eau. À l'époque, elle ne buvait pas de vin. Elle ne mangeait rien non plus, elle était toujours un peu malade et se plaignait sans cesse de douleurs aux endroits les plus improbables. Est-ce bien la même femme qui se trouve assise face à lui ?

— Est-ce que... ça t'évoque quelque chose ? l'interroge-t-il.

— Quoi donc ? Est-ce que je connais un artiste sadique qui écorche des femmes et peint avec du rouge carmin, tu veux dire ?

Joachim hausse les épaules.

— C'est peut-être un peu simpliste... Mais oui, quelque chose dans ce genre, admet-il en regardant Ellen.

Et là... elle sourit, secoue la tête. Dit « non ». Mais de la manière que Joachim connaît si bien. Elle est en train de mentir. Quand elle ment, Ellen prend son temps. Elle l'a toujours fait. Elle est très intelligente, bien plus vive que Joachim, et elle répond à la plupart des questions dans son style habituel : rapide, cash, clair. Ce n'est que quand elle ment qu'elle met du temps à réagir.

— Tu es sûre ?

— Évidemment que je ne connais pas ton meurtrier, murmure-t-elle.

— Ellen... Ça ne te fait vraiment penser à personne ? Du tout ?

— Peut-être Tøger Saxild, dit-elle très calmement, très lentement.

Joachim a réellement des doutes. Est-ce un double mensonge ?

— Tu le connais ? demande-t-elle. Il utilise de la peinture à la colle de peau, mais ce n'est pas tout. Il a aussi un truc avec les femmes et la douleur, il peint des choses très... provocatrices. La douleur est vraiment un thème qui l'obsède, et dans ses toiles il y a toujours un élément un peu limite, souvent en rapport avec la sexualité.

Ellen se tait. Joachim ne sait que penser. En une seconde, il est tombé dans le genre d'embûche où il n'arrive pas à démêler la vérité du mensonge dans le discours d'Ellen. Le lance-t-elle sur une fausse piste ? Il est loin d'être sûr que le meurtrier de Louise vienne du milieu de l'art. D'un autre côté, s'il n'est pas un artiste, comment cette peinture coûteuse et peu courante a-t-elle pu atterrir dans la chambre de torture ?

— Je ne suis sûre de rien, évidemment, mais vu ce que tu m'as raconté... Il y a un truc chez lui...

Ce n'est pas que la douleur physique, il y a autre chose de plus, mmm…

Ellen cherche ses mots. Joachim attend.

— Il a aussi peint l'attaque des tours jumelles du World Trade Center. Et des scènes imaginaires de camps de concentration. Il est vraiment limite, conclut Ellen en se renfonçant dans son siège.

— Tøger Saxild, dit Joachim. Merci pour…

Il fait un geste vague de la main. Elle a compris. Il ne parle pas seulement du fait qu'elle veuille bien l'aider, mais aussi du fait qu'ils puissent être assis autour de la même table pour discuter. Après tout ce qu'ils ont vécu. Ellen a laissé une nette marque rouge sur le verre. Mettait-elle du rouge à lèvres avant ? Non, elle ne supportait pas le parfum, ni aucun produit cosmétique. Ses cheveux aussi ont changé, ils sont plus forts, plus denses.

— Il y a de grandes chances que je le voie ce soir, enchaîne-t-elle. Il y a un dîner pour l'équipe de direction de l'Académie des beaux-arts ; lui aussi en est membre. Il ne vient pas toujours. Mais s'il vient, je peux lui demander s'il a assassiné une prostituée sans-abri dans une chambre de torture avant de cacher le corps dans une fonderie désaffectée.

Elle éclate de rire, et Joachim ne peut s'empêcher de l'imiter.

— Tu crois que je pourrais le rencontrer ? demande Joachim, plein d'espoir, en se penchant en avant. Je peux attendre dehors, lui parler quand ce sera fini.

— Non, impossible. C'était une mauvaise idée, répond Ellen en poussant un soupir.

D'un coup, elle a l'air fatiguée. Elle repose son verre d'eau, sort son téléphone portable de sa poche, consulte l'heure.

— Bon. Il vaudrait mieux que je me sauve.

Elle se lève brusquement.

— Mais je peux attendre ici, insiste Joachim. Il n'a pas besoin de savoir qu'on se connaît.

Ellen secoue la tête.

— Non, vraiment, Joachim. Tu vois bien que c'est une idée idiote, j'imagine ? Je n'aurais pas dû te parler de ce dîner, tranche-t-elle avec sa diction rapide habituelle.

Joachim se lève à son tour. Ils se retrouvent face à face. Soudain, Ellen semble froide, fermée. C'est ainsi qu'il se la rappelle : lunatique. Elle pouvait devenir glaciale sans prévenir. Une grande tristesse envahit Joachim. Elle lui est chère. Il aimerait qu'elle aille bien, il a apprécié de discuter avec la nouvelle Ellen, si franche.

— J'ai été contente de pouvoir à nouveau bavarder avec toi, j'espère que tu trouveras... tout ce que tu cherches, conclut-elle d'un ton plat et neutre.

— Merci pour ton aide, Ellen, je l'apprécie. Vraiment, répond Joachim avec sincérité.

Elle tourne les talons et se dirige vers la sortie. À pas sûrs. Il observe ce petit corps drapé dans ses vêtements de luxe. Puis ses pas ralentissent, se font hésitants – le rythme du mensonge. Elle s'arrête, se tourne vers lui.

— Qu'est-ce qu'il y a ? demande-t-il en se dirigeant vers elle.

— Tu pourrais peut-être participer quand même au dîner, dit-elle, presque timidement.

— Ah oui ?

— On peut venir accompagné. Tu pourrais être mon compagnon.

En entendant cette phrase, Joachim cligne des paupières. Il baisse les yeux, tombe en route sur ses petits seins. Elle se rend compte qu'il la reluque éhontément ; il se dépêche alors de regarder plus bas, fixe ses sandales blanches aux fines lanières qui mettent en valeur ses pieds menus et sa peau bronzée. Quand elle reprend la parole, sa voix n'est plus qu'un filet.

— Mais dans ce cas, il nous faudra faire semblant d'être à nouveau ensemble.

Joachim réfléchit. Cela lui paraît mal agir. Mais ce n'est pas pire que la perspective d'Helene en prison.

— Qu'est-ce que tu en dis, grand timide ?

50

Helene ignore si c'est la sortie en bateau ou la plongée sous l'eau qui ont instillé en elle cette sensation qui ne la quitte plus, ce sentiment que le monde bouge, que la terre se balance d'un côté à l'autre, même ici dans la voiture. Elle reste assise quelques instants, contrôle le rétroviseur. Peut-être est-elle paranoïaque, car elle a garé sa voiture dans un chemin forestier au lieu d'utiliser le parking couvert de gravier destiné aux clients du Julsø Kro.

Elle jette un dernier regard autour d'elle avant de pénétrer dans la maison à colombages et au toit de chaume. De nombreux véhicules sont déjà garés devant ; à l'intérieur, il fait doux, et on s'active. L'odeur du café rappelle à Helene qu'elle n'a rien bu, rien mangé jusqu'ici. Un jeune homme en veste noire et chemise d'un blanc éclatant vient l'accueillir.

— Avez-vous réservé une table ?

Helene hésite. Elle mangerait bien un morceau. Mais elle remarque les regards curieux qui l'examinent. Une femme la montre discrètement du doigt à son mari.

— J'aimerais parler au propriétaire, répond-elle à la hâte.

Elle aurait dû prévoir un chapeau. Ou au moins des lunettes de soleil. Elle n'arrive pas à se mettre dans la tête qu'elle est un personnage connu. Heureusement, le serveur s'est lui aussi rendu compte que la présence d'Helene éveillait l'attention. Il acquiesce discrètement et lui fait signe de le suivre. Ils descendent un escalier, il s'arrête devant une porte, frappe.

— C'est ouvert, dit une voix à l'intérieur.

Le serveur entre. Helene prend une grande inspiration.

— Helene Söderberg est là, elle aimerait vous parler, annonce-t-il.

Silence. Puis on marmonne :

— Söderberg... Est-elle...

Helene n'entend pas la suite, car la porte se referme. Une seconde s'écoule, puis le serveur est de retour.

— Vous pouvez entrer.

Helene entre donc, et le serveur referme la porte dans son dos. Face à elle, un homme grand et large, à l'impressionnant nez d'épervier, d'âge mûr – soixante-dix ans passés. Il a l'air un peu perdu mais lui sourit et lui tend la main.

— Marius Flint, dit-il.

Helene remarque tous les papiers qui traînent sur le bureau. Quand elle dirigeait le café de Christiansø, sa comptabilité à elle était toujours en ordre. Elle sent un pincement dans son cœur : son petit établissement lui manque, avec sa cuisine, ses plantes aromatiques, sa fenêtre donnant sur le vieux port, ses couteaux bien aiguisés. Les petites choses. Ce sont les petites choses qui lui manquent.

— Asseyez-vous, lance Flint en faisant un geste du bras vers le fauteuil en face de son bureau.

On dirait le fauteuil d'un roi : il est haut, capitonné et semble confortable à ses muscles dorsaux endoloris.

Marius Flint se penche en arrière, croise les mains derrière la nuque et lui lance un regard amical.

— Que me vaut l'honneur de votre visite ? demande-t-il avec humour.

Helene sait que les journaux ont parlé d'elle. Le propriétaire de l'auberge a peut-être une idée de ce qu'elle cherche. Elle se racle la gorge et décide d'aller droit au but.

— Chaque année, Söderberg Shipping vous vire une certaine somme. Êtes-vous au courant de cela ?

Elle s'efforce de garder un ton neutre mais sent bien que sa voix tremble un peu.

— C'est un vieil arrangement, répond Marius Flint.

C'est tout. Toujours aucune trace de quoi que ce soit sur son visage.

— Pourquoi cet accord a-t-il été conclu ? reprend Helene.

Marius continue à la regarder d'un air impassible.

— Ça date d'avant moi. Mon père travaillait pour le vôtre, je ne connais pas les détails, répond-il avec indifférence.

— Mais votre père ne travaille plus pour Söderberg Shipping, n'est-ce pas ?

— Mon père est mort, réplique Marius Flint avec un soupçon d'agacement.

— Ce n'est pas normal qu'un salaire continue à être versé ainsi, poursuit Helene.

Marius la fixe. C'est là qu'Helene s'en rend compte : son apparente bienveillance dissimule autre chose. Il l'observe avec autant d'attention qu'elle l'observe lui. Un duel où chacun attend que l'autre dégaine en premier. Contre toute attente, Helene se détend complètement, ses mains se calment, sa voix retrouve de la puissance. Elle est sur la bonne voie.

— Quel rapport entretenaient votre père et Hirsch ? demande-t-elle.

— Qu'est-ce que c'est que cet interrogatoire ?

— Hirsch ? répète calmement Helene.

Flint hausse les épaules.

— Jamais entendu parler de lui.

— Comment savez-vous que c'est un homme, dans ce cas ?

La question semble avoir plus d'impact que n'osait l'espérer Helene. Flint bondit, menaçant. Helene se lève elle aussi. Le regarde droit dans les yeux. Elle sent, présente en elle, la garce que tous ses employés craignent et détestent : elle s'est réveillée, elle est là, et elle exige une réponse.

Marius se rassied. Reprend ses esprits. Adopte à nouveau son masque lisse et poli.

— Je n'étais qu'un enfant à l'époque, mais j'ai entendu dire qu'il avait disparu pendant la guerre. Les Allemands l'ont pris, n'est-ce pas ?

Helene hoche la tête.

— Cet argent qu'on vous verse encore, le travail que votre père a effectué pour le mien...

Elle laisse ses mots flotter en l'air.

Elle attend avec impatience sa réaction. Elle a beau être sûre de ce qu'elle sait, elle a besoin de plus. Une preuve, un aveu de la part de Marius. Mais l'effet de surprise est passé et il la regarde à nouveau calmement.

— Écoutez, dit-il. Mon père était très doué pour le commerce. Il a signé un bon arrangement dont je profite à mon tour aujourd'hui. Le contrat et les paiements courent tant que je serai en vie. Je crois que nous n'avons pas besoin d'entrer dans les détails.

Elle ne creusera pas plus loin, elle le sent. Elle répond tout de même :

— Je n'ai pas le contrat, moi. Je peux donner l'ordre d'interrompre le règlement quand ça me chante.

Marius plisse les yeux.

— J'ai l'impression que notre entretien est terminé. J'ai été ravi de vous voir, madame Söderberg.

Helene ignore royalement les tentatives de Flint de la congédier avec ses formules de politesse.

— Vous savez très bien que je peux faire cesser le règlement, s'entête-t-elle. Et quand vous aurez consenti à me raconter ce que vous savez, nous réexaminerons le travail effectué par votre père pour décider s'il vaut vraiment une telle somme d'argent.

— Vous ne pouvez pas mettre fin à cet accord. Il existe un contrat écrit.

— J'aimerais beaucoup le voir.

— Non. Croyez-moi. Vous ne préféreriez sûrement pas. Vous ne le *verrez* pas, d'ailleurs, souffle-t-il. Sauf si vous arrêtez de me payer. Là, il sera rendu public, et vous pourrez en lire tranquillement le contenu dans le journal. Vous aurez largement le temps, dit Flint avec un sourire, bien qu'il ait peur – elle l'entend à sa voix. La publication de ce contrat signera l'arrêt de mort de Söderberg Shipping. Des milliers de gens vont se retrouver sans travail, et vous, vous perdrez tout. C'est une des raisons pour lesquelles votre père a signé. Il n'était pas spécialement connu pour sa générosité.

*

Helene quitte l'auberge en voiture. Elle a essayé de joindre Joachim rien que pour entendre le son de sa voix, mais il ne répond pas. Pourvu qu'il n'ait pas changé d'avis, se dit-elle. Qu'il n'ait pas d'un coup réalisé combien tout ça est louche et malsain. La vie qu'elle a vécue. Tout ce qui la concerne est déprimant.

Le soir s'approche, mais la demi-pénombre estivale scandinave, elle, est loin d'être tombée. La forêt est dense le long du chemin sinueux. De temps à autre, une clairière laisse voir le lac en contrebas. Les idées se bousculent dans la tête d'Helene. Un contrat. Il existe un contrat écrit, lui a dit Marius Flint. Pourtant, il n'y a pas de copie au siège de Söderberg Shipping : elle l'a cherchée en vain avant sa disparition, Karen le lui a confirmé. Edmund et Caroline l'auraient-ils escamotée ? Il faut qu'Helene déroule un autre fil, qu'elle reprenne tout depuis le début. Le père de Marius. A-t-il été témoin du meurtre par hasard ou y avait-il autre chose derrière cette affaire ?

Une voiture noire arrive derrière elle à bonne vitesse. Helene accélère, mais la voiture lui colle au train. Elle essaie de ralentir et met son clignotant pour indiquer à l'autre qu'elle le laisse passer. Enfin, le chauffard la double. Helene fronce les sourcils, toujours perdue dans ses pensées. Il faut qu'elle en apprenne plus sur le père de Marius Flint. Ce serait une première étape. Il doit bien y avoir des archives locales, comme à Gudhjem, où Joachim s'est rendu à une époque. Il y a passé une semaine entière à éplucher de vieux articles de journal. Helene lui préparait un casse-croûte le matin, du pain de seigle avec des croquettes de poisson et de la rémoulade maison – avec la rémoulade à part pour qu'il puisse doser lui-même la quantité. Pour s'y rendre, il prenait le bateau et ne rentrait que tard le soir. Il était complètement obsédé par une histoire qui, un beau jour, lui avait filé entre les doigts. Jamais Helene n'avait vu quelqu'un à ce point vidé, vaincu. Mais cela n'avait pas duré. Peu après, une nouvelle histoire l'occupait

– qui n'avait rien donné elle non plus. C'est comme ça, quand on écrit, lui avait assuré Joachim ; c'est un peu comme le poisson qui lutte contre le courant pour parvenir en haut de la montagne. À chaque fois qu'il saute hors de l'eau, il y croit. Il croit que, cette fois, il vaincra l'obstacle qui l'empêche de continuer sa route. Voilà ce qu'il lui avait dit avant d'attraper ses fesses et de l'attirer tout contre lui… C'était l'époque où elle était encore Louise. Il n'y a que les poissons morts qui filent dans le sens du courant. Dans la vie, il faut le remonter, et chaque fois qu'on saute il faut y croire.

Pourquoi y repense-t-elle, déjà ? Ah oui. Les archives locales. Là-bas, même sa puissante famille n'aura pas pu faire disparaître des documents embarrassants. Ses réflexions sont à nouveau interrompues par la voiture noire. Elle est devant elle et roule trop lentement maintenant. Helene la dépasse, mais au même moment l'autre accélère. Helene se retrouve sur la mauvaise file. Elle ralentit afin de se rabattre, mais l'autre voiture l'imite, l'empêchant de revenir sur la voie de droite. Interloquée, elle essaie de voir qui est au volant de la voiture noire. Elle a à peine le temps d'apercevoir le chauffeur avant d'entendre un froissement de tôle, la carrosserie qui couine au contact de l'autre voiture. C'est lui. Lunettes de soleil, casquette, l'homme mystère. Helene regarde la route ; un camion arrive en face, mais l'autre conducteur ne veut toujours pas la laisser se rabattre, l'oblige à rester sur la file de gauche. Helene se décale sur le bas-côté. Le camion passe en trombe, son chauffeur écrase rageusement le klaxon. Sur le revêtement mou du bas-côté, la roue avant gauche de la voiture d'Helene perd de son adhérence. Helene tourne le volant, essaie de redresser. Le véhicule noir occupe implacablement toute la chaussée et c'est à présent la roue arrière d'Helene qui se met à glisser, elle dérape sur le sol instable de la forêt tandis que la voiture noire continue de la pousser. La pousser sans pitié jusqu'à lui faire quitter entièrement le bord de la chaussée et dévaler le fossé.

Helene écrase désespérément la pédale de frein, enfonce ses ongles dans le volant, mais la voiture ne réagit plus, la gravité l'emporte et Helene continue à descendre, descendre. Branches et aiguilles fouettent les vitres. La voiture fait un tonneau, atterrit sur le toit ; Helene décolle. Elle sent sa cage thoracique écraser la ceinture, un airbag percuter sa tête, et voit le tapis de la forêt défiler devant ses yeux de l'autre côté de la vitre.

Puis tout s'arrête.

*

Helene ouvre les yeux. Elle ignore combien de temps elle les a gardés fermés. Une seconde ? Plus ? Autour d'elle, du rouge clair, rien que du rouge clair. Elle se tortille, l'airbag se vide, elle le repousse, le rouge clair disparaît. Puis elle entend des pas.

Elle regarde par le pare-brise ; tout est à l'envers. Elle distingue la pente, ainsi que la route en surplomb. Des jambes qui commencent à descendre. Dans sa direction. Pantalon noir, chaussures noires également. Paniquée, Helene cherche le bouton de la ceinture de sécurité pour se libérer. Le conducteur de l'autre voiture s'approche ; elle peut voir ses bottes. Veut-il la tuer puis camoufler son crime en accident de la route ? Il faut à tout prix qu'elle enlève sa ceinture. Fuir. Elle appuie frénétiquement, à tâtons, du côté du bouton, appuie, appuie. Quand elle le trouve enfin, la ceinture s'enroule. Helene retombe lourdement et atterrit la tête la première contre le toit de la voiture. Elle se démène pour ouvrir la portière cassée mais elle est coincée entre l'airbag et le siège. Elle réussit à baisser la vitre, qui se bloque aux trois quarts. Elle attrape son sac et se faufile dehors. Les bras d'abord, puis la tête. C'est à peine si elle arrive à passer le haut de son corps et ses hanches par l'ouverture.

Elle pose les mains par terre, attrape des branches, tire, pousse et réussit à s'extraire entièrement de la voiture. Hors d'haleine, elle roule sur elle-même puis se relève. Et se met à courir. Elle court comme elle n'a jamais couru de sa vie. Derrière elle, l'homme hurle : c'est un juron de colère qu'il pousse. Helene entend ses pas lourds, il s'est lancé à sa poursuite. Elle n'ose pas se retourner pour évaluer son avance : est-elle suffisante ? Ses pieds martèlent le sol irrégulier. Mousse tendre qui s'enfonce sous son poids, racines dissimulées qu'elle évite à grand-peine. Des branches lui fouettent le visage, elle progresse bras en l'air pour se protéger. Elle l'entend, son poursuivant est proche, à chaque seconde elle s'attend à sentir sa main lui saisir le cou, à être jetée par terre, étranglée, liquidée. Comme Louise. Helene ne sait pas pourquoi, mais la pensée de la pauvre Louise lui donne de nouvelles forces.

Elle essaie d'allonger le pas, d'aller plus vite, son sac cogne contre ses jambes et chaque inspiration lui déchire les poumons. Elle ne veut pas mourir. Pas maintenant. Elle entend un bruit sourd, une exclamation de douleur. Elle ne peut pas s'empêcher de se retourner. Une silhouette en imperméable, un visage hagard, c'est tout ce qu'elle distingue. Elle continue à courir. Elle l'entend se remettre sur pied, accélérer le tempo. Il n'est pas régulier. Boite-t-il ?

Soudain Helene chute, et ne comprend pourquoi qu'une fois à terre : une petite côte qui marque la fin de la forêt et le début du rivage. Autour d'elle, partout, du sable beige foncé ; derrière, un trou dans la butte qu'elle n'avait pas vu venir. Un terrier, peut-être ? En un éclair, elle se retourne et se faufile à l'intérieur, les pieds en premier, en prenant soin d'effacer ses traces avec ses mains. Elle ferme les yeux, retient sa respiration, sent le froid de la tanière contre ses orteils, ses mollets, ses cuisses, sa poitrine. Rien ne bouge, ni à l'intérieur ni au-dehors. Elle est enveloppée de terre et de sable. Est-ce un trou de renard ? Son corps épouse les plis du terrain, se tord de côté, vers le bas. Elle a les bras repliés sur son visage. Le réseau serré de racines à l'entrée du trou, émanations des plantes de la surface, se referme. Se balance un peu, puis s'immobilise. Silence.

Il arrive. Il s'approche, marche au-dessus d'elle. Il ne tombe pas mais saute, atterrit et poursuit sa course. Helene entend ses pas encore longtemps. Puis, pendant un long moment, c'est le silence. Ensuite, il revient. Helene ne bouge pas d'un pouce. C'est à peine si elle respire. Les pas pesants s'approchent de plus en plus. Il ne court pas, non, il marche, il boite toujours, un pas long, un pas court. Le voilà juste devant le trou. Elle voit ses bottes. Elles ont quelque chose de machiavélique. Si lourdes, si noires, une haine de l'été, un non à la vie. Et voilà qu'il veut prendre la sienne.

Elle retient son souffle. Si jamais il la trouve… Elle ne veut pas mourir. Elle pense au visage ouvert et confiant de Sofie, au regard sombre de Christian. À Joachim. À sa voix. Helene cligne des yeux, ferme la bouche, respire par le nez, sans un bruit.

51

— Ça, pour une surprise ! s'exclame une voix grave à côté de lui.

Joachim sursaute. Absorbé comme il l'était par une photo, il ne s'était pas rendu compte que d'autres personnes étaient arrivées dans le vestibule du château de Charlottenborg. Une femme en robe vert bouteille et aux cheveux d'un roux flamboyant est apparue à côté de lui, charriant un parfum qui lui rappelle Helene.

— Une surprise ? demande Joachim, interdit.

— De te voir ici, répond la femme.

— Je suis désolé, mais je ne me souviens pas de vous.

Elle s'esclaffe.

— Eh bien, je vois que tu n'as pas changé d'un iota ! dit-elle en reculant d'un pas et en secouant la tête.

Joachim rougit. Il n'a aucune idée de ce qu'il pourrait répondre. À l'époque, être en couple avec Ellen lui a semblé très éprouvant. Ils se disputaient parfois en pleine rue ; elle était capable de s'asseoir sur le trottoir sous la pluie battante en poussant des cris, bref elle était toujours au bord de la crise de nerfs – et Joachim aussi, du coup. Alors non, il ne se souvient pas de cette femme en robe verte qui prétend qu'elle s'appelle Majse et qu'elle s'est rendue à un nombre incalculable de réceptions avec Ellen et lui.

La réunion du conseil d'administration de l'Académie des beaux-arts étant toujours en cours, Joachim patiente dans le hall en compagnie des autres invités au dîner. Maris, femmes, compagnes et compagnons – catégorie à laquelle Joachim fera mine d'appartenir. Rien que l'espace d'une soirée, se dit-il. Pour Helene. Pour Helene, il va faire semblant d'être avec Ellen.

— Quand vont-ils sortir, à la fin, je meurs de faim, murmure l'une des femmes.

Personne ne lui répond. Selon Joachim, elle n'est pas du milieu, elle ne connaît visiblement pas leurs codes. Les codes de ces gens dont Joachim est en train de pénétrer le cercle une nouvelle fois. Une société secrète. Au collège, on essaie d'apprendre deux langues étrangères aux élèves en plus de leur langue maternelle. Ils devraient ajouter celle-ci au programme, car il faut la moitié de la vie d'un homme pour la maîtriser un tant soit peu. Ici, il ne suffit pas de connaître les mots adéquats, encore faut-il avoir des références et des positions sur tout, même les sujets les plus ridicules. Joachim sent déjà son estomac se nouer.

Une porte s'ouvre ; dans le vestibule, tous les visiteurs se tournent vers elle. Les membres du conseil d'administration sortent, retrouvent leur moitié. Quelques jeunes serveuses passent avec des plateaux, portant des verres effilés et pétillants. Joachim en prend un, qu'il vide presque d'un trait. Ellen s'avance vers lui, cheveux attachés, les yeux soulignés par son maquillage, son regard accroche le sien.

— J'espère que ça ne t'a pas trop ennuyé d'attendre, dit-elle à voix haute.

Elle lui prend la main et l'embrasse doucement. Cela fait partie de leur accord. Elle s'accroche à son bras comme si c'était tout naturel, s'appuie contre lui et indique :

— C'est lui, là-bas. Avec la barbe, en train de parler à la femme en robe blanche.

Joachim se retourne. Le voilà donc : lui qui ne peint que des scènes de douleur, des corps de femmes, des camps de concentration. Avec de la peinture à la colle de peau. Tøger Saxild.

— Et l'enfant, qui est-ce ? demande Joachim.

Ellen lui donne un coup de coude dans les côtes.

— Ce n'est pas une enfant, voyons. C'est juste une très jeune Japonaise, murmure Ellen. Si tu t'étais un peu renseigné sur ce qu'il peint, tu l'aurais reconnue.

Joachim est incapable de détacher son regard de la petite amie de Saxild – ou est-ce sa muse ? Elle ne peut pas avoir plus de dix-huit ans, au grand maximum. Dans tous les autres cercles de la société, les gens traiteraient Saxild avec mépris. Mais pas dans le monde de l'art. Joachim ne voit pas quel homme d'âge mûr et avec une bedaine pareille Ellen défendrait s'il débarquait à un dîner avec une enfant au bras.

Car Saxild, lui, doit avoir dans les quarante-cinq ans. Le crâne rasé, une longue barbe bien soignée se terminant par une tresse qui lui arrive jusqu'à la poitrine. Et la Japonaise ? Joachim l'étudie. A-t-elle l'air d'une femme qui voudrait qu'on la batte ? Saxild est calme et sûr de lui, comme toutes les autres personnes présentes dans cette pièce. La Japonaise, dans sa robe noire quasiment transparente, lui murmure quelque chose à l'oreille. Tøger Saxild écoute, sourcils froncés, puis secoue la tête et répond en ouvrant les bras, de l'air de la contredire. Quel genre d'homme est-ce ? Serait-il capable de torturer des prostituées ?

Quoi qu'il en soit, Joachim doit l'approcher. Et quoi ? Lui poser une question innocente sur la peinture à la colle de peau et observer attentivement sa réaction ? Voir s'il le reconnaît – pas en tant qu'ex d'Ellen providentiellement de retour, mais en tant qu'hôte de la cave aux horreurs aperçu à travers un miroir ? C'est une possibilité : Tøger peut tout à fait s'être trouvé derrière le miroir le jour où Joachim est descendu sous terre.

*

Joachim avait oublié combien on mange bien au sein de l'élite danoise. On a annoncé cinq plats et ils n'en sont qu'au deuxième. Après un risotto d'orge perlé, un carpaccio de flétan du Groenland fumé. De très fines tranches de mer salées et acidulées, saupoudrées de parmesan grillé et de câpres.

C'est comme ça dans ce genre de cercle : la qualité de la nourriture est proportionnelle au degré d'oppression des femmes. Il garde un œil sur la Japonaise. Elle ne mange presque rien. On voit ses seins, finement soulignés sous sa robe. Et puis elle a une étrange particularité : elle ne ferme jamais complètement la bouche, ses lèvres sont toujours légèrement entrouvertes. Quand elle croise le regard de Tøger, elle les ouvre un peu plus, comme s'il lui avait ordonné de faire en sorte que sa lèvre supérieure et sa lèvre inférieure ne se touchent en aucun cas.

Joachim a essayé de s'asseoir à côté de lui mais Ellen l'a poussé devant elle en lui soufflant qu'il y avait un plan de table. Il est placé tellement loin de Tøger qu'il n'entend même pas ce qu'il dit. Il peut seulement l'observer. Les expressions de son visage, ses mouvements de bras. Sa façon de mâcher, s'il est bavard ou non. La tête qu'il a quand il écoute. Mais Joachim sait qu'il ne pourra rien déduire avec certitude de cette manière.

À côté de lui, Ellen est d'excellente humeur. Toujours un coup d'avance sur les autres dans leurs discussions joueuses et élégamment tissées. Joachim essaie de participer, mais cela lui semble bien difficile. Une succession interminable de plats défilent devant eux, tous apprêtés comme de vraies petites œuvres d'art. Le vin a été soigneusement sélectionné pour accompagner chaque plat.

Ellen essaie sans relâche d'intégrer Joachim à la conversation. Quand, à un moment, elle lui prend la main, cela ne lui semble ni bizarre ni maladroit de sa part ; au contraire, il trouve cela plutôt amusant. Jamais il ne se serait imaginé qu'il connaîtrait à nouveau un jour cette situation. Que son appel à l'aide désespéré le mènerait à une réconciliation avec la personne qui, supposait-il, le détestait le plus entre tous. Il sait qu'à l'époque elle était prête à se battre pour faire vivre leur relation. Il s'autorise à repenser pendant quelques instants au passé – une époque qu'il a depuis longtemps décidé de refouler. Un mauvais souvenir. Ce jour où il l'a définitivement rayée de sa vie et laissée attendre seule à l'aéroport, minuscule et perdue. Ils étaient convenus qu'il la rejoindrait directement en sortant d'une lecture. Il se souvient qu'il avait déjà sa vieille Volvo poussiéreuse et qu'il avait eu le temps d'arriver jusqu'au terminal avant de décider de faire demi-tour. La perspective de quelques jours seul avec Ellen, la prison des heures à laquelle il ne pourrait pas échapper, lui avait été tellement insupportable qu'il avait jeté toute noblesse d'âme par-dessus bord et décampé. Il avait mis le cap sur l'île de Bornholm. Il allait tout recommencer. *Seul.* Sur Bornholm, il avait ainsi débarqué à Gudhjem, d'où il avait pris le bateau pour aller encore plus loin, le plus loin possible à l'intérieur des frontières du Danemark. Il avait trouvé une pension sur une petite île au large, Christiansø. Était devenu l'habitant permanent numéro 92 et s'était allongé dans son lit. Il avait regardé le plafond. Il a l'impression d'être resté comme ça jusqu'au jour où, au café, il a vu Helene pour la première fois. Ce n'est pas vrai, bien sûr : il a mangé, pissé, il s'est lavé. Pas très souvent, juste quand il ne supportait plus sa propre odeur. Et puis, il a écrit. Des pages et des pages, toutes plus désespérantes les unes que les autres.

Ellen lui dit quelque chose, l'arrachant à ses pensées.

— Pardon ? demande-t-il, confus.

— Viens, on sert du café arrosé à côté, lance-t-elle en se levant.

Joachim la fixe. « Arrosé » ?

Au moment où ils commencent à se diriger vers l'autre pièce, la main d'Ellen lui caresse les fesses. Mouvement très bref, peut-être ne l'a-t-elle pas prémédité. Mais non, finalement sa main s'attarde sur place. Un peu trop longtemps pour que ça puisse être un hasard, non ? Et la voilà partie. Il reste là, reprend ses esprits. Vide son verre d'eau. Il est grand temps qu'il mette le holà à tout ça.

*

Cela fait un bon moment que Joachim se prépare. Pourtant – ou peut-être à cause de cela, justement –, sa conversation avec Tøger démarre mal.

— Vous travaillez avec de la peinture à la colle de peau, n'est-ce pas ? demande-t-il d'un air de défi.

L'artiste prend l'air agacé. Il faut dire que Joachim vient d'interrompre sa conversation ; deux femmes, toujours celle en robe blanche et la Japonaise, dévisagent l'inconnu comme elles dévisageraient un bouseux qui viendrait d'oser marcher sur l'ombre du roi.

— Oui, répond sèchement Tøger.

C'est tout. Puis il se tourne vers les deux femmes. La Japonaise essaie de retenir un pouffement.

— Pourquoi préférez-vous ce type de peinture, si je peux vous poser la question ? s'entête Joachim.

Tøger souffle entre ses dents et répond avec lassitude :

— Vous interrompez notre conversation. Vous devriez peut-être aller chercher du café, plutôt ?

Et il empoigne Joachim par le bras avec autorité.

— Désolé. Je sais bien que je me suis un peu imposé, répond Joachim, qui se rend compte que son élocution est passablement alcoolisée.

Ellen vole à sa rescousse. Elle pose le bras sur son dos et rit.

— Excuse-moi si tu te sens un peu pris de court, Tøger, c'est ma faute, déclare-t-elle. Je crois que j'ai eu la main lourde en remplissant son verre. Joachim est en train de faire des recherches pour son nouveau livre, et je lui ai dit que tu pourrais sûrement l'aider à propos de la peinture à la colle de peau. J'aurais dû vous présenter officiellement plus tôt. Joachim a parfois un côté un peu... sans-gêne, mais il est gentil.

Ellen badine. Joachim se penche un peu contre elle, inspire un discret effluve de savon. Il y a autre chose en dessous, une odeur fleurie. S'est-elle mise à utiliser du parfum ? Tøger débite quelques phrases sur la peinture à la colle de peau, mais c'est pour être aimable envers Ellen, pas envers Joachim.

— Et… toute cette souffrance ?

Joachim s'étonne lui-même. Il guette la réaction du peintre.

— Comment ça ?

— Pourquoi toute cette souffrance dans vos toiles ? Pauvres femmes…

— Avec votre manière de présenter les choses, on dirait que c'est moi qui leur inflige tous ces maux, répond Saxild.

— Et ce n'est pas le cas ?

Joachim espère un signe, un indice.

Le peintre hausse les épaules.

— C'est un débat rebattu. Je n'ai pas envie de me le coltiner encore une fois.

— Pourquoi pas, au fond ? Éclaire-nous, propose Ellen, l'air taquin, appuyant ses mots.

Elle connaît les formules à utiliser. Saxild s'est radouci.

— Je montre le monde tel que je le vois. Je ne rends compte que des sensations que j'ai. Toutes les agressions, toute la violence, je les garde en moi jusqu'à ce que je ne puisse plus les contenir et qu'elles débordent. Là, je peins, dit-il.

Cette réponse semble satisfaire Ellen. Elle ferait bonne impression dans un catalogue d'exposition ou dans une interview. Joachim a tout de même le sentiment d'être sur une fausse piste. Il ne sait pas à quoi ressemble un assassin et il ignore d'où lui vient cette certitude, mais il est convaincu que Tøger Saxild n'est pas l'assassin de Louise. Il a beau essayer de se concentrer sur la conversation, il n'arrête pas de se perdre dans ses pensées.

Si ce n'est pas Tøger Saxild, le voilà de retour à la case départ. Sans le moindre indice. Il repense à l'ADN découvert dans la fonderie désaffectée. Les cheveux d'Helene. Ensuite, on ne retrouve sa trace qu'à Bornholm, en possession des affaires de Louise. Son portefeuille, son sac. Est-ce vraiment une preuve ? Cela suffirait-il à Sperling pour la faire enfermer ? Ellen le prend par la main et l'entraîne un peu à l'écart. On leur jette des regards curieux. Joachim se souvient d'autres réceptions bien plus dramatiques. Ellen en pleurs. Ellen en train de lui crier dessus. Pour une raison ou une autre, cela ne veut rien dire dans ce genre de cercle. On peut se livrer à des trucs horribles, pisser sur le parquet, chier derrière les rideaux, baiser la femme de l'hôte, couper les fils électriques avec les sécateurs de la cabane du jardin, tout ça montre juste que vous avez le courage de secouer les idéaux petits-bourgeois. Ce qui est beaucoup plus grave, c'est d'avoir mauvais goût.

— Avant qu'on s'en aille, je voudrais te montrer quelque chose, lui chuchote Ellen, tout excitée.

Ils retournent dans le vestibule et, de là, prennent la direction de son bureau. Mais ils passent devant la porte et poursuivent vers une cage d'escalier.

— Attends, je récupère juste ma veste, dit Joachim.

— On reviendra par le même chemin, répond Ellen sans ralentir.

Ils montent les marches. Ellen continue à discourir avec enthousiasme sans lui lâcher la main.

— Ça faisait partie de la dernière expo, c'est très particulier et ça repart à Bruxelles demain, alors c'est ton ultime chance de le voir. Je n'arrive pas à m'en détacher. Si je pouvais, je déménagerais à côté. Ou encore mieux, dedans, comme dans un film de Kurosawa…

Elle lui raconte l'histoire de l'homme qui pénètre dans une peinture et finit par en devenir partie intégrante.

Elle court presque et Joachim la suit, curieux mais réticent. Certes, Ellen adore l'art, mais jamais il ne l'a entendue parler avec une telle chaleur d'une toile en particulier. Ils arrivent enfin au dernier étage ; Ellen ouvre la porte. Les voilà sur le seuil d'un entrepôt. La lumière provenant de l'escalier pénètre dans la pièce. Un air chaud et poussiéreux leur saute au visage. Partout, des tableaux. Enserrés dans de grandes structures métalliques à rayonnages de sorte qu'ils puissent tenir sans se toucher les uns au-dessus des autres sur plusieurs étages. Jusqu'au plafond. Entre les structures métalliques sont ménagés de longs passages, avec des tableaux sur chaque niveau. La plupart dans d'étroites caisses de contreplaqué. Joachim trouve l'interrupteur ; les lampes de l'entrepôt s'allument les unes après les autres, dévoilant petit à petit les détails de la pièce tout en longueur. Mais Ellen éteint la lumière avant que l'éclairage soit arrivé jusqu'au fond de la salle. Elle se plante devant Joachim, se hausse sur la pointe des pieds, pose les mains sur sa poitrine. Ses yeux brillent de désir dans la pénombre.

— Joachim, dit-elle.

Cette voix rauque. Il a l'impression de recevoir une décharge électrique. Le timbre de sa voix lui fait un effet aussi physique que les paumes plaquées contre son corps. Il reste parfaitement immobile pendant que les mains d'Ellen descendent lentement, saisissent sa ceinture, en défont la boucle. Il ferme les yeux. Il a les oreilles qui sifflent, s'adosse au mur mais chancelle toujours. Comme s'il était sur un bateau. Comme s'il lâchait tout.

Soudain, il revoit devant ses yeux les crochets d'amarrage de la chambre des tortures. Un éclair lui transperce le cerveau, à l'instar de la lumière de l'entrepôt, allumée quelques secondes, juste le temps d'éclairer quelques tableaux. Il a vu quelque chose avant qu'elle ne s'éteigne. Un crochet identique ? Il se redresse brusquement, repousse Ellen, rallume la lumière.

— Qu'est-ce qu'il y a ? demande-t-elle, vexée.

Sa voix, si frêle. Un rejet. Encore un. Il sent un poids dans sa poitrine. Qu'est-il en train de lui infliger, encore ? Comment ont-ils pu se retrouver dans cette situation ? Les unes après les autres, les lampes s'allument. Joachim inspecte avidement la pièce. Est-ce son imagination, ou a-t-il vraiment vu un crochet ?

Soudain, il le repère : un très grand tableau, plus grand que lui. Au premier rang devant quelques autres œuvres posées par terre, appuyées contre un étage de toiles empilées. Tête en bas. Un visage étrange, déformé, dans une pièce tout aussi déformée. Il y a quelque chose qui cloche dans la perspective et dans les proportions, mais c'est un visage, c'est sûr, et c'est une femme. Ainsi que des crochets d'amarrage. Et puis le mur, le miroir au mur, la silhouette que l'on devine dans le reflet, on dirait une scène au temps de la peste à Venise. Sauf que Joachim a déjà vu cet objet convexe qui déforme la réalité. Et il a vu ce costume, ce mur, cette table. Il en est sûr et certain.

— Qu'est-ce que c'est ? demande-t-il d'une voix tremblante en montrant le tableau du doigt.

Ellen se tourne vers le tableau.

— Des tableaux qui partent demain pour une exposition en Suède, répond-elle.

— D'accord, mais qui l'a peint ? Celui-là, le premier ?

Sa voix laisse sans doute paraître son état d'agitation.

Ellen secoue la tête.

— Si tu crois que ça a quelque chose à voir avec ton meurtre, tu te trompes, dit-elle en croisant les bras sur la poitrine. C'est un tableau de Pierre Kollisander. Ça ne peut pas être lui, c'est l'un des plus grands noms de la peinture danoise contemporaine.

52

Des heures se sont écoulées avant qu'elle ose se glisser hors du trou, avant qu'elle finisse par se persuader qu'il était vraiment parti. Son poursuivant. Qui est-il ? Elle ne trouvera la réponse que si elle continue son enquête. Elle découvrira qui était le père de Marius Flint. Découvrira pourquoi il avait une telle importance aux yeux d'Aksel, qui lui a versé tant d'argent. Encore aujourd'hui, si longtemps après. Cela doit vouloir dire quelque chose.

Helene allonge le pas en direction des lampes colorées illuminant la rive du lac plongée dans l'obscurité. Elle a moins de mal à respirer. Elle a un plan, et puis elle a laissé un message sur le répondeur de Joachim, elle l'a prévenu qu'il ne pourrait pas la joindre, elle finira bien par l'appeler à un moment donné, il ne faut pas qu'il s'inquiète. Elle lui a laissé ce message juste avant de jeter son téléphone dans le lac, par peur qu'« ils » ne puissent la suivre à la trace. Il ne faut pas qu'« ils » gagnent. Elle exhumera la vérité. Et pour cela, elle va commencer par faire en sorte qu'on ne la reconnaisse plus.

*

Helene se tient dans le petit supermarché du camping, un panier au bras. Elle a essayé de se débarrasser du maximum de sable qui s'était collé partout. Ses vêtements sont encore sales et froissés mais, à son humble avis, elle n'a pas pire allure que les vacanciers qui déambulent.

Sea Camp, une petite centaine de caravanes le long du lac, l'endroit parfait où se cacher le temps de changer d'apparence. La nuit aussi jouera en sa faveur, même si elle n'est pour le moment qu'une de ces pénombres typiques de l'été danois incapables de vaincre totalement la lumière. Demain, elle ira en ville, aux archives.

Les lieux baignent dans une certaine paresse estivale, peuplés d'hommes en tongs et de femmes aux bras charnus et rougis par le soleil. Presque tous les clients sont venus chercher de la bière ou du vin. Helene inspecte le rayon des teintures. Elle hésite longtemps, une boîte de roux vif à la main, mais finit par mettre dans son panier un châtain neutre, ainsi qu'une paire de ciseaux, des biscuits et des pommes. Le visage maussade de la jeune caissière lui rappelle celui de Bjørk, la serveuse peu fiable qu'elle avait engagée au café.

— Autre chose ? demande la fille avec aigreur.

— Non, c'est tout, répond Helene, qui introduit sa carte de crédit dans la machine et compose son code.

« Refusé. » Le bip qui s'ensuit attire immédiatement l'attention d'un curieux derrière elle dans la queue.

— Je réessaie, non ? propose aimablement Helene. Je me suis peut-être trompée en tapant le code.

La caissière lève les yeux de son écran pour examiner Helene. Elle louche légèrement. Elle a l'air plus réveillée, d'un coup.

— Erreur 43. Ça signifie que c'est une carte volée, dit-elle en dévisageant Helene.

— C'est sûrement une erreur, répond celle-ci. Mon mari va arriver d'ici peu. Nous réglerons avec la sienne.

Helene prend la dernière place dans la queue. La jeune fille hésite ; Helene lit le doute dans ses yeux. Devrait-elle prendre des mesures, si c'est bien une carte volée ? Elle se met finalement à encaisser les clients suivants. D'autres entrent dans le magasin. Le cœur d'Helene bat à toute allure : la voilà coincée au fond de cette supérette idiote qui ravitaille les campeurs estivaux et il faut qu'elle attende, qu'elle sourie à la fille chaque fois que celle-ci lève les yeux. Elle doit trouver un moyen de sortir d'ici. Sans abandonner ses courses.

Elle se rapproche petit à petit de l'entrée. Au moment où la fille lui tourne le dos pour attraper une bouteille de vodka premier prix, Helene tente sa chance. Elle sort. Elle est déjà devant le petit manège aux couleurs immondes quand elle entend la fille s'exclamer dans son dos :

— Arrêtez-la !

Elle se met à courir, regarde par-dessus son épaule. Encore un homme lancé à sa poursuite ! Sauf que cette fois, c'est un empâté en tongs, dont la motivation n'est pas comparable à celle du type aux rangers. Helene passe derrière la réception, se glisse entre les caravanes. Dès qu'elle arrive hors de vue de son poursuivant, elle arrête de courir et se met à marcher tranquillement, au même rythme que les autres vacanciers. Mais intérieurement, elle panique : comment va-t-elle se sortir de là ? Comment passer inaperçue ?

Elle suit les panneaux indiquant le bloc des sanitaires. En se forçant à continuer à marcher lentement. Les sanitaires sont trop proches de la supérette à son goût, mais il faut bien qu'elle essaie. C'est à ses cheveux qu'ils sont susceptibles de la reconnaître. Et à ses vêtements. Elle passe à côté d'une caravane devant laquelle les occupants ont installé une corde à linge provisoire. Ils sont absents, peut-être partis dans le centre-ville, à moins qu'ils ne soient descendus piquer une tête. Helene tend vivement la main et saisit un short couleur sable et un tee-shirt blanc. Elle poursuit son chemin vers le bloc sanitaire. Devant, trois hommes discutent avec animation en montrant du doigt la direction dans laquelle elle a disparu – et non l'endroit où elle se trouve à présent. Elle a décrit un arc de cercle, et il ne leur viendrait pas à l'esprit de vérifier ailleurs.

Helene profite que quelqu'un soit en train de sortir pour se glisser à l'intérieur. Elle jette un coup d'œil, ne voit personne. Nom d'un chien, les douches sont payantes ! Cinq couronnes les cinq minutes. Et elle n'a pas une seule pièce de monnaie sur elle. Dehors, des voix. Elle s'enferme dans un box des toilettes. Les cheveux. Il faut passer à l'action. Elle accroche le sac de la supérette à la patère vissée sur la porte, attrape résolument les ciseaux et se met à tailler en gestes rapides. Les boucles atterrissent à ses pieds en un gros tas blond. Elle coupe tout du long juste sous l'oreille. Une coupe au carré, une frange. C'est neutre. Puis elle s'agenouille devant la cuvette. Ça pue la pisse. Elle tire la chasse d'eau. Plonge les deux mains dans la cuvette, mouille ses cheveux, sort la teinture. Vite, vite, elle applique le liquide et se masse le cuir chevelu. Pendant que le produit agit, elle ramasse les boucles de cheveux éparpillées, les jette, tire la chasse.

Dehors, deux femmes discutent ; on a appelé la police, qui ne va pas tarder à arriver. Helene ôte ses vêtements sales avant de rincer la teinture. Elle passe la main dans ses cheveux humides, secoue un peu la tête. Enfile le short et le tee-shirt. Puis elle sort et se lave soigneusement les mains dans le lavabo. Se considère dans la glace. Qui est-elle ? Une femme dans les toilettes d'un camping. Une femme en cavale. Une voleuse avec de l'eau de chiottes et de la pisse plein les cheveux. Seule. Joachim lui manque. Il faut à tout prix qu'elle l'appelle. Il faut qu'elle trouve un téléphone à Silkeborg pour essayer de le joindre. Lui dire qu'elle a besoin d'aide. Vu la tournure que prennent les événements, elle n'y arrivera pas toute seule. C'est pire que ce qu'elle croyait.

*

Helene se cache dans la forêt tout en restant à proximité du camping. Ce n'est que quelques heures plus tard qu'elle ose revenir. La nuit est tombée, tout le monde dort. On a dû abandonner les recherches de la voleuse de la supérette, car la voiture de police est partie. Devant une caravane, elle trouve un matelas gonflable oublié dans l'herbe. Elle l'embarque prestement sous son bras. Sur le chemin du retour, elle chipe une serviette restée sur un transat. Ses gestes sont assurés, elle n'en revient pas elle-même. À croire qu'elle a passé toute sa vie à voler, à se cacher. Elle se faufile de nouveau dans la forêt, trouve une clairière, s'allonge. Sa nuit est longue et sans rêves. Elle ne dort que par courts intervalles et se réveille chaque fois en sursaut.

Aux premières heures blêmes de l'aube arrivent les moustiques. Elle se lève et fait les cent pas en battant des bras en cercles, tout en repassant la journée de la veille dans sa tête. Elle sait que Söderberg Shipping verse de l'argent à l'auberge Julsø Kro. Marius Flint prétend qu'il existe un accord écrit mais, si c'est exact, il n'est pas officiel. L'Helene d'avant, celle qui a tout quitté et tout oublié, l'a cherché en vain. La nouvelle Helene, celle qui n'oubliera pas, soupçonne un lien entre le meurtre de William Hirsch et le règlement effectué à l'auberge. Il est fort possible que le propriétaire se fasse payer pour garder le silence. Taire un secret « qui pourrait signer la mort de Söderberg Shipping ». Est-ce bien ce qu'il a dit ? Quelque chose de ce genre… Il faut qu'elle en apprenne plus, il lui faut un nouvel élan, remonter plus loin. Qui était le père de Marius Flint ? A-t-elle raison de croire que cette piste est la bonne ?

Le soleil se lève, ses rayons réchauffent l'humide tapis de la forêt. Helene s'assied en tailleur sur le matelas gonflable, qui est à peu près plat à présent. Il est très tôt, mais elle sait où commencer à chercher. Elle va juste attendre encore un peu avant de rentrer à Silkeborg.

53

Pierre Kollisander. Joachim entend ce nom depuis qu'il écrit des livres. Ellen a toujours éprouvé une fascination pour cet homme, Kollisander le génie. Joachim entre dans la galerie Lundtoft, située dans la rue Bredgade, de même que toutes les grandes galeries. Une douleur sourde à l'arrière de sa tête lui rappelle constamment qu'il a trop bu la veille. La pièce est saturée d'une lumière chaude. Tableaux au mur ; quelques paysages maigrichons. Pas vraiment du Turner, se dit Joachim. Il s'approche. Une forêt de bouleaux ? Sur l'autre, un chêne majestueux... Quoique, les couleurs... Peut-être ont-elles quelque chose de spécial, finalement. Si seulement Ellen était là ! Mais après ce qui s'est passé, il ne faut pas y compter. Joachim n'arrive toujours pas à croire qu'il ait laissé les choses aller si loin. Qu'il ait bu autant. Ellen a fait comme si de rien n'était après qu'il l'a repoussée, mais il la connaît : il a commis là un péché mortel. Une erreur qui lui a toujours coûté cher par le passé.

— N'hésitez pas à me le dire si vous avez des questions, je suis là pour ça ! lance le galeriste dans le dos de Joachim.

Celui-ci se retourne, examine l'homme, passablement petit ; il lui évoque un peu un caniche, en moins agressif peut-être. En tout cas, présentement, il sourit.

— Qu'est-ce que ça a de si spécial ? l'interroge Joachim en montrant de la main les œuvres de Kollisander.

Le galeriste semble surpris, ébahi, même.

— C'est… C'est… Êtes-vous familier des méthodes de Kollisander ?

— Pas du tout.

— Ici, vous voyez sa série sur l'existence. Chaque tableau est une métonymie.

Joachim essaie de se souvenir de ce qu'est une métonymie. Il devrait le savoir, il l'a su à une époque, il a rencontré ce mot dans sa jeunesse, quand il lisait d'épais livres sur la théorie de la littérature. Mais il a oublié, il a tout oublié. Heureusement, le galeriste reprend là où il s'était arrêté, lui explique comment Kollisander a utilisé des matériaux issus du motif lui-même. Ainsi, le bouleau est peint avec des morceaux de tronc carbonisés, la couleur est extraite de ses feuilles. Et aussi de la sève dorée de l'arbre ; le pigment, des feuilles d'automne. Même méthode avec le chêne et les roses. L'arbre est devenu partie intégrante de l'œuvre, il a été abattu et à moitié brûlé pour obtenir le charbon de bois dont l'artiste s'est servi. De cette manière, la peinture est une immortalisation de l'objet naturel, une résurrection, l'annulation de la séparation entre motif et matériau, forme et fond.

— Seriez-vous intéressé par un livre qui vous fournirait une introduction complète à l'œuvre de Kollisander ?

Joachim soupire. *Un livre.* Que les livres aillent au diable et qu'on lui rende Helene ! Mais il se contente de demander au galeriste s'il aurait l'amabilité de le mettre en contact avec le peintre.

Le visage du galeriste se ferme aussitôt.

— Il n'est pas au Danemark, répond-il.

Joachim rit – d'un rire désarmant, espère-t-il.

— J'imagine que beaucoup de gens vous sollicitent, mais moi, c'est sérieux. Je suis écrivain, dit Joachim.

Pourquoi ces mots sonnent-ils aussi bizarrement dans sa bouche ? Est-ce parce qu'il n'a pas écrit une seule ligne depuis longtemps ?

— Je pourrais peut-être vous laisser mon nom pour que vous lui fassiez passer un message ? Je suis en train d'écrire un livre dans lequel le personnage principal est un artiste, et j'aurais bien aimé l'interviewer, explique Joachim, qui sent le rouge lui monter aux joues.

Il se rend bien compte à quel point cela paraît creux, et il se dépêche d'enchaîner sur l'importance de bien se documenter.

— Malheureusement, comme je vous le disais, M. Kollisander ne se trouve pas au Danemark en ce moment. D'ailleurs, il ne donne que très rarement des interviews.

Le galeriste arbore une mine clairement intraitable. Il n'y a plus rien à faire. Joachim abandonne et prend la direction de Kongens Nytorv.

Et maintenant ? Comment pousser plus avant ? Il a si peu d'indices. Aucun indice, même. Un pressentiment, un vague soupçon, c'est tout. En arrivant près de l'hôtel d'Angleterre, il se remémore sa rencontre dans la chambre avec Stella. L'expression sur son visage quand elle lui a décrit le milieu dans lequel évoluait Louise. L'angoisse dans ses yeux.

C'est grave. Un meurtrier est en liberté, quelqu'un qui écorche les femmes comme on écorche du vison. Un bourreau. Helene est la seule suspecte que tienne la police. Joachim est le seul à rechercher le véritable meurtrier, bien qu'il ait laissé un message à Sperling ce matin à propos du crochet, le crochet du tableau de Kollisander. Il ne lui a pas échappé que ça avait l'air mesquin : un écrivain de second ordre accusant de meurtre un grand artiste…

Joachim sort son téléphone de sa poche, appelle une nouvelle fois Helene. Il devrait s'abstenir, pour garder sa ligne libre en prévision du moment où elle l'appellera. Le voilà dans la rue, perdu, son téléphone à la main. Il tente sa chance et cherche sur Internet l'adresse de Kollisander. À sa grande surprise, il en trouve une. L'information est accessible au premier venu. Rue Amaliegade. Ça ne pourrait pas être plus sélect. Et puis c'est pratique, ce n'est pas loin de la galerie, c'est près de tout. Le galeriste prétend que Kollisander est parti en voyage ? Allons voir s'il dit vrai.

*

Ce n'est qu'une fois devant le portail que Joachim réalise qu'il n'a pas de plan. Que s'était-il imaginé ? Il ne peut tout de même pas débarquer comme une fleur et commencer à interroger Kollisander. Et s'il s'en tenait au mensonge qu'il a servi au galeriste ? S'il se faisait passer pour un romancier en train d'écrire un livre ? Oui. Il n'a pas de meilleure idée. Espérons qu'il soit plus crédible qu'à la galerie. L'interphone, laconique, indique : « PK. » Joachim appuie sur le bouton. Rien. Qui sait, il est peut-être vraiment parti en voyage. Il essaie le bouton du bas, attend.

— Oui ? demande une voix qui craque dans l'interphone.

— Je cherche Kollisander, annonce Joachim.

— Hein ?

— Pierre Kollisander ! crie Joachim.

Pas de réponse, mais un instant plus tard la serrure du portail bourdonne.

Joachim monte les marches d'un large escalier blanc immaculé. Les rampes sont joliment ornementées, les plantes soignées aux fenêtres sur chaque palier. Voilà comment sont les choses quand on est riche, songe Joachim, très conscient tout à coup que lui, par contraste, doit avoir l'air sacrément dépenaillé. Il passe une main dans ses cheveux sans se faire d'illusions sur l'utilité de son geste. La porte de l'étage du bas est ouverte, et une vieille femme se tient dans l'embrasure. Ses lunettes descendent tout au bout de son nez pointu, ses cheveux gris sont tirés en arrière.

— Pierre n'est pas là, mais je peux prendre les livraisons, dit-elle.

Joachim étend les bras pour montrer qu'il n'a rien.

— Non, moi, je suis écrivain. Je suis en train d'écrire un livre sur Kollisander. Savez-vous où il se trouve ?

Le visage de la femme se ferme aussitôt, exactement comme celui du galcriste.

— Si ce n'est pas pour une livraison, je vais devoir vous demander de partir, lâche-t-elle sur un ton autoritaire.

Joachim évalue en vitesse les options dont il dispose. L'appartement de Kollisander est juste à l'étage du dessus. Il a réussi à entrer dans la cage d'escalier. Si seulement il pouvait monter… Entrer par effraction ? Sérieusement ?

La femme lève un sourcil.

— Vouliez-vous autre chose ? ajoute-t-elle froidement.

Elle n'a pas l'intention de rentrer dans son appartement avant qu'il ait quitté les lieux, c'est clair. Et puis, elle l'a vu ; si on déclare un cambriolage par la suite, elle pourra donner un signalement détaillé. Peut-être même pourrait-elle le reconnaître. Joachim secoue la tête, tourne les talons. Quel idiot il fait ! À jouer les détectives, à envisager un cambriolage... Que lui a dit Sperling, déjà ? Qu'on peut faire beaucoup de choses soi-même en cette époque de *Do It Yourself*. Mais que, pour les enquêtes criminelles, il faut s'en remettre à la police.

Joachim avait bien deviné : la femme, penchée par-dessus la rambarde de l'escalier, le suit des yeux jusqu'à ce qu'il soit sorti.

Ellen. Joachim le sait bien. Il le sait depuis le début. Ellen connaît tout sur le monde de l'art. Elle peut lui parler de Kollisander. Elle peut l'aider. Si tant est qu'elle veuille encore lui adresser la parole.

*

Quelque chose dans son visage laisse penser qu'elle avait anticipé sa venue. Peut-être l'attendait-elle ? Elle est magnifique, là, accoudée au chambranle de la porte. Ses cheveux lisses et bruns sont ramenés en une queue-de-cheval lâche ; elle est nu-pieds, robe grise lui arrivant aux genoux. Joachim est sûr qu'elle est nue en dessous.

— Bonjour, dit-elle.

— Salut. Euh, désolé pour hier, enfin, pour..., bégaie Joachim.

Il lui tend la main, désorienté, sent soudain la gueule de bois revenir sous forme de nausée et de remontées acides. Ellen secoue la tête, lève les yeux au ciel, ouvre grands les bras et le serre contre elle.

— Détends-toi, Joachim, je ne mords pas, tu sais, le rassure-t-elle. Enfin… je ne mords *plus*.

Et elle lui adresse un clin d'œil joyeux. Puis elle tourne les talons et rentre à l'intérieur. Il la suit avec anxiété. Quelle étrange sensation de pénétrer dans son ancien appartement. Sa première pensée est qu'il n'a pas changé. Joachim ne repère rien de nouveau dans l'aménagement minimaliste. Les meubles sont les mêmes qu'autrefois et n'ont pas bougé de place. Ellen a bon goût, aucun doute là-dessus. Un goût de luxe, danois jusqu'au bout des ongles. Joachim s'est-il jamais senti chez lui quand il habitait là ?

Ellen se laisse gracieusement tomber à une extrémité du canapé et ramène les jambes sous elle. Elle a l'air parfaitement tranquille. Joachim s'assied à l'autre bout, pose les mains sur ses genoux. La fenêtre donnant sur la vaste cour commune est entrouverte, on entend le bruit d'enfants qui jouent – les enfants qu'Ellen et Joachim n'ont jamais eus.

— Alors, grand timide ? dit Ellen. Qu'est-ce qui se passe ?

— J'ai essayé d'entrer en contact avec Kollisander, mais il est parti en voyage.

— Eh bien oui, il a sa résidence en Sicile, répond Ellen en faisant un petit signe de tête.

Un effluve de son nouveau parfum sucré arrive aux narines de Joachim. Il examine son visage. Est-elle déçue ? Croyait-elle qu'il était venu pour autre chose ?

Elle poursuit :

— Tu es complètement fou, Joachim. Chaque fois que j'ai travaillé avec lui, je l'ai trouvé chaleureux et plein de tact. C'est un homme très cultivé, intelligent. Vraiment un grand artiste, et un homme raffiné.

Joachim ne peut s'empêcher de remarquer qu'elle lui a porté un coup. Un grand artiste, et un homme raffiné : deux choses que lui n'est pas.

Alors, Ellen se laisse absorber par ses pensées, pousse un soupir, promène un index sur le cuir rouge du canapé. C'est à peine un geste, une ébauche de mouvement, mais soudain Joachim s'interroge. A-t-elle eu une relation avec Kollisander ? C'est étrange d'imaginer Ellen avec un autre homme. Mais elle en a eu d'autres, évidemment. Donc, pourquoi pas Kollisander ?

— Tu le connais bien ? demande-t-il prudemment.

Aussitôt, elle ferme le poing. Elle a bien deviné où il voulait en venir.

— Pas comme ça, répond-elle, sur la défensive. On a juste travaillé ensemble.

Bruit d'un ballon qui frappe le mur de la cour, d'une mère qui appelle son enfant.

— Ellen, dit-il en se tournant vers elle.

Et il explique. Le miroir, le miroir convexe d'inspiration vénitienne, le fer, les crochets, les détails. Et le sang sous ses ongles, le sang qui n'était pas du sang mais de l'acide produit par un insecte dont on extrait la couleur carmin. Ellen l'écoute, bien qu'elle ait déjà entendu la majeure partie de l'histoire la veille. Joachim s'est levé, il fait les cent pas sur le plancher qu'il a foulé tant de fois, et il parle. Il remarque qu'il raconte ce mystère comme si c'était un de ses romans à lui.

Ellen l'interrompt :

— C'est un génie, dit-elle calmement. Il fait partie des plus grands, et ce depuis longtemps, depuis sa jeunesse. C'est peut-être ce qu'il y a de plus notable chez lui. Il a tout de suite intégré la catégorie « jeune et prometteur » – que tu connais bien toi aussi.

Et elle lui fait une grimace.

Joachim pousse un soupir, baisse les yeux.

— Mais contrairement à tant d'autres, il est devenu un grand. Il y a une profondeur dans ses toiles qu'on ne trouve pas dans beaucoup d'œuvres contemporaines. Les gens sont frappés par ce qu'il peint.

— Parce que ce sont... des métonymies ?

— Toi, t'as piqué ça dans un bouquin ! s'exclame Ellen en riant. Oui, en effet, parce que ses œuvres se confondent avec leur motif. Déjà à l'époque où il était aux Beaux-Arts...

Elle se tait. Pendant quelques secondes, son visage laisse transparaître une expression de peur.

— Quoi ?

— Rien.

— Si. Tu allais dire quelque chose. Quand il était aux Beaux-Arts, eh bien ?

— Tout le monde voyait déjà qu'il avait du talent, répond Ellen.

Lentement. Trop lentement.

— Ce n'est pas ce que tu voulais dire.

Ellen sourit.

— Je voulais dire qu'il éclipsait tous les autres.

Elle a beau sourire, Joachim sait qu'elle ment. Mais il sait aussi qu'il ne tirera rien de plus d'elle.

— En ce moment, il prépare une œuvre nimbée d'une aura très mystérieuse, dit-elle. Il en a parlé dans plusieurs interviews. Il prétend qu'elle fera éclater les frontières autrefois en vigueur dans la création d'œuvres d'art. Tu te doutes bien que tout le monde piaffe d'impatience, mais il a posé des conditions très claires. Ce n'est qu'à sa mort que l'œuvre sera rendue publique.

Joachim s'assied. L'admiration qu'éprouve Ellen pour Kollisander est évidente. Apparemment, ils n'ont pas eu de relation, mais Ellen n'aurait rien contre.

Joachim repense à Louise. Au corps jeté comme un simple déchet dans le four. Aux crochets d'amarrage peints sur le tableau. Au visage bizarrement déformé de la femme. Pas seulement à cause de la douleur, pas seulement à cause de la peur. Il y a encore autre chose là-dedans : les limites. Les transgressions. Ah, s'il pouvait approcher Kollisander ! Ellen sait où il se trouve. Peut-être pourrait-elle organiser un rendez-vous entre eux ? Enfin, si elle est d'accord. Mais Joachim doit pouvoir exploiter d'une manière ou d'une autre l'attirance d'Ellen pour l'artiste.

— Ellen, cet inspecteur, là, Sperling… Il me prend pour un idiot.

— Je crois qu'il a raison.

— Ils sont obnubilés par le fait qu'ils ont trouvé l'ADN d'Helene sur le corps de Louise. Il faut à tout prix que je parle à Kollisander. Sais-tu où il est ?

Ellen hésite.

— Comme je te l'ai dit, il est sûrement dans sa résidence sicilienne. À Syracuse.

— Tu le connais, non ?

Joachim se penche, pose une main sur le genou d'Ellen et poursuit, enthousiaste :

— Je pourrais y aller tout seul, mais pourquoi est-ce que tu ne m'accompagnerais pas ? Je suis peut-être sur une fausse piste, n'empêche, ça ne serait pas désagréable pour toi de le revoir, n'est-ce pas ? Qui sait où ça pourrait conduire…

— Joachim, tu vas trop loin, le coupe Ellen.

— Tu pourrais dire que tu es là pour étudier l'art étrusque. Et moi, je t'accompagne. Je t'accompagne juste. Le reste, je m'en charge. Je te promets de te laisser en dehors de mon… de mon enquête.

— Les Phéniciens… Tu veux dire l'art phénicien, rétorque Ellen en saisissant la main de Joachim pour l'ôter de son genou. Donc, tu voudrais me donner encore rendez-vous à l'aéroport ? Pour me poser un lapin ?

Joachim sent tout son sang quitter sa tête. Il a peur d'elle. Il a toujours eu peur d'elle.

— Je suis désolé, Ellen. Ce que je t'ai fait est tellement cruel, dit Joachim.

Un sourire triomphal apparaît sur le visage d'Ellen.

— Quand tu n'es pas venu, j'ai cru que tu avais eu un accident de voiture. J'ai appelé la police, mais ils ne voulaient pas te porter disparu avant que quarante-huit heures se soient écoulées. Alors j'ai téléphoné aux hôpitaux. Et d'un coup, j'ai réalisé. Comme ça.

Ellen claque des doigts en l'air.

— Je me suis rendu compte que je me comportais comme une imbécile. J'étais là, à l'aéroport, à hurler comme une hystérique dans le combiné…

Elle rit, secoue la tête.

— Alors j'ai éteint mon téléphone et pris des vacances. Seule. Et je me suis retrouvée.

Elle hausse les sourcils, fait la moue ; on dirait un chat satisfait qui vient de croquer une souris dodue. Joachim ne la quitte pas des yeux. Il attend l'orage.

— Je ne peux pas expliquer ce qui a fait que j'ai soudain été capable de lâcher prise. Lâcher tout ce qui était mauvais. Toi. Notre relation effrayante. En tout cas, chaque matin au réveil, je me sens profondément reconnaissante que ce soit arrivé.

Elle lui presse légèrement le bras. Quelque part, un enfant tombe, se met à pleurer. Joachim ne la quitte toujours pas des yeux. Le finale commence.

— Je veux bien aller avec toi à Syracuse, dit-elle en hochant la tête. Je ne crois pas que Kollisander ait fait ce que tu prétends. C'est ridicule. Mais je veux bien t'aider à remonter cette piste. Je ne saurais pas t'expliquer pourquoi, j'ai sûrement des tas de motifs plus ou moins secrets. Te voilà prévenu.

Elle sourit.

54

Elle est une bien piètre détective. Elle commence par le vieux bâtiment du musée municipal, dans lequel elle déambule en compagnie de touristes matinaux et de retraités qui essaient tant bien que mal de remplir les trop nombreuses heures de la journée.

Elle contemple longuement l'homme de Tollund, l'homme des tourbières du musée de Silkeborg. Elle l'a déjà vu, elle le reconnaît. Quelle drôle de chose que l'amnésie rétrograde : on oublie tout sur soi-même, son propre vécu, mais on se souvient parfaitement du reste – Waterloo, la Seconde Guerre mondiale, l'homme de Tollund. Elle examine ce visage vieux de plus de deux mille ans, encore tellement expressif qu'elle ne serait pas surprise s'il ouvrait les yeux et se mettait à lui parler. Ce sourire, ce calme qui émanent de ses traits… Helene est tout aussi incapable de s'arracher à lui que les autres visiteurs du musée. Il a été pendu puis jeté dans un marais à l'âge de fer. Comment peut-on terminer sa vie avec une expression aussi paisible quand on a connu une mort aussi violente ? Qui sait si Helene ne finira pas de cette manière elle aussi ? Peut-être aura-t-elle enfin la paix en mourant ? Sur son visage, pourra-t-on lire le soulagement, ou le poids du fardeau de la vie ? Pendu, puis jeté dans l'un des nombreux marais de la région. C'est apparemment ainsi qu'on procède par ici depuis des milliers d'années. Au fond, son père n'a fait que suivre la tradition locale. Celui que tu n'aimes pas, tue-le et jette-le dans le lac.

Elle parvient finalement à détacher son regard de la momie et demande à un employé où se trouve la section histoire contemporaine. Les journaux, les témoignages de guerre et ce genre de chose. Elle n'est pas du tout au bon endroit. Il faut qu'elle aille à la bibliothèque.

*

Les archives municipales se trouvent tout au fond de la bibliothèque. L'endroit baigne dans une atmosphère silencieuse et semble vivre au ralenti. Étagères de classeurs et de livres du sol au plafond, tiroirs d'archives, tables où poser les documents, ordinateurs fixes, ainsi qu'un homme aux cheveux blancs penché sur une page de journal jauni. Ce serait un lieu parfait pour Joachim, se dit Helene. Effectuer des recherches dans un tel endroit doit vous inspirer. Elle se sent coupable. Tous les problèmes qu'il a eus pour écrire ont commencé quand ils ont emménagé ensemble. Elle n'a pas pu s'empêcher de le remarquer. C'est peut-être elle, la source du problème ; elle qui a pourri leur amour.

Un bibliothécaire, un jeune homme assis derrière son bureau, lève les yeux quand Helene entre dans la pièce. Il a des joues rondes d'enfant, mais ses cheveux sont déjà clairsemés.

— Puis-je vous aider ? demande-t-il.

— J'aimerais des renseignements sur l'ancien propriétaire de l'auberge Julsø Kro, répond Helene, nerveuse.

— Êtes-vous familière avec notre base de données ?

Helene fait « non » de la tête. Elle redoutait cet instant. Elle n'a aucune idée de ce qu'elle fera si on exige de voir sa carte d'identité. La seule chose qu'elle ait, c'est une carte de crédit qui ne fonctionne plus et que les terminaux de paiement refusent. D'ailleurs, elle n'a pas la moindre envie de révéler son nom. Mais il la conduit à un ordinateur libre et, heureusement, ne lui pose aucune question, se contente de lui montrer comment effectuer des recherches.

— Beaucoup de documents sont disponibles en ligne, mais il peut aussi y en avoir à chercher dans les archives papier. Vous pouvez commencer par une simple recherche avec « Julsø Kro » et le nom du propriétaire comme mots-clés et me faire signe si vous avez besoin d'aide, propose-t-il.

Ses fossettes lui donnent l'air encore plus jeune qu'il ne l'est. Gentil, serviable. Ce qui n'empêche pas Helene de lui jeter un regard torve quand il regagne sa table. Imaginons que quelqu'un la reconnaisse ! Edmund et Caroline ont peut-être lancé un avis de recherche. Non. Il faut qu'elle ait confiance en sa nouvelle apparence.

Elle tape « Julsø Kro » dans le champ de recherche. Un grand nombre de réponses apparaissent instantanément ; il est vrai que l'auberge a plus de cent cinquante ans. Helene regarde les photos, parcourt des documents, lit des articles sur l'époque où c'était un relais important sur la grand-route disposant d'une licence royale. Rien ne lui semble correspondre à ce qu'elle cherche. Il lui faut un peu de temps avant de comprendre comment restreindre sa recherche à la bonne période afin de trouver le nom du propriétaire précédent de l'auberge, le père de Marius Flint.

Pour finir, elle y parvient : Reinholdt Flint. Quand elle tape son nom dans le champ de recherche, c'est un tout autre genre de document qui apparaît. Des articles de journaux scannés. Il semblerait que Reinholdt Flint ait collaboré avec les nazis. Elle trouve un lien vers un article plus développé qu'elle s'empresse de lire. Pendant la guerre, les Allemands étaient les bienvenus à l'auberge, et il était apparemment de notoriété publique qu'il collaborait avec l'occupant. Mais il semblerait qu'il ait aussi été impliqué dans le mouvement de résistance. Helene se demande comment les deux attitudes ont pu être compatibles.

Elle parcourt un autre article dans lequel on cite Reinholdt. Il traite des motivations des « mouchards ». Apparemment, elles étaient souvent assez floues. Pour certains, c'était l'excitation qui comptait ; pour d'autres, les mobiles étaient économiques ; d'autres étaient tout simplement des nazis convaincus qui souhaitaient soutenir l'occupant. Dans l'article, Reinholdt est cité comme un exemple de collaborateur dont les motifs n'étaient pas clairs. Certains prétendent que ses liens avec les nazis n'étaient qu'une couverture pour dissimuler un soutien aux résistants. D'autres disent qu'il avait des dettes de jeu, mais cela n'a jamais été prouvé.

Helene ouvre d'autres documents ; elle clique sur les liens avec impatience avant de se rendre compte que ces archives n'existent que sous forme papier. Elle lève un regard incertain vers l'employé. Elle préférerait ne pas avoir à lui parler. Il redresse la tête au même moment et leurs regards se croisent. Est-il en train de la surveiller ?

— Avez-vous besoin d'aide ?

— Oui, avoue Helene.

Il s'approche vivement, regarde l'écran. Explique :

— Il faut cocher cette case-là, ce qui va envoyer une commande à mon ordinateur, et j'irai chercher les documents en question aux archives.

Il ajoute :

— Mais il faut d'abord que vous vous connectiez. Avez-vous un compte utilisateur chez nous ?

La nervosité s'empare instantanément d'Helene. Voilà qu'il veut son nom ; peut-être voudra-t-il même sa carte d'identité. Cela pourrait-il permettre à Edmund d'apprendre qu'elle est ici ? Ou à Caroline ?

— Non, répond-elle d'une petite voix.

— Bon, ce n'est pas un problème, cela ne prendra pas longtemps. Remplissez ceci : nom, prénom, numéro d'identification personnel, adresse e-mail, et ensuite choisissez un mot de passe, dit-il en appuyant sur un bouton.

Helene fixe l'écran. Que va-t-il se passer une fois qu'elle aura renseigné son numéro d'identification personnel ? Cela alertera-t-il un autre système de sa présence ? Tant pis, il faut qu'elle tente sa chance. Elle entre son nom et son nouveau numéro personnel, qui lui semble bizarrement étranger. Il ne lui manque plus qu'un mot de passe. Elle hésite une seconde, puis elle tape : « Joachim. » C'est idiot, mais elle se sent plus calme rien que d'avoir écrit son nom. Il faut vraiment qu'elle trouve un téléphone pour l'appeler et lui expliquer ce qui se passe.

— Et voilà ! C'était vite fait, dit le bibliothécaire d'un ton enjoué. J'ai l'impression que tous les documents que vous vouliez sont rangés ici.

Helene coche les résultats qui lui semblent pertinents : des projets d'aménagement de l'auberge, quelques documents émis par une prison – celle de Møgelkær – et puis d'autres ayant trait à un procès juste après la guerre. C'est surtout ce dernier qui excite sa curiosité.

— Va-t-on chercher tout ça ?

Helene le regarde, surprise. Est-elle censée l'accompagner ? Elle le suit dans l'escalier pendant qu'il lui explique que les archives sont installées dans un ancien bunker, un abri datant de la guerre froide. Il fait coulisser une lourde porte coupe-feu, et les voilà au milieu d'innombrables étagères, dans une pièce très basse et bétonnée qui rendrait presque claustrophobe. Tout ce qui s'est dit, passé et fait dans l'histoire de Silkeborg est entreposé ici. Tous les journaux, pamphlets, annonces officielles imprimés un jour dans cette ville se trouvent réunis là.

Le bibliothécaire est rapide. Il indique à Helene une petite table.

— Voici la plupart des documents que vous vouliez consulter, dit-il, avant de lui expliquer comment chercher sur l'ordinateur si elle a besoin d'autre chose.

Helene a l'impression que personne n'est venu ici depuis longtemps et qu'il est heureux de pouvoir se rendre utile.

— Appelez-moi quand vous aurez terminé. Il y en a quelques-uns qui posent problème, ceux qui ont été établis en prison. Mais je finirai bien par mettre la main dessus.

— Je vous remercie.

Helene prend la pile de documents. Le premier est un journal local daté de 1929. Elle n'y trouve rien de spécialement intéressant pour elle. Néanmoins, les photos lui font forte impression. L'allure des gens de l'époque. C'était au temps de l'enfance de son père. On y trouve des articles sur les asiles d'indigents, les orphelinats, les maisons de redressement. Voilà l'environnement dans lequel Aksel Söderberg a grandi,

William Hirsch aussi. La pauvreté, sans aucun filet de protection sociale. Helene aurait presque l'impression que ces pages pointent du doigt l'origine de l'avarice d'Aksel. La rudesse du monde que Caroline a connu. Le combat pour la survie.

Helene pousse un soupir, met le journal de côté. Lit les projets de construction en diagonale : permis de rénovation d'un bâtiment classé, modernisations, aménagements. Rien qui semble probant. Puis elle ouvre le dossier de justice. Sur la première page, une photo en noir et blanc fixée avec un trombone : Reinholdt Flint, un homme d'âge mûr à l'air renfrogné, de face et de profil. Les minutes de l'interrogatoire figurent en premier. Helene lit tout attentivement, mais Flint ne mentionne rien qui puisse clarifier ses motivations floues vis-à-vis de l'occupant allemand. Il ne nie rien. Ne fait aucun effort pour apparaître plus sympathique.

Le fait est qu'il a aidé les nazis à arrêter au moins trente résistants et plus de vingt Juifs. Beaucoup d'entre eux ont été exécutés. Les rumeurs selon lesquelles il aurait aidé quelques Juifs à fuir et aurait, avec d'autres, caché des armes pour les résistants n'ont pas joué en sa faveur pour le jugement final : il a été condamné à mort pour meurtre et haute trahison. À minuit et trente-trois minutes, le 8 octobre 1946, il a été exécuté dans la plantation forestière d'Undallslund, non loin de Viborg.

Helene repasse sur l'ordinateur, cherche des renseignements sur les exécutions après la guerre. Elle trouve une page personnelle listant tous les mouchards et collaborateurs condamnés à mort au Danemark pendant l'après-guerre. On y apprend comment se déroulaient les mises à mort dans le Jutland : à la faveur de la nuit, à l'abri de vastes forêts.

À Copenhague, ils ont construit une remise spécialement destinée aux exécutions, et là aussi cela se déroulait la nuit. Helene s'arrête sur la photo de la petite remise de bois. Au mur, de larges sangles de cuir à boucles auxquelles on attachait les bras, les jambes et le cou des condamnés.

Pendant son procès, Reinholdt Flint a été jeté en prison. À Møgelkær. Ce sont les documents relatifs à son incarcération qui manquent et que le jeune bibliothécaire recherche. Helene jette un coup d'œil à la porte des archives, toujours fermée. Elle essaie de digérer ces nouvelles informations et de les mettre en relation avec le crime de son père à elle, le meurtre de William Hirsch. Un Juif. L'associé de son père. Un ami. Elle est incapable de s'imaginer vivre dans de telles conditions. En temps de guerre. Toutes les règles et les lois habituelles mises hors jeu. Enfin, le bibliothécaire revient, les mains vides. Il ouvre les bras en geste d'excuse.

— Je ne comprends pas. Les documents ne se trouvent pas là où ils devraient être, dit-il.

— Ils ne sont plus là ? demande Helene.

— Ils doivent bien être rangés quelque part, mais au mauvais endroit. Rien ne disparaît des archives comme ça, répond-il, l'air un peu offensé.

Helene se redresse. Cela fait longtemps qu'elle a dépassé le stade où elle ne faisait pas confiance à son instinct. Elle ne rejette plus rien sous prétexte de paranoïa. Ces papiers existent bel et bien. Elle le sait. Et il semblerait que quelqu'un les ait fait disparaître. Elle prend une profonde inspiration. Conclut qu'il doit s'agir de documents importants. Pourquoi se donner la peine de les subtiliser, dans le cas contraire ?

— Je peux tout à fait continuer à chercher et vous envoyer un e-mail quand je les trouverai, si vous voulez.

Helene secoue vivement la tête.

— Ce n'est pas très important, répond-elle en se levant.

— Vous êtes sûre ?

Il semble presque déçu.

— Merci beaucoup pour votre aide.

Helene tourne les talons avant que le bibliothécaire ait eu le temps d'en dire plus. Et quitte le bâtiment de brique rouge pour retrouver l'animation de la rue.

*

Helene change de train à la gare de Skanderborg. Dans celui qu'elle a pris à Silkeborg, il n'y avait pas de contrôleur. Peut-être aura-t-elle à nouveau de la chance. Elle s'installe tout près des toilettes. Elle est morte de fatigue. Si seulement elle pouvait fermer les yeux ne serait-ce qu'un instant, se reposer une minute. Elle les rouvre lorsqu'un homme s'assied en face d'elle. Elle consulte le panneau d'information du train, l'heure affichée tout en bas. Et juste avant de les refermer, elle aperçoit sa propre photo. Elle se lève si brusquement que son voisin lui lance un regard apeuré.

— Vous vouliez descendre à Skanderborg ? lui demande-t-il.

Helene l'ignore. Passe dans le couloir central, guette à nouveau le tableau d'affichage. Pour le moment, il montre les prévisions météorologiques. Il va pleuvoir. Puis l'avis de recherche réapparaît : « Helene Söderberg. Toutes les informations sont à communiquer à... »

Elle se retourne. Aperçoit le contrôleur. Trop tard pour se réfugier aux toilettes. S'il vient la voir et qu'elle n'a pas de billet, il lui demandera une pièce d'identité. Chose qu'elle n'a pas. Et ensuite ? Il faudra qu'elle donne son numéro d'identification personnel. Elle se creuse les méninges tout en remontant le couloir du train. Donc, elle est recherchée ? En effet, la police ne doit pas être tranquille depuis qu'elle a disparu. Il est vrai qu'elle est soupçonnée de meurtre. Mais si on l'arrête maintenant... la vérité n'éclatera jamais.

Vers l'avant du train, elle tombe sur un groupe de femmes de son âge qui occupe un compartiment. Cela doit faire un moment qu'elles sont là car certaines ont enlevé leurs chaussures, sorti des biscuits, de la crème pour les mains, des magazines et de la pâte d'amandes.

— Je peux m'installer avec vous ? demande Helene en souriant.

— D'accord, répond l'une d'elles en ôtant ses pieds du siège qui lui fait face.

Helene s'assied. Elle entend le contrôleur lancer :

— Passagers venant de monter à bord, billets s'il vous plaît !

Elle ferme les yeux, enlève ses chaussures comme les autres. Ce sont des institutrices, elles reviennent d'une formation éducative. Helene écoute leur conversation. Le contrôleur s'approche.

— Passagers venant de monter à bord !

Les femmes continuent à discuter entre elles. Le contrôleur repasse mais Helene n'ose pas ouvrir les yeux. Les passagers venant de monter à bord... c'est elle. Elle voyage au pays du mensonge. Et elle n'en sortira pas tant qu'elle ne l'aura pas démasqué.

55

Changement en panique à Francfort, à courir d'un terminal à l'autre : il s'en faut de peu qu'ils ne ratent le second avion. Comme c'est facile de voyager, se dit Joachim pendant qu'ils survolent les Apennins, en route pour la Sicile. Quand il a quitté Ellen, il lui a fallu deux jours entiers pour atteindre Christiansø. D'abord le ferry de nuit pour Bornholm. Ensuite, une fois à Gudhjem, il a manqué le dernier bateau pour Christiansø l'après-midi et n'est arrivé que le lendemain. Alors qu'en quelques heures on peut rejoindre la Sicile.

Ils atterrissent à Catane, l'aéroport le plus proche de Syracuse, à l'est de l'île. Ellen se dirige d'un pas décidé vers le loueur de voitures. Elle a pris les commandes et Joachim lui en est reconnaissant. Il ignore cependant s'il peut lui faire confiance. Pourquoi fait-elle cela ? Pourquoi consent-elle à l'aider ? Joachim la connaît bien. Il y a une autre raison. Avec Ellen, il y a toujours une autre raison. Une strate supplémentaire, un aspect secret de sa personnalité. Il secoue la tête, renonce à l'idée de la percer à jour et allume son téléphone. Aucun nouveau message de la part d'Helene.

— Qu'est-ce qui se passe ? demande Ellen, de retour du comptoir Avis.

Joachim hésite à partager son inquiétude avec elle, à lui parler du fait qu'il n'arrive pas à joindre Helene.

— Rien, rien, tout va bien, répond-il.

Ellen sourit.

— On y va ?

— Oui.

Ellen se penche vers lui.

— Détends-toi, grand timide, murmure-t-elle.

Joachim remarque les perles de sueur qui se sont formées sur la lèvre supérieure d'Ellen.

— C'est notre petit voyage à nous. Celui qu'on aurait dû faire. *Closure*, conclut-elle en anglais.

Boucler la boucle. Pour l'occasion, elle a choisi une voiture de sport décapotable, un cabriolet noir. Elle déverrouille, s'installe sur le siège conducteur, se penche vers la portière passager et ouvre à Joachim.

— Monte, dit-elle.

Il s'interroge. À l'époque, c'était toujours lui qui conduisait. Elle avait rejeté catégoriquement l'idée de passer son permis. Elle ne réussirait jamais, prétendait-elle. Mais la nouvelle Ellen n'est pas comme ça.

Joachim s'installe sur le siège passager. Elle démarre le moteur et fait marche arrière avec dextérité. Elle ne met pas longtemps à gagner l'autoroute qui file vers le sud. Ils ont le soleil sur leur droite, il doit faire au moins trente degrés bien que le soleil soit presque couché. Il disparaîtra vite, brusquement. Ensuite, il fera noir comme dans un four. Ils ont une heure de route avant d'atteindre Syracuse. Joachim contemple le paysage brûlé et les tourbillons de poussière devant eux. Ellen monte le niveau de la musique, laisse ses cheveux voler au vent. Elle conduit vite. La radio italienne : beaucoup de blabla, et une prédilection pour la musique des années 1980. *You're my heart, you're my soul...*

— As-tu contacté Kollisander ? crie Joachim par-dessus le vacarme.

— Pardon ?

— Kollisander, répète Joachim.

Ellen tend la main, éteint la radio et sort son télé-phone. Passe un appel sans quitter la route des yeux ou presque.

— Allô, Pierre ? Salut, c'est Ellen Lütken, je sais qu'il est un peu...

Apparemment, il l'interrompt. Elle écoute un long moment. Puis elle éclate d'un rire en cascade que Joachim a rarement entendu.

— Dis, tu sais quoi ? En fait, je t'appelle parce que je suis en route pour Syracuse. C'est bien là que tu te trouves en ce moment, non ? demande-t-elle innocemment.

Joachim essaie de se pencher légèrement vers Ellen, mais il n'entend pas pour autant ce qui se dit à l'autre bout du fil. Elle écoute un long moment avec la même mine réjouie, ce qui énerve Joachim. Cela ne devrait pas l'agacer, mais c'est ainsi.

— Formidable. Entendu, on fait comme ça, approuve Ellen.

Elle jette un œil à Joachim et ajoute :

— Je ne suis pas seule, un collègue m'accom-pagne. En réalité, c'est mon ex, mais cette fois c'est le boulot qui nous amène.

Encore une pause. Ellen éclate de rire.

— D'accord, à très vite alors, conclut-elle en repo-sant le téléphone d'un geste tranquille entre les jambes de Joachim. On dîne ensemble demain soir.

Elle semble satisfaite.

— Demain soir ? Pas avant ? demande Joachim.

Ellen lui tapote doucement la cuisse.

— Allons, allons. Tu ne pourrais pas dire plutôt :
« Merci beaucoup, Ellen, de m'avoir trouvé un moyen
de parler à un artiste de renommée mondiale complètement inaccessible en temps normal » ?

Joachim s'interrompt. Elle a raison. Il se renfonce
dans son fauteuil, sent l'inquiétude le gagner. Demain
soir. Elle laisse sa main posée sur sa cuisse. Légère.
Dit :

— Ça nous laisse une soirée pour nous.

56

Sur la route du vieux manoir jaune qui abrite aujourd'hui la prison de Møgelkær, Helene a l'impression d'être trop visible. Elle est recherchée. Encore. Helene Söderberg, la femme éternellement poursuivie, qui ne peut jamais avoir la paix : c'est ainsi que l'on pourrait résumer sa vie.

Elle observe les alentours. Des pelouses s'étendent à perte de vue autour de Møgelkær, aussi bien entretenues qu'un terrain de golf. Elle s'arrête sur le parking. Cherche la voiture la plus impressionnante parmi les Skoda et les Citroën garées là. Tout étant une question d'argent, c'est sûrement le directeur de la prison qui conduit la plus chère. Elle est en train de retrouver son vieux moi, celui qui tenait le compte des couronnes et des øre. Cela lui fait peur. Ce n'est pas la personne à laquelle elle veut ressembler. Joachim avait peut-être raison en lui sortant toutes ces niaiseries pour la consoler : que chaque être humain doit trouver l'endroit où il peut grandir, essayer de fréquenter les gens capables de tirer le meilleur de lui.

Les Söderberg, que ce soit l'entreprise ou la famille, ne font pas éclore le meilleur d'elle-même. Au contraire. Elle voit bien que chez eux tout est réduit à une question d'argent, de pouvoir. Quand son père a débuté en affaires, avant la guerre, c'était pour survivre. Les gens connaissaient une période de grande pauvreté, sans aucune protection sociale. Cela en a conduit certains au désespoir. Plus tard, une fois sa fortune assurée, le père d'Helene a continué, de même que Caroline et Edmund, à s'emparer de tout ce dont il pouvait s'emparer. Dieu sait s'il s'est rendu compte, avant de mourir, qu'on peut devenir tellement pauvre que la seule chose qu'on ait, c'est de l'argent.

Pendant tout le trajet jusqu'à Horsens, Helene est restée avec les institutrices et les a écoutées parler de la formation qu'elles venaient de suivre, tout en réfléchissant, les yeux fermés, à la manière dont elle pourrait accéder aux archives de la prison. Elle ne pouvait pas débarquer comme une fleur et simplement demander aux responsables des lieux la permission d'ouvrir leurs archives. Ils ne la laisseraient jamais faire. Une femme sous le coup d'un avis de recherche ! Non. Déposer une demande officielle ne fonctionnerait pas non plus. D'ailleurs, cela prendrait trop de temps. Il fallait trouver une autre solution.

Sur le parking, Helene inspecte les voitures. À ses yeux, aucune ne se distingue spécialement des autres. Finalement, elle repère la place réservée au directeur de la prison. C'est simple, c'est la plus proche de l'entrée. Une Ford Mondeo poussiéreuse l'occupe. Il ne reste plus à Helene qu'à attendre. Elle a les jambes lourdes après sa longue marche depuis la gare de Horsens. Elle s'assied entre la voiture du directeur et la Fiat gris métallisé garée à côté.

Un instant plus tard, un homme passe ; heureusement, il ne regarde pas dans sa direction. Helene n'a pas de montre mais elle estime que l'après-midi doit être avancé. À quelle heure un directeur de prison quitte-t-il son travail ? Elle s'adosse à la voiture. Attend, pense à Joachim. Se demande s'il l'aime encore. À plusieurs reprises, quelqu'un passe devant elle, arrive de la prison ou en repart, mais personne ne la remarque. Enfin, il apparaît : un homme en costume, une serviette sous le bras. Tout en marchant, il ôte sa cravate d'un geste las. Elle se lève vivement ; il se fige. Sur ses gardes.

— Je m'appelle Helene Söderberg, dit-elle en lui tendant résolument la main, mouvement dans lequel elle essaie de mettre tout son aplomb naturel de femme de la haute société.

Elle a déjà pu constater l'effet que produisait son nom et espère qu'il fonctionnera encore malgré ses vêtements ordinaires. Le directeur reste planté face à elle sans lui serrer la main.

— Söderberg ? répète-t-il en levant un sourcil, sceptique.

Helene lui tend sa carte de crédit inutilisable en guise de preuve. Essaie d'avoir l'air détendue. Elle fait des efforts pour se tenir bien droite et rayonner de toute la dignité possible. Le directeur de la prison l'examine de la tête aux pieds. Elle soutient son regard calmement, sans broncher.

— Helene Söderberg est recherchée. Ses proches prétendent qu'elle a de nouveau perdu la mémoire, reprend-il.

— Cela ne m'étonne pas, puisque je les fuis, répond sèchement Helene.

Intérieurement, elle tremble. Voici donc la version qu'ils ont choisie de rendre publique.

— Pourquoi devrais-je vous croire ? demande le directeur d'un ton neutre.

— Vous savez que la famille Söderberg est puissante. Avec l'entreprise, il y a beaucoup d'argent en jeu. Je suis devenue une menace pour eux car je m'obstine à vouloir découvrir la vérité au sujet d'un meurtre commis il y a de nombreuses années. Par mon père.

Helene se tait. Le considère. Attend. Les yeux du directeur brillent : sous l'effet du doute ? D'une envie d'en savoir plus ? Elle semble avoir piqué sa curiosité. C'est toujours un début.

— Je reviens des archives municipales de Silkeborg. Un dossier y a disparu, celui d'un dénonciateur condamné à mort juste après la guerre. Cet homme a été incarcéré chez vous. Je crois qu'il a été témoin du crime commis par mon père. Et je ne pense pas que ce soit un hasard si son dossier s'est envolé.

Le directeur de la prison plisse les yeux. Il examine Helene comme s'il essayait de déterminer si elle ment ou pas. Elle s'efforce de conserver son apparence calme et autoritaire. Elle lui fournit quelques précisions supplémentaires, lui résume l'affaire, Hirsch assassiné. Essaie de trouver l'information qui achèvera de le convaincre. L'histoire réside dans les détails, c'est ce que dit toujours Joachim. Le détail-clé serait-il Julsø Kro ? Marius Flint ? Quand elle lui explique que le contrat s'est volatilisé, elle constate que cela n'a pas l'air de jouer en sa faveur.

Elle tremble de tout son corps. Elle ne sait pas ce qu'elle devrait ajouter, elle est bien consciente qu'elle est loin d'être crédible. Elle recule d'un pas, sent la nausée la gagner. L'épuisement, la tension. Elle n'arrête pas de se cogner à des murs. Quelle idiote elle a été de croire qu'elle pourrait le convaincre ! Le directeur de la prison ouvre la portière de sa voiture mais ne s'assied pas encore au volant.

— Helene Söderberg a été ma voisine de table un soir, déclare-t-il d'une voix lente. Cela fait longtemps. Dix ans, peut-être. Pendant une réception à l'hôtel de ville.

Helene sursaute, le dévisage une nouvelle fois. Il a les paupières tombantes, une pointe d'obstination dans les yeux. Elle se creuse désespérément la tête ; non, elle ne se souvient pas de lui. Elle baisse les yeux.

— Malheureusement, la mémoire n'est pas mon point fort. Cette partie de la version des faits que défend ma famille est exacte, avoue-t-elle à voix basse.

— Elle ne s'est pas montrée une voisine de table très agréable, répond sèchement le directeur.

Il plonge les yeux dans les siens avec franchise et poursuit :

— Ce n'est un secret pour personne, je ne suis partisan ni de la famille royale, ni de la noblesse, ni des empires commerciaux comme celui du clan Söderberg. J'ai grandi dans un foyer où l'on était plutôt orienté à gauche, et je sais que, dans certains cercles, certains se sentent offensés par mes opinions. Quoi qu'il en soit, ma rencontre avec Helene Söderberg a été étonnamment désagréable. Si c'est vraiment vous, pourquoi vous viendrais-je en aide ?

— Je suis désolée si je vous ai blessé, répond faiblement Helene.

— Vous m'avez ridiculisé, achève-t-il.

Long silence. Helene est incapable de se souvenir de quoi que ce soit au sujet de l'homme qui se tient en face d'elle. Et incapable de décocher le moindre mot. Il voudrait qu'elle lui prouve qu'elle est la femme qu'il méprise ? Quadrature du cercle.

— Je sais bien que c'est vous, finit-il par dire. Je vous reconnais. Vos cheveux ont changé, mais vos yeux…

Helene retient sa respiration. Sent la tension lui picoter les jambes.

— Cette femme que vous avez rencontrée ce soir-là… Cette Helene. Je ne sais pas qui elle est. Ce n'est pas moi. Ce n'est plus moi. J'ai vraiment besoin de votre aide. Des papiers ont disparu des archives, quelqu'un essaie de dissimuler le crime de mon père, gémit-elle en se tordant les mains.

— Toute fortune est bâtie sur un crime. Mon père me l'a appris quand j'étais enfant. Depuis, je n'ai eu que des confirmations de cet état de fait, dit-il en jetant un regard éloquent en direction de la prison.

— Je vous remercie de bien vouloir me croire, murmure-t-elle.

Il se contente de hausser les épaules, tourne les talons et, sans un mot, se dirige vers le bâtiment jaune.

— Je ne peux pas vous montrer de documents qui sont sous le coup du secret administratif.

— Non, non, bien sûr.

Elle lui emboîte le pas. À l'entrée, le gardien leur adresse un signe de tête sans poser de questions. La porte de la prison s'ouvre avec un bruit familier, un bourdonnement court et grave. Helene suit le directeur à l'intérieur. Ce n'est que lorsque la porte se referme derrière elle qu'elle réalise qu'elle vient peut-être de se jeter toute seule dans la gueule du loup.

*

C'est une vieille prison. Des cellules de chaque côté d'une allée centrale ouverte, depuis laquelle les gardiens ont une bonne vue d'ensemble. Les détenus sont dans l'allée, parfois en petits groupes ; ils observent Helene et le directeur à travers le grillage.

Un seul sifflet leur est adressé, sûrement parce que la situation l'exige.

Helene ne peut pas s'empêcher de détailler leurs visages. Elle les a tous déjà vus : les mêmes têtes que les repris de justice des journaux des années 1940. Ce sont des hommes du passé, les naufragés de l'ascenseur social. C'est à eux que son père a refusé de ressembler. Elle essaie de se dire que cela n'excuse rien. À moins que… ?

Le directeur fait signe à Helene d'entrer dans son bureau. Il est propre, si propre que c'en est presque dérangeant. Une affiche de film au mur : *Le Voleur de bicyclette*. Cela ne dit rien à Helene. La crainte que le directeur l'ait trahie ne la quitte pas. Qu'il ne l'ait fait entrer ici que dans le but de la coincer. Et si elle finissait quand même en prison, au bout du compte ? Que dirait son père ? Lui qui s'était battu comme un enragé pour sortir des affres de la pauvreté, qui était même allé jusqu'à tuer pour ne pas finir à l'asile d'indigents ? Et aujourd'hui… Sa propre fille. La voici à l'intérieur d'une prison, du lieu qu'il redoutait plus que tout.

— Ma secrétaire est déjà partie, mais, euh… Voulez-vous un café ?

— Très volontiers.

Dans la pièce, le soleil de la fin d'après-midi décline. Une mouche bourdonne paresseusement à la fenêtre. Helene se laisse tomber dans le fauteuil moelleux face à celui du directeur, pourvu d'un haut dossier. Il est parti consulter les archives à l'autre bout du couloir ; elle l'entend ouvrir et fermer de lourds tiroirs. Pourvu qu'il persévère. Qu'il ne trouve pas cette recherche trop pénible.

Les yeux d'Helene tombent sur une liasse de papiers étalés sur le bureau. Elle en lit quelques lignes.

Il s'agit d'une libération qui aura lieu demain. Jens Brink. Condamné d'après l'article 28 du Code civil au sujet de l'atteinte aux biens des personnes. Helene continue sa lecture, elle ne peut pas s'en empêcher, elle a l'impression que cela la concerne. Ceux qui possèdent *versus* ceux qui n'ont rien. Helene repense à Louise Andersen, à tout ce que Joachim lui a raconté. À ce à quoi elle se livrait afin de gagner de quoi vivre. Elle se laissait fouetter, se laissait battre. Edmund et Caroline, le pauvre Hirsch assassiné, tout cela tourne dans sa tête et, d'une certaine manière, se mélange avec ce qu'elle lit au sujet de Jens Brink. Une enfance dans une famille d'accueil. Première condamnation à quinze ans. Puis toute une série. La dernière en date pour avoir cambriolé la villa d'un footballeur. Jens Brink a volé quelques œuvres d'art et deux chaises de chez Børge Mogensen, il a été arrêté à la frontière avec l'Allemagne, tout ça parce que son feu arrière droit ne marchait pas. Un simple contrôle de routine. Ce n'est pas un chanceux. Helene espère que tout ira mieux pour lui à partir de demain.

— Alors, voyons voir, déclare le directeur de la prison.

Il s'assied en face d'elle et fourrage dans ses documents.

Helene tend le cou ; elle aimerait les tenir elle-même entre ses mains, mais le directeur ne les lâche pas. Il fronce les sourcils, l'air concentré, marmonne dans sa barbe en tournant les pages les unes après les autres.

— Peut-être ça, dit-il en lui tendant une feuille.

Helene la parcourt rapidement du regard. Ne trouve rien qui lui semble significatif. Soudain, elle ne voit plus que ce nom : Aksel Söderberg. Son père est venu voir Reinholdt Flint pendant son séjour en prison. Deux fois à la même date : le 5 octobre 1946. Quelques jours avant qu'il ne soit fusillé. Au cours de sa dernière visite, Aksel Söderberg n'était pas seul. À côté du nom de son père, Helene en découvre un autre : celui de Robert Lundqvist, élève avocat.

57

Ils traversent lentement Syracuse. Joachim s'est chargé de lire la carte et les dirige vers le pont menant à la petite île qui constitue le principal centre d'attraction des touristes. Seuls les automobilistes disposant d'une autorisation spéciale y ont accès. Ils se garent donc, prennent leurs sacs et traversent à pied. Le soir est tombé depuis longtemps, mais les rues fourmillent de monde. Essentiellement des vacanciers. Le genre de personnes cultivées et aisées qui déplaisent instantanément à Joachim.

— Est-ce qu'on ne devrait pas commencer par trouver où dormir ? demande Ellen. J'aimerais bien me débarrasser de toute cette poussière.

Ils frappent d'hôtel en hôtel mais ne rencontrent que des visages fermés. *No, no.* C'est sans espoir. On est en haute saison, tout est plein. Enfin, ils trouvent un petit hôtel qui n'est pas complet ; malheureusement, il n'a plus qu'une chambre libre. Ils ne se posent même pas une seconde la question de savoir s'il est acceptable de partager le même lit. Ils sont trop fatigués, ils ont trop peur de ne rien trouver d'autre, de devoir dormir sur la plage ou sur un banc dans un parc.

Dans la chambre minuscule, une odeur d'humidité les accueille. Un lit double tout bosselé prend quasiment toute la place et le papier peint à rayures rouges et dorées est décollé en haut, mais cela confère à l'endroit un charme un peu rustique. Ellen ne se plaint pas, se contente d'ouvrir la porte vitrée, sort sur le microscopique balcon et s'appuie à la rambarde de fer forgé noir. Joachim se poste derrière elle. Devant eux s'étend une mer bleu turquoise, irrésistible.

Joachim n'a jamais vu de couleurs aussi intenses. Les vagues viennent s'écraser en cadence sur les falaises abruptes de l'île. Seule une petite ruelle les sépare de l'eau. Le calme l'envahit. L'espace d'un instant n'existent plus que la mer, son bruit, son odeur. Comme il aimerait qu'Helene soit là !

Joachim reste sur le balcon pendant qu'Ellen sort à la recherche des douches communes de l'étage. Elle ne tarde pas à revenir et lui décrit avec exaltation les cafards qui se sont enfuis par la bonde de la baignoire quand elle a ouvert la douche. Elle se coiffe. Il la regarde. Rien ne peut-il donc la déstabiliser ? Sur quoi repose son équilibre, d'ailleurs ? Que veut Ellen, à quoi rêve-t-elle ? Elle se redresse, secoue la tête. Ses cheveux se massent sur le côté, formant une raie qui lui donne un air… un air quoi ? Engageant ? Elle porte une robe noire moulante, des sandales de cuir marron foncé ressemblant beaucoup à des claquettes et cousues de petites perles dans différents tons clairs.

— On sort dîner ? propose-t-elle.

*

Étrangement, le dîner est à la fois la répétition d'un moment familier et la conquête d'un territoire entièrement nouveau. Ils discutent et la conversation n'a ni queue ni tête, ils abordent tous les sujets. En revanche, pas un mot sur leur passé commun, rien de plus sur Kollisander, le meurtre ou Helene. Joachim n'a pas le courage d'y penser. Il est libérateur de laisser le vin faire son travail, d'envoyer ses soucis au diable. De profiter de l'instant. Néanmoins, à plusieurs reprises au cours du dîner, Joachim ne peut s'empêcher de s'interroger sur Ellen. Il a pressenti quelque chose ce jour-là, quand ils se sont retrouvés au café après son cours aux Beaux-Arts. Elle a dit…

— Hé, grand timide ?

Joachim lève les yeux.

— Arrête de te faire du souci, d'accord ?

Après le dîner, ils rentrent bras dessus, bras dessous à l'hôtel. Ellen s'appuie contre lui ; ses phrases commencent à devenir un peu incohérentes. Dans la chambre, elle sort un paquet de cigarettes et se met au balcon pour en fumer une avec lenteur et application.

— Tu veux fumer ?

Elle sourit. Joachim fait « non » de la tête. Assis sur le rebord du lit, il est dans un drôle d'état d'esprit. Insouciant. En a-t-il le droit ? Cela ne lui semble pas juste ; soudain, un sentiment de culpabilité s'abat sur lui. Ellen écrase son mégot de cigarette et s'étire de plaisir.

— Bon, eh bien, je crois que c'est l'heure d'aller au lit pour moi, dit-elle d'une voix un peu rauque.

Cette voix marquante comme un fer rouge… Il garde le silence en sentant le matelas s'enfoncer sous le poids d'Ellen. Peu après, il entend sa respiration, lourde. Il s'allonge sur le côté, la contemple. Cette voix rauque. Leur première rencontre. Il s'en souvient comme si c'était hier. C'était pendant une fête, bien sûr. Ils étaient si jeunes, et lui si bête. Il se rengorgeait du succès inattendu de son premier livre. Elle était restée dans les parages toute la soirée, elle essayait sûrement d'attirer son attention par tous les moyens possibles. Mais elle n'était pas son type. Dès le premier regard, il avait écarté la possibilité d'une relation entre eux : trop petite, trop maigre, trop sérieuse. Lui chassait les grosses poitrines. Mais quand Ellen avait ouvert la bouche, il avait été captivé par sa voix rauque et sexy, qui lui entrait directement sous la peau. C'était grâce à sa voix qu'elle avait attiré son attention.

Ensuite, elle l'avait emmené chez elle, dans sa chambre, qui n'avait rien à voir avec celle de Joachim, au rez-de-chaussée d'une résidence universitaire récemment construite et dans laquelle régnait toujours une odeur de peinture synthétique. Ellen, elle, avait une chambre dans un appartement de luxe derrière le Théâtre royal. Hans Christian Andersen y avait vécu – sur le mur blanc entourant la propriété, une plaque de laiton indiquait à quelles dates. Ellen disposait de sa propre salle de bains avec une grande baignoire à pieds de lion. À l'époque, elle venait de commencer ses études à l'Académie des beaux-arts, et elle lui avait timidement montré ses collages.

Il s'était assis sur le lit, soigneusement fait et paré d'un lourd plaid qu'elle avait acheté à Damas. C'était comme ça avec Ellen ; les objets qu'elle possédait avaient toujours une histoire. Le tapis, elle l'avait acheté à une famille soufie des hauteurs du Golan qui l'avait invitée à s'initier à leur secret spirituel, comment danser jusqu'à parvenir à la connaissance, jusqu'à ressentir Allah dans son être. Joachim se souvient de ses yeux explorant tout ce qu'Ellen possédait, de vieilles boîtes à chapeau de chez Lock & Co, le plus ancien chapelier du monde, installé à Londres, et dans le coin une chaise longue de cuir rouge et de bambou noir complètement déglinguée dont Ellen soutenait mordicus qu'elle avait appartenu à Sarah Bernhardt.

Mais ce n'était que plus tard qu'ils avaient parlé de ces objets, car ce soir-là, ce soir introductif, Joachim était resté assis sans trop savoir quoi dire. Quand le silence était devenu trop pénible, elle avait mis de la musique. Ses omoplates saillantes se devinaient à travers sa fine chemise. Soudain, elle s'était retournée et, en quelques mouvements vifs et habiles, elle s'était déshabillée.

— Voilà à quoi je ressemble sans rien, avait-elle susurré.

Encore cette voix rauque. Joachim l'avait fixée. Fixée sans retenue. Il avait aspiré cette vision. Les cuisses fines et fortes, les poils noirs entre ses jambes. Les seins à peine suggérés, mais avec une rondeur parfaite, les tétons d'une belle couleur un peu plus sombre. Il était de plus en plus perdu. Elle avait dû le lire sur son visage car, au lieu d'interpréter son silence comme un refus, elle s'était approchée de lui et l'avait embrassé. Elle s'était assise sur lui, une jambe de chaque côté de ses hanches. Elle avait pris sa main, qu'elle avait placée entre ses cuisses.

— Touche-moi, avait-elle dit.

De sa voix rauque et haletante. Il avait plaqué toute la paume sur son sexe chaud. Et senti son sexe à lui durcir, à tel point qu'il en avait eu mal. Elle s'était collée à lui et avait poussé un gémissement d'impatience. C'est à ce moment-là qu'il avait compris qu'il n'y avait pas à avoir peur. Il n'y avait aucune différence entre son désir à elle et le sien. *Elle en a envie autant que moi.*

Cette révélation qui avait fusé en lui lui avait prodigué de l'assurance ; il s'était soudain senti libre de faire ce dont il avait envie. Il avait posé sa main autour de la nuque d'Ellen, avait attiré son visage tout contre le sien, et il l'avait embrassée avec une conviction toute neuve, en même temps qu'il glissait d'abord un, puis deux doigts en elle. Elle avait poussé le bassin en avant, en arrière, s'était pressée contre ses doigts, avait contracté ses muscles autour d'eux. Il avait lâché sa nuque, elle avait passé un bras autour de son dos. Leur baiser n'avait eu ni début ni fin. Ses seins effleurant la poitrine de Joachim leur avaient arraché des soupirs à tous les deux. Il avait posé la main sur sa hanche pour accompagner ses mouvements de reins, en avant, en arrière, en haut, en bas. Elle soupirait, sans pour autant détacher sa bouche de la sienne, lui aussi soupirait, dans sa bouche à elle. Son pénis, écrasé contre le tissu de son pantalon, exigeait d'être libéré, de sortir de là, de pénétrer en elle.

Elle avait fait descendre une main entre ses cuisses pour se toucher. Joachim ne pouvant pas bouger les hanches, il avait continué à jouer des doigts en elle, mais elle avait émis un gémissement de protestation, la bouche toujours grande ouverte, les lèvres collées aux siennes.

Il s'était donc forcé à rester parfaitement immobile, son sexe plaqué contre son pantalon. Il avait senti les muscles des cuisses d'Ellen se crisper, ses doigts bouger, là, juste au-dessus de la main qu'il avait glissée entre ses cuisses. Il avait attendu. Sans savoir ce qu'il attendait. Soudain, il avait eu l'impression qu'elle lâchait prise. Ses cuisses s'étaient détendues, elle avait recommencé à bouger d'avant en arrière, sa bouche toujours collée à la sienne avait exhalé des soupirs de plus en plus intenses, et, soudain, elle avait renversé la tête et émis un son quasiment inaudible, une simple expiration rauque. Et lui aussi avait joui, il n'avait jamais joui avant de cette manière. Ellen, une femme tellement excitante qu'elle était capable de le satisfaire sans le toucher directement.

Elle avait rincé son pantalon dans la salle de bains, l'avait mis à sécher sur le radiateur, ce qui lui avait donné une bonne excuse pour rester toute la nuit. Ainsi que le jour suivant. Ils passaient beaucoup de temps au lit, ils faisaient l'amour encore et encore, ils n'arrivaient pas à s'arrêter. Mais c'est à cette première fois que Joachim repense. Pourquoi ? Parce qu'il y a encore quelque chose entre eux. Pas seulement un jean comme cette fois-là, mais du temps. Le temps s'est immiscé entre eux. Et il la ressent clairement. L'envie. Il pourrait réveiller Ellen. Il pourrait l'embrasser. Elle ne dirait pas non. Helene ne l'apprendrait jamais. C'est une possibilité. Une dernière fois. Une réconciliation, un adieu. Il roule sur le dos, fixe le plafond écaillé, le haut du papier peint décollé. Tout est à l'envers. Joachim est à l'envers. Il soupire sous l'effet du désir, du besoin physique, de l'inquiétude.

58

Helene attend à l'arrière d'un taxi garé devant le bâtiment jaune de la prison. Bien que le jour soit levé, la brume matinale ne s'est pas encore dissipée. Elle se sent reposée. Elle a fini par passer la nuit sur le canapé de Karen, sa secrétaire. Celle-ci a eu peur en découvrant sa patronne derrière sa porte. Karen Schultz : il n'y en avait qu'une à Silkeborg. Elle l'a fait entrer et Helene lui a expliqué la situation. Elle avait besoin d'un endroit où dormir, il en allait du futur de l'entreprise. Karen était la seule sur qui Helene pouvait compter. Ces mots ont fait l'effet d'un baume sur l'inquiétude de la secrétaire. Elle a presque grandi de quelques centimètres sous les yeux d'Helene, là, dans la cuisine, pendant qu'elle lui faisait griller du pain blanc aux graines et qu'elle lui préparait du thé vert. À ce moment, Helene a réalisé qu'elle ne lui avait probablement jamais adressé un seul compliment auparavant. L'ancienne Helene n'avait jamais eu un mot gentil pour sa fidèle secrétaire.

Helene fixe avec impatience la porte fermée. Pour le moment, personne d'autre n'est venu accueillir Jens Brink, qui sera libéré aujourd'hui. À l'avant, le chauffeur de taxi fait du bruit avec son journal. Le moteur est éteint, mais le taximètre tourne. C'est Karen qui a payé. Comptant. Cela n'a posé aucun problème : les employés de Söderberg Shipping n'ont pas reçu d'instructions particulières leur interdisant de procéder à des paiements à la place d'Helene ou autre. Ils ne savent pas grand-chose à part ce qu'ils ont lu dans les journaux en ligne. Nouveau coup d'œil à la prison. Helene repasse son plan dans sa tête. Il est plein d'inconnues, mais elle n'en a pas d'autre. Et son plan, c'est Jens Brink. Bientôt, la porte s'ouvrira, bientôt il sortira et retrouvera la liberté après six mois d'emprisonnement. C'est un hasard total qu'elle ait vu son avis de remise en liberté dans le bureau du directeur la veille. On pourrait accuser cet homme de négligence professionnelle. Mais parfois, le hasard est notre seule chance.

Enfin, la grille du vieux bâtiment s'ouvre et un homme en sort. Petit, les cheveux fournis mais fins et fatigués. Un sac de sport à la main, portant un pantalon de jogging noir et un sweat à capuche délavé un peu trop grand. Helene reconnaît le visage qu'elle a vu en photo dans le dossier : c'est Jens Brink qui se tient en haut des marches. On ne peut pas dire qu'il saute de joie. Il jette un regard désemparé sur le parking. Peut-être attendait-il quelqu'un ? Helene se hâte de descendre du taxi pour aller lui parler.

— Jens ? demande-t-elle.

— Vous n'êtes pas envoyée par la réinsertion sociale, j'espère ? J'ai dit à l'administration que je n'avais besoin d'être conduit nulle part, répond-il d'un air hargneux.

Il inspecte les alentours. Cherche-t-il quelqu'un, quelque chose sur le parking ? Celui ou celle qui aurait dû venir l'accueillir ? Et qui est peut-être en route… ou qui l'a abandonné à son sort. Helene doit se dépêcher. Elle fait un pas vers lui.

— Non, non, je suis juste venue vous parler.

— Qui êtes-vous ? demande-t-il, soupçonneux.

Soudain, Helene réalise qu'elle se tient face à un criminel. Ayant un nombre incalculable de condamnations à son actif. Qui sait s'il n'est pas dangereux ? Et voilà qu'elle voudrait le faire monter dans un taxi avec elle ! Elle ne peut se fier qu'à son intuition, à ce qui émane de cet homme, à l'impression qu'il lui fait. Non, il n'est pas dangereux, décide-t-elle. Pas dans le sens où on l'entend d'habitude, en tout cas.

— Vous ne me connaissez pas, je suis là parce que j'ai besoin de votre aide. J'ai une mission à vous confier, dit-elle à voix basse.

Helene essaie de se montrer persuasive.

— C'est une blague ou quoi ? réplique-t-il avec dédain.

— Je sais bien que ça doit vous sembler étrange que je débarque comme ça. Vous ne voudriez pas monter dans la voiture avec moi, que je vous explique tout ?

Il reste planté sur place. Son regard scanne une fois de plus le parking, sur lequel ceux qu'il comptait voir brillent par leur absence. Helene a de la chance.

Il hausse les épaules.

— Vous pourriez m'emmener à Horsens ?

— Venez d'abord avec moi dans un endroit où nous pourrons discuter tranquillement. Choisissez, du moment que vous me laissez l'occasion de vous dire pourquoi j'ai besoin de vous. Ensuite, je vous conduirai à Horsens.

Il hésite. Puis, secouant la tête, il soulève son sac et se dirige vers le taxi.

— Il y a une cafétéria à côté de la sortie d'auto-route, marmonne-t-il.

Il s'installe, ajoute :

— Ils ont un super sauté de bœuf.

Pendant qu'ils roulent, Helene passe son plan en revue. Elle a mis toute la nuit à l'élaborer. Elle a cherché à retrouver Robert Lundqvist, l'avocat qui a accompagné son père pour rendre visite à Reinholdt Flint en prison après sa condamnation à la peine capitale. Naturellement, Robert Lundqvist est mort. Son cabinet, en revanche, existe toujours : il s'appelle « Lundqvist et fils ». Sis à Silkeborg. Helene a demandé à Karen de téléphoner au cabinet de sa part pour exiger que lui soit envoyé le contrat en vertu duquel, chaque année, Marius Flint encaisse de l'argent. Mais elle se doutait bien de la réponse qu'elle recevrait. Lundqvist et fils sont navrés, mais le contrat établi par feu M. Söderberg comportait une clause de confidentialité. Rien à tirer de plus de ce côté. Un cas classique. Il existe des milliers de contrats secrets de ce genre auxquels seuls les avocats ont accès.

Le taxi parvient enfin à la cafétéria. À table, Helene tripote nerveusement la nappe fripée à carreaux rouges. Jens Brink mange goulûment ses frites brûlantes et avale son hamburger mou en trois énormes bouchées ; il n'y avait plus de sauté de bœuf aux pommes de terre et aux oignons. Helene sirote son eau gazeuse à la pomme, la seule chose que la nausée qui ne la quitte pas lui permette d'avaler. Elle ne lui raconte pas tout mais lui révèle le plus important : que le contrat se trouve au cabinet d'avocats, qu'une clause de confidentialité empêche de le communiquer à autrui. Même si c'est son propre père qui l'a établi.

— Ma seule chance de le lire, c'est de m'en emparer moi-même, conclut-elle.

— Pourquoi ce contrat est-il si important ? l'interroge Jens, la bouche pleine, sans lever les yeux.

Helene hausse les épaules.

— Vous n'avez pas besoin de le savoir, dit-elle doucement. Mais il est important à mes yeux, et je suis prête à payer pour l'obtenir. Ça ne vous suffit pas ?

— Et comment je peux être sûr que je toucherai un jour cet argent que vous me promettez ? Vous n'êtes même pas capable de me prouver que vous êtes une vraie Söderberg, répond-il, sceptique.

— Je vous donne une avance. Pour le reste, vous êtes obligé de me faire confiance, c'est comme ça.

Les billets sont posés entre eux sur la table. Helene a placé la main dessus. Des billets de mille couronnes lisses, tout neufs.

— Moi aussi je suis obligée de vous faire confiance, rétorque-t-elle. Vous pourriez très bien prendre le paiement et disparaître. Comment puis-je être sûre que vous tiendrez votre engagement ?

Silence. Ils se dévisagent. Duel de regards. Aucun d'entre eux ne veut cligner des yeux le premier.

— Évidemment que je tiendrai mon engagement, répond Jens, boudeur.

Helene ôte sa main de la liasse de billets. Celle de Jens les happe prestement. Marché conclu.

*

Jens a pris les commandes de l'opération. Helene est soulagée. C'est un voleur professionnel, il sait ce qu'il fait. Elle n'est chargée que d'une seule tâche : acheter un téléphone portable basique avec crédit inclus et lui envoyer un message avec son numéro. Elle ne doit à aucun prix s'en servir pour autre chose, lui a-t-il expliqué. Ensuite, elle devra seulement attendre de recevoir le message indiquant qu'elle peut venir le retrouver.

Helene déambule dans Silkeborg. S'assied sur différents bancs. Évite de croiser les regards, car la pensée qu'elle pourrait être reconnue et qu'elle a commandité un cambriolage lui donne des sueurs froides. Dans un café, elle tombe sur un journal où un article parle d'elle. Il raconte l'histoire de la fille du riche homme d'affaires qui avait tout, mais qui a perdu la raison. Edmund est cité aussi. L'époux éploré, une vieille photographie de leurs enfants, petits, l'air vulnérable. Elle sent les larmes lui monter aux yeux. Ils sont *encore* petits et vulnérables. Ils devraient être avec elle. Avec leur mère.

Enfin, elle reçoit le SMS qu'elle attendait. Jens lui donne rendez-vous devant le bâtiment qui abrite le cabinet d'avocats à 22 h 30. Elle ferme les yeux. La tête lui tourne. Elle rouvre un œil. Fixe le vide. Tout lui semble tellement irréel ! En même temps, elle a l'impression d'être dans le vrai. Elle est en train d'agir. Elle ne laissera pas le secret de son père pourrir dans l'ombre.

Elle regarde le temps s'écouler. Enfin, le soir arrive. Elle part bien en avance. Les rues sont désertes. Helene ralentit le pas. Où va-t-elle se poster ? Soudain, Jens apparaît dans son dos. Une poigne solide se referme sur le bras d'Helene ; il l'entraîne dans une cour jusque dans un coin sombre. Lui tend une cagoule en tricot noir. Helene, déconcertée, la prend.

— Je vais vous expliquer comment ça va se passer, murmure-t-il. Il y a un système d'alarme contre lequel on ne peut rien. On pourra entrer dans le bâtiment principal et arriver sans problème jusqu'à la porte d'entrée du bureau mais dès qu'on la franchira l'alarme se déclenchera. Là, on aura dix minutes au maximum avant que la société de gardiennage arrive. D'accord ?

— Nous ? demande-t-elle.

— Oui, vous venez avec moi. Un qui fait le guet, un qui cherche. Mon frère nous attend au bord de l'eau sur la rivière Gudenåen, c'est par là qu'on va fuir.

— Mais je ne vais quand même pas entrer moi aussi dans le cabinet ? proteste Helene.

Elle avait imaginé qu'elle attendrait simplement dehors qu'il lui apporte le contrat. Va-t-elle commettre un cambriolage en personne ?

— Écoutez, plus il y a de gens impliqués, plus il y a de risques qu'un truc ou un autre foire. On ne va pas engager un quatrième larron. Il n'y a qu'à mon frère que je fasse confiance, et il nous faut quelqu'un pour nous aider à fuir. Donc vous allez être obligée de m'aider, sinon on n'y va pas, vous comprenez ?

Helene digère la nouvelle, puis acquiesce faiblement.

— Bon, dit-il. Résumons : on ne peut pas éviter les alarmes même si je coupe les fils puisqu'elles ont vingt-quatre heures d'autonomie sur batterie. Donc une fois à l'intérieur, il va falloir s'activer. C'est clair pour vous ?

Une fois de plus, Helene ne peut qu'acquiescer, dépassée qu'elle est par la situation.

— La bonne nouvelle, c'est que le bureau est tout en haut, au cinquième étage, et qu'il y a un escalier de secours. Le gardien de nuit bosse seul, donc quand il arrivera il passera soit par l'escalier principal, soit par l'escalier de secours. Nous, on descendra par celui qu'il n'aura *pas* choisi.

Jens a une mine satisfaite. Il consulte sa montre puis fait signe à Helene de le suivre. Confuse, elle lui emboîte le pas, et, peu après, ils traversent la rue. À cette heure du soir, pas un chat. En quelques jours, Helene est passée du vol à l'étalage au cambriolage caractérisé. Est-ce ainsi que son père a changé lui aussi, par étapes ? Une sorte de progression dans le crime ? On commence par voler des pommes et de la teinture pour les cheveux, on passe au cambriolage, et pour finir on commet un assassinat.

Jens tire une cagoule de sa poche, identique à celle qu'Helene tient à la main, l'enfile et la descend sur son visage. Helene se hâte de faire de même. La laine gratte et sent la sueur. Dieu sait qui l'a portée avant elle. Jens s'arrête devant la porte d'entrée, jette un regard à droite, un autre à gauche, puis il prend son élan et donne un coup de pied dans le battant. Helene recule, effrayée. Deuxième coup de pied. Jens Brink n'est pas ce qu'on pourrait appeler un as de la discrétion. Ce qui explique peut-être ses nombreuses condamnations.

Elle hésite un instant à s'en aller, mais au quatrième coup de pied la porte cède. Jens se glisse vivement à l'intérieur. Helene s'engouffre après lui et ils grimpent l'escalier à tâtons. Jens a une lampe de poche dont le cône de lumière illumine les marches. Helene est déjà essoufflée avant même qu'ils aient atteint le deuxième étage, elle a du mal à le suivre. Elle ne le rattrape qu'une fois devant la porte qui les intéresse : « Cabinet d'avocats Lundqvist et fils », indique la plaque.

— Souvenez-vous que nous n'avons que dix minutes. Savez-vous où se trouve le contrat ?

— Non, mais…

Il l'interrompt et annonce, l'air résolu :

— Vous cherchez pendant que je monte la garde, c'est la solution la plus efficace. C'est vous qui savez ce qu'on cherche.

Puis il répète :

— Dix minutes, d'accord ?

Avant qu'Helene ait eu le temps de répondre, il prend son élan et, d'un seul coup de pied, ouvre la porte.

Instantanément, l'alarme se met à émettre un hurlement lancinant.

— Entrez, entrez, merde ! lui crie Jens.

Il pousse Helene dans le dos ; elle trébuche sur le seuil. Son cœur bat à tout rompre, la sueur lui coule jusque dans les yeux, elle est totalement incapable de s'orienter dans la pièce plongée dans l'obscurité. D'un coup, la lumière se fait autour d'elle. Elle se retourne vers Jens, qui, dissimulé sous sa cagoule noire, lui adresse un hochement de tête encourageant.

— On est déjà dans la merde, alors autant allumer. Tant qu'on n'est pas identifiables et qu'on s'enfuie rapidement. Allez, mettez-vous au boulot.

Il se poste à la fenêtre et tourne le dos à Helene. Elle est complètement perdue, mais elle essaie de rassembler ses esprits. Chaque seconde compte. Elle se concentre sur les armoires de rangement qui couvrent tout un mur. Elle ouvre un tiroir au hasard, essaie d'analyser le système de classement. Alphabétique ? Chronologique ? Elle feuillette un dossier en vitesse. Elle voit bien des numéros mais ne comprend pas comment ils sont reliés aux différentes affaires. Désespérée, elle ouvre un deuxième tiroir, examine d'autres numéros, les compare avec les renseignements qui figurent en haut des dossiers. Des noms, des années… Elle est incapable de discerner la moindre logique là-dedans.

Elle se fige, les mains tremblantes. Les hurlements de la sirène d'alarme lui déchirent les oreilles et le cerveau. Elle n'arrive pas à réfléchir.

— Dépêchez-vous ! aboie Jens.

Helene ouvre un troisième tiroir, un quatrième. Feuillette au hasard. C'est sans espoir. Soudain, ses yeux tombent sur un tiroir fermé à clé dans une armoire de classement un peu à l'écart des autres. Derrière le bureau. Dans un coin. Isolé.

— Vous pourriez me l'ouvrir ? crie-t-elle à Jens.

En trois pas, il est arrivé près du meuble. Elle connaît à présent sa méthode, bien loin des ruses sophistiquées qu'elle s'était imaginées : un violent coup de pied sur le côté, un autre sur le devant, et le tiroir s'ouvre. Jens retourne en courant à la fenêtre, jette un coup d'œil dehors.

— Merde, ils sont là, la voiture arrive ! s'exclame-t-il.

Helene ouvre vivement le tiroir, passe frénétiquement en revue les dossiers. La mention « Confidentiel » est tamponnée en rouge sur chaque chemise, chaque papier.

— On y va maintenant, bordel ! Faut sortir ! Il est en train de monter l'escalier principal, on prend la sortie de secours ! hurle Jens.

Helene parcourt les dossiers, tous les noms s'emmêlent devant ses yeux. Elle va le trouver, elle sait qu'il est là.

— Allez, venez ! ordonne Jens en lui saisissant le bras.

Mais elle se libère.

— Il faut à tout prix que je le trouve, proteste-t-elle d'une voix suppliante.

— Il faut à tout prix qu'on *sorte*, rétorque-t-il.

— Non, je reste. Il me faut ce papier.

Une seconde s'écoule. Une précieuse seconde qu'ils ne devraient pas gaspiller. Le sang d'Helene bat à ses tempes, l'alarme se mélange aux cris d'angoisse qu'elle sent monter en elle. Elle serre les dents. Elle est si près du but. Elle ne peut pas partir maintenant.

— Allez-y, murmure-t-elle. Allez-y. Moi, je reste. Je veux mettre la main sur ce contrat. Je vous promets que je ne vous dénoncerai pas. Partez, suivez le plan comme prévu. Je reste et je prendrai tout sur moi, je vous le jure sur l'honneur. Et vous aurez votre argent.

Il hésite, on voit presque son cerveau turbiner. Mais une seconde plus tard, ça y est, il a pris la fuite. Elle est de nouveau seule. Elle entend ses pas dévaler lourdement l'escalier puis s'éteindre alors que d'autres pas s'approchent : le gardien. Elle a très peu de temps. Vite, elle plonge la tête dans l'armoire, fouille les dossiers. Elle les sort un par un, vérifie le nom avant de les jeter à terre. Soudain, elle tient le contrat entre les mains. Les deux noms y figurent : « Reinholdt Flint », « Aksel Söderberg ».

Le gardien arrive. Elle n'a plus le temps d'atteindre l'escalier de secours, elle n'a pas la moindre chance. Or, il faut qu'elle lise ce contrat. Elle jette un regard désespéré autour d'elle. Les toilettes ! Elle s'y précipite, claque la porte, ferme à clé. Qu'ils viennent. Qu'ils l'arrêtent. Pourvu que la vérité éclate. Car ça y est, elle la tient entre ses mains, elle va enfin savoir.

Un étrange apaisement s'empare d'elle. Elle s'assied sur la lunette et tourne la première page. De l'autre côté de la porte, le gardien arrive à grand bruit dans le bureau. Elle l'entend courir, tourner en rond, décontenancé, jusqu'à ce qu'il découvre la porte des toilettes fermée à clé. La poignée se baisse. Elle espère que l'homme n'est pas un adepte de la méthode de Jens. Heureusement, le calme revient. Helene attend un peu, retient sa respiration.

— J'ai appelé la police ! s'écrie le gardien, tout essoufflé, à travers la porte.

Puis Helene entend que sa respiration revient lentement à la normale. Il attend. Visiblement, il ne tentera rien de plus tout seul. Elle lit. Elle lit, aspire, engloutit les informations contenues dans ces lignes. Enfin ! L'intégralité du texte du contrat. Cinq mille couronnes par mois tant que le fils de Reinholdt Flint sera en vie. Cinq mille couronnes. Voilà ce que valait la vérité à l'époque, au sortir de la guerre. Mais Flint était un homme réfléchi : il a pris soin d'indexer le montant sur l'évolution du niveau de vie. Voilà pourquoi la somme qu'Helene a découvert dans les comptes de Söderberg Shipping était plus rondelette.

Elle poursuit sa lecture. Avec le contrat figure une lettre de la main de Reinholdt : si jamais la somme n'est pas versée, cette lettre sera envoyée à tous les journaux danois. Le fils de Reinholdt Flint est en possession d'une copie de la lettre, qu'il utilisera si jamais le contrat n'est pas respecté. Tout est détaillé dans le contrat.

Les sirènes de police s'approchent. Soudain, elles se taisent. Même l'alarme du cabinet d'avocats s'éteint. Helene n'a plus beaucoup de temps devant elle. Elle ouvre l'enveloppe et parcourt la lettre aussi vite que possible tout en guettant l'arrivée des policiers. Ils sont nombreux, elle entend une multitude de bottes grimper l'escalier. Ils viennent l'arrêter. Elle lit le récit de Reinholdt. Tout ce qu'elle avait déjà deviné, et bien plus encore.

Le soir où William Hirsch a été arrêté, Reinholdt Flint était présent. Il ne faisait pas bon être juif au Danemark en ce temps-là, et Hirsch voulait fuir vers la Suède avec Rosa, sa femme, alors enceinte. Mais Aksel Söderberg avait d'autres plans. Cela faisait longtemps que Hirsch refusait de collaborer avec les Allemands, en dépit des bénéfices qu'ils pouvaient en tirer. Néanmoins, l'entreprise avait été fondée dans le but de gagner de l'argent. À l'époque, le père d'Helene avait la vingtaine, et l'équilibre entre les deux associés n'était pas à son avantage. Aksel voulait se débarrasser une fois pour toutes de William.

Il s'était mis en relation avec Reinholdt car il était de notoriété publique que celui-ci collaborait avec les Allemands. Reinholdt était donc allé trouver ses contacts au sein de la Gestapo. Leur avait parlé de Hirsch le Juif et de ses projets de fuite. Flint et Söderberg étaient tous les deux présents lorsque Hirsch avait été arrêté. Dans la lettre, Flint père prend soin de préciser que tout ce qui s'est passé résulte de la décision d'Aksel Söderberg. Les Allemands étaient intéressés par l'entreprise et avaient hâte qu'elle se mette à leur service. Voilà pourquoi Söderberg avait pu s'arranger pour qu'on épargne Rosa. Il l'avait fait envoyer à l'étranger. Hirsch, lui, mourrait. Serait rayé de la surface de la Terre. Sans laisser de traces.

Les Allemands l'avaient emmené sur le lac de Julsø. Reinholdt décrit précisément où : là où le lac atteint sa profondeur maximale, où la glace détachée du glacier a creusé un trou de presque vingt mètres. Au sud-sud-ouest de l'auberge, à l'endroit où le châtaignier du jardin qui jouxte le lac devient visible. C'est là que William Hirsch a été fusillé et jeté à l'eau. Aksel Söderberg se tenait sur la rive et a tout vu. C'est même lui qui a commandité l'acte.

Soudain, l'air manque à Helene ; elle cherche son souffle comme si c'était elle qu'on venait de jeter à l'eau. La pièce tangue et, quand la porte des toilettes s'ouvre et que les policiers se précipitent sur elle, elle a l'impression de les voir à travers un brouillard impénétrable.

59

— Tu es sûre que c'est ici ? demande Joachim, sceptique.

La maison de ville ressemble à toutes les autres demeures qui bordent l'étroite rue pavée : des bâtisses de pierre à trois étages qui se serrent les unes contre les autres comme si elles avaient besoin de soutien pour porter le poids de leur histoire. Leur hôtel est totalement à l'opposé. Joachim détaille la maison. La seule chose qui la différencie des autres est que celle-ci est complètement plongée dans le noir. Les volets sont tirés. Tous. Est-ce vraiment là qu'habite Kollisander ?

Ellen est parcourue d'un frisson. Elle ne porte qu'un châle léger sur ses épaules et, maintenant que le soleil a fini son service et est en train de disparaître derrière les toits des maisons, le vent qui vient de la mer est plus frais. Elle est nerveuse. Joachim le sait bien, elle a changé de robe plusieurs fois avant de se décider pour l'orange. Joachim est nerveux lui aussi, mais pas pour les mêmes raisons.

— Oui, c'est la bonne adresse, répond Ellen, qui s'avance résolument vers la porte. Il a dit de traverser tout droit.

— Traverser tout droit ? répète Joachim.

Il y a une sonnette à l'entrée, mais aucun nom dessus. Ellen hésite puis appuie sur le bouton couvert de vert-de-gris. Le bruit de la sonnette leur parvient atténué. Quelques secondes s'écoulent, un bourdonnement d'interphone retentit, et Ellen pousse la lourde porte de bois sculpté. L'entrée est éclairée, l'escalier large, les marches sont couvertes de moquette verte. Les ignorant, Ellen se dirige tout droit vers la porte qui donne sur le jardin. Elle se retourne :

— Tu viens ?

Joachim la suit et, quand il découvre à quoi ressemble la cour intérieure, tout s'éclaire dans son esprit. Elle s'étire en longueur, passe devant un petit jardin d'agrément, un vieux puits, et mène à la maison. Il est évident que c'est dans ce genre d'endroit retiré et luxueux, avec vue sur la mer et les toits des voisins, qu'habite Kollisander, dans une vaste maison ancienne aménagée selon les règles de l'art.

— Qu'est-ce que tu en penses ? souffle Ellen en souriant.

— On dirait un vieux monastère, répond Joachim en riant.

Ellen rectifie nerveusement sa coiffure, tire un miroir de son sac à main pour vérifier son rouge à lèvres. Il ne sait plus où, mais Joachim a lu quelque part que la Sicile est l'endroit au monde qui a été le plus souvent envahi. C'est pour ce bout de terre que se sont battus le plus de peuples. Est-ce visible dans l'architecture ? se demande-t-il. Non. Les styles hérités des différents occupants se sont mêlés de manière étonnamment harmonieuse. Murs blancs, tuiles sur les toits, balcons de fer forgé, trois étages, volets aux fenêtres. C'est simple. Évidemment, cela vaut mieux si l'on doit tout reconstruire de zéro chaque fois qu'un cupide seigneur de la guerre vient tout détruire et mettre à sac.

Et là, dans l'encadrement de la porte, Kollisander. Un homme grand, aux larges épaules. Joachim est surpris. Il ne savait pas à quoi s'attendre, mais pas à ça. Kollisander arbore une mine ouverte, accueillante, il a un regard intelligent. Ses cheveux gris argenté lui arrivent au niveau des épaules ; on croirait que c'est le vent qui a sculpté sa coiffure.

— Ellen, dit-il en ouvrant grand les bras.

Ellen monte les marches de l'escalier et se glisse dans les bras de Kollisander, entre lesquels son corps disparaît presque. Puis il la lâche, et elle reste à ses côtés. La chaleur de son embrassade lui est montée au visage. Joachim observe les nombreuses plantes dans leurs pots, un sur chacune des dix marches qui mènent à la porte d'entrée.

— Et donc, qui es-tu exactement ? Un ex-mari qui a du mal à lâcher complètement l'affaire ? Je comprends ! lance-t-il en éclatant de rire.

Joachim voudrait protester mais, ne sachant que dire, il finit par hausser les épaules et par rire lui aussi.

— Vous êtes les premiers, d'autres invités arrivent. J'ai pensé que nous pourrions prendre votre venue comme prétexte pour organiser une petite soirée, annonce Kollisander en les introduisant dans l'appartement.

Il n'y a pas d'entrée. On arrive directement dans une énorme pièce qui fait à la fois office de cuisine et de salon, mêlant livres et poêles, étagères à vin et bureau. De larges poutres apparentes soutiennent l'étage supérieur. Une longue table faite en robustes planches de bateau occupe le centre de la pièce et, tout autour, de petits groupes de fauteuils, des tapis et des coussins aux jolis motifs. Au fond, dans un coin, un lit défait.

— C'est aussi là que tu travailles ? demande Ellen, curieuse.

Kollisander éclate à nouveau de rire, de ce rire aussi contagieux qu'un bâillement. Impossible de ne pas l'imiter.

— C'est vrai, je ne m'arrête jamais de travailler. Et moi qui croyais naïvement que tu venais juste me voir, dit-il en secouant la tête, que tu accordais une visite à un vieux solitaire ! Tout ce qui t'intéresse, c'est mon art.

Joachim détaille Kollisander. Il devine autre chose sous ce ton léger, quelque chose de vulnérable. Peut-être se sent-il seul en effet ?

— Je te promets que demain tu pourras jeter un œil là-haut, dans la salle sacrée. Mais entre le travail et le reste, il faut faire la part des choses. Et ce soir, on ne s'occupe que du reste, d'accord ?

— Bien sûr. Excuse-moi, c'est juste que je suis curieuse, souffle Ellen.

— Il m'a fallu cinq ans et un sacré paquet d'euros en dessous-de-table pour obtenir l'autorisation d'ouvrir des fenêtres de toit, alors tu penses bien que je vais vous les montrer. Je vous le promets.

Joachim écoute Kollisander parler un peu de sa singulière méthode de travail. Comment extraire une essence, un pigment de l'objet qu'il va peindre. Aujourd'hui, il a pressé des fleurs de camélia, explique-t-il en montrant à Ellen ses grandes paluches. Elles sont couvertes de taches colorées, du rouge clair et du blanc. Il a quelque chose de spécial, se dit Joachim. Cela tient peut-être à sa stature : un colosse qui discourt de la sève des fleurs…

Kollisander prend le bras d'Ellen et les mène à table. Elle est déjà mise. Plats en argile couverts de spécialités locales, bols d'olives noires, tranches de pain saupoudrées de cristaux de sel. Il leur sert un verre et ils trinquent ; ils se regardent dans les yeux par-dessus leurs verres – premier moment de silence depuis leur arrivée. Le vin est légèrement sucré, rond, facile à boire ; il est produit juste à côté à partir d'un *primitivo* local, leur assure Kollisander. Joachim examine la pièce pendant que leur hôte décrit le voyage qu'effectue le raisin depuis les vignes jusqu'à la bouteille, comment les viticulteurs mettent les grappes à sécher pendant des mois sous les toits, des milliers de grappes qui se rident lentement dans la douce chaleur de l'automne sicilien et tirent leur goût de la brise maritime, le sirocco, un vent venu du Sahara via la Méditerranée, charriant du sable d'Afrique qui se dépose dans le sol et y laisse un goût épicé de datte, de cardamome et de merde de chameau. Ils s'esclaffent.

— Et dites-moi, qu'est-ce qui vous amène dans le trou du cul de l'Europe ?

— Oh, arrête, c'est tellement beau, ici, proteste Ellen.

— Tous des voleurs autant qu'ils sont. Ce n'est que mafia, escroqueries et pots-de-vin ; ce qui fait tenir les gens, ce sont la bonne cuisine et le climat, excellent. Les Italiens sont un paradoxe. Je ne les comprendrai jamais. L'autre jour, j'ai eu une révélation extraordinaire. En fait, ils ne se comprennent pas non plus eux-mêmes, déclare Kollisander en regardant Joachim. Ils s'illusionnent totalement sur leur propre compte. C'est aussi pour ça qu'ils ne voyagent jamais.

— Ah bon ? demande Joachim, juste histoire de ne pas rester muet à l'écouter.

— Écoutez donc ça : en Sicile, moins de cinq pour cent de la population possède un passeport.

Puis il parle de sa gouvernante et continue à faire rire Ellen, qui avale le moindre mot sortant de sa bouche comme un nectar divin.

Joachim a un pincement au cœur. Il vient de comprendre ce qu'il ressent : cela le gêne qu'Ellen admire un homme qui a accompli ce que lui n'a pas réussi à accomplir. Kollisander a laissé tomber l'amour et l'idéal petit-bourgeois et tout misé sur l'art ; et cela a porté ses fruits. Joachim boit une grande gorgée du vin rouge frais en essayant d'y déceler le goût de merde de chameau.

Les autres invités arrivent. Trois femmes, dont une assez jeune, et puis un jeune homme épuisé, presque un adolescent encore. Deux des femmes tiennent une boutique de feuilles de papyrus, article qu'on trouve partout ici. Dans le sud de l'Europe, chaque ville a sa spécialité – cruches, moutarde, porcelaine, poupées –, et tous les touristes regagnent le Nord avec ce qui, deux jours auparavant, leur est apparu comme un achat indispensable, incontournable, un petit bout de *dolce vita*. Tout ça pour se rentrer ensuite sous la pluie de la grande banlieue de Copenhague ou dans leur petite ville de cinquante mille habitants perdue au milieu du Jutland avec du papyrus, des babioles et des brochures, se dit Joachim tout en essayant de leur poser des questions sur la production du papier et d'avoir l'air intéressé.

La boutique est un atelier, mais l'entrée est libre. L'une des femmes y expose les feuilles de papyrus. Joachim n'arrive pas à savoir ce que fait la troisième, la plus jeune, ou si elles sont sœurs. Peut-être ont-elles simplement l'allure caractéristique des Siciliennes : elles sont petites en comparaison avec les grandes

Danoises, de sorte que, pour une fois, Ellen a l'air parfaitement ordinaire. Les cheveux raides et d'un noir bleuté qui tombent jusqu'à la taille, des ongles vernis d'une couleur claire assortie à celle de leurs bouches fines mais joliment formées. Tout comme Ellen, elles sont visiblement obnubilées par Kollisander et ne se préoccupent guère de Joachim. Il peut sans problème reprendre sa position d'observateur sans craindre d'être dérangé.

On présente le garçon sous le nom de « Billy », mais sans cacher que ce n'est qu'un surnom – une *private joke* que saisit Ellen, mais pas Joachim. Tout ce qu'il comprend, c'est que ce garçon est un globe-trotter égaré que Kollisander a « recueilli ». Très vite, l'alcool monte à la tête du jeune homme et il se met à parler de manière confuse. À un moment, il pousse même la chansonnette. Sa voix fluette et claire fait taire tout le monde et, l'espace d'un instant, les quatre femmes forment un groupe uni, attentif et ému.

Joachim les observe. C'est peut-être à cause de son vieux fantasme, être Ulysse réincarné, victime de la guerre déclenchée pour obtenir la belle Hélène, qu'elles lui évoquent des sirènes : les sirènes grecques de la mer Égée, celles qui captivaient les marins avec leurs jolis chants et les attiraient vers la mort et les écueils effilés. Joachim regarde les sirènes muettes qui écoutent Billy. Sont-elles en train de lui faire passer une audition ? Ellen est-elle la sirène de Joachim ? Zut, ça y est, il est ivre. Il reprend quand même une gorgée de vin et reporte son attention sur Kollisander. Il essaie de voir derrière l'homme du monde, derrière l'artiste. Kollisander a-t-il visité cette horrible chambre de torture ? A-t-il tué Louise ? C'est tellement difficile à croire ! Soudain, leurs yeux se croisent. Joachim y lit un éclair de… curiosité ? De suspicion ?

Pour faire diversion, il se hâte de demander :

— Et donc, Billy habite chez toi ?

— Non. En fait, je vais le renvoyer chez ses parents, à Aberdeen, mais j'aimerais m'assurer avant qu'il a bien retrouvé le droit chemin, répond Kollisander, inquiet. Ce serait embêtant que je le mette dans un avion, qu'il descende dans la première grande ville venue et replonge dans tous les malheurs du monde.

— Mais il habite ici en ce moment ? insiste Joachim, dont les yeux se posent sur le lit défait.

Il sait très bien que l'autre saisira l'insinuation, mais mieux vaut se frotter un peu à lui plutôt que ce soit l'autre qui commence à lui poser des questions.

Kollisander sourit d'un air rusé.

— Non, il n'est pas chez moi, il est logé chez ma gouvernante. Je suis bien plus ennuyeux que ce que tu crois : je travaille, c'est à peu près tout ce que je fais, et j'ai besoin d'un calme absolu autour de moi. Pour me concentrer pleinement. Voilà pourquoi je possède toute la maison. Croiser un voisin qui voudrait bavarder alors que je me rends dans mon atelier me gâcherait toute mon inspiration.

— Tu es propriétaire de la maison entière ? s'étonne Joachim.

— Eh bien, j'en ai les moyens, alors pourquoi ne pas aller au bout de mes idées et aménager un endroit qui corresponde exactement à ce que je souhaite ? Je te choque ? Les Danois sont toujours choqués quand ils apprennent que j'occupe une propriété entière sans utiliser tout l'espace. Mais pourquoi pas ? La vie que je mène ici est parfaite. J'ai tout ce dont j'ai besoin réuni dans une seule pièce. Ma gouvernante s'occupe de tous les aspects pratiques pendant que je suis dans mon atelier. De cette manière, je peux concentrer toute mon énergie sur mon art. Si je veux voir des gens, je sors ou j'en invite – quand ils ne s'invitent pas tout seuls, ajoute-t-il en jetant un coup d'œil malicieux en direction d'Ellen, qui le gratifie aussitôt d'un sourire ravi.

Les femmes se sont tues, elles écoutent religieusement ce qu'il dit, et Kollisander passe avec aisance à l'anglais pour que tout le monde puisse suivre. Peu après, la tablée entière est plongée dans une discussion animée à propos de la manière dont les gens exigent que chacun se soumette à la norme, renonce à ses rêves, soit normal. Se fasse lui-même prisonnier.

— J'ai l'impression de n'avoir gagné le droit de vivre librement que depuis que mes œuvres ont du succès, déclare Kollisander en regardant Joachim droit dans les yeux.

Puis il précise :

— C'est l'horrible vérité, mon ami. Tant que tu n'auras pas connu le succès, tu resteras l'esclave de ce que les autres pensent. Ils te diront comment tu devrais te conduire, comment tu devrais vivre.

Billy marmonne une phrase de véhémente approbation et enchaîne sur une tirade incohérente à propos d'un monde où tous vivraient en harmonie. Kollisander lui tapote doucement la tête et lève un sourcil à l'intention des femmes, qui se mordent la lèvre pour ne pas éclater de rire. La conversation se poursuit, le dîner aussi, mais Joachim se sent profondément affecté par les mots de Kollisander. Échangerait-il ce qu'il a vécu avec Helene contre un peu plus de succès ?

Ellen revient de la salle de bains – la seule pièce de l'endroit munie d'une porte. Joachim penche la tête en arrière, regarde le plafond. Les poutres et le soutènement sont apparents, et le vieux bois piqué est du plus bel effet contre les grandes pierres du mur. À l'autre bout de la pièce, non loin du lit, une baignoire de laiton soigneusement astiqué. Joachim étudie longuement les crochets de fer installés à un mètre d'intervalle sur toute la longueur de la poutre médiane. Il n'arrête pas de repenser à ceux de la chambre de torture. De chercher des indices. Peut-être est-ce Ellen qui a raison : il s'est accroché à un soupçon et voit tout à travers ce prisme. Il est vrai que les crochets installés sur la poutre pourraient tout aussi bien dater de l'époque où cette pièce avait un autre usage. Un entrepôt à blé, par exemple. Avec de lourds sacs qu'il fallait monter ou descendre. Ou bien on a pu y sécher de la viande. Ce n'est pas impensable. Joachim, totalement découragé, pousse un soupir.

Ça y est, Ellen est saoule. Joachim voit Kollisander la détailler des pieds à la tête. Ellen répond par un regard franc et pétillant ; de défi, presque. Joachim se lève, un peu trop brusquement car sa chaise tombe, et c'est tout juste s'il arrive à la rattraper avant qu'elle ne touche terre.

— Je crois que nous allons vous laisser, dit-il à voix haute.

— Déjà ? proteste Ellen.

— Du travail nous attend.

Ellen hausse les épaules, fait une moue contrariée.

— Ce n'est pas si urgent que ça non plus, réplique-t-elle avant de se diriger, chancelante, vers la chaise voisine de celle de Kollisander.

Joachim s'approche d'elle à pas vifs et lui prend le bras avant qu'elle n'ait eu le temps de s'asseoir.

— Mais si, c'est urgent. D'autant que demain il faut que tu te libères un moment pour visiter l'atelier de M. Kollisander, dit-il avec un sourire crispé.

Il se penche tout contre elle et lui murmure à l'oreille :

— Allez, viens, Ellen, c'est important.

Elle jette un dernier coup d'œil à Kollisander puis pousse un profond soupir.

— Est-ce que je pourrai voir ton œuvre légendaire demain, alors ? demande-t-elle d'une voix rauque qui laisse transparaître son désir inassouvi.

Kollisander plante les yeux dans ceux de Joachim avant de répondre :

— Personne n'a encore vu *La Femme secrète*.

Il prend la main d'Ellen, l'embrasse doucement mais reste assis.

— *La Femme secrète*…, répète-t-elle. Toi, tu sais entretenir le mystère.

Les trois Siciliennes se lèvent et embrassent Ellen avec effusion. À Joachim, elles adressent un signe de tête plus cérémonieux. Il n'a pas fait bonne impression. Une fois la porte refermée derrière eux, Ellen se plaint d'avoir dû partir si tôt.

— Était-ce vraiment nécessaire ? demande-t-elle devant la maison.

— Tu sais bien pourquoi nous sommes ici, rappelle gravement Joachim.

— Quoi ? Tu n'as toujours pas laissé tomber ces bêtises ? Tu ne crois pas que cette Helene puisse s'en sortir sans…

Elle ne termine pas sa phrase. Joachim la reconnaît bien là. Elle est jalouse.

— Helene est libre, Joachim. Elle est riche. Les riches restent entre eux, et ils restent toujours libres, chuchote Ellen d'une voix avinée.

— Rentre, répond-il. Je vais juste jeter un œil dans son atelier. Ça ne prendra pas longtemps.

— Je ne comprends pas… Qu'est-ce que tu comptes y trouver ?

— Probablement rien du tout.

À ce moment, Joachim sent le désespoir lui tomber dessus.

— En tout cas, c'est comme ça qu'on procède, reprend-il. Quand on soupçonne quelqu'un. Enfin, c'est comme ça que fait la police, elle fouille dans les affaires des…

Ellen l'interrompt :

— La police. Tu es de la police ?

Joachim la dévisage. Resserre son châle autour de ses épaules.

— Tu réussiras à retrouver le chemin de l'hôtel ?

— Va te faire voir.

— Pardon ?

— Pas question que tu sois le seul à découvrir son œuvre d'art secrète.

Joachim réfléchit une seconde puis il lui prend le bras, doucement. Il préférerait y aller seul. Elle est ivre, elle fait trop de bruit, même s'il y a assez d'animation dans le salon pour les couvrir ; le garçon s'est remis à chanter et les femmes parlent toutes en même temps. Joachim fait un pas sur la première marche de l'escalier extérieur qui monte vers l'atelier.

— Enlève tes talons, chuchote-t-il.

Elle lui obéit. Joachim hésite avant d'ouvrir la porte. Il a fait pire ces derniers jours. Néanmoins, cette fois, il a l'impression que c'est différent. Il ouvre. Seuls les rayons de lune passent à travers les grands vasistas, mais ça suffit. Ellen est muette. Il comprend. Cela signifie beaucoup pour elle. Pour

Joachim, ce serait l'équivalent d'une conversation avec Hemingway.

Il y a des tableaux partout. Certains sur des chevalets, d'autres rangés les uns contre les autres le long des murs. Ils en sont à des stades d'avancement différents mais tous portent la marque distinctive et unique de Kollisander : l'usage de la nature. Le charbon de bois, les couleurs extraites des fleurs, dont Joachim devine le parfum. Il passe de tableau en tableau, se laisse absorber, entend les pas d'Ellen. Il ressent une impression de lourdeur, d'épuisement. Comme s'il était hypnotisé. Ou est-ce la peinture qui est nocive ? Sont-ils en train d'inhaler des vapeurs empoisonnées issues de la flore locale ?

Le chef-d'œuvre est posé sur un chevalet au beau milieu de la pièce, du côté du verso retourné. Ils s'approchent. Ellen prend la main de Joachim ; elle tremble. C'est un tableau de taille modeste, pas une œuvre monumentale. Ellen le saisit, le retourne prudemment.

— *La Femme secrète*, dit-elle.

Il est très simple : un visage de femme, c'est tout. Elle tourne le dos au spectateur mais regarde par-dessus son épaule. Ses lèvres… Est-elle en train de sourire ? Il y a de la douceur dans ses yeux. Autour d'elle, le ciel rougit ; c'est le soleil du soir, peut-être, l'horizon est vague. Joachim a beaucoup de mal à mettre des mots sur ce qu'il pense. D'un côté, ce tableau est banal. De l'autre, il a quelque chose de surnaturel.

— Non…, murmure Ellen d'une voix qui se brise.

— Il est vraiment petit, remarque Joachim.

Ellen lui écrase la main. Joachim se sent vidé. Est-ce tout ? Il s'est quand même trompé, au bout du compte. Kollisander n'a rien à voir avec le meurtre de Louise. Déçu, il lâche la main d'Ellen, la regarde. Elle a les larmes aux yeux. Ce tableau est-il si intense que cela ? Lui ne partage pas son enthousiasme, il n'appartient pas au monde de l'art. Il examine de nouveau *La Femme secrète*. Elle a quelque chose… Oui, on dirait presque qu'il y a plus de vie dans cette toile que dans un véritable être humain. Qu'est-ce qui la rend singulière à ce point ? La peinture ? Le soleil du soir, rouge et doux ? On dirait plus un tirage que l'œuvre d'un pinceau. Mais ce n'est pas tout, cela vient aussi de la toile en elle-même. Joachim s'approche.

— Joachim, souffle Ellen au moment où il tend la main vers le tableau.

— Quoi ?

Elle secoue la tête.

— Tu ne vois donc pas ?

Voir quoi ? Il fait glisser avec précaution le bout de ses doigts sur la toile tendue à bloc. Elle est sèche, fine. Poreuse. Ce n'est pas de la toile ordinaire. S'agit-il de papyrus ? Il en approche son visage jusqu'à la toucher presque du nez, l'étudie en plissant les yeux. Non, à l'évidence ce ne sont pas des fibres végétales assemblées. C'est un matériau plus doux qui était d'un seul tenant depuis le départ. Du cuir animal ? Il passe à nouveau le doigt sur le tableau.

— Sortons d'ici, chuchote Ellen en lui tirant la main.

Il continue, impassible, à caresser la toile. L'impression de lourdeur et d'épuisement ne le quitte pas. Comme si son cerveau ne travaillait pas tout à fait assez vite, comme si un détail lui avait échappé. Son doigt s'arrête au bord d'un trou dissimulé dans la couleur rouge près de la bouche de la femme. Ses lèvres. Il y a un autre trou dans une pupille. Un troisième à côté du lobe gauche de l'oreille. Un triangle.

— Joachim…

Ellen ne s'approche pas du tableau. Cela l'étonne. Comme si la femme possédait un cercle d'inviolabilité qu'Ellen ne voulait pas franchir. Trois trous. Oreille, bouche, œil. Un triangle. Joachim les touche l'un après l'autre. De petits vides, une absence de vie. Et après ? Ça ne veut rien dire. Il n'a rien découvert.

— Viens.

Elle pousse Joachim vers la porte. Ils entendent Kollisander souhaiter une bonne nuit à ses invités. Attendent un instant que les femmes aient entraîné Billy avec elles sur la route pavée et que le bruit de leurs voix ait disparu. Cette fois, c'est Ellen qui ouvre la marche et descend prudemment l'escalier pour revenir devant la maison.

— Ellen !

Kollisander est derrière eux. Elle se retourne.

— Je vous croyais partis, dit-il.

— On s'est accordé une petite cigarette sous les étoiles, répond-elle, s'efforçant d'avoir l'air enjouée.

Elle est douée, se dit Joachim. Kollisander descend quelques marches, lève les yeux vers les étoiles.

— C'est vrai que le ciel est fantastique, ce soir. Ou bien il n'y a que moi qui sois ivre ?

Il rit.

— Eh, mais ! Savez-vous ce qu'on a oublié ? Goûter à mon limoncello maison, bien sûr ! s'exclame-t-il avec enthousiasme.

Joachim répond :

— On devrait plutôt rentrer.

— Vous ne pouvez pas me refuser ça. C'est comme mille citrons explosant simultanément sur la langue, dit-il en claquant des doigts. La naissance de l'univers rejouée par des agrumes. Allez, venez ! Ça ne prendra que deux minutes.

Il rentre, les appelle. Ellen interroge Joachim du regard. Elle a l'air… comment dire ? Terrorisée.

— Tu crois qu'on devrait ? demande-t-elle.

— Viens.

Elle le devance. Joachim hésite une seconde. Il n'a toujours pas compris ce qui était arrivé à Ellen là-haut, dans l'atelier. Quand il pénètre de nouveau dans le salon, Kollisander est en train de préparer de petits verres.

— Cent pour cent maison, annonce-t-il. Dans ma prochaine vie, je serai agriculteur.

Ellen prend son verre d'une main légèrement tremblante.

— Et voilà pour toi, Joachim, dit Kollisander en lui tendant le sien.

Ils boivent en silence. L'épaisse liqueur de citron est glacée et a un goût sucré et prononcé. C'est exactement comme l'a décrit Kollisander : une explosion de mille citrons.

— C'est bon, n'est-ce pas ? Encore un ?

Joachim jette un coup d'œil à Ellen. Il a l'impression, dans la pénombre, qu'elle fait « non » de la tête. Elle accepte néanmoins un deuxième verre.

— Bon, mais c'est le dernier, prévient Joachim. Sinon, je n'arriverai jamais à me lever demain.

Il vide le deuxième verre aussi vite que le premier. Il sent aussitôt l'effet de l'alcool : c'était le verre de trop, il a l'impression que la rotation de la Terre vient d'accélérer. Il s'assied un moment.

— Je peux te demander de l'eau ? souffle-t-il.

Ellen a l'air lasse elle aussi. Kollisander continue à discourir depuis le coin cuisine, près de l'évier ; il rit et parle. Joachim ferme les yeux. C'est là que cela lui saute aux yeux. L'hameçon. Le triangle de marques laissées par l'hameçon. Celui au bout du fouet qu'il y avait à disposition dans la chambre de torture. Il a vu les mêmes marques sur le tableau, exactement les mêmes que celle qu'il a faite au creux de la cuisse de la jeune fille droguée. Celle qu'il a obtenu le droit de fouetter à mort en payant des dizaines de milliers de couronnes. Elle portait la même marque de fouet.

— Ellen…

Il se lève ; un voile noir tombe devant ses yeux, et une vague de soulagement déferle sur lui. Il ne s'est pas trompé. Ça y est, il a compris. Le corps de Louise était écorché. Sans peau. C'est ce qu'a dit la police. Ils ont cru que c'était Helene qui avait fait ça pour empêcher qu'on identifie le corps. Mais c'est Kollisander le coupable. La femme secrète *est* Louise. Et c'est sur sa peau qu'il a peint.

— Ellen…

Joachim essaie de s'approcher d'elle. Ses jambes ne lui obéissent plus trop. Il lève les yeux. Kollisander se tient face à lui. Très calme. Il ne sourit plus. Il jouit de ce moment où Joachim est en train de comprendre, c'est évident. Ils ont bu… Qu'ont-ils donc bu ?

— Ellen ! s'écrie Joachim.

Il s'approche, mais Kollisander l'a saisi par le bras. Doucement, mais avec fermeté. Il l'allonge par terre. Va-t-il mourir à présent ? A-t-il été empoisonné ? Au-dessus de lui, tout devient noir. Il a envie de crier, essaie de se remettre sur pied ; il a l'impression d'être un phoque qui revient respirer à son trou dans la glace et ne sait pas ce qui l'attend, ours polaire ou chasseur. Quelque chose s'approche de lui. Rapidement. Et c'est noir. Avant qu'il ait eu le temps de réagir, il sent un coup l'atteindre à la tête. Un coup lourd. Le chasseur de phoques, se dit-il, bien inutilement. Il porte la main à sa tête mais n'a même pas le temps de la toucher : il tombe en avant, tombe.

Tombe.

60

La police emmène directement Helene au commissariat de Viborg. Pendant le trajet règne un silence presque total. Qu'y aurait-il à dire, de toute façon ? Elle a été prise en flagrant délit de cambriolage. Ils ne lui ont pas ôté ses menottes. Elle ignore pour quelle raison, mais cela ne la gêne pas. Elle se sent plus libre que jamais. Était-elle libre sur l'île ? Avec Joachim ? D'une certaine manière, oui. Cela dit, maintenant qu'elle y repense, peut-être y a-t-il toujours eu une ombre, une ombre menaçante planant au-dessus d'elle : la réalité.

Le commissariat est un bâtiment bas de couleur marron foncé. Même les baies vitrées de l'entrée ont cette teinte. On conduit Helene dans une cellule au sous-sol. Une couchette dure, des murs lisses, un évier, c'est tout. Elle s'y habitue petit à petit.

— Combien de temps vais-je rester là ?

L'agent s'arrête à la porte.

— Vous devez être présentée à un juge sous vingt-quatre heures. C'est ce que prévoit la loi.

— Donc, un jour ?

— C'est toujours le matin, répond-il.

— J'ai faim, dit-elle.

Il la dévisage, secoue la tête.

— Vous n'avez qu'à appuyer sur ce bouton, lance-t-il, et le groom viendra. Par contre, à cette heure de la nuit, il n'y a que du caviar et du champagne.

Son mépris se lit sur son visage. Mme Söderberg. L'argent. La jalousie. Elle secoue doucement la tête. S'il savait qu'elle est prête à renoncer à tout.

*

C'est un autre agent de police qui vient la chercher pour la conduire devant un juge d'instruction. Encore un bâtiment sans aucun charme. L'homme guide Helene. Ils montent un escalier puis entrent dans une pièce claire et basse de plafond. Tous ces gens sont-ils venus pour assister à sa défaite ? L'auditoire, les deux Chinoises, les trois immigrés ? Non. Helene réalise qu'ils sont la récolte de la nuit. Des gens qui ont transgressé les règles. Des immigrés qui, d'après ce qu'elle comprend assez vite, sont impliqués dans de la contrebande de cigarettes en provenance de Roumanie. Deux Chinoises, dix-neuf à vingt ans au maximum, qui cherchent juste un endroit sur terre où démarrer une vie meilleure, un endroit où elles pourraient s'épanouir, trouver des gens capables de tirer le meilleur d'elles-mêmes. Un interprète est présent mais il n'a pas vraiment besoin de traduire : les Chinoises pleurent tellement en parlant que les mots ne sont pas nécessaires, leurs larmes brisent le cœur. Helene écoute le récit de leur fuite à travers la frontière. C'est compliqué. En fin de compte, elle renonce à suivre. Défense et accusation semblent étonnamment d'accord entre eux. On fait sortir les Chinoises. La juge leur sourit.

Helene constate qu'une chose au moins est claire : tout est une question d'argent. Son père, Hirsch, les

Chinoises, les cigarettes roumaines, la contrebande…
Tout. L'argent, l'argent, l'argent. Elle sent la colère
bouillir en elle au moment où on la conduit devant
la juge. C'est l'argent qui lui a durci le cœur, qui a
fait d'elle quelqu'un dont les gens avaient peur. Elle
n'a pas la moindre envie d'être dure, mais il faut
qu'elle le soit encore un peu, qu'elle utilise l'ancienne
Helene qu'elle abrite encore en elle. Sans cela, elle
ne gagnera pas cette bataille.

Edmund est là. Méconnaissable : maigre, livide,
ridé. Il garde les yeux baissés, refuse de croiser
le regard d'Helene. À côté de lui, un homme aux
cheveux clairsemés dans un costume de velours tellement sur mesure que c'en est ridicule. Il ajuste ses
lunettes sur son nez et examine Helene avec ce qui
se veut probablement une mine rassurante. Il se lève,
se racle la gorge, regarde la juge déjà lasse.

— On a diagnostiqué à Mme Söderberg une amnésie rétrograde, claironne-t-il.

Échange de papiers que la juge lit par-dessus ses
lunettes. Puis échange de mots : « maladie psychique »,
« non responsable de ses actes », « Söderberg Shipping prendra en charge tous les frais pour réparer
les dommages causés au cabinet Lundqvist et fils
pendant le cambriolage ». Helene est stupéfaite. Cette
légende de sa folie ne prendra-t-elle donc jamais fin ?
Veulent-ils vraiment lui clouer le bec en l'enfermant
dans un asile ? Lui imposer une camisole chimique
pour qu'elle ne puisse plus remettre en cause leurs
mensonges, leur perversion ? Elle fixe Edmund, qui
continue à éviter son regard. Puis elle se tourne vers
la juge, une femme d'un certain âge aux cheveux
courts dont émane un grand calme. C'est elle qu'il
faudra convaincre.

Helene profite d'un bref moment de silence pour déclarer :

— Je ne suis pas folle. Je suis parfaitement consciente que j'ai commis un acte répréhensible. Puis-je vous expliquer pourquoi ?

La juge penche la tête sur le côté, remonte ses lunettes sur son nez.

— Puis-je poursuivre, madame la juge ? demande l'avocat.

— J'aimerais entendre l'accusée.

L'avocat reste planté sur ses pieds. Helene prend une profonde inspiration puis dit :

— Cet avocat ne me représente pas : il représente ma famille.

Et elle expose les choses telles qu'elles sont : un crime commis pendant la guerre, la direction de Söderberg Shipping qui le couvre, qui l'a couvert pendant toutes ces années. Helene se retourne. Y a-t-il des journalistes dans la salle ? Ce serait idéal, encore mieux qu'une conférence de presse.

— Mon père a commandité le meurtre de son associé, William Hirsch, cofondateur de Söderberg Shipping. La preuve se trouve dans le dossier à cause duquel j'ai commis ce cambriolage.

Elle s'interrompt. Mais oui, il y a bien un journaliste, en imperméable beige. Il prend des notes à toute allure. Helene regarde Edmund, dont les mains sont nouées si fort que ses jointures sont blanches. Elle attend la réaction de la juge en retenant son souffle. Il y a un long silence, puis la femme commence à poser des questions. Beaucoup de questions. Elle décortique tout le déroulement de l'affaire jusqu'au cambriolage. Helene raconte le vol – enfin, pas entièrement, elle laisse Jens Brink en dehors du tableau. Dire tout cela à voix haute lui procure un immense soulagement. Elle parle aussi de la tentative de meurtre, de la voiture noire qui l'a fait sortir de la route, de l'homme qui l'a prise en chasse. L'audience se prolonge indéfiniment. Helene continue à répondre aux questions pendant qu'Edmund se tasse de plus en plus sur sa chaise. L'avocat secoue la tête, griffonne inlassablement des notes, attend de pouvoir à nouveau prendre la parole. Mais la juge ne lui donne pas cette chance.

— Vous pouvez vous rasseoir, madame Söderberg, conclut-elle.

Elle jette un œil à ses papiers. Demande si le procureur général voit quelque raison que ce soit de ne pas laisser Helene en liberté. Celui-ci fait signe que non. On fixe une date pour la première audience – autant dire dans cent ans. Mme Söderberg compte pour du beurre dans ce tribunal ; son cambriolage est une bagatelle, ils ont connu pire.

*

L'air est encore tiède et le ciel d'un bleu profond, de la couleur qui précède tout juste le crépuscule. Martin a été difficile à convaincre. Il trouve qu'elle manque d'expérience pour dépasser les cinq ou six mètres de profondeur. Mais elle a insisté, elle a mobilisé son ancien moi, l'Helene sachant convaincre, celle que l'on craint. Elle a dû lui promettre qu'elle ne s'éloignerait pas de lui, pas plus d'un mètre.

Il semble accablé. Il faut dire, partir à la recherche d'un cadavre en compagnie d'une plongeuse novice… Ils dirigent le bateau vers la zone qu'a indiquée Helene : direction sud-sud-ouest, au milieu du lac, juste à l'endroit où le châtaignier du jardin attenant à l'auberge devient visible. Martin est à la barre, sa boussole à la main. Helene se sent bien dans sa combinaison de plongée.

— C'est ici, annonce-t-elle au moment où l'arbre noir apparaît derrière la haie de pins.

Martin coupe le moteur. Le silence se répand dans l'air.

— Je ne plonge jamais par là, c'est dangereux, répète Martin.

Il fixe les profondeurs. Il est livide, tout son sang l'a quitté. Son visage pâle comme la mort semble le reflet découragé, en négatif, de l'obscurité qui règne là-dessous. Un trou de l'âge glaciaire, creusé par son propre poids. L'éternité figée au fond d'un lac hors d'atteinte.

— Quelqu'un s'est noyé ici, dit Martin.

Helene hésite. Peut-être est-ce vraiment dangereux.

— Vous le connaissiez ? demande doucement Helene.

— C'était une femme. Et non, je ne la connaissais pas, c'était avant que je me mette à la plongée. Il vaudrait mieux que vous laissiez faire les hommes-grenouilles de la police.

— Si on ne le fait pas nous, d'autres le feront à notre place. Des gens qui cherchent à effacer les traces de leur crime, insiste-t-elle.

Martin ne bouge pas. Enfin, il se met en mouvement, à contrecœur, et laisse l'ancre filer au fond de l'eau. Puis il aide Helene à enfiler son équipement. Elle attache sa ceinture de plomb autour de sa taille. Avec les bouteilles d'oxygène sur le dos et trente kilos de lest sur les reins, c'est à peine si elle arrive à tenir debout.

— Vous vous souvenez de tout ?

— Le pouce en haut signifie « On remonte », dit Helene. Et la main en crête au-dessus de la tête, « Attention, requin ».

Elle éclate de rire. Il sourit.

— Comme je vous le disais, ce n'est pas vraiment une sortie pour débutants, répète-t-il, visiblement inquiet.

— Je ferai très attention, lui assure Helene.

Ils enfilent leurs palmes. Martin est le premier à se laisser tomber dans le lac. Helene ne tarde pas à le suivre. L'eau s'écarte pour faire une place à son corps et lui souhaiter la bienvenue – du moins est-ce son impression. Cela lui semble déjà un peu plus agréable que la première fois. Leurs visages se font face, ils placent l'embout de leur détendeur en bouche et, au signal de Martin, plongent tous les deux en même temps. Les bras le long du corps, détendus, battant lentement des pieds pour décider à la fois de la vitesse et de la direction. Helene braque sa lampe de poche devant elle, illumine les herbes marines qui ondulent, les algues dansantes, un autre monde sous le monde ordinaire. Un petit poisson pris dans le cône de lumière s'enfuit.

Ils descendent.

L'obscurité les enserre de plus en plus étroitement. Leurs lampes jouent à l'escrime dans le noir, de petits bancs de poissons se dispersent, aussi légers que les bulles qui tourbillonnent autour de leurs visages. Les deux plongeurs s'enfoncent, lentement, vers les profondeurs.

Helene a l'impression de tomber, de faire une chute irréelle et infinie dans le néant. La pression commence à se faire sentir dans ses tympans. Effrayée, elle porte la main à sa tête, couverte par la tenue de plongée bien ajustée sur ses oreilles. Mouvement qui n'échappe pas à Martin. Instantanément, il ralentit. Ils restent un moment comme figés dans leur chute. Puis ils reprennent progressivement la descente.

Le corps d'Helene s'habitue petit à petit à la pression qui s'accroît. En conséquence, la douleur s'atténue, et Helene peut de nouveau se concentrer sur ce qu'elle voit. Ils sont très bas à présent, c'est à peine s'ils distinguent quoi que ce soit. Il n'y a aucune algue par ici, rien que de l'eau immobile. Ce vide paraît sans fin. Ils descendent, descendent.

Soudain, quelque chose bouge sous eux. Helene sursaute : une anguille. Elle passe en serpentant, indifférente. Puis en arrive une autre, devant eux cette fois. Il y a quelque chose de sinistre dans la manière dont elles se déplacent. Elles appartiennent à un autre monde, un monde dans lequel Helene vient de faire intrusion. Martin, lui, semble ne pas y prêter attention. Il tend le doigt vers le bas ; Helene comprend qu'ils ont atteint leur but.

Ce n'est pas un fond stable de sable mais une épaisseur de vase indéterminée. Quand leurs palmes entrent en contact avec elle, de drôles de particules de boue rouge virevoltent, tournent sur elles-mêmes une fois, deux fois, avant de retomber pesamment. Formant un nouveau motif, une nouvelle surface. Qui sait combien de paillettes composent cette boue ? C'est une couche sans fin qui jamais ne formera un ensemble homogène. Helene se sent découragée. Cela fait si longtemps que le corps de William Hirsch a été jeté ici. Et s'il était enterré sous des mètres de cette vase boueuse ?

Helene nage de-ci de-là, au hasard, tout en gardant un œil sur Martin, qui, lui, semble savoir ce qu'il fait. La lampe braquée sur le fond, il nage méthodiquement en décrivant des cercles concentriques. Qu'il élargit progressivement. Helene essaie d'adopter la même technique mais elle a du mal à garder un centre stable. Les anguilles continuent à déambuler. Elles aussi semblent maîtriser parfaitement la situation.

Helene commence à avoir mal aux jambes. Le sentiment de jubilation qu'elle a éprouvé au début en pénétrant dans l'eau a disparu. Chercher quoi que ce soit dans ce monde sous-marin de vase et de ténèbres est sans espoir. Joachim lui manque. Elle n'a aucune idée d'où il se trouve, de ce qu'il fait. Et elle est toujours accusée du meurtre de Louise Andersen. Elle peut finir en prison. Voilà la réalité qui l'attend à la surface. Cette pensée est douloureuse. Ses yeux secs et fatigués lui piquent sous son masque. Elle cligne des paupières à plusieurs reprises, s'efforce de se concentrer bien qu'elle ait plutôt envie d'abandonner la partie.

Martin lui signale qu'ils n'ont plus beaucoup d'oxygène ; il leur faudra bientôt remonter. Quatre minutes. Helene se force à chercher encore, elle continue à battre des jambes tant bien que mal. En même temps, elle surveille la position de Martin. Où est-il ? Il ne faut pas qu'elle s'éloigne trop de lui. Deux minutes. Il fait signe à Helene, augmente le tempo. Elle force ses jambes lasses et raides à accélérer, s'aide avec les mains. Martin regarde sans cesse son ordinateur de plongée. Il est vrai qu'ils sont à une grande profondeur. Il fait froid ici, il n'y a aucune vie, aucun poisson en dehors des anguilles, ces eaux ne sont quasiment pas peuplées. Le fond est insaisissable, infini, un trou sans fond creusé par les glaciers…

Si, ce trou a tout de même un fond car soudain Helene repère un… Qu'est-ce donc ? Un bloc de béton. Martin est juste derrière elle. Il l'a vu aussi, la dépasse, et c'est là qu'ils le découvrent : le cadavre.

Lié au béton par une grosse corde effilée. Chaussures et vêtements sont si bien conservés qu'Helene commence par croire qu'il s'agit d'un corps qu'on aurait jeté là la veille. Il a la poitrine presque entièrement recouverte de vase. De temps.

Martin se met à agiter vivement les mains. Il a vite fait d'enlever la vase sur le haut du corps. C'est à peine croyable que le vêtement soit encore entier. Ce sont des habits d'homme. Un costume de coupe ancienne. Et là, Helene découvre son visage. On ne peut pas dire qu'il soit aussi paisible que celui de l'homme de Tollund. Martin l'éclaire de sa lampe de poche. Les yeux ne sont plus que des orbites mais le reste du visage est très bien conservé. Le masque de la terreur. Helene le reconnaît d'après les photos… Martin lui montre le trou laissé par la balle dans le front ; il n'est pas très grand, on dirait presque qu'il s'est refermé, là, dans les profondeurs.

Soudain, une infinie tristesse saisit Helene. Jusqu'à présent, ce n'étaient que des rumeurs, mais cette fois… Son propre père est un meurtrier ! Un homme à l'âme noire ! Martin lui fait signe qu'ils doivent remonter. Sans attendre. Helene indique qu'elle a compris. Enfin, ils l'ont découvert. Le corps de William Hirsch. Le corps d'un homme que sa propre fille, l'étrange Caroline, voulait laisser pourrir au fond du lac. Aussitôt remontés, ils appelleront la police. Et ils resteront dans le bateau jusqu'à ce qu'elle arrive.

Pas question qu'Helene coure le moindre risque. Elle se redresse, se prépare à remonter. Martin lui prend la main. Tout ce qu'elle a à faire est de le suivre, lentement, même si elle meurt d'impatience de brandir aux yeux du monde entier la preuve qu'elle a tant cherchée. Le haut du corps bien à la verticale, elle essaie de prendre son élan mais frappe la vase un peu trop brutalement et se retrouve instantanément enveloppée d'un nuage rouge. Martin disparaît de sa vue. Elle agite les pieds pour prendre de la hauteur, sortir des particules de boue.

C'est alors qu'elle réalise qu'elle a heurté un objet. Encore un. Quelque chose de dur, non le dépôt mou qui recouvre le plancher du lac. Elle lâche la main de Martin et replonge, éclaire le fond. La vase l'empêchant de voir, elle cherche à tâtons. Et trouve. Martin réapparaît à ses côtés, essaie de lui saisir la main, mais Helene continue à explorer la vase. Elle tâte les contours de sa trouvaille, sent les mains de Martin près des siennes. Encore un cadavre ? Ils cessent de s'agiter. Les particules de boue retombent peu à peu. Leurs regards se croisent. Helene lit la panique dans celui de Martin. Elle sait bien qu'il faut qu'ils remontent. Peut-être ont-ils trouvé la plongeuse qui a perdu la vie à cet endroit ?

Non. Car ils peuvent voir le cadavre à présent, et ce n'est ni une femme ni un plongeur, il ne porte ni costume ni combinaison de plongée ou ceinture de plomb. Le haut du corps, bien visible à présent, est habillé d'un uniforme. Un vieil uniforme militaire. L'homme repose sur le ventre. Martin saisit la main d'Helene : il faut partir. Helene jette un dernier regard au corps. D'où vient cet uniforme ? Qui est ce soldat ? Il a la tête tournée de l'autre côté et quelque chose brille à son cou. C'est sa plaque, qui flotte dans l'eau. Martin serre Helene de près, il l'attire fermement vers le haut et ne montre aucune intention de la lâcher. Sa lampe de poche lui échappe. Pendant que l'objet tombe, Helene tend le bras aussi loin que possible. Tâte rapidement le crâne, descend vers le cou, cherche, de ses doigts engourdis trouve la chaîne, qu'elle tire pour la faire passer par-dessus la tête de l'homme.

Pendant qu'ils remontent, elle serre dans son poing la plaque de métal carrée à la surface de laquelle elle sent les lettres gravées. Le nom du soldat.

61

Joachim cligne des yeux. Tout est flou. La pièce est tellement lumineuse qu'il n'arrive pas à savoir où il se trouve. Puis il voit le tableau devant lui. *La Femme secrète*. Le visage rouge sang. *Louise*. Kollisander les a portés jusque dans l'atelier. Joachim découvre sa chemise gisant à côté du tableau. Il est torse nu. Ses bras tendus au-dessus de sa tête lui font mal. Quand il essaie de les baisser, il réalise qu'il est attaché. Et bien attaché, car il a beau s'escrimer à les secouer dans tous les sens, rien n'y fait. Et pourquoi a-t-il du mal à déglutir ? C'est qu'il a quelque chose contre la langue : un chiffon humide. Un tissu au goût aigre, imbibé de sa propre salive. Il essaie de le cracher, mais lui aussi est attaché. Par une corde qui lui écarte les mâchoires, de sorte qu'il est obligé de rester bouche ouverte comme un idiot.

Il tourne la tête et, à côté de lui, il découvre Ellen, ligotée de la même manière. D'épaisses écharpes fermement nouées sur ses poignets, fixées par de la corde aux crochets de fer insérés dans la poutre du plafond. Au-dessus d'eux, il n'y a que le ciel. Comment sont-ils… Ce que Kollisander leur a donné à boire… *Santé, encore un petit ? Oui, merci, un dernier.* Du Rohypnol. C'est sans goût, sans couleur, la drogue du viol la plus couramment utilisée. Un jour, en boîte, quelqu'un en a versé dans le verre de la fille d'un ami à lui. Joachim observe Ellen. Elle a les yeux fermés. Le haut de son corps pend mollement en avant. La panique envahit Joachim, jusqu'à ce qu'il remarque que la poitrine d'Ellen se soulève puis s'abaisse lentement. Elle est en vie. Dieu merci, elle est en vie.

Joachim tend l'oreille. Où est Kollisander ? Dehors, il entend la rumeur étouffée de la ville. La cloche de l'une des innombrables églises de l'île sonne. Joachim renverse la tête en arrière. On voit le ciel à travers les fenêtres octogonales. Clair et bleu, pas un nuage. Ce doit être le matin. Est-il resté inconscient toute la nuit ?

Joachim essaie de bouger les jambes, mais elles sont ligotées au niveau des chevilles. Il est suspendu juste assez haut pour que ses talons ne puissent pas toucher le sol. Tout son poids repose sur la pointe de ses pieds. Il essaie de se mouvoir, perd l'équilibre. Pendant quelques secondes, ce sont ses omoplates qui portent toute sa masse, ce qui lui donne l'impression de se faire désarticuler. Il se hâte de reprendre sa position initiale.

— Reste tranquille, ordonne une voix dans son dos.

Raclement d'une chaise que l'on déplace, bruits de pas, et voilà Kollisander devant lui. Même de là où il se tient, Joachim peut sentir son haleine d'ail et de viande.

— Bonjour, Joachim. J'espère que tu as passé une nuit reposante.

Kollisander frotte son pinceau contre un morceau de tissu effiloché.

— Je me suis dit : autant que vous ayez quelque chose de beau à regarder pendant que je travaille.

Et il désigne le tableau d'un signe de tête.

— Ça vous plaît ?

Joachim essaie à nouveau de bouger les bras, tire de toutes ses forces. Le foulard enserre ses poignets, sa peau irritée le brûle.

— C'est inutile, Joachim, tu gâches tes forces. Détends-toi, profite de la vue.

Et Kollisander disparaît dans son dos. Décontenancé, Joachim éprouve de nouveau ses attaches, se dresse sur la pointe des pieds et se balance d'un côté à l'autre, pèse de toutes ses forces sur ses bras pour essayer de desserrer les nœuds qui lui emprisonnent les mains. Il sent quelque chose au creux de ses reins, de doux effleurements. C'est là qu'il comprend : Kollisander peint. Sur son dos. Joachim se débat.

— Tu gâches tes forces, te dis-je, répète-t-on patiemment derrière lui.

Joachim s'immobilise, le cœur battant. La sueur perle par tous ses pores. Il tourne désespérément le cou dans tous les sens. Ellen pousse un gémissement, lève la tête, regarde autour d'elle. Encore tout alanguie de sommeil. Elle se redresse dans un sursaut, agite les bras sans résultat. Se met sur la pointe des pieds, exactement comme Joachim vient de le faire. Essaie de bouger de droite à gauche, en arrière, en vain. Elle tourne la tête vers Joachim. Le regarde intensément. Il se demande pourquoi elle a l'air prise en faute. Puis il comprend. Elle savait. D'une manière ou d'une autre… elle n'est pas vraiment surprise.

— Bonjour, Ellen, dit Kollisander.

Ellen tourne la tête. Apparemment, elle peut le voir. Voir ce qu'il est en train de faire.

— Je suis vraiment content que vous ayez trouvé Louise. Je dois avouer que j'avais hâte de la faire admirer à d'autres.

Joachim sent dans son dos les coups de pinceau légers comme la plume, de chauds cercles sur sa peau. Mouvements lents et méticuleux. De temps à autre, Kollisander tapote doucement la sueur qui couvre son support vivant avant de reprendre ses interminables cercles. Le chiffon dans la bouche de Joachim lui donne envie de vomir. Soudain, il sent une chaleur contre sa jambe : il est en train de se pisser dessus, et il est incapable de se retenir.

— Oui, c'était à prévoir, déclare Kollisander en se levant. C'est l'appréhension.

Il se racle la gorge.

— Je dois dire que c'est assez génial. Quand nous avons peur et qu'il nous faut fuir, nous nous débarrassons de tout poids inutile. Le lézard abandonne sa queue. Nous, nous nous faisons dessus.

Entendant du bruit derrière lui, Joachim se tord le cou et voit Kollisander en train de porter avec précaution une table de bois derrière Ellen. Sur la table est posé un récipient en émail blanc équipé sur le devant d'un thermostat et à l'intérieur duquel clapote une masse épaisse. Rouge. Le même rouge que celui du tableau qu'ils ont devant eux. De la peinture à la colle de peau, rouge carmin, à une température de soixante degrés précisément. Joachim respire violemment. Kollisander place un tabouret derrière Ellen, s'installe confortablement, pile dans le champ de vision de Joachim. Il se penche en avant, saisit tranquillement la fermeture Éclair et ouvre la robe d'Ellen. Le zip s'arrête légèrement en dessous des reins. Avec amour et délicatesse, il écarte le léger tissu de la robe sur le côté, découvrant le dos ; puis, d'un seul mouvement, il le déchire tout du long. Le corps menu d'Ellen a l'air encore plus petit, si fragile. Ensuite, Kollisander arrache les bretelles de la robe, la fait tomber sur la taille d'Ellen, révélant ses seins. Le colosse a ôté sa chemise lui aussi. Il porte un caleçon blanc démodé. Il a les bras comme des poteaux, la poitrine musculeuse. Il prend un pinceau, le trempe dans l'épaisse masse rouge carmin et se met à peindre avec concentration. Ellen jette un nouveau regard d'excuse à Joachim.

— Louise a été gentille avec moi, dit soudain Kollisander. Elle comprenait de quoi il retournait. Toi, tu ne piges rien. Je crois qu'Ellen oui, en revanche. Je veux être bon pour Ellen comme Louise a été bonne pour moi.

Joachim arrive enfin à rassembler ses esprits. Y a-t-il un moyen de se libérer ?

— J'ai payé Louise pour pouvoir m'entraîner. J'ai peint plusieurs fois sur sa peau avant de… Bref. J'ai essayé de nombreuses méthodes différentes avant de trouver la bonne. C'est important pour moi que ça n'ait pas l'allure du cuir. Il est très difficile d'obtenir la surface fragile que j'aime utiliser.

Il pince la peau d'Ellen d'un air mécontent ; celle-ci laisse échapper un son. Elle aurait crié si elle avait pu, mais sa protestation est étouffée par le chiffon que le grand artiste lui a fourré dans la bouche.

— En fait, tu es trop bronzée. La peau de Joachim est meilleure. Mais il en sera ainsi. Ça donnera ce que ça donnera, cela fait aussi partie du travail. Beaucoup de gens croient que je prévois tout, et c'est vrai que j'aime avoir les événements sous contrôle. Mais le contrôle ultime, on ne l'obtient vraiment que quand on est capable de lâcher prise. Quand on sait prendre les choses comme elles viennent.

Kollisander se gratte un peu la barbe avant de poursuivre :

— Par exemple, votre visite imprévue, qui me donne une deuxième chance... Je ne pensais pas pouvoir aller plus loin que ce que j'ai fait avec Louise. Je croyais qu'elle était mon apogée. Mais il se trouve que ce n'était qu'un début.

Il trempe son fin pinceau dans la peinture, ajuste le thermostat, continue à peindre. Pousse soudain un soupir.

— Louise, je l'ai payée. Et généreusement. Mais ce n'était pas assez à ses yeux.

C'est la première fois que Joachim perçoit autre chose que l'assurance de l'homme du monde poindre dans la voix de Kollisander. Car là, en racontant que Louise a tourné en cachette une vidéo de lui sur son téléphone, elle se fait plus claire. Envolée, la voix de basse, réduite à un pauvre murmure par le poids de la confession. Kollisander l'a fouettée, battue, frappée, lui a hurlé dessus, et tout était enregistré sur le petit téléphone de Louise. D'horribles images qui auraient pu ruiner sa carrière de grand artiste.

— Louise n'est pas venue à notre dernier rendez-vous, mais je l'ai retrouvée. Dans la fonderie de fer où elle habitait avec la dingue. Celle qui avait fui je ne sais quoi, personne n'a jamais compris de quoi il s'agissait, susurre Kollisander, tout près du visage de Joachim. Enfin... C'est plus clair maintenant. C'était *ton Helene*, n'est-ce pas ?

Joachim n'en revient pas. Comment le sait-il ? Kollisander sourit.

— C'est toi-même qui nous l'as raconté. Dans la cave, dit-il en tapotant Joachim sur la joue.

Ces gros bras, ce costaud impressionnant que Joachim a aperçu quand ils ont évacué la jeune fille de la chambre de torture... C'était Kollisander.

— Helene m'a surpris pendant que j'étais en train de prélever la peau de Louise. Un moment, j'ai bien cru que j'aurais deux nouvelles toiles sur lesquelles peindre. Mais cette folle m'a donné du fil à retordre. Je lui ai cogné la tête par terre, raconte Kollisander.

Joachim imagine la scène – quel déchirement –, Helene allongée sur le sol de béton froid de la fonderie, Kollisander lui fracassant l'arrière de la tête contre le sol pour la tuer. Helene qui venait de fuir sa terrible découverte. Qui vivait cachée le temps de trouver un moyen de sauver le peu qu'elle avait à sauver, d'éloigner ses enfants d'Edmund et de Caroline. Et là-dessus, Kollisander arrive et assassine Louise. Se jette sur Helene. Mais elle résiste, lui donne des coups de pied, se libère, le frappe, peut-être à l'aide d'un des morceaux de ferraille qui traînaient par terre, des bouts de bric et de broc qu'on aurait crus sortis d'un âge de fer, du temps où l'homme bâtissait un monde entièrement nouveau, un monde dur et noir, un monde auquel le père d'Helene appartenait. Elle se remet debout, veut s'enfuir, le vieux et gros Kollisander se tord de douleur. Et là, à côté de l'entrée, le sac de Louise ; Helene, plus ou moins indemne, s'en empare et prend de nouveau la fuite, emportant le sac à dos d'une morte. Un peu comme Joachim quand il a voulu fuir Ellen, s'embarquant sur le ferry dans un état second. Là, elle lutte contre la nuit et la houle, la voici arrivée à Rønne le lendemain, déshydratée, meurtrie, elle s'évanouit dans la chaleur matinale sur la passerelle de débarquement. Et se réveille à l'hôpital. Elle a tout oublié : sa famille, l'inceste, le meurtre, Kollisander – tout.

Joachim essaie de voir l'artiste du coin de l'œil. Pinceau à la main, il regarde pensivement le tableau qu'il a peint sur Louise. Est-il en train de réaliser le portrait d'Ellen sur son propre dos ? Joachim porte-t-il lui aussi son visage sur sa peau ? Vont-ils mourir à leur tour et devenir les témoins muets de la folie de Kollisander ? Joachim a la bouche sèche, la douleur dans sa poitrine empire, une douleur qu'il n'a jamais ressentie dans sa vie.

— C'est beaucoup mieux de faire un croquis avant. Faire un croquis, sécher entièrement le support et écorcher seulement ensuite, je le sais à présent, mais… Ce sont des détails techniques, tout ça vous intéresse sûrement très peu, marmonne Kollisander pour lui-même.

La tête d'Ellen pend mollement en avant ; elle a l'air épuisée, découragée. Joachim essaie désespérément de mettre au point un plan de fuite.

— C'est toi qui m'étonnes le plus, Ellen, reprend Kollisander. Tu me connaissais. Tu te souvenais de moi à l'époque des Beaux-Arts. S'il y a bien quelqu'un qui aurait pu me percer à jour, c'est toi, dit-il, debout devant elle.

Elle le regarde. Vient-elle d'acquiescer ? Joachim n'en est pas sûr.

— Mais pourquoi te jeter dans la gueule du loup de ton plein gré ? murmure-t-il, inspirant son odeur. À cause de ce type ?

Il lance un regard de mépris à Joachim.

— Pour mourir avec lui ? Plutôt crever que ne pas l'avoir à toi ? Une ânerie dans ce goût-là ?

Elle baisse la tête. Il lui prend le menton, la force à la relever. Elle le regarde d'un air de défi, lèvres tremblantes.

— Belle, belle Ellen. C'était tellement pitoyable de te voir te servir de moi pour qu'il pose enfin les yeux sur ta personne. Ne comprends-tu pas, Ellen, qu'il est incapable de rien voir ? Il n'est qu'un ver aveugle. Condamné à rester dans le noir.

Il lui lâche le menton et elle ferme les yeux, les narines frémissantes. Joachim sent le sang quitter sa tête, ses bras n'en peuvent plus. Ellen l'aime-t-elle encore ? Est-ce pour cette raison qu'elle a bien voulu l'accompagner pendant ce voyage ? Tout ce qu'elle a dit sur le fait qu'il fallait lâcher prise, être heureux, était-ce faux ? Savait-elle que c'était Kollisander qui avait tué Louise ?

Kollisander fait encore un tour, examine leurs dos, la mine satisfaite. Puis il renverse la tête en arrière. Le soleil est plus haut dans le ciel à présent.

— Vous avez soif ? demande-t-il. Malheureusement, je ne peux pas vous offrir d'eau, cela ralentirait le processus de déshydratation. C'est mauvais. Ça y est, vos dos sont peints. La peinture préparée avec de la colle d'animaux morts travaille votre peau. Elle est en train de pénétrer votre organisme. On pourrait aussi formuler la chose ainsi : les ossements des bêtes sont en train d'infuser dans votre corps. Il est très important que ce passage s'effectue à la vitesse adéquate, il faut que la peinture entre en vous en même temps que vous vous desséchez.

Il frotte son front en sueur du dos de la main. Puis, lentement, il ferme les yeux, inspire, expire, lève les bras en l'air, ramène ses jambes l'une contre l'autre. Reste ainsi un instant, tel un reflet de Joachim et d'Ellen dans le miroir, avant de rouvrir les yeux. Il se penche alors légèrement en avant et fait la révérence.

— À présent, je vais me retirer et laisser le soleil faire son travail. Je ne vous cache pas que cela sera douloureux. Vous allez souhaiter qu'on vous achève, mais c'est impossible. Il faut que vous vous desséchiez à petit feu. Il est également dans votre intérêt que vous soyez conservés le mieux possible. Tâchez de vous en souvenir quand cela deviendra insoutenable. La douleur a du sens, la douleur est nécessaire. Vous devrez vous y abandonner. En êtes-vous capables ?

Sur quoi il sort et disparaît du champ de vision de Joachim. La porte se referme doucement derrière lui. Joachim lève les yeux. Une boule incandescente plane au-dessus de leurs têtes.

62

La police a travaillé toute la nuit au repêchage des deux corps. L'inspecteur, un homme aux larges épaules et à l'échine courbée, semblant porter toute la misère du monde sur son dos, est arrivé à l'aube. Il a rapidement serré la main à Helene puis a disparu dans la foule de policiers, par-delà la partie des berges qu'ils ont fermée au public. Sur l'eau, les bateaux tournent en cercles concentriques au-dessus du point le plus profond du lac.

Martin et Helene, assis dans une voiture de police, contemplent la scène en train de se dérouler sous leurs yeux. Martin lui tient la main et Helene s'y cramponne ; elle lui est reconnaissante de ne pas être seule. L'inquiétude continue à la ronger. Ont-ils vraiment trouvé William Hirsch ? Certainement. Mais qui est l'autre ? Elle brûle de partager la nouvelle avec Joachim, mais il ne répond toujours pas à ses appels. Elle essaie encore une fois. Il a dû éteindre son téléphone. Ou alors, il l'a perdu.

Un policier ouvre la portière avant, s'assied et se tourne vers eux.

— La plaque d'immatriculation militaire appartient à un certain Henry Louis Miller, dit-il. Est-ce que ça vous évoque quelque chose ?

Helene fait signe que non.

— C'était un soldat américain stationné à Katterbach Kaserne, en Bavière. Nous avons regardé si, par hasard, il figurait dans le fichier international des personnes portées disparues, poursuit-il en agitant les papiers qu'il a imprimés. Pendant une permission, il a traversé l'Allemagne à moto jusqu'au Danemark. Et il s'est volatilisé sans laisser de traces. Sa famille l'a cherché pendant des années.

— Quand était-ce ? demande Helene, qui s'étonne de ce subit accès de zèle de la police.

Ils semblent en effet déjà très bien renseignés.

— 1968, répond le policier en regardant par le pare-brise.

— 1968 ? Il est tellement bien...

Martin complète :

— ... tellement bien conservé. L'autre aussi.

Le policier leur parle des marais de la région, des kettles datant de l'ère glaciaire, de l'absence d'oxygène combinée à la présence de sable et de boue, de l'acide qui empêche les bactéries de vivre dans ce milieu et donc de dégrader les tissus organiques. Helene sait déjà tout cela, elle l'a lu au musée. Elle réfléchit, essaie de relier ces informations à son père, au meurtre de Hirsch. Un soldat disparu vingt ans plus tard... ? Elle n'arrive pas à deviner quel pourrait être le rapport.

Ses réflexions sont interrompues par une soudaine agitation près de la berge. Des policiers s'avancent, prêts à accueillir le bateau sur le point d'accoster. Helene se penche pour essayer de voir ce qui se passe.

— Ils les ont remontés ? demande Martin.

— On dirait bien, confirme le policier en ouvrant la portière.

Martin et Helene sortent eux aussi, s'approchent.

Tout le monde est dans la même position, une main en visière sur les yeux pour se protéger des premiers rayons du soleil. Helene est inquiète. Pourvu que le corps soit celui de William Hirsch ! Si jamais cet endroit n'est que celui où les criminels de bas étage se débarrassent des cadavres encombrants, elle n'aura plus aucune preuve. Les plongeurs touchent terre, portant deux corps avec précaution. Leurs visages sont tellement vivants et tellement morts à la fois, c'est effrayant. Helene essaie de voir quelque chose malgré les hommes-grenouilles en combinaison noire massés devant eux. On dépose délicatement les corps sur une bâche en plastique étalée au préalable sur l'herbe. Un cercle de vivants curieux se forme autour des morts. Les techniciens de la police scientifique réclament un peu d'espace, commencent par l'homme en costume sombre démodé. Ils procèdent toujours à de premières analyses sur place avant d'envoyer les cadavres au laboratoire, explique l'agent de police le plus vieux à Helene et Martin : au cas où il leur manquerait quelque chose, un doigt, un membre, qu'il faudrait essayer de retrouver avant de quitter les lieux.

— C'est pour ça que les plongeurs repartent ? demande Helene en observant les hommes-grenouilles s'asseoir en silence sur le bateau pneumatique.

— Non, répond le policier. Ils veulent voir s'ils arrivent à retrouver l'arme du crime.

Elle joue des coudes pour s'approcher un peu. Il lui semble qu'elle a le droit de suivre le déroulement des événements. Sans elle, ils n'en seraient pas là. Ils font les poches de William Hirsch, une par une. Ne trouvent rien. Tous les tests un peu plus compliqués, à partir des dents et ce genre de choses, ce sera pour plus tard.

Le technicien passe à l'homme en uniforme, dont le visage est encore couvert de boue, de vase et de saletés. Helene entend quelqu'un faire une remarque sur l'uniforme, dire qu'il est américain. Il le connaît, c'est celui que les soldats utilisaient en permission. Dès la première poche, le technicien trouve quelque chose : un portefeuille bien conservé. Il l'ouvre avec précaution et en vide le contenu. Quelques vieilles pièces américaines, des danoises de cinq ou dix *øre*. Il passe à la deuxième. Vide. En revanche, dans le pantalon, nouvelle trouvaille. Un petit cylindre noir. Le technicien de la police le lève au niveau de ses yeux, perplexe.

— Qu'est-ce que c'est que ça ? demande-t-il à un collègue en l'agitant doucement.

— Il y a quelque chose à l'intérieur, répond l'autre.

Le premier lève sa seconde main vers le cylindre pour en ôter le capuchon.

— Non ! s'écrie Helene.

Étonnement général. Tout le monde se retourne. Helene se fraie un chemin au premier rang de l'attroupement.

— C'est une pellicule de l'époque où on utilisait du celluloïd. Si vous l'ouvrez, toutes les photos seront perdues, dit-elle dans un souffle.

Le technicien considère le cylindre de plastique, reconnaît l'objet, rougit. Il aurait dû s'en rendre compte. Il se hâte de le glisser dans un sachet hermétique sur lequel il note quelques mots. Pour le labo. Il va falloir la développer.

*

Puisque la police pense qu'il existe un lien entre les deux cadavres, l'inspecteur de la police judiciaire demande à Helene de les accompagner jusqu'à un laboratoire photo amateur qu'on a trouvé à une quarantaine de kilomètres de là, à Aarhus. Il en reste peu, ça n'a pas été facile. L'inspecteur pense qu'Helene pourrait lui être utile : après tout, c'est elle qui a trouvé les corps, elle qui connaît les visages des protagonistes de ce drame aux racines ancrées dans le passé. Elle prend congé de Martin. Ils tombent dans les bras l'un de l'autre. Étrange. Ils ne sont pourtant pas proches, néanmoins, elle se sent plus en sécurité avec lui qu'avec Edmund.

— Merci, Martin. Je n'oublierai jamais ce que tu as fait pour moi, murmure-t-elle en le serrant contre elle.

Elle s'installe sur le siège passager à côté de l'inspecteur. Il attend qu'elle ait mis sa ceinture de sécurité pour démarrer. Ils roulent en silence, parviennent rapidement à l'autoroute. Helene regarde par la fenêtre, écoute vaguement la conversation téléphonique du vieux policier derrière.

— Les techniciens ont comparé les photos avec celles du premier corps. Tout laisse à penser qu'il s'agit bien de William Hirsch, dit-il, tout en soulignant que pour l'instant rien n'est établi, qu'il faut procéder à des tests ADN et autres analyses.

Helene sait où ils doivent se rendre pour obtenir une filiation qui concorde. Elle détient une preuve. Edmund et Caroline ne peuvent plus dissimuler la vérité. Ils ne peuvent plus essayer de la faire passer pour folle à lier ou la faire enfermer à cause de cette histoire.

— Et l'autre est le soldat Henry Louis Miller. À moins qu'il n'ait porté la plaque d'un autre. Il ne nous reste plus qu'à trouver le rôle qu'il a joué dans cette affaire.

— Vous êtes sûrs qu'il existe un lien entre les deux ? demande une nouvelle fois Helene.

— Deux cadavres aussi près l'un de l'autre... Mon expérience, qui est loin d'être courte, me dit que ça ne peut pas être une coïncidence.

— Mais plus de vingt ans se sont écoulés entre les deux morts, n'est-ce pas ? insiste Helene.

Ils se garent devant un pavillon. Helene observe avec étonnement la maison de brique rouge banale au toit plat et au double abri pour voitures.

L'inspecteur accompagne Helene jusqu'à la porte. Ils étaient attendus : un retraité les accueille, une odeur de graillon et de chien aussi. Il les emmène à la cave, dans une pièce basse de plafond aux fenêtres condamnées. Helene l'examine. Maigre, mais quelle bedaine ! Peut-être a-t-il un problème de santé qui fait fondre tout son corps à part la graisse qui lui ceinture le ventre. Il referme soigneusement la porte derrière eux, éteint la lumière et appuie sur un second interrupteur. La pièce se pare d'une lumière rouge tamisée. Helene doit attendre que ses yeux s'y habituent. Le photographe se déplace avec aisance dans le passage laissé libre entre les deux grandes tables couvertes de bacs en plastique et de bains de développement. Helene est encore occupée à imaginer quel pourrait bien être le lien entre les deux cadavres. Un soldat américain... Que faisait-il au Danemark ? Pourquoi a-t-il fini au fond du lac à côté de William Hirsch ?

— À présent, je vais éteindre complètement la lumière. Préférez-vous attendre avec moi ou dehors ?

*

Helene et l'inspecteur de police patientent dehors, au soleil. Inutile de rester en bas à regarder par-dessus l'épaule du vieux passionné. L'attente est insupportable. Helene tue le temps en faisant les cent pas sur la route qui longe les petits pavillons. Elle voit de jeunes mères se promener avec leurs enfants en bas âge, des livreurs arriver avec des machines à laver neuves, des artisans pour réparer une fuite sur le toit. La vie ordinaire, en somme. Elle repense à une phrase que Joachim lui a dite un jour à l'époque où ils habitaient Christiansø. Il a cité le père de Robinson Crusoé juste avant que Robinson ne prenne la mer : « Le stade intermédiaire de la vie est le socle du bonheur » ou quelque chose de ce genre. Il ne souhaitait pas que Robinson cherche la richesse ou la gloire. Il faut oser en rester au stade intermédiaire, oser avoir une vie ordinaire.

— La classe moyenne, murmure Helene en regardant par la fenêtre du pavillon rouge.

Le père de Robinson parlait de la classe moyenne. Être satisfait d'avoir juste ce qu'il faut, trouver le bonheur dans l'intimité de ses relations avec les autres et le travail bien fait, profiter de ses jours de congé, avoir un passe-temps, à l'image de ce photographe amateur. Mais le père de Robinson parlait à un sourd : Crusoé, de même que le père d'Helene, en voulait toujours plus. Beaucoup plus. Beaucoup trop.

— Madame Söderberg ?

Elle se retourne. Interroge l'inspecteur de police du regard.

— Il a fini de développer les photos. On descend ?

Helene suit les deux policiers jusqu'au sous-sol, à la chambre noire.

— Les négatifs ont survécu, annonce le vieil homme. La seule question qui reste, c'est ce qu'ils ont à dire.

Helene longe la table et vient se poster à côté de lui. Le regarde travailler sur chaque planche. À l'aide d'une pince, il dépose une feuille blanche au fond d'un bac en plastique. L'y laisse reposer quelques instants, puis la plonge dans le bac voisin. Ses gestes sont sûrs. Il développe plusieurs photos en même temps. Désigne du doigt l'un des bacs.

— Nous tenons peut-être quelque chose, dit-il d'un ton amical.

Helene regarde le bac qu'il lui a indiqué. Au départ, il ne se passe rien. Puis, lentement, des contours commencent à se dessiner, des ombres à s'agrandir, à s'exacerber, jusqu'à ce que le sujet se révèle : un champ de fraises, des jeunes gens qui avancent, courbés, le long des rangées de fruits. Des couleurs d'un autre temps, des tons à la Kodak. Allez savoir pourquoi tout semblait plus innocent à l'époque. Ce n'est visiblement qu'une illusion. Nouveau cliché, toujours dans le champ de fraises : trois hommes alignés, se tenant par les épaules. En short et tee-shirt, en sueur, jeunes et joyeux. Helene détaille leurs visages. L'un d'entre eux est-il Henry ? Elle n'a aucune idée de ce qu'elle cherche. Le photographe sort le cliché à l'aide de sa pince, le plonge quelques secondes dans un autre bac puis, pour le faire sécher, l'accroche à un fil qui pend au plafond et traverse toute la pièce. Difficile de bien voir dans cette pénombre rouge.

— Attendez, dit Helene.

L'inspecteur la regarde détailler Henry, le jeune soldat américain.

— Tout va bien ?

— Je sais, répond-elle. Le soldat mort.

Elle se retourne, fixe l'inspecteur.

— Je sais qui est cet homme.

63

Le soleil fait comme à son habitude : il monte vers son zénith. Il n'est pas encore midi, cela va empirer. Joachim regarde Ellen, essaie de lui dire quelque chose, mais ne réussit à émettre qu'un gémissement plaintif à travers son bâillon. En retour, elle cligne des paupières. Ses yeux sont rouges, elle est en sueur. Kollisander est-il là, de l'autre côté de la porte ? Assis tranquillement au frais à attendre qu'ils se dessèchent à mort ?

La Femme secrète. Le tableau est toujours devant eux. Joachim a du mal à détacher les yeux de l'expression de son visage. Autrefois, c'était une femme qui respirait, pensait, mangeait, aimait. L'espace d'un instant, Joachim a l'impression de pouvoir la voir, *vraiment* la voir. Les traits de la femme secrète. Sa manière de regarder par-dessus son épaule, de planter ses yeux droit dans ceux de la personne qui la contemple. Il y a de l'indulgence en Louise, en cette femme peinte sur sa propre peau. Elle éprouve de la compassion pour Joachim, pour Kollisander, pour tous ceux qui croisent son regard. Elle pardonne la misogynie sans bornes qui lui a coûté la vie. La misogynie qui est le moteur d'artistes tels que Kollisander et de nombreux autres.

Joachim en fait-il partie ? Ce sentiment brûlant et profondément enraciné en eux de ne pas être vus, de ne pas être aimés. Soit le manque d'amour les anéantit, soit ils deviennent quelqu'un d'important. Un artiste, un écrivain. S'ils ne peuvent pas obtenir le véritable amour, l'amour de la seule personne qui compte pour eux, alors il faut qu'ils se sentent aimés par des milliers, des millions d'autres. Or, à chaque nouvel admirateur, chaque livre vendu, chaque tableau accroché dans une salle prestigieuse, la rage grandit. Alors l'artiste essaie de coucher avec des filles de plus en plus jeunes. Ça n'aide pas. Il commence donc à frapper, à humilier. Ça non plus ça n'aide pas, car il est impossible d'échapper à la colère.

Kollisander a fini par en tirer les conséquences ; il a tué Louise, lui a arraché la peau. Et elle est ressuscitée, là, juste devant Joachim. Avec son regard éthéré par-dessus son épaule, son sourire quasiment imperceptible sur ses fines lèvres rouges. Aucun doute, elle pardonne aux hommes leur misogynie. Depuis l'autre côté, elle leur dit : en me tuant, c'est vous-mêmes que vous avez tués, vous avez tout perdu, je continue à vivre.

Oui. Joachim s'est tué lui-même. De bout en bout. Il le comprend à présent. La manière dont il a modelé Ellen, dont il a façonné un monstre à force de la rejeter, de jouer les tyrans avec elle. Il ne peut s'en prendre qu'à lui-même. Et elle lui a rendu la pareille. Quand elle en a eu l'occasion, quand Joachim lui a demandé de l'aide, elle a répondu : très bien, partons en enfer ensemble, périssons main dans la main.

Ellen a les paupières fermées, elle respire pesamment, péniblement, oscille un peu d'avant en arrière. Désespéré, Joachim détourne le regard, lève la tête, mais la lumière l'éblouit. Il se ravise, appuie son menton contre la poitrine en fermant les yeux. Le noir qui règne à l'abri de ses paupières est rafraîchissant.

Un instant s'écoule, puis le visage d'Helene lui apparaît. Ses cheveux blonds, son regard posé sur lui. Ce nœud douloureux dans sa gorge réapparaît. Penser que jamais plus il ne la verra est insupportable. Personne ne sait où Ellen et lui se trouvent actuellement. Au bout d'un moment, la police se mettra à leur recherche, bien sûr. Mais Kollisander a tout l'argent nécessaire pour engager un sbire qui le débarrassera de leurs cadavres. Cette fois, il se montrera plus intelligent, il s'assurera qu'ils disparaissent vraiment sans laisser de traces. Personne, pas même Helene, n'aura l'idée d'établir un lien entre leur disparition et les nouvelles et mystérieuses œuvres de Kollisander. Et si personne ne réalise qu'il existe une connexion entre les deux, rien ne lèvera les soupçons de meurtre qui pèsent sur Helene. Elle échouera en prison. Ils ont retrouvé son ADN sur le corps de Louise. Cela leur suffit amplement.

Non ! Joachim agite désespérément les bras, mais les nœuds bien serrés ne cèdent pas. Il tire, s'arrache la peau ; elle est à vif à présent, le lance. Le bruit fait ouvrir les yeux à Ellen, qui lui adresse un regard peiné. On y lit déjà son renoncement. Joachim, lui, refuse d'abandonner la partie. Il plie les jambes, se pend de tout son poids par les bras, sent ses ligaments sur le point de céder au niveau des omoplates. La douleur remonte dans ses bras, lui court dans tout le dos, mais les nœuds de tissu résistent. Il prend son élan, bondit, laisse son corps retomber de tout son poids. Encore et encore. Ses attaches ne montrent pas le moindre signe de faiblesse.

Il reste un moment debout. Réfléchit. Le soleil est haut dans le ciel à présent. Il les grille. La sueur lui coule dans les yeux, lui dégouline en fines rigoles le long de la colonne vertébrale. Si seulement il pouvait boire de l'eau fraîche. Se rincer le visage pour s'éclaircir les idées. Il a l'impression que tout son bon sens le quitte avec l'eau de son corps. Combien de temps peut-on survivre dans un sauna ? Tout son organisme réclame de l'eau. Le soleil les carbonise impitoyablement, il n'y a pas un nuage en vue, aucun filtre, aucune protection, le ciel est d'un bleu profond. Quelle température fait-il maintenant ? Cinquante degrés ? Plus ? Joachim baisse la tête, ses yeux le brûlent. Un corps humain peut-il prendre feu s'il est suffisamment chaud ? Se consumer ? Il n'a pas fait le tour de toutes les options. Il sait qu'il a négligé une possibilité, mais plus il essaie de réfléchir, plus son cerveau se ratatine. Il *doit* y avoir une issue. Il y a toujours une issue.

Soudain, son regard est attiré par un objet sur la table. Un chiffon roulé en boule, du tissu blanc maculé de rouge. Du rouge sang. Le chiffon sur lequel Kollisander a essuyé son pinceau. Soixante degrés. Cette peinture doit atteindre précisément soixante degrés pour être utilisable. *Mais pas plus.* Est-ce Ellen qui lui a parlé de cette peinture à la colle de peau ? Non, c'était le vendeur de la droguerie. Qui lui a expliqué qu'il fallait être très méticuleux avec, qu'elle était dangereuse et avait provoqué de nombreux incendies dans des ateliers de peintre. À cause de chiffons imbibés d'un peu de cette peinture séchée qui prenaient feu tout seuls. *Par combustion spontanée.* Kollisander a veillé à remettre le couvercle sur sa bassine en émail et l'a emportée ; il a certainement pensé lui aussi au risque d'incendie. En revanche, il a oublié le chiffon. Il est sur la table, à l'ombre. Et si Joachim réussissait à tirer la table au soleil entre lui et Ellen ?

Il lève les yeux. Les cordes qui l'attachent sont fixées à la poutre au-dessus d'eux. Joachim tend les pieds, essaie d'atteindre la table. Elle n'est sûrement pas lourde, Kollisander a besoin de la déplacer quand il peint. Si seulement il réussissait à la rapprocher de lui ! À la tirer sous les rayons du soleil. L'idée de mettre le feu à une pièce dans laquelle on se trouve pieds et poings liés – les bras en croix comme l'homme de Vitruve, de Léonard de Vinci – est un peu cinglée. Mais peut-être... Si Ellen réussissait à pousser la table, ne serait-ce qu'un peu, si les flammes montaient suffisamment pour attaquer la poutre... C'est cette poutre qui brûlerait en premier, puisque le feu se déplace toujours vers le haut. Ils ont peut-être encore une chance – s'ils ne meurent pas asphyxiés trop vite.

Il essaie d'attirer l'attention d'Ellen en poussant un cri. Son visage se relève péniblement, elle le regarde d'un œil épuisé. Joachim, avec des mouvements de menton impatients, lui désigne la table derrière elle et donne de petits coups de pied dans le vide. Elle se tord le cou sans comprendre. Fixe la table. Joachim se détend un moment, rassemble ses forces. Puis il se redresse sur les orteils, le plus haut possible, s'étire, s'étire. La douleur est terrible. Il tend les jambes, se balance sur la pointe des pieds, fait peser tout son poids sur ses épaules écartelées. S'étire encore.

Enfin, elle comprend. Ou pas ? En tout cas, elle essaie de l'aider, s'approche de la table. Elle parvient à la pousser de quelques centimètres. C'est comme si le raclement des pieds de la table sur le sol lui redonnait espoir, lui donnait l'impression d'agir. Elle se bat.

Joachim acquiesce pour l'encourager. Encore ! Elle fait plusieurs tentatives, est sur le point de renoncer. Puis, toute pendue par les bras qu'elle est, elle arrive à la toucher des deux jambes. Joachim est ébahi de voir cette femme si menue supporter cette épreuve. Elle parvient à rapprocher la table. Puis elle revient dans sa position initiale.

À présent, Joachim peut toucher la table avec ses pieds. Il réussit à la déplacer pour qu'elle se trouve exposée aux rayons du soleil. Le meuble est maintenant entre eux deux. Le regard d'Ellen est fixé sur le chiffon. Ça y est, elle a compris. Elle n'est pas tranquille, ses narines frémissent. Ils peuvent déjà sentir l'odeur de colle brûlée. Ellen secoue la tête. Ses yeux disent « Non ! ». C'est trop dangereux. Le feu sera impossible à contrôler, ils vont brûler vifs. Une légère fumée monte du chiffon abandonné. Ils se regardent. C'est leur seule chance. Ellen le sait elle aussi.

Pendant quelques secondes, Joachim a peur que le feu ne prenne pas. Mais non, une faible lueur bleu et jaune monte du tissu maculé. Ensuite, tout va très vite : d'un coup, presque comme s'il venait d'y avoir une explosion, le chiffon s'embrase. Les flammes mangent avidement le bois de la table, le feu monte, monte, il se dévore un chemin, cela va à une vitesse folle. Joachim regarde Ellen, toujours dans la même position, l'air résolu. Peut-être se dit-elle la même chose que lui : mieux vaut brûler vif mais vite que de mourir desséché à petit feu. Elle se tient sur la pointe des pieds, penchée sur le côté pour se maintenir le plus loin possible du brasier, mais sa robe en lambeaux ne suit pas le même mouvement.

Soudain, une ligne de feu remonte le long du plancher de béton. Kollisander aurait-il laissé tomber de la peinture par terre ? Vives comme l'éclair, les flammes se propagent vers le mur derrière Joachim. Elles n'ont pas encore atteint la poutre. Le bord de la robe d'Ellen fume, menace de prendre feu. Joachim a mal aux hanches, et soudain son dos aussi le fait souffrir car la peinture à la colle de peau commence à chauffer. Ellen avait raison, c'était trop dangereux : ils ne contrôlent rien, ils vont périr brûlés. Sans le chiffon qui le bâillonne, il crierait. Il laisse échapper une plainte désespérée.

Entre eux, la table n'est plus que flammes. Il lève les yeux vers la poutre. Elle commence à noircir sur le dessous. Mais la fumée… Ellen hurle. Joachim ferme les yeux ; mon Dieu, prie-t-il, je n'ai jamais cru en Toi, mais… Il abandonne sa prière. La douleur est trop intense. Il rouvre les yeux, regarde au plafond. Ça y est, la poutre a enfin commencé à prendre feu. Joachim essaie de crier pour attirer l'attention d'Ellen. Elle ne réagit pas. La fumée lui pique le nez, ce n'est plus possible, il le sait. Tout n'est plus qu'une mer de flammes.

Joachim essaie d'approcher du feu la corde qui le retient, mais d'un coup, il lui apparaît que son plan est sans espoir : le feu ne pourra pas lui servir de couteau, les flammes ne seront pas les ciseaux qui déferont ses liens. Il va mourir. *La Femme secrète*, preuve qu'Helene n'était pas impliquée dans la mort de Louise, ne sera bientôt plus que cendres. Quant à Joachim… Il porte la faute sur ses épaules. Heureusement, il n'aura pas à vivre longtemps avec ce fardeau. Plus que quelques secondes. La mort l'attend. Pourtant, cette certitude ne lui apporte aucune paix. Il regarde Ellen à travers la fumée. Elle, au moins, a trouvé un certain calme. Il n'arrive plus à garder les yeux ouverts, la douleur est trop forte.

— Ellen ! s'écrie-t-il, mais son hurlement d'effroi est étouffé dans sa bouche par son bâillon.

Elle ne réagit pas. S'est-elle évanouie ? Est-elle morte ?

64

L'inspecteur de la police judiciaire vient de quitter la pièce. Le vieux photographe amateur les rassure, ce n'est pas grave, le reste du sous-sol est sombre, il n'y a aucun risque que la lumière pénètre dans la chambre noire et vienne gâcher les photos. Helene essaie de saisir des bribes de la conversation de l'inspecteur de l'autre côté de la porte. Son cerveau ne lui laisse pas une seconde de répit. Ça a l'air d'un coup de fil important. Ils ont trouvé autre chose dans le lac. S'agit-il d'un objet d'une importance telle qu'il ne faudrait pas qu'Helene en ait connaissance ? Pourquoi ? Enfin, l'inspecteur revient. Helene l'interroge du regard. Il hésite, elle le voit bien. Il ne devrait pas lui communiquer d'informations. Elle n'est pas de la police, sans compter qu'elle est soupçonnée de meurtre.

— Sans moi, vous ne seriez arrivés nulle part, rappelle-t-elle froidement.

Et elle plonge ses yeux dans les siens de la manière que maîtrisait si bien l'ancienne Helene Söderberg : avec entêtement et dureté.

— Ils ont trouvé une arme, annonce l'inspecteur à voix basse.

— Au fond du lac ?

— Pas loin. Ils se sont servis d'un détecteur à métaux *waterproof*...

Il rit et dit :

— Je n'avais jamais été embarqué dans un truc pareil.

— Est-ce la même arme que... que...

Helene cherche ses mots.

— Il est trop tôt pour le dire. Et puis, les empreintes digitales ne tiennent pas longtemps sous l'eau.

Il reporte son attention sur les photos. Le vieil homme en met d'autres à sécher.

— Et vous, qu'avez-vous trouvé ? interroge l'inspecteur.

— Regardez, répond Helene en lui montrant les photos prises dans le champ de fraises.

Un groupe assis au bord de l'eau, souriant au photographe, le soleil dans les yeux, un sourire d'autrefois. L'inspecteur étudie les clichés avec attention, se demande ce qu'il devrait y chercher. Comme Helene la première fois – jusqu'à ce qu'elle remarque, sur l'un d'entre eux, deux personnes étroitement enlacées. Une femme aux cheveux longs. Ils détournent la tête et la mise au point a été faite sur l'arbre voisin. Soit c'est une bévue, soit le photographe s'est essayé à un effet artistique.

Le retraité continue à accrocher des photos. Helene et l'inspecteur passent en revue la galerie des clichés pris par le soldat disparu. Les jeunes gens au bord de l'eau. L'inspecteur examine encore une fois leurs visages. Ouverts, gais. Photos d'été. Le jour de congé des cueilleurs de fraises. Sur un cliché, on retrouve la femme aux cheveux longs qui sourit, visiblement éprise, au photographe.

— Que faut-il que je regarde ? demande l'inspecteur à Helene.

— Vous savez à quoi ressemble mon mari ?

— Naturellement.

— Figure-t-il sur les photos ?

— Impossible. Elles datent des années 1960.

C'est à ce moment que l'inspecteur réalise. Le soldat américain, Henry : c'est le portrait craché d'Edmund. Son nez régulier, son large menton, ses grands yeux. Ses cheveux noirs et épais.

— Est-ce son… ?

— … père, répond Helene.

Puis elle montre la jeune femme assise à côté d'Henry sur sa moto.

— Et voici sa mère.

L'inspecteur ne quitte pas la femme des yeux. Caroline. Jeune, belle, et visiblement transie d'amour. Son bras sur le corps d'Henry, leurs visages rieurs et tendres tournés l'un vers l'autre. Caroline et Henry. Les parents d'Edmund.

65

Le feu a gagné quasiment l'intégralité de la charpente, il est prêt à en finir avec eux. Joachim n'arrive pas à voir Ellen à cause de la fumée qui s'est répandue dans les moindres recoins. La seule chose que les flammes ne lèchent pas, ce sont les liens qui les attachent. Joachim pense à Helene. Il revoit son visage devant lui. Quand elle se lève le matin, entrebâille la porte de son bureau, se tient derrière lui et le regarde. Lui crie des choses, hurle… dans une langue étrangère.

Quoi ? Il ouvre les yeux. Les cris ne sont pas ceux d'Helene ; des gens sont tout près, quelqu'un a repéré l'incendie. Joachim hurle malgré son bâillon, se démène pour faire autant de bruit que possible. Il donne de tels coups de pied dans la table qu'il la renverse, sans pour autant réussir à percer la rumeur du feu. En revanche, pendant une brève seconde, il parvient à voir Ellen. C'est sûrement le mouvement de la table qui a déplacé la fumée. Elle est complètement pendue par les bras, ne se soutient plus du tout par les pieds. Joachim perçoit des voix dans le jardin. Des Italiens qui parlent tous à la fois.

Soudain, des bruits de pas se font entendre dans l'escalier. On crie : *Attenzione !* Qui est-ce ? Quelqu'un qui demande aux gens présents de se tenir à distance, de ne pas pénétrer dans ce brasier ? De nouveau : *Attenzione !* Joachim essaie de se retourner pour voir la porte. S'est-elle ouverte ? Il tambourine des pieds. Tout à coup, il aperçoit une silhouette dans la fumée. L'homme s'approche de lui, et l'espace d'un instant Joachim a l'impression qu'il s'agit de Kollisander. Mais il découvre face à lui un jeune Italien ayant remonté son pull pour se couvrir le nez. Il regarde, horrifié, Joachim et Ellen. Puis son ami apparaît à son tour ; ils se crient quelque chose. Joachim est obligé de fermer ses yeux, brûlés par la fumée. Les Italiens s'acharnent sur les nœuds ; ils sont trop serrés, c'est la faute de Joachim, qui les a tendus encore plus en essayant de se libérer. Non, voilà ! On lui a délié un bras. L'Italien l'aide, et, avec des mouvements fébriles et tremblants, Joachim réussit à détacher le second poignet. Il est libre. Libre. Il a l'impression que ses bras ne pèsent rien. C'est étrange. Il les agite pour réactiver sa circulation.

Le second Italien s'est attaqué aux nœuds qui retiennent Ellen. Toute sa robe fume. Joachim se précipite vers elle, la lui arrache, envoie d'un coup de pied la table en flammes loin d'elle. Sa peau a brûlé par endroits. Les deux jeunes Italiens se concentrent sur les nœuds – un chacun. Elle gémit de douleur lorsque Joachim défait vivement le bâillon, le jette. Après quoi il ôte la corde autour de sa propre tête, crache le chiffon qu'il avait dans la bouche. Le feu dévore la charpente apparente.

— Allez, dit-il d'une voix rauque qu'il reconnaît à peine lui-même.

Ellen a l'air désorientée. Un Italien la prend dans ses bras et la porte hors de la pièce. Joachim jette un dernier regard à la flambée. À l'intérieur se trouve la preuve de l'innocence d'Helene. Suffira-t-il aux yeux de la police qu'Ellen et lui l'aient vue ? Est-ce que ce sera assez pour qu'Helene soit libre ?

— *No !*

Joachim entend le jeune Italien crier dans son dos en le voyant se précipiter à nouveau dans les flammes.

— *No !*

Joachim trébuche sur la table. Élancement dans la jambe, mais il se relève. Il agite les bras devant lui, essaie désespérément de dissiper la fumée ici et là pour y voir quelque chose. Puis il sent que les Italiens le saisissent, le retiennent par un bras pendant qu'il beugle. Il abandonne, se laisse entraîner. Et c'est là qu'il le voit. Par terre. *La Femme secrète.* D'un soubresaut il se libère, a juste le temps de saisir la toile avant que les Italiens le saisissent, lui. Cette fois, il ne leur oppose aucune résistance et court avec eux vers la sortie, vers l'oxygène, vers la vie.

*

Au moment où les sauveurs de Joachim l'aident à descendre, Ellen est déjà étendue sur une couverture dans le jardin. Une femme est assise derrière elle et verse de l'eau sur ses blessures, un peu dans la bouche aussi. Les Italiens soutiennent Joachim pendant qu'il se redresse. D'autres mains sont déjà prêtes à s'occuper de lui. Un fleuve ininterrompu de gens entre dans le jardin.

Les deux jeunes veulent retourner à l'intérieur de la maison : « On a vu un homme au rez-de-chaussée », voilà tout ce que Joachim arrive à saisir. Deux Syracusains sont déjà en train de s'attaquer à la porte, fermée de l'intérieur. Joachim regarde à travers la fenêtre. Dans la dépendance, là où, il y a quelques

heures à peine, ils dînaient en compagnie de Kollisander, le feu fait rage. Pendant une brève seconde,
Joachim l'aperçoit : sa silhouette, son large dos, un
cri. Les jeunes ne peuvent pas comprendre. Évidemment, Kollisander préfère brûler vif plutôt que de
finir sur le bûcher du scandale.

— Joachim ?

Il se retourne. Ellen. Qui lui sourit.

Alors, il ferme les yeux.

66

L'eau, ensommeillée, paresseuse, ne s'anime que quelques courts instants lorsqu'elle se jette contre les parois rocheuses de l'île. Autrement elle reste là, noire et sans vie. Est-il mort ? Aussi mort que des eaux mortes ? Non, le voilà projeté contre la roche, tout son corps n'est que douleur, il émerge et pose sur le monde le même regard que celui de l'eau : à travers un voile. Puis il retombe dans une mer d'indifférence. Qu'il disparaisse donc. Voilà son avis. Que les deux cent six os et les quatre-vingt-dix mille kilomètres de veines, veinules et artères qui composent l'être humain qu'est Joachim disparaissent à jamais. Qui se souviendra de lui ? À qui va-t-il manquer ? Sa famille ? À peine. Ses lecteurs ? Ha ! Allons, viens à moi, mon Dieu, murmure-t-il pendant un bref moment de conscience, jette-moi, mon Dieu, jette-moi une dernière fois contre les roches de la vie. Mais Dieu ne l'entend pas. Joachim ne meurt pas.

Combien de temps s'est-il écoulé ? Des jours ? Des semaines ? Il s'éveille à nouveau, mais cette fois c'est différent, il n'a pas envie de se rendormir aussitôt. Il regarde autour de lui. Il est dans une grande pièce, une chambre individuelle avec deux fenêtres. De légers rideaux blancs le protègent du soleil de l'après-midi. De temps à autre, à intervalles irréguliers, les carreaux tremblent légèrement en produisant un bruit cristallin. C'est le train qui passe. Une infirmière le lui a expliqué à l'occasion d'un de ses réveils bien involontaires pendant lequel elle l'a forcé à boire. Il est à Palerme, l'hôpital s'appelle « Villa Maria Eleonora » ou quelque chose d'approchant. Joli nom. Bel endroit pour mourir. Mieux qu'ailleurs, en tout cas. Cela rendra bien sur la quatrième de couverture, sous son portrait, quand ses livres seront réimprimés. Né à la Saint-Sylvestre 1962 à Onsevig, sur l'île de Lolland. Mort en 2015 à Palerme, en Sicile. Passant de la lisière du Danemark à la lisière de l'Europe.

Dans le couloir, il entend des pas affairés et des murmures inquiets. Parfois ponctués par une voix excitée ou un accès de toux. Il baisse les yeux sur lui-même : il est couvert de bandages et de gros pansements. Le pire, c'est le dos : ampoules crevées, peau à vif, il faut qu'il reste allongé sur le côté. Tout ce qui n'est pas enroulé dans un bandage est couvert d'un baume épais et collant. Il a toujours mal aux bronches. Mais il s'en est bien sorti ; voilà ce qu'il a retenu de ses quelques entretiens avec le médecin. Dans son anglais impossible, celui-ci lui a assuré qu'il serait bientôt rétabli.

Joachim s'est enquis d'Ellen. Le médecin a hésité. Trop longtemps. Il se battait sûrement avec les mots, la grammaire, la syntaxe. Il a péniblement expliqué qu'ils faisaient tout ce qui était en leur pouvoir pour venir en aide à… *the woman from Denmark*. Intoxication respiratoire. Les poumons. *Very serious*. Joachim se sent très mal quand il pense à l'état dans lequel se trouve Ellen. Même si, d'une manière ou d'une autre, elle savait, ou du moins se doutait, que Kollisander avait tué Louise. Joachim ignore toujours comment elle l'a deviné.

Il arrête d'y réfléchir. Pense à Helene. Elle lui manque, et il n'arrive pas à décider si ce manque est plus douloureux ou non que ses brûlures. Quoi qu'il en soit, il a mal partout, physiquement et mentalement. Il repense au tableau de Kollisander. *La Femme secrète* a-t-elle été sauvée du feu ? Il repasse dans sa tête le moment où ils ont descendu l'escalier. Il tenait le tableau sous son bras, il en est certain. Ensuite, il ne se souvient plus de rien. Il a dû s'évanouir. Sans ce portrait, peint sur la peau de Louise, il n'y a plus aucune preuve que c'est Kollisander qui l'a assassinée. Auquel cas il aura mené toute cette enquête en vain.

Il n'arrête pas de voir le visage d'Helene luire devant lui. Helene la belle. Ce combat dément contre Kollisander avait pour seul but d'épargner la prison à celle qu'il aime. La pensée qu'on l'enfermera peut-être quand même pour un crime qu'elle n'a pas commis lui est insupportable. Soudain, Joachim se sent envahi par une implacable honte. Ellen… En ce moment même, les médecins luttent pour lui sauver la vie, or la seule à laquelle il pense, lui, c'est Helene.

Une infirmière entre dans sa chambre, suivie par deux hommes en uniforme.

— *Polizia*, annonce l'infirmière.

Les deux hommes tiennent leur casquette sous leur bras, la mine grave. L'infirmière sort, revient un instant plus tard avec deux chaises qu'elle dispose près du lit. Elle lisse d'un geste vif le drap de Joachim, comme pour le rendre plus présentable face à eux. Puis elle sort et referme la porte derrière elle.

Les deux policiers sont rasés de près, du même âge que lui et mariés tous les deux, devine Joachim en remarquant leurs alliances en or. En cet endroit précis près de la mer, Dieu a établi une sorte de biopsie de l'homme européen d'âge moyen. C'est fou ce qu'ils sont différents. Deux hommes beaux, respectueux des règles, craignant Dieu, mariés, avec des gamins et toute la panoplie. Et puis lui dans ce lit d'hôpital, qui tombe toujours amoureux des mauvaises femmes, avec le chaos qui s'ensuit.

Le premier policier regarde sa montre, se racle la gorge, murmure quelques mots au second. Celui-ci, peut-être son subordonné, se lève vivement, ouvre la porte et jette un coup d'œil dans le couloir. Peu après, un troisième homme pénètre dans la chambre. Il est svelte, les cheveux gris, porte un costume qui tombe bien. Ses traits sont raffinés. Il s'avance droit sur Joachim.

— Frans Villumsen. Je suis ambassadeur.

Puis, après une petite pause, il ajoute :

— J'ai pris l'avion depuis Rome. Comment vous sentez-vous ?

Joachim se contente de hausser les épaules.

— Vous avez été admis à l'hôpital public, mais nous vous avons fait transférer ici car ils ont un service spécialisé dans les grands brûlés. La police aimerait vous poser quelques questions. Êtes-vous… *up for it*, comme on dit en anglais ?

— Oui, souffle Joachim. Merci beaucoup pour ce que vous avez fait.

L'ambassadeur considère Joachim avec étonnement. Puis il sourit, un grand sourire qui redonnerait presque l'envie de vivre à Joachim. Peut-être la reconnaissance sera-t-elle son nouveau moteur, sa nouvelle motivation ? Pendant toutes ces années, il n'a fait que prendre, qu'exiger. Et si tout était aussi simple que cela ? Joachim est encore perdu dans ses réflexions à propos de la gratitude quand l'infirmière entre avec une troisième chaise. L'ambassadeur danois la remercie en italien. Il donne à Joachim l'impression de parler cette langue de manière fluide, naturelle. On sort un bloc-notes, un stylo à bille. Et l'interrogatoire commence.

L'ambassadeur traduit sans effort, avec classe, comme s'il interprétait une conversation sur le meilleur endroit où manger une *pasta primavera* dans le Trastevere. À aucun moment il ne laisse penser qu'il s'agit d'une question capitale. Les policiers sont un peu perdus. Il leur faut beaucoup de temps pour éclaircir quelques malentendus linguistiques et comprendre qui est Joachim. Comprendre ce que lui et Ellen faisaient dans la maison de Kollisander. Joachim essaie de leur expliquer les choses simplement, mais le caractère chaotique des questions et de la situation rend sa tâche impossible. L'ambassadeur ne cesse de l'interrompre au milieu de ses phrases, le téléphone des policiers n'arrête pas de sonner, ils sortent dans le couloir à tour de rôle, hurlent dans leur mobile ; on ouvre des portes, on en ferme d'autres. À chaque fois que l'un est de retour, il se dispute avec le second. Sans compter qu'il faut tout consigner par écrit.

Heureusement, petit à petit, les pièces du puzzle commencent à s'assembler et l'ambassadeur en personne semble s'intéresser à l'affaire. Joachim peut enfin poser ses propres questions.

— Avez-vous retrouvé le tableau peint sur la peau de Louise Andersen ? La preuve que c'est Kollisander le meurtrier ?

L'ambassadeur traduit. Les policiers, surpris, font signe que non.

— Êtes-vous certain que le tableau a échappé aux flammes ? demande l'ambassadeur.

— Je l'avais avec moi en descendant l'escalier, répond Joachim. Ensuite, je ne me souviens pas…

Le premier policier prend des notes. L'autre sort son téléphone et passe un appel. Il parle fort, et longtemps. Joachim attend que l'ambassadeur lui traduise ce que lui a communiqué le policier.

— Les ambulanciers ont emmené le tableau avec vous. Il se trouve toujours ici, à l'hôpital. À présent, ces messieurs et moi allons nous mettre en relation avec la police de Copenhague. Dans ce genre de cas, il n'est pas rare que l'on constitue une équipe transnationale, explique l'ambassadeur – ainsi que bien d'autres choses que Joachim n'écoute pas.

Car c'est lui-même qu'il écoute, la petite voix qui murmure dans sa tête : enfin ! C'est sûr et certain, Helene n'ira pas en prison. Elle n'ira pas en prison.

— Monsieur l'ambassadeur ? l'interpelle Joachim.

L'homme, dans l'encadrement de la porte, se retourne. Le dévisage.

— Je vous en prie, appelez-moi Frans.

— Frans… Pourriez-vous leur dire que j'aimerais parler à Helene ?

*

L'infirmière l'accompagne dans le couloir. Il tarde beaucoup à Joachim d'entendre la voix d'Helene. Néanmoins, il est inquiet. Que fera-t-il si elle ne veut plus de lui ?

— Arrête tes histoires, marmonne-t-il pour lui-même.

L'infirmière s'arrête, demande :

— *Si ?*

« Oui » ? Quoi donc, « oui » ? Joachim fait un signe de tête à la femme. Mais *si*, enfin ! Oui à la vie, oui à Helene, oui à l'existence, oui à ce que justice soit faite ! L'infirmière ouvre la porte. Mais ce n'est pas celle du bureau du médecin, où se trouve le téléphone que Joachim est censé emprunter. Il reste pétrifié sur le seuil. Malgré les stores fermés, un peu de lumière du jour se glisse à l'intérieur en fins rayons. Elle est là, parfaitement immobile : Ellen.

— *Prego*, dit l'infirmière en tendant le bras.

Joachim s'avance à contrecœur de quelques pas. Et la porte se referme derrière lui. Ils sont seuls. Elle n'est qu'une petite silhouette assise dans son lit, à l'autre bout de la pièce, près de la fenêtre.

— Tu me détestes ? lance-t-elle d'une voix plus rauque que jamais.

Joachim fait encore quelques pas pour mieux voir son visage. Elle n'a aucune blessure apparente, mais elle a l'air très lasse.

— J'ai reçu le même traitement que Niki Lauda, dit Ellen.

— Niki Lauda ? répète Joachim, qui examine les bandages qui couvrent les bras d'Ellen.

— Tu sais, le pilote de Formule 1. Celui qui a eu les poumons brûlés quand il s'est retrouvé coincé dans sa voiture en feu, explique Ellen.

Joachim se tient debout à côté d'elle. Doit-il s'asseoir ? Il essaie d'analyser ce qu'il ressent envers elle pour répondre à sa question. La déteste-t-il ?

— Comment est-ce que tu savais ? l'interroge-t-il.

— Tu ne voudrais pas t'asseoir ? Je me suis sentie tellement seule ces derniers jours.

Non, Joachim n'en a pas envie. Il aurait envie de s'en aller, il veut entendre la voix d'Helene, pas celle d'Ellen. Mais il s'assied. S'installe un long silence. Dans l'esprit de Joachim, c'est à elle de s'expliquer.

— Quand on est entrés aux Beaux-Arts, finit par répondre Ellen.

— Qui est-ce, « on » ?

— En fait, Kollisander a commencé un an après moi. Mais déjà à l'époque, il avait un côté… pervers.

— Comment ça ?

Ellen s'éclaircit la gorge. Elle a du mal à trouver son souffle pour articuler :

— Quand on apprenait à faire des croquis, c'est-à-dire quand des modèles venaient poser pour nous, il voulait toujours faire des choses qui, selon les autres, dépassaient les limites du tolérable.

— Quoi, par exemple ? demande Joachim en observant attentivement Ellen.

Elle essaie de hausser les épaules, mais la manœuvre est douloureuse. Elle grimace.

— Il a peint une toile à partir de la pisse et du sang d'une des jeunes modèles. Ça a créé un gros débat, explique-t-elle, pensive. Pour Kollisander, ce n'était jamais assez que l'art imite le réel : il ne devait pas être une simple métaphore.

— L'art devait *être*, dit Joachim.

— Oui. Alors, quand tu as débarqué avec ton histoire de fille écorchée et de peinture à la colle de peau…

Ellen s'interrompt un long moment. On n'entend que les bruits de la place, les pigeons, un couple qui se dispute.

— Si tu savais que c'était lui… pourquoi as-tu été d'accord pour m'aider ? Et pourquoi m'as-tu emmené ici ?

En guise de réponse, Ellen détourne la tête. Joachim reste assis. Sa colère a disparu, il n'éprouve plus que de la compassion. Il connaît parfaitement la réponse. Pourquoi est-ce si important pour lui de se l'entendre dire ?

— J'ai toujours su que tu reviendrais me voir un jour, murmure Ellen. Et je savais que, quand tu reviendrais, tu le remarquerais.

— Je remarquerais quoi, Ellen ?

— Ce que tu m'avais fait.

*

Joachim tape le long numéro sur le vieux téléphone fixe à touches. C'est l'ambassadeur qui le lui a donné, en lui assurant qu'Helene était prête à lui parler. À l'autre bout du fil, la sonnerie se prolonge une éternité ; puis, soudain, la communication est établie.

— Joachim ? articule une voix de femme haletante.

— Helene ?

Il l'entend respirer à l'autre bout. Si lointaine. Et si proche.

— Helene, répète-t-il.

Les larmes roulent sur ses joues.

— Tu pleures ? demande-t-elle. Ou c'est la ligne qui est mauvaise ?

Joachim sourit entre ses larmes.

— Les deux... Mais c'est surtout que je pleure, en fait.

Puis il lui raconte tout, même s'il ne sait pas vraiment par où commencer. Helene a déjà eu des informations par la police. Quand ils lui ont parlé de la venue de Kollisander à la fonderie, des bribes de souvenirs sont remontées à sa mémoire. Elle s'est rappelé leur lutte, elle s'est aussi rappelé avoir embarqué sur le ferry en partance pour Bornholm. Le moment de sa fuite de Silkeborg commençait lui aussi à être plus clair dans son esprit. En temps normal, jamais elle n'aurait abandonné ses enfants. Elle s'était enfuie uniquement pour pouvoir réfléchir à tête reposée. Trouver par quel moyen elle pourrait les emmener loin de tout, loin d'Edmund et de Caroline.

Joachim écoute la voix d'Helene, l'écoute lui raconter comment elle est arrivée à Copenhague en compagnie d'un chauffeur de poids lourd, comment elle a rencontré Louise... ou, plus exactement, comment Louise a rencontré Helene. L'a conduite chez elle. Helene était toujours sous le choc. Elle niait la réalité. La vie misérable que menait Louise à la fonderie convenait parfaitement à l'état d'ébranlement dans lequel elle se trouvait. Elle savait qu'elle réussirait à sauver ses enfants. La seule chose qu'elle ne savait pas, c'était comment. Elle avait peur d'Edmund, peur de Caroline, peur de ce qu'ils étaient capables d'inventer. Elle voulait avant tout protéger son fils et sa fille, elle croyait, à l'époque, qu'ils étaient le produit d'un inceste.

— Tu *croyais* ? s'étonne Joachim.

— J'y arrive, répond Helene.

Elle poursuit son récit. Explique comment elle a fui après le meurtre de Louise par Kollisander. Elle ne pouvait pas aller voir la police. Plus tard, Edmund l'a retrouvée. Et elle a de nouveau été happée par le cauchemar. Quand elle est arrivée par le ferry à Bornholm, elle n'en pouvait plus. Elle se sentait sur le point de mourir. Elle s'est évanouie. Quand elle s'est réveillée, son cerveau avait enfin arrêté de la torturer : il avait effacé tout le sordide, ou en tout cas l'avait enfoui si profondément en elle qu'elle avait pu recommencer à vivre.

C'est ensuite au tour de Joachim de lui raconter les derniers événements. Quand il lui parle du tableau, de l'immonde tableau que Kollisander a peint sur la peau arrachée au corps de Louise, Helene éclate en sanglots. Ce n'est que lorsqu'il lui dit que Kollisander est mort dans l'incendie de sa maison de Syracuse qu'elle cesse de pleurer. Un long silence suit.

— Tu es toujours là ? demande Joachim.

— Oui.

— Où es-tu ?

— Au commissariat. Ils auraient bien voulu écouter notre conversation.

— Ils sont avec toi, là ?

— Non. Personne ne nous écoute. J'ai encore quelque chose à te raconter.

67

Joachim se trouve devant le café de Christiansø.
Il est fermé. Aucune lumière, une épaisse couche de
crasse couvre les vitres. Sur le trottoir, chaises empilées, attachées par une chaîne. Des feuilles mortes
se sont assemblées devant la porte et le vent les fait
frémir.

Joachim vient de passer de la chaleur du climat
sicilien à un Danemark déjà enveloppé d'automne. Il
contourne le café jusqu'à la porte de derrière. La clé
de secours est sous le gros pot de romarin, comme
toujours. Il époussette la terre qui la recouvre. Ouvre,
entre.

Les nappes sont mises, le sel et le poivre sur chaque
table. Sur le comptoir, les plateaux ronds chargés
de verres à vin. Le café pourrait ouvrir dans une
minute. Seules la poussière et les mouches mortes
sur les rebords des fenêtres révèlent qu'il a été fermé
lontemps.

Joachim reste debout un moment. Se remémore le
jour où tout a basculé quand Edmund a fait irruption ici. Ou, plus exactement, quand Edmund a
fait irruption dans leurs vies. À présent, il a repris
son travail, encore plus obsédé et monomaniaque
qu'avant. Ce sont les dernières nouvelles qu'il ait

eues par Helene : qu'il ne voulait discuter de rien. Qu'il était marqué, renfermé, faisait comme si rien ne s'était passé, refusait d'admettre que sa propre mère avait été jetée en prison pour le meurtre d'un soldat américain qui se trouvait être son vrai père[1]. Caroline s'est cramponnée à son mensonge jusqu'à la production du pistolet, l'arme qui a servi à tuer Henry Louis Miller, et son analyse afin de déterminer s'il portait des empreintes digitales. En temps normal, elles n'auraient pas tenu plus de quelques mois dans l'eau ; un an au maximum. Mais l'eau des lacs autour desquels Helene a grandi est unique. Ici, l'eau conserve l'histoire. Hommes et femmes assassinés ou sacrifiés à des dieux primitifs il y a de cela des milliers d'années, entrepreneurs gênants, soldats américains, tous sont préservés dans cette vase dépourvue d'oxygène ou presque. Les empreintes digitales de Caroline l'ont également été. Trois : le petit doigt, l'annulaire et le majeur de la main droite.

Caroline avait séduit Aksel Söderberg, le père d'Helene, afin de récupérer ce qui lui revenait de droit. Sachant qu'elle n'y parviendrait pas par la voie de la justice, elle avait opté pour le mariage. Mais le vieux s'était montré prudent pendant leurs ébats ; il n'était pas facile de concevoir un enfant avec lui. Voilà pourquoi Caroline avait trouvé un soldat américain de passage intéressé par une aventure et dont elle avait pu se servir dans ce but : la mettre enceinte. Ensuite, elle avait pu prétendre que l'enfant était d'Aksel et se faire épouser.

Le problème, c'était qu'Henry était tombé amoureux de Caroline et qu'il ne voulait plus repartir.

---

1. Au Danemark, il n'y a pas de prescription pour les meurtres. (*N.d.T.*)

Il était persuadé que l'enfant était de lui, et il avait découvert les plans de Caroline. Désespéré comme on peut l'être quand on aime, il avait menacé de la dénoncer. Mais il était hors de question que Caroline se laisse priver de son héritage une nouvelle fois. Par une soirée d'août, elle s'était servie du pistolet de service d'Henry contre lui. Rien qu'une balle. Elle n'avait pas très bien visé, mais Henry était tombé dans le lac et s'était débattu pendant presque une minute, mêlant son sang à cette eau millénaire. Son corps s'était retrouvé à flotter à la surface. Caroline lui avait attaché l'ancre du bateau aux pieds, comme d'autres l'avaient fait à son père à elle, sur ordre d'Aksel Söderberg.

Elle n'avait pas eu l'impression de tuer le père de son fils ; voilà ce qu'elle avait déclaré à l'audience. Elle avait plutôt eu l'impression de travailler à obtenir son dû. Comme tant d'autres, elle s'était montrée prête à rendre coup pour coup à tous ceux qui avaient voulu lui mettre des bâtons dans les roues. Voilà pourquoi cela ne lui avait posé aucun problème de payer – à prix d'or – un homme de main pour faire assassiner Helene le jour où elle était allée rendre visite à Marius Flint dans l'auberge qu'il tenait. La police était encore à la recherche du tueur, mais elle était persuadée qu'elle mettrait la main sur lui sous peu : c'était l'un des hommes qui avaient été employés au service de sécurité interne de Söderberg Shipping. N'y travaillant plus, ayant déjà trempé dans diverses affaires louches, il avait petit à petit, à l'instar de beaucoup de ses anciens collègues, glissé vers des missions ponctuelles. Ils devenaient consultants en sécurité, gardiens, détectives privés. Edmund l'avait engagé quand Helene avait disparu. Il lui avait confié des tâches de surveillance, d'espionnage. C'était donc un proche de la famille, y compris de Caroline. On pouvait dire qu'elle avait redéfini ses attributions. Elle l'avait appâté par le gain. Ce n'était pas difficile, certains feraient tout pour de l'argent. Si ce que Joachim avait vécu ces dernières semaines devait porter un titre, ce serait : *Certains feraient tout pour de l'argent*. Et pour la célébrité. Tout.

Helene était allée rendre visite à Caroline en prison. La vieille femme avait eu beau commettre des actes horribles – assassiner son amant, détruire psychologiquement son propre et unique fils avec son plan de vengeance dément –, Helene n'éprouvait que de la compassion envers elle. Envers Edmund également. Il refusait de rendre visite à sa mère. Pour lui, l'histoire était terminée, il était désormais inutile d'en parler. C'est ce qu'il avait déclaré à Helene l'une des rares fois où elle l'avait vu au bureau. Elle avait signé vingt-deux procurations qui accordaient à son mari le contrôle total de l'entreprise. Elle l'avait fait de bon cœur. Du moment qu'elle pouvait recouvrer sa liberté... Du moment qu'elle pouvait éloigner ses enfants de cette insensée bataille pour l'argent et le pouvoir.

Voilà comment Helene avait présenté les choses à Joachim. Elle lui avait aussi raconté la réaction d'Edmund : il n'avait nullement été soulagé d'apprendre que leurs enfants n'étaient pas le produit d'un inceste, nullement affecté par le fait que sa propre mère avait tué son propre père. La seule chose sur laquelle il se concentrait, c'était développer l'entreprise, mener à bien le rachat de la compagnie de navigation hollandaise, devenir le leader mondial sur les mers, filer de rendez-vous en rendez-vous dans son jet privé, faire partie des cercles proches du pouvoir, rencontrer différents ministres et chefs d'État étrangers.

Joachim sent une pointe de jalousie le saisir. Edmund est et sait tant de choses, Joachim ne peut pas se comparer à lui. Lui n'est même pas capable d'avoir un travail fixe, ni même d'écrire quelques heures par jour, sa concentration se disperse et le reste de sa journée se perd en broutilles… Helene se lassera-t-elle de lui un jour ? Le glamour du pouvoir finira-t-il par lui manquer ?

Il retourne chercher le sac à dos et les courses qu'il a laissés devant le café. Il inspecte rapidement la cuisine, sort par la porte de derrière et monte les marches. Jusqu'à l'appartement. Là non plus, rien n'a bougé. Il est parti à la hâte, sans rien emporter. Il ouvre le réfrigérateur. Un bocal de câpres solitaire y traîne encore. Lina a dû le vider avant de quitter l'île. Joachim commence à remplir tranquillement les étagères. Il n'avait aucune idée de ce qu'il fallait acheter. Il a donc pris au supermarché tout ce qu'il s'imagine que les enfants aiment bien. Des trucs sucrés, des tas de trucs sucrés. Du chocolat à tartiner, trois sortes de confiture différentes, du sirop de fraise. Helene ne manquera pas de protester.

Ensuite, il fait le tour de l'appartement, juste pour s'assurer que tout est encore là. Le salon. Après un arrêt sur le seuil, il s'assied, quelque peu gêné, sur le canapé bleu. Il n'aurait jamais cru que des retrouvailles avec un bête canapé étaient capables de procurer une telle joie, une joie venue du plus profond de ses entrailles. Il passe sa main sur sa cuisse. Sa jambe est toujours raide et difficile à plier depuis sa brûlure. Ça aussi, bientôt, ça ira mieux. Il se remet péniblement debout. Un homme aguerri. Un guerrier de l'amour. Ulysse. Il sourit tout seul. Il est bardé de cicatrices, endurci.

Il espère que les enfants n'auront pas peur de lui quand ils le verront. Helene l'a prévenu, ils ne vont pas très bien. Ils souffrent de profondes blessures intérieures. Mais tout va s'arranger. Ils ont le temps. Ils apprendront à le connaître et inversement. Helene et lui se réapprivoiseront. En repartant de zéro ou presque. Il sait que, personnellement, il a changé, et pendant leurs conversations téléphoniques il a claire-ment deviné qu'Helene aussi avait vécu des choses qui l'avaient transformée. Elle l'a averti qu'elle a changé d'apparence physique : nouvelle couleur de cheveux, nouvelle coupe. Elle a ri en lui racontant sa « séance chez le coiffeur » dans les toilettes du camping. Joachim n'a pas encore saisi tous les détails.

Le sac de Louise est toujours par terre, à l'endroit où il l'a laissé après avoir trouvé le sous-bock avec le numéro de téléphone. Louise. La femme secrète. Il reste un instant le sac entre les mains. Il se dit que c'est son histoire à elle qu'il va écrire. Si tant est qu'il se remette à l'écriture… Helene a renoncé à l'argent et à l'entreprise Söderberg Shipping afin qu'ils puissent vivre ensemble. Vivre tout court. Ce serait le moindre des sacrifices que de renoncer aux livres pour Helene. Pour la vie.

Il le sait à présent. C'est peut-être pour cela qu'il a l'impression qu'il pourrait se remettre à écrire : parce que ce n'est plus si important. Parce qu'il le peut, mais qu'il peut aussi y renoncer. De toute manière, son bureau doit disparaître puisqu'il va devenir la chambre du garçon. Ils ont prévu que Christian participerait à son aménagement. Il pourra choisir la couleur des murs s'il le souhaite. Ou les laisser tels quels s'il préfère. Ils verront au fur et à mesure. Pour commencer, Sofie aura son lit dans leur chambre à eux. Quant à ce qui se passera par la suite, ils verront... Plus tard.

Joachim regarde la mer. Vers le large. Il ferme les yeux, se penche un peu. Les nuages défilent et cachent le soleil. Un rayon l'aveugle l'espace d'une seconde avant de disparaître à nouveau derrière un nuage. Ça y est, il le voit. Le petit point qui se rapproche. Le ferry.

*

Le vieux bateau lutte contre les vagues, contre le vent. Helene presse Sofie contre elle, savoure la chaleur du corps de sa fille toute proche. Elle les revoit sans cesse en pensée dans le hall d'arrivée de l'aéroport, en compagnie de Katinka. La jeune fille avait l'air aussi boudeur et distant que dans le souvenir d'Helene. Elle a de la peine quand elle repense au fait qu'Edmund et Caroline les ont envoyés à Londres. D'un autre côté, aucun d'entre eux, Helene encore moins qu'Edmund, n'était en état de s'occuper d'eux. Le reconnaître lui a fait un choc. Elle s'en est rendu compte à l'aéroport. Et à nouveau sur le ferry. Elle se le promet à elle-même en silence : *plus jamais cela n'arrivera.*

Au début, Sofie a refusé tout net de lâcher la main de Katinka. La cavalière lui a murmuré quelques mots à l'oreille et l'a poussée gentiment dans le dos pour l'encourager. Alors Sofie s'est avancée bravement vers Helene et l'a laissée la prendre dans ses bras. S'est lentement abandonnée à l'étreinte. Tout est plus facile avec elle, elle est encore si jeune. Christian, lui, est resté à trois pas, les mains profondément enfoncées dans ses poches, une expression maussade sur le visage. Il les a suivies jusqu'à la voiture mais n'a répondu à aucune question qu'on lui posait. Il est encore très réservé. Il garde ses distances, observe la mer. Une expression adulte dans le regard. Un petit homme qui a déjà trop vécu.

Helene se tourne vers lui, inquiète. Le vent dans ses cheveux, ses joues rouges. Tout va s'arranger, se dit-elle. Avec le temps, tout s'arrangera. Pour l'instant, il faut qu'ils trouvent leur rythme : une nouvelle école, les retours chez leur père pendant les vacances et pour quelques week-ends. Vingt-deux procurations qui donnent à celui-ci le contrôle de l'entreprise en échange de ses enfants. Le contrat le plus facile qu'Helene ait jamais eu à négocier de sa vie.

Elle s'adosse au bastingage. Prend une profonde inspiration. Se retourne, regarde droit devant elle avant de fermer les yeux. Christiansø. Elle a toujours adoré la manière dont les falaises donnent l'impression de surgir de la mer. Une oasis dans un désert d'eau. C'est là que se trouve leur foyer. Là qu'il attend. Il y a encore beaucoup de choses dont ils n'ont pas parlé. Elle ignore dans quelle mesure sa mémoire lui reviendra avec le temps. Elle a fini par s'habituer aux bribes fulgurantes qui émergent de temps en temps. Les petites pièces d'un puzzle qui ne sera peut-être jamais complet.

Mais cela n'a plus autant d'importance. Elle sait le principal. Elle sait qui elle est. Qui elle veut être. Elle sait que son avenir est ici. Au café, dans l'appartement de Christiansø. C'est là qu'elle s'épanouira, qu'elle saura s'entourer des gens capables de tirer le meilleur d'elle-même. Ici qu'elle saura tirer le meilleur de ceux qu'elle aime. Il est étrange que la vie qu'elle a menée au moment où sa mémoire lui faisait le plus défaut, où elle en ignorait le plus sur elle-même, soit la période pendant laquelle elle ait été le plus honnête de toutes. Voilà vers quoi elle tend à nouveau. Voilà ce qu'elle a envie de vivre avec Joachim et les enfants. Elle sait que c'est aussi le souhait de Joachim. C'est même lui qui a proposé que son bureau devienne la chambre de Christian.

— La chambre de Christian sur l'île de Christian, comme il l'a dit avec un sourire.

— Mais où vas-tu écrire ? a demandé Helene, déconcertée.

— Tant pis, a-t-il répondu en riant. Nous verrons.

Telle a été sa réponse à toutes les inquiétudes d'Helene : *Nous verrons*. Il lui a parlé avec une légèreté toute nouvelle qu'elle ne lui connaissait pas mais qui l'a fait respirer à fond, avec plus de calme. Il les attend sur l'île, qui se profile de plus en plus nettement. Ses contours apparaissent. Les toits des maisons, les falaises. Helene se redresse, montre du doigt aux enfants le café blotti au sein du port.

Et c'est à ce moment-là qu'elle s'en rend compte : tous ces matins où, au réveil, elle regardait la mer en attendant que quelqu'un arrive, quelqu'un qui changerait tout…

À présent, elle a compris. La personne qu'elle attendait, c'était elle.